KAREN MAITLAND

Karen Maitland est née en 1956. Fascinée par l'époque médiévale, elle en a fait le cadre de ses trois romans parus chez Sonatine Éditions et repris chez Pocket : *La Compagnie des menteurs* (2010), *Les Âges sombres* (2012) et *La Malédiction du Norfolk* (2014).

Retrouvez toute l'actualité de l'auteur sur :
www.karenmaitland.com

1348

**La peste a envahi l'Angleterre
et les mensonges que
vous proférerez
vous conduiront à la mort**

DU MÊME AUTEUR
CHEZ POCKET

La Compagnie des menteurs
Les Âges sombres
La Malédiction du Norfolk

LA COMPAGNIE DES MENTEURS

KAREN MAITLAND

LA COMPAGNIE DES MENTEURS

Traduit de l'anglais
par Fabrice Pointeau

SONATINE

Titre original :
COMPANY OF LIARS

Ouvrage réalisé sous la direction
d'Arnaud Hofmarcher et de François Verdoux

Pocket, une marque d'Univers Poche, est un éditeur qui s'engage pour la préservation de son environnement et qui utilise du papier fabriqué à partir de bois provenant de forêts gérées de manière responsable.

ISBN : 978-2-266-20752-2

Souvent la vérité est une arme redoutable. Il est possible de mentir, et même d'assassiner, pour la vérité.

Alfred Adler, psychiatre

Nous avons besoin des mensonges... pour pouvoir vivre.

Friedrich Wilhelm Nietzsche, philosophe

Sur les traces
de la Compagnie
des menteurs
① Kilmington
② Thornfalcon
③ La grotte
④ Woolstone
⑤ North Marston
⑥ Northampton
⑦ La chapelle
⑧ Gasthorpe
⑨ L'île de l'ermite
Écosse
Les Cheviot
York
Lincoln
Estuaire
de Norfolk
Les marais
Angleterre
Pays
de Galle
Gloucester
Bristol
Londres
Chedzoy
Melcombe

Prologue

« C'est donc entendu, nous l'enterrerons vivante avec la bride de fer. Ça lui fera tenir sa langue. » L'aubergiste croisa les bras, soulagé qu'ils soient au moins parvenus à s'entendre sur cela.

« Le fer contiendra tous ses blasphèmes. Il peut tout arrêter. C'est l'une des matières les plus puissantes pour résister au diable, après l'hostie et l'eau bénite. Bien sûr, ce serait mieux si nous en avions, hélas, nous n'en avons pas par les temps qui courent. Mais le fer fera tout aussi bon usage.

— Va dire ça aux voisins, grommela son épouse. Il n'y a pas une porte ni un volet qui ne soit couvert de fers à cheval, mais on aurait tout aussi bien fait d'accrocher des plumes de poulet vu ce que ça nous a protégés. »

Son mari lui jeta un regard noir.

« Mais avec la bride elle ne pourra plus proférer de blasphèmes, n'est-ce pas ? Alors, fer ou non, ça fonctionnera.

— Mais supposez qu'elle ne meure pas ? gémit le garçon qui servait à boire aux clients. Supposez qu'elle parvienne à sortir de terre et qu'elle vienne nous chercher en pleine nuit ? »

Il regarda nerveusement en direction de la porte comme s'il l'entendait déjà gratter derrière.

« Ne pourrions-nous pas lui enfoncer un pieu dans le cœur avant de l'enterrer ? Alors nous serions sûrs qu'elle est morte.

— Tudieu, garçon ! Te porteras-tu volontaire pour enfoncer le pieu pendant qu'elle sera là à te regarder ? Parce que moi, certainement pas. »

Le garçon secoua la tête avec véhémence et se recroquevilla encore plus sur son tabouret, comme terrifié à l'idée que quelqu'un risquait de lui placer un pieu entre les mains et de le forcer à le faire.

Avec un soupir exaspéré, l'aubergiste parcourut du regard la douzaine d'hommes et de femmes avachis sur les bancs de la lugubre taverne. Bien qu'il fît encore jour au-dehors, les volets étaient tirés et la porte verrouillée. Non que les verrous fussent nécessaires, la force de l'habitude simplement. Ils se sentaient plus à l'abri avec les verrous tirés. Même si aucun n'empêcherait la sorcière de découvrir ce qui se tramait. Quant aux étrangers de passage, aucun, à moins qu'il ne soit las de la vie, ne s'approcherait à moins de dix mètres d'un bâtiment dont les portes et les volets étaient fermés, aussi assoiffé et affamé fût-il.

L'aubergiste avait toutes les raisons du monde de perdre patience. S'ils ne réglaient pas ce problème avant la tombée de la nuit, il serait trop tard pour agir. L'affronter en plein jour était déjà terrifiant, mais la tuer de nuit, à la lueur d'une simple chandelle, suffirait à faire se liquéfier les boyaux du plus brave des hommes, et après vingt-trois ans de mariage l'aubergiste ne se faisait aucune illusion sur sa bravoure.

La voix profonde et sonore du forgeron tonna depuis l'alcôve où il était assis à sa place favorite, sa large croupe débordant du banc usé.

« Passez-lui la bride et ligotez-la fermement, recouvrez-la d'un bon pied de terre, et une fois qu'elle aura étouffé, j'enfoncerai un pieu de fer dans le sol. Ça devrait faire l'affaire. » Il frotta son dos piqué par une puce contre le mur âpre. « Je le ferai quand la lune commencera à s'élever ; ça empalera son esprit dans la tombe. Et elle n'en sortira plus. »

Le tanneur but une rasade de bière et s'essuya la bouche du revers de la main.

« Mais j'ai entendu dire que le seul moyen sûr était de trancher la tête avec une pelle de fossoyeur – une fois qu'elle est morte, bien sûr.

— C'est comme ça qu'on tue les vampires, mais ce n'est pas un vampire, du moins personne n'a rien dit de tel. »

L'objection venait de la vieillarde assise au fond. C'était une femme âgée et frêle, mais elle avait mis au monde la plupart des gens du village, et les avait aussi vus aller en terre.

« Qui sait ce qu'elle est ou ce qu'elle pourrait devenir une fois morte ? Elle n'est pas normale, ça, c'est sûr », répliqua le tanneur.

Plusieurs têtes s'inclinèrent en signe d'approbation. C'était à peu près la seule chose sur laquelle ils étaient d'accord. Durant toutes les heures qu'ils avaient passées à discuter d'elle, personne n'avait prononcé son nom, pas même le garçon. Même lui savait qu'il y avait des choses qu'il valait mieux ne pas dire à voix haute.

« Je suis toujours d'avis de la brûler, reprit la vieille femme. Il n'y aurait alors aucun risque qu'elle revienne.

— Mais ce n'est pas une hérétique, protesta l'aubergiste. L'âme des hérétiques s'envole directement en enfer. Dieu seul sait où son âme à elle s'envolerait. Je ne serais pas surpris qu'elle s'en vienne habiter la créature la plus proche, homme ou bête, et alors nous nous retrouverions avec un monstre dix fois pire.

— Père Talbot connaîtrait les paroles à prononcer pour expédier son âme en enfer, persista la vieille femme avec entêtement.

— Oui, certes, mais il est mort, l'avez-vous oublié ? Tout comme la moitié du village, et nous allons tous les rejoindre si nous ne trouvons pas un moyen de la tuer d'abord. Et puisqu'il ne reste plus un seul prêtre à moins de quatre jours à cheval, nous allons devoir nous en charger nous-mêmes. Nous ne pouvons continuer à nous disputer sur la manière d'agir. Nous devons en finir avec elle aujourd'hui, avant le coucher du soleil. Nous ne pouvons risquer de la voir vivre une nuit de plus.

— Il a raison, acquiesça le forgeron. Chaque heure de vie la rend plus forte. »

L'aubergiste se souleva avec effort du banc pour mettre fin aux débats.

« Donc, c'est décidé. Elle sera enterrée vive avec la bride. Et une fois morte, William l'achèvera dans sa tombe avec le pieu de fer. La seule chose qu'il nous reste à décider, c'est qui lui passera la bride. »

Il parcourut la pièce des yeux, espérant que quelqu'un se dévouerait, mais personne ne croisa son regard.

1

La foire de la Saint-Jean

On dit que si l'on se réveille soudain en frissonnant, cela signifie qu'un fantôme a marché sur notre tombe. Je me réveillai en frissonnant ce jour de la Saint-Jean. Et même si je n'avais aucun moyen de prévoir la malédiction que ce jour jetterait sur nous, c'était comme si, en me réveillant, j'en sentais la froideur, j'en apercevais l'ombre, comme si quelque chose de malveillant flottait au loin, invisible.

Il faisait nuit à mon réveil, c'était l'heure la plus sombre, juste avant l'aube, lorsque les chandelles se sont consumées et que les premiers rayons de soleil n'ont pas encore percé les fentes des volets. Mais ce n'est pas la froideur de la nuit qui me fit frissonner. Nous étions bien trop entassés les uns contre les autres dans la grange pour que quiconque sentît le moindre courant d'air.

Chaque lit, chaque espace du sol était occupé par les visiteurs qui avaient afflué à Kilmington pour la foire. L'air était rendu fétide par les rots et les pets et la puanteur des estomacs aigris par trop de bière. Hommes et femmes grognaient et ronflaient sur le plancher qui craquait, grommelant lorsque, ici ou là, un dormeur agité en proie à un mauvais rêve donnait des coups de coude dans les côtes de son voisin.

Je rêve rarement, mais cette nuit-là j'avais rêvé, et le rêve me hantait toujours à mon réveil. J'avais rêvé des collines mornes qu'on appelle les Cheviot, là où l'Angleterre et l'Écosse se défient du regard, prêtes à la bataille. Je les avais vues aussi clairement que si j'y étais, les cimes arrondies et les ruisseaux turbulents, les chèvres sauvages et les freux secoués par le vent, les tours de *Pele*[1] et les fermes fortifiées ramassées sur elles-mêmes. Je les connaissais bien. J'avais connu cet endroit depuis mon premier souffle ; ce lieu avait jadis été chez moi.

Cela faisait bien des années que je n'en avais pas rêvé. Je n'y avais jamais remis les pieds et ne pourrais jamais y retourner. Je le savais déjà le jour de mon départ. Et au cours de toutes ces années j'avais tenté de me l'ôter de l'esprit et, dans l'ensemble, y étais parvenu. Inutile de regretter un endroit où l'on ne peut être. Et puis, qu'est-ce que chez soi ? Le lieu où l'on est né ? Celui où l'on se souvient de nous ? Mon souvenir est depuis longtemps tombé en pourriture. Et même s'il restait des vivants qui se souvenaient encore, ils ne me pardonneraient jamais ce que j'avais fait, ils ne pourraient jamais m'absoudre. Et en ce jour de la Saint-Jean, tandis que je rêvais à ces collines, j'étais à peu près aussi loin de chez moi qu'il était possible de l'être.

1. Tours oblongues, construites pour résister à un siège et dotées de murs de pierres d'environ un mètre d'épaisseur, dans lesquelles on pouvait se réfugier. Les animaux et la nourriture étaient gardés au sous-sol tandis que les gens occupaient les deux ou trois étages de la tour.

Je voyage depuis bien des années, tant d'années que j'ai depuis longtemps cessé de les compter. De plus, ça n'a aucune importance. Le soleil se lève à l'est et se couche à l'ouest, et on croit qu'il en ira toujours ainsi. J'aurais mieux fait de ne pas y croire. Je suis, après tout, un camelot, un marchand, un colporteur d'espoir et de bonne fortune, de promesses illusoires et d'histoires embellies. Et croyez-moi, mes clients sont nombreux. Je vends de la foi en bouteille : de l'eau du Jourdain prélevée à l'endroit même où la colombe est descendue, les os des innocents massacrés à Bethlehem, et les éclats des lampes portées par les vierges sages. Je leur offre des mèches de cheveux de Marie Madeleine, plus rouges que les joues d'un jeune garçon, et le lait blanc de la Vierge Marie dans de minuscules ampoules pas plus grandes que ses mamelons. Je leur montre les doigts noircis de saint Joseph, les feuilles de palmiers de la Terre promise et les poils de l'âne qui a porté notre Seigneur dans Jérusalem. Et croyez-moi, ils y croient tous, car ma cicatrice n'est-elle pas la preuve que j'ai parcouru tout le chemin jusqu'à la Terre sainte pour arracher ces fragments aux barbares ?

Vous ne pouvez pas ne pas voir ma cicatrice, pourpre et plissée comme un anus de sorcière, étalant mon nez en travers de ma joue. Le trou où aurait dû se trouver mon œil a été recousu et, au fil des années, la paupière s'est enfoncée dans l'orbite en se racornissant, comme la peau à la surface d'une vieille crème au lait. Mais je n'essaie pas de cacher mon visage, car quelle meilleure assurance pourraient-ils vouloir, quelle meilleure preuve que chaque os que je vends est authentique, que chaque goutte de sang a été versée sur les pierres mêmes de la Ville sainte ? Et je peux leur raconter tant d'histoires – comment j'ai tranché la main d'un Sarrasin pour arracher des lambeaux d'habits du Seigneur à son emprise profane ; comment j'ai dû massacrer cinq, non, douze hommes, juste pour remplir mon flacon dans le Jourdain. Je fais payer un supplément pour les histoires, naturellement. Je fais toujours payer.

Nous devons tous gagner notre vie, dans ce monde et il y a autant de manières de le faire qu'il y a de gens. Comparé à d'autres, mon commerce pourrait être considéré comme respectable, et il ne fait aucun mal. Vous pourriez dire qu'il fait même du bien, car je vends de l'espoir, et c'est le plus précieux de tous les trésors. L'espoir est peut-être une illusion, mais c'est ce qui vous retient de sauter dans une rivière ou de boire la ciguë. L'espoir est un mensonge magnifique et il faut du talent pour le donner aux autres. Et à l'époque, en ce jour où soi-disant tout commença, je croyais sincèrement que la création de l'espoir était le plus grand de tous les arts, le plus noble de tous les mensonges. Je me trompais.

Ce jour fut tenu pour un jour de mauvaise fortune par ceux qui croient en de telles choses. Ils aiment pouvoir pointer du doigt une date précise, comme si la mort pouvait avoir une heure de naissance, ou la destruction, un moment de conception. Ils le fixèrent donc au jour de la Saint-Jean 1348 ; une date dont tout le monde se souvient. Ce jour fut celui où les humains comme les bêtes devinrent l'enjeu d'un jeu divin. Il fut le point où la balance du paradis et de l'enfer bascula.

Ce jour précis de la Saint-Jean débuta dans un frémissement maladif, enveloppé dans une épaisse brume de fine pluie. Des fantômes de chaumières, d'arbres et d'étables flottaient dans la faible lueur grise, comme s'ils disparaîtraient au chant du coq. Mais le coq ne chanta pas. Il ne reconnut pas l'aube. Les oiseaux étaient silencieux. Les fermiers qui se croisaient en se rendant à la traite ou en allant s'occuper des animaux prétendaient d'un air enjoué que la pluie ne durerait pas et que la fête serait aussi belle que les autres années, mais on voyait bien qu'ils n'y croyaient pas. Le silence des oiseaux les troublait. Ils savaient que le silence était de mauvais augure, particulièrement en ce jour, même si aucun n'osait le dire.

Mais, comme ils l'avaient prédit, le crachin finit par cesser, et un rayon de soleil, blafard et faible, apparut de façon intermittente entre les nuages lourds. Il n'apportait aucune chaleur, mais les villageois de Kilmington n'allaient pas se laisser abattre par cette petite contrariété. Des vagues de rires fusaient à travers la place du bourg. Mauvais augure ou non, c'était jour de fête, et même s'il avait soufflé des rafales de vent, on aurait juré prendre du bon temps. Des étrangers avaient déferlé des villages voisins pour vendre et acheter, troquer et marchander, régler les vieilles querelles et en commencer de nouvelles. Il y avait des servants en quête de maître, des jeunes filles en quête de mari, des veufs en quête d'épouses aux épaules solides, et des voleurs en quête de bourses à couper.

Près de l'étang, un cochon étripé était empalé sur une grande broche, et la fumée alléchante de la délicieuse viande rôtie flottait dans l'air humide. Un jeune garçon tournait lentement la broche, donnant des coups de pied aux chiens qui bondissaient et tentaient de saisir la carcasse, mais les pauvres bêtes excitées par l'odeur n'en avaient cure, et ni le crépitement des flammes ni les coups de bâton ne les décourageaient.

Les villageois découpaient de gros morceaux juteux dans les filets brûlants, qu'ils déchiraient avec les dents avant de lécher la graisse sur leurs doigts. Même ceux dont les dents n'étaient plus depuis longtemps que des chicots noircis suçaient avidement des bouts de gras et de couenne grillée dont le jus leur coulait sur le menton. Une telle abondance de viande fraîche devait être savourée jusqu'au dernier os succulent.

De petites bandes de garçons nu-pieds se mêlaient en les bousculant aux adultes bavards, tentant de distraire les jongleurs aux tenues écarlates dans l'espoir de voir leurs massues s'écraser par terre. Les jeunes hommes et les jeunes filles batifolaient au grand jour, indifférents à l'herbe humide et à la moue désapprobatrice des prêtres et des ecclésiastiques. Les commerçants vantaient leurs marchandises. Les ménestrels jouaient du fifre et du tambour, et les enfants hurlaient suffisamment fort pour réveiller les démons de l'enfer. C'était chaque année la même chose. On profitait autant que possible de la foire, car le restant de l'année, rares étaient les occasions de s'amuser.

Mais malgré les bousculades et le bruit, il était impossible de ne pas remarquer la fillette. À cause de ses cheveux. Ils n'étaient pas blonds, mais d'un blanc pur, et fins comme de la soie, une tignasse qui ressemblait à la barbe ébouriffée d'un vieillard. Et sous cette couronne de neige, son visage était plus pâle que les cuisses d'une nonne, et ses sourcils blancs entouraient des yeux aussi translucides qu'un ciel de l'aube. La peau fragile de ses membres osseux brillait d'un éclat bleu glacé en comparaison avec la peau d'un brun noisette des autres gamins. Mais sa pâleur ne fut pas la seule chose à attirer mon attention ; quelqu'un la battait.

Rien d'inhabituel à ce qu'un enfant reçoive une correction ; j'en avais déjà vu au moins une demi-douzaine ce jour-là – un coup de baguette sur des jambes nues pour avoir négligemment laissé tomber un panier d'œufs, un postérieur rougi pour s'être éloigné sans permission, une claque sur l'oreille sans raison valable sinon que le gamin s'était trouvé au milieu du chemin. Tous les jeunes pécheurs tentaient d'esquiver les coups en hurlant assez fort pour convaincre leur tourmenteur que la punition avait été pleinement comprise, tous, sauf elle. Elle ne hurlait pas ni ne se débattait, et demeurait aussi silencieuse que si les coups sur son dos avaient été assénés avec une plume et non une ceinture, ce qui ne semblait qu'accroître la fureur de la personne qui la battait. Je crus qu'il allait la tuer à force de la frapper, mais finalement, vaincu, il la laissa partir. Elle s'éloigna de quelques mètres d'un pas chancelant, levant fièrement la tête en dépit de ses jambes qui semblaient sur le point de se défiler sous elle. Elle se retourna alors et me regarda comme si elle avait senti que je l'observais. Ses yeux bleu pâle étaient aussi secs et clairs qu'un jour d'été, et le contour de sa bouche esquissait un infime sourire.

L'homme qui l'avait battue n'était pas le seul à être enragé par son silence. Un gros marchand aux doigts couverts de bagues agitait le poing vers lui, exigeant un dédommagement, son visage rendu presque pourpre par la colère. Je n'entendais pas ce qu'ils se disaient à cause des cris et des bavardages du petit attroupement qui s'était formé autour d'eux, mais ils semblèrent tomber d'accord, et le marchand se laissa mener en direction de la taverne, talonné par les badauds. L'homme qui avait asséné la correction comptait certainement pacifier l'homme outragé en lui faisant boire suffisamment de vin fort pour l'assommer. Tout en lui tenant le coude d'un air doucereux, il ne laissa pas passer l'occasion de gifler la fillette de sa main libre tandis qu'il passait à côté d'elle, un coup précis apparemment asséné sans même jeter un regard dans sa direction. L'enfant tomba visage contre terre et, cette fois, eut la sagesse de ne pas bouger jusqu'à ce que l'homme fût entré dans la taverne. Puis elle rampa dans un espace étroit entre un tronc d'arbre et les roues d'un chariot, s'accroupit, enroulant ses bras autour de ses jambes, et me regarda avec de grands yeux dénués d'expression, tel un chat observant depuis le manteau d'une cheminée.

Elle paraissait avoir environ 12 ans, était pieds nus et portait une robe en laine blanche crottée avec un ruban rouge sang au niveau du cou qui accentuait la blancheur de ses cheveux. Elle continuait de me fixer, mais pas ma cicatrice, mon œil valide, avec une intensité plus impérieuse que curieuse. Je détournai les yeux. Ce qui venait de se passer ne me regardait pas. La fillette avait été punie pour sa faute, probablement un vol, et il ne faisait aucun doute qu'elle avait mérité son châtiment, même si elle y était de toute évidence habituée étant donné le peu d'effet qu'il avait eu sur elle. Je n'avais donc aucune raison de lui dire quoi que ce soit.

Je tirai une tourte de mon sac, la rompis en deux et lui en jetai une moitié, puis je m'agenouillai en m'adossant à un tronc d'arbre pour manger ma part. J'avais faim, et maintenant que la foule s'était dispersée, l'endroit était calme. Mais je ne pouvais pas manger sans offrir un morceau à l'enfant, n'est-ce pas ? Je regardai en direction de l'agitation de la foire, mâchant lentement. La pâte était aussi sèche qu'un sabot de diable, mais le mouton salé à l'intérieur était savoureux et bien assaisonné. La fillette serrait sa tourte à deux mains, comme si elle craignait que quelqu'un ne la lui arrache. Elle ne prononça pas un mot, pas même un merci.

Je bus une rasade de bière pour faire passer la bouchée de nourriture sèche.

« As-tu un nom, fillette ?

— Narigorm.

— Eh bien, Narigorm, si tu comptes voler des gens comme lui tu vas devoir apprendre à mieux t'y prendre. Tu as de la chance qu'il n'ait pas envoyé chercher le bailli.

— Pas volé », répliqua-t-elle la bouche pleine, avalant la moitié de ses mots.

Je haussai les épaules et la regardai de biais. Elle avait déjà fini la tourte et se léchait les doigts avec une grande concentration. Je me demandai à quand remontait son dernier repas. Étant donné l'humeur de l'homme, je doutais qu'il la nourrisse de nouveau aujourd'hui. Mais j'étais enclin à la croire. Une fillette qui détonnait autant parmi une foule n'avait guère de chances de survivre en faisant les poches des autres, et je songeai que, avec son apparence, son père ou son maître, quoi qu'il fût, aurait pu confortablement gagner sa vie en la louant à l'heure à des hommes qui avaient un faible pour les jeunes vierges. Mais, de toute évidence, elle avait cette fois contrarié le client. Peut-être s'était-elle refusée au marchand, ou alors il avait tenté sa chance et découvert qu'il n'était pas le premier à venir frapper à sa porte. Elle apprendrait à dissimuler ça avec le temps. Des femmes plus expérimentées pourraient lui apprendre la ruse, et il ne faisait aucun doute qu'elle gagnerait bien sa vie lorsqu'elle maîtriserait cet art. Il lui restait encore de bonnes années à pratiquer ce commerce, plus que la plupart des jeunes filles, car même lorsqu'elle ne serait plus dans la fleur de la jeunesse, nombreux seraient les hommes qui paieraient généreusement pour une femme si différente des autres.

« Voulez-vous que je le fasse pour vous, en échange de la tourte ? » Sa voix était aussi dénuée d'émotion que son regard. « Mais nous allons devoir faire vite avant que mon maître ne revienne, car il ne sera pas heureux si vous ne me payez pas en pièces sonnantes et trébuchantes. »

Sa petite main froide tenta de s'insinuer dans la mienne. Je la reposai sur ses cuisses, doucement mais fermement, triste de voir qu'elle avait déjà appris à ne plus attendre de cadeaux de la vie. Pas même une croûte de pain n'était gratuite. Cependant, plus on apprend cette leçon jeune, moins on connaîtra de déceptions.

« J'ai passé l'âge pour ces choses, mon enfant. Je suis beaucoup trop vieux. De plus, ce n'était qu'un peu de nourriture. Accepte-la de bon cœur. Tu es une jolie fillette, Narigorm. Tu n'as pas besoin de te vendre pour si peu. Écoute le conseil d'un vieux camelot, plus les gens payent une chose cher, plus ils la croient précieuse. »

Elle fronça légèrement les yeux et pencha la tête en me regardant curieusement.

« Je sais pourquoi vous ne voulez pas que je vous lise les runes. Vous ne voulez pas savoir quand vous allez mourir. Les vieillards prétendent vouloir savoir, mais c'est faux. » Elle se balança d'avant en arrière comme un petit enfant. « J'ai dit au marchand qu'il allait perdre tout son argent et que sa femme allait s'enfuir et le quitter. C'est la vérité, mais ça ne lui a pas plu. Mon maître lui a dit que je plaisantais et a essayé de me faire prédire une meilleure fortune, mais j'ai refusé. Je ne peux pas mentir ; si vous mentez, vous perdez le don. Morrigan détruit les menteurs. »

C'était une devineresse. Un bon subterfuge si vous parvenez à convaincre les autres de l'authenticité de votre don. Il est même parfois difficile de savoir si les devins eux-mêmes croient ou non en leur art. Était-elle convaincue d'avoir dit la vérité au marchand, ou bien avait-elle pris ce gros crapaud en grippe et lui avait-elle prédit une mauvaise fortune par espièglerie ? Si tel était le cas, elle avait payé pour son audace et risquait bien de payer encore si son maître était forcé de trop débourser à la taverne pour apaiser l'homme. Mais elle estimait probablement que l'expression sur le visage du marchand valait bien une correction. J'aurais peut-être été du même avis à son âge. Je lâchai un petit éclat de rire.

« Je lui ai dit la vérité, siffla-t-elle férocement. Je vais vous dire la vôtre, et alors vous verrez bien. »

Son ton mauvais me surprit, mais ses yeux bleu pâle étaient aussi larges et dénués d'émotion qu'auparavant, et je m'aperçus que j'avais commis une maladresse. Les enfants détestent que l'on rie d'eux. Il était bien naturel qu'elle s'indigne.

« Je te crois, mon enfant, mais je ne désire aucunement que tu me prédises l'avenir. Non que je doute de tes dons, ajoutai-je vivement, mais quand on atteint mon âge, l'avenir arrive déjà bien assez vite, inutile de courir à sa rencontre. »

Je me relevai avec difficulté. Je n'ai aucun grief contre ceux qui vivent de la divination, de la médecine ou de tout art magique qui leur permet de soustraire quelques pièces aux gens. Pourquoi en aurais-je ?

N'exercé-je pas mon art aux dépens des superstitieux et des crédules ? Mais je ne vois aucune raison de dépenser mon argent durement gagné en m'offrant leurs services. De plus, si vous pouvez lire l'avenir, vous pouvez lire le passé, car ce ne sont que les deux extrémités du même fil, et je prends toujours grand soin de ne rien montrer de moi que le présent.

Les ombres s'étiraient sur le sol. La brise, qui ne s'était pas réchauffée, était désormais cinglante. Du cochon ne restaient que les os. Certains rentraient chez eux, mais d'autres, qui pour la plupart ne tenaient plus trop sur leurs jambes, se dirigeaient vers la forêt pour y poursuivre les célébrations maintenant que la foire était finie. Je rangeai mes vieilles reliques dans mon sac. Il n'y aurait plus de clients aujourd'hui. Je le hissai sur mon dos et suivis la foule dépenaillée en direction des arbres. Je songeais qu'il y aurait du bon vin en abondance, ainsi que des viandes riches pour ceux qui avaient de l'appétit, ce qui était mon cas.

Je ne dis rien de plus à la fillette. J'avais fait preuve de charité chrétienne en partageant un morceau avec elle, et c'était tout. De plus, la manière qu'elle avait de me regarder me troublait. J'ai pris l'habitude que l'on me dévisage au fil des années. Je n'y prête plus guère attention. Non, ce n'était pas le fait qu'elle regardait ma cicatrice qui me gênait, mais plutôt le fait qu'elle ne la regardait pas ; elle m'observait comme si elle essayait de me percer à jour.

Les hommes devant moi allaient lentement sur le chemin, trébuchant sur les racines et les pierres. L'un d'eux s'affala à quatre pattes. J'aidai son ami à le remettre sur pied. Il me donna une tape dans le dos et rota. Son haleine empestait plus qu'un pet de dragon. Il y aurait des têtes douloureuses dans les environs le lendemain matin. Tandis que nous le soutenions en attendant qu'il parvienne à mettre un pied devant l'autre, je jetai un coup d'œil derrière moi en direction de la place. Bien qu'incapable de distinguer les visages au loin, je vis une vague forme blanche se détacher parmi les silhouettes marron, vertes et écarlates qui l'entouraient. Debout au bord de la pelouse, elle continuait de m'observer. Je sentis son regard qui tentait de me transpercer. Je fus pris d'une soudaine colère. Une colère sans motif, je le savais, car la pauvre enfant ne m'avait rien fait, mais je jure que si son maître était ressorti de la taverne à cet instant et lui avait flanqué une nouvelle rossée, j'en aurais été bien aise. Comme lui, je voulais qu'elle pleure. Les larmes sont naturelles. Elles sont humaines. Elles rendent moins curieux.

Donc, vous vous demandez peut-être : Ne s'agit-il que de cela ? Cette simple rencontre fut-elle le commencement ? L'événement qui provoqua toute la suite, une moitié de tourte offerte à une enfant aux yeux de glace ? Difficile de dire que ce fut une mauvaise journée pour quiconque, hormis peut-être pour le gros marchand. Et vous avez raison, s'il n'y avait eu que ça, ça n'aurait été rien, mais autre chose se produisit ce jour-là, à plusieurs lieues du village où nous nous trouvions, dans une ville en bord de mer nommée Melcombe. Sans aucun lien, pensez-vous, et pourtant ces deux événements allaient devenir aussi intimement liés que les fils d'une étoffe de soie. Des fils tirés dans deux directions différentes, et pourtant destinés à ne faire qu'un. Le fil de trame de cette histoire ? Ce fut la mort d'un homme. Nous l'appellerons John, car je n'ai jamais su son nom.

Quelqu'un a dû le savoir, mais l'a gardé pour lui, et il fut donc enterré sans nom.

John s'effondra sur la place du marché bondée. On le vit tituber, agripper une charrette pour se soutenir. La plupart le crurent ivre, car il ressemblait à un marin et, comme chacun le sait, les marins passent leur temps sur la terre ferme à boire jusqu'au moment où ils n'ont plus un sou et sont forcés de reprendre la mer. Il se plia en deux, toussant et crachant ses poumons, tant et si bien que des jets de sang écumeux vinrent éclabousser ses mains et les roues de la charrette. Puis il tomba à genoux et s'écroula.

Les passants qui vinrent à son secours reculèrent aussitôt, retenant leur souffle et se couvrant le nez de la main. Son odeur n'était pas la puanteur habituelle de l'ivrogne crasseux. Elle était si fétide qu'elle semblait provenir d'une tombe ouverte. Néanmoins, ceux qui avaient l'estomac solide s'arrangèrent pour l'attraper par les bras et le retourner, mais il hurla si fort que, stupéfaits, ils le lâchèrent. On l'observa, personne n'ayant aucune envie de le toucher de nouveau ni ne sachant comment lui venir en aide.

Le propriétaire de la charrette poussa John du bout du pied, tentant de l'encourager à s'éloigner en rampant puisqu'il ne voulait pas qu'on le soulève. Ce n'était pas un homme sans cœur, mais il devait atteindre le prochain village avant la tombée de la nuit. Le vent annonçait de la pluie, et il avait hâte de prendre la route avant qu'elle ne tombe à nouveau, transformant les chemins en bourbier. C'était une épreuve diabolique que de rouler sur ce chemin de forêt une fois qu'il était boueux, et si vous deviez vous arrêter pour dégager la charrette d'une ornière, vous deveniez une proie facile pour n'importe quel voleur qui souhaitait s'emparer de votre bourse et de votre charrette, vous laissant pour mort dans un fossé. Dieu sait que ce n'étaient pas ces vauriens qui manquaient dans la forêt. Il poussa John une fois de plus, tentant de le faire sortir de sous la charrette. Aussi pressé fût-il de partir, le charretier ne pouvait guère écraser un homme malade.

John, sentant la pointe de la chaussure contre lui, saisit la jambe du charretier et tenta de s'appuyer dessus pour se redresser. Il leva son visage en sueur, ses yeux se révulsant dans leur orbite alors qu'une nouvelle vague de douleur lui traversait le corps, et c'est à cet instant que le charretier vit que le visage et les bras de John étaient couverts de taches d'un bleu-noir livide. À la vue de celles-ci il aurait dû s'écarter, mais il ne comprit pas ce qu'il voyait. Pourquoi l'aurait-il compris ? Personne n'avait jamais rien vu de tel, pas ici, pas dans cette région.

Mais quelqu'un les reconnut : quelqu'un qui avait déjà vu ces marques caractéristiques. C'était un marchand, un homme qui avait beaucoup voyagé au-delà de nos rivages, et il ne connaissait que trop bien ces signes. Il resta un moment stupéfait, comme s'il n'en croyait pas ses yeux, puis il attrapa le charretier et déclara d'une voix rauque : *« Mort bleue*[1]. », Les quelques hommes qui s'étaient massés autour d'eux regardaient sans comprendre le marchand et la forme qui se tordait de douleur par terre. Le marchand tendit le doigt, sa main tremblant. *« Mort bleue, mort bleue ! »* se mit-il à hurler, élevant la voix de façon

1. En français dans le texte. *(N.d.T.)*

hystérique avant de retrouver le peu d'esprit qui lui restait et de s'écrier : « Il a la pestilence ! »

Le charretier avait vu juste. Ce soir-là il plut. Pas une bruine comme celle qui était tombée à l'aube ; celle-ci n'avait été que le prologue. Non, cette fois-ci ce fut une véritable averse. De lourdes gouttes dures qui frappaient les feuilles, la terre, les récoltes et les toits de chaume, transformant les chemins en ruisseaux et les champs en marécages. Il plut comme si c'était le début du déluge, et peut-être ceux qui avaient vu tomber les premières gouttes au temps de Noé avaient-ils pensé, comme nous, que ça ne voulait rien dire. Peut-être avaient-ils eux aussi cru que le lendemain matin la pluie aurait cessé.

2

La compagnie

« D'où viens-tu, garçon ?

Ce n'était pas une question amicale. L'aubergiste se tenait dans l'entrebâillement de la porte, faisant rebondir en rythme un épais bâton contre la paume de sa main. C'était un homme imposant, aux épais bras couverts de poils noirs. Il n'était plus dans la fleur de l'âge et son ventre était trop gros pour suggérer qu'il pût se déplacer avec vivacité. Mais cela n'était pas nécessaire. Un simple coup de bâton, et il n'aurait nul besoin de pourchasser ses opposants.

Le garçon qui lui faisait face hésita, ses yeux nerveusement fixés sur le bâton. Il fit un pas en arrière et trébucha, gêné qu'il était par sa flamboyante houppelande de voyage. Il était mince, plus petit que l'aubergiste. Il resserra sa houppelande autour de lui pour se protéger de la pluie d'une main qui avait la couleur du bois de rose, longue et délicatement élégante. Il portait un luth en bandoulière. Pas un garçon de ferme, celui-là.

« Réponds-moi, garçon, si tu sais ce qui est bon pour toi. Arrives-tu du Sud ? »

Le garçon fit un nouveau pas en arrière et ravala sa

salive, ne sachant visiblement pas s'il était censé répondre par oui ou par non.

« Ou… oui, hasarda-t-il finalement.

— Il veut dire qu'il est né dans les régions du Sud, dis-je, m'interposant aussi rapidement que possible entre le gourdin levé et le garçon recroquevillé sur lui-même. Mais il n'y a pas mis les pieds depuis de nombreux mois. Je l'ai moi-même vu la semaine dernière à la foire de Madeleine à Chedzoy, sur la route de Bridgwater. C'est exact, n'est-ce pas, garçon ? »

Je posai discrètement mon pied sur le sien et appuyai fort. Le garçon acquiesça vigoureusement.

« Oui, nous venons de Chedzoy. »

Il se ratatina misérablement, la pluie gouttant de sa capuche.

L'aubergiste le scruta de la tête aux pieds d'un air soupçonneux.

« Toi, Camelot, tu jures que tu l'y as vu ?

— Sur les os de saint Pierre. »

Il regarda de nouveau le garçon, puis finit par abaisser son bâton.

« Deux pennies pour une chambre, un penny pour la grange. Le foin est propre. Arrangez-vous pour qu'il le reste. Les chiens dorment dehors. »

Il n'y avait pas grand monde dans l'auberge de Thornfalcon ce soir-là. Quelques voyageurs comme moi et une poignée de gens du coin. Par cette pluie, la plupart des habitants avaient préféré rester chez eux. L'aubergiste était d'une humeur aussi noire que le temps. Nous n'étions, après tout, qu'à la fin du mois de juillet, et il comptait sur de longues et chaudes soirées d'été pour remplir les bancs de sa cour. Il braillait et s'en prenait à sa femme, qui en retour renversait la bière en la posant brutalement sur les tables, lançant des regards noirs aux clients comme si c'était leur faute. Son visage revêche n'aidait pas non plus au commerce. Si un homme veut la compagnie d'une personne de mauvaise humeur, il peut d'ordinaire la trouver chez lui ; nul besoin de payer pour ce privilège.

Je vis le garçon entrer avec un homme plus âgé. Il lança un regard à la ronde et, me repérant dans le coin auprès du feu, il me désigna du doigt à son compagnon. Ils approchèrent tous deux. L'homme plus âgé devait se baisser pour passer sous les poutres. Il avait, comme le garçon, le teint olivâtre, mais tandis que le jeune homme était svelte et délicat, l'homme avait la carrure large et musclée de la maturité, voire même un léger embonpoint. Les rides au coin de ses yeux étaient profondes et ses cheveux bruns commençaient à grisonner. Il n'était pas à proprement parler beau, mais avait quelque chose de saisissant avec son nez aquilin et sa bouche aux lèvres pleines. Il avait dû faire tourner plus d'une tête dans sa jeunesse, et ça lui arrivait peut-être encore. Il fit une révérence élégante et s'assit lourdement sur le banc face à moi.

« *Buona sera, signore.* Mon nom est Rodrigo. Pardonnez-moi pour l'intrusion, mais je voulais vous remercier. Jofre me dit que vous l'avez défendu. Nous vous sommes redevables, Camelot.

— Jofre ? »

Il inclina la tête en direction du jeune homme qui se tenait respectueusement à ses côtés.

« Mon élève. »

Le jeune homme fit une petite révérence en imitation de son maître. J'acquiesçai en retour.

« Il n'y a pas de quoi, répondis-je. Ce n'étaient que des mots, et les mots ne coûtent rien. Mais laissez-moi vous offrir un mot de plus. Je ne sais d'où vous venez réellement, et cela ne me concerne pas, mais par les temps qui courent il est plus sûr de dire que l'on vient du Nord. Ces rumeurs rendent les gens prudents. »

L'homme éclata de rire, un rire profond qui fit danser ses yeux las.

« Un aubergiste menace ses clients avec un gourdin et vous appelez ça être prudent ?

— Vous avez parlé de rumeurs, quelles rumeurs ? » interrompit Jofre.

Il était visiblement en bons termes avec son maître.

« À votre luth et à vos atours je devine que vous êtes ménestrels. Je suis surpris que vous n'ayez point entendu la nouvelle lors de vos voyages. Je croyais que l'Angleterre entière savait maintenant. »

Le maître et l'élève échangèrent un regard, mais ce fut Rodrigo qui répondit, lançant d'abord un coup d'œil à la ronde pour s'assurer que personne n'écoutait notre conversation.

« Nous ne sommes pas sur la route depuis longtemps. Nous étions tous deux employés par un seigneur. Mais… il est vieux et son fils a pris la charge du domaine. Il a amené avec lui ses propres musiciens, et nous essayons maintenant de faire notre fortune sur la route. *È buono*, ajouta-t-il avec une bonne humeur forcée, nous avons le monde entier à voir, ainsi que nombre de jolies jeunes vierges. N'est-ce pas, Jofre ? »

Le garçon, qui regardait ses mains avec une intensité misérable, acquiesça brièvement. Rodrigo lui donna une tape sur l'épaule.

« Un nouveau départ, n'est-ce pas, *ragazzo ?* »

Une fois de plus, le garçon acquiesça, et une légère rougeur lui monta aux joues, sans toutefois atteindre ses yeux.

« Un nouveau départ pour lequel des deux ? » me demandai-je. Je supposai que Rodrigo n'avait pas tout dit de leur histoire. Peut-être le regard de l'un d'eux s'était-il trop longuement attardé sur une jolie parente du seigneur. Ce ne serait pas la première fois. Les femmes qu'on laisse trop longtemps seules et désœuvrées n'ont rien contre une amourette avec un beau ménestrel.

« Vous avez dit qu'il y avait des rumeurs, me rappela Jofre avec insistance.

— La grande pestilence a finalement atteint nos côtes. »

Jofre ouvrit de grands yeux stupéfaits.

« Mais on disait qu'elle ne pouvait pas atteindre cette île.

— On dit aussi avant une guerre que le roi ne peut être vaincu, mais on se trompe généralement. Elle est arrivée par un navire en provenance de l'île de Guernesey, c'est du moins ce qu'on prétend, mais qui sait, on se trompe peut-être aussi à ce sujet. Mais qu'importe d'où l'épidémie est arrivée ; l'important, c'est qu'elle est maintenant ici.

— Et elle se répand ? demanda calmement Rodrigo.

— Le long de la côte sud, mais elle va sûrement gagner les terres. Suivez mon conseil, allez vers le nord et restez à distance des ports.

— Ils vont sûrement les fermer, comme ils l'ont fait à Gênes ?

— Dans le Sud, peut-être, mais les marchands ne souffriront pas de voir les ports des côtes est et ouest fermer, du moins tant que les rues ne seront pas jonchées de cadavres. Trop d'argent circule par les mers. »

Un sanglot étouffé nous fit à tous les deux lever les yeux. Jofre était debout, poings serrés, le visage blême, sa bouche se tordant convulsivement. Il se tourna alors et sortit brusquement de l'auberge, ignorant les jurons furieux de la femme de l'aubergiste lorsqu'il la bouscula en passant, lui faisant lâcher un plat.

Rodrigo se leva.

« Je vous demande pardon, Camelot, je vous en prie excusez-le. Sa mère... elle était à Venise lorsque la pestilence y est arrivée. Il est depuis sans nouvelles.

— Mais cela ne signifie pas nécessairement que le pire soit arrivé. Comment ferait-elle pour envoyer un message par les temps qui courent ? Certes, la rumeur affirme que la moitié des habitants a péri, mais si c'est le cas, alors l'autre moitié a survécu. Pourquoi n'en ferait-elle pas partie ?

— C'est ce que je lui dis, mais son cœur lui dit le contraire. Il l'adore. Son père l'a forcé à partir de chez lui, mais il ne voulait pas la laisser. L'éloignement a transformé une femme mortelle en Sainte Vierge dans son souvenir. Et comme il la vénère, il craint de l'avoir perdue. Il faut que je le retrouve. Les jeunes gens sont impétueux. Qui sait ce dont ils sont capables ? »

Il se précipita à la suite du garçon, s'arrêtant pour parler à la femme de l'aubergiste, qui était d'une humeur encore plus massacrante, pour autant que ce fût possible, depuis que Jofre avait renversé son plat. Je n'entendis pas les paroles qu'ils échangèrent à cause des bavardages des autres clients, mais je vis la mine renfrognée de la femme se transformer en un sourire réticent, puis ses joues prendre une teinte d'un rose profond. Il s'inclina, lui baisa la main et s'excusa, et lorsqu'il s'éloigna, elle regarda son dos avec les yeux de carpe d'une vierge morte d'amour. Rodrigo avait bien appris les règles de l'amour courtois. Je me demandai comment il s'y prenait avec les maris jaloux. Il devait avoir moins de succès auprès d'eux, sinon il ne se serait pas retrouvé sur la route.

Je retournai à ma bière, qui était passable, et à mon potage, qui ne l'était même pas, mais il était chaud et nourrissant, et lorsqu'on sait ce que c'est qu'avoir le ventre vide, on apprend à être plus que reconnaissant pour de telles choses. Mais ma tranquillité ne dura pas. Un homme négligé qui venait de réchauffer son ample postérieur à la cheminée se glissa sur le banc laissé vacant par Rodrigo. Je l'avais déjà vu dans la région, mais n'avais jamais échangé plus qu'un « Bonjour » bourru avec lui. Il examina longuement son pot de bière en silence comme s'il s'attendait à voir quelque chose d'inattendu et de saisissant en sortir.

« Des étrangers ? demanda-t-il soudain sans lever les yeux.

— Qu'est-ce qui vous laisse penser ça ?

— Leur allure, et ils parlent comme des étrangers.

— Combien d'étrangers avez-vous entendus parler ?

— Bien assez », répondit-il en me jetant un regard mauvais.

J'aurais été surpris qu'il en eût rencontré plus d'une demi-douzaine dans sa vie. Il n'aurait pas su reconnaître un Islandais d'un Maure à son apparence, et encore moins à sa façon de parler. Thornfalcon ne se trouvait pas sur une route principale et le prieuré voisin ne contenait que les reliques d'un saint local que peu de gens étrangers à cette région prenaient la peine de venir voir. Les yeux plissés de l'homme semblaient enfoncés dans les rides crasseuses de son visage.

« Vous m'avez toujours pas répondu. Des étrangers ?

— Anglais, comme vous et moi. Ils ont été ménestrels à la cour de quelque seigneur toute leur vie. Vous savez ce que c'est, à force de fréquenter des gentilshommes à longueur de journée, on finit par se prendre pour l'un d'eux. On récupère les vêtements dont les seigneurs ne veulent plus, et bientôt on se met à parler comme eux. »

L'homme poussa un grognement évasif. Il n'avait plus que probablement jamais entendu un seigneur parler non plus, je ne prenais donc guère de risques.

« Tant que ce sont pas des étrangers. » Il se racla la gorge et cracha par terre. « Foutus étrangers. Je vous les renverrais tous chez eux, tous sans exception. Et s'ils refusaient de partir… » Il fit courir un doigt épais sur sa gorge.

« À ramener leurs sales maladies ici.

— La pestilence ? J'ai entendu dire que c'étaient des garçons de Bristol qui l'avaient importée à bord de leur navire.

— Ha, c'est parce qu'ils frayent avec de foutus étrangers à Guernesey, voilà pourquoi. Si vous voyagez dans des contrées étrangères, vous avez ce que vous méritez.

— Avez-vous de la famille ? »

Il soupira.

« Cinq marmots, non, six maintenant.

— Alors vous allez vous en faire pour eux si la pestilence se répand.

— C'est ma femme qui s'en fait, elle est toujours à me tanner à leur sujet du matin jusqu'au soir. J'arrête pas de lui dire qu'elle se répandra pas. Je lui ai dit que j'allais lui en flanquer une si elle continuait. Faut bien, pas vrai, juste pour lui faire entendre bon sens.

— Peut-être a-t-elle raison de s'inquiéter. On dit qu'elle a déjà atteint Southampton.

— Oui, mais elle se répand que le long de la côte, parce que c'est là-bas que sont les étrangers, dans les ports. Le prêtre dit que c'est le châtiment des étrangers, alors ça va de soi qu'elle arrivera pas ici, parce que des étrangers, ici, on n'en a pas. »

Et c'est à peu près ce qu'ils pensaient tous durant ces premières semaines de l'épidémie. Dans les régions éloignées de la côte sud, la vie continuait comme avant. On aurait pu croire que les gens paniqueraient, mais la vérité, c'est qu'ils étaient persuadés qu'elle ne les atteindrait pas. Ils se méfiaient des étrangers, se montraient même violents à leur égard, mais ils continuaient de se persuader que la pestilence ne les concernait pas. Après tout, elle portait même un nom français – *mort bleue*. Comment un Anglais pourrait-il mourir d'une maladie si clairement destinée aux étrangers ?

Les villes de la côte sud qui succombaient les unes après les autres comme le blé sous une faux en étaient la preuve, car les ports, comme chacun le savait, grouillaient d'étrangers, et c'étaient eux qui mouraient, preuve absolue que Dieu avait damné les autres nations du monde à perpétuité. Et si quelques Anglais dans ces ports mouraient aussi, eh bien, c'était parce qu'ils avaient frayé avec ces étrangers, qu'ils avaient couché avec ces catins et ces garçons venus d'ailleurs. Ils ne l'avaient pas volé. Mais l'Angleterre, la véritable Angleterre, ne courait aucun risque. Tout comme ils avaient auparavant été convaincus que l'épidémie ne traverserait pas la Manche, ils se persuadaient désormais qu'elle s'arrêterait aux ports, pourvu que les étrangers s'y arrêtent aussi.

Le lendemain matin, il plut sans discontinuer, comme la veille et l'avant-veille. La pluie pousse à ruminer ses pensées. On ne regarde pas les autres lorsqu'il pleut ; on marche tête baissée, le regard fixé sur les flaques agitées. J'avais quitté le village et avançais péniblement sur le chemin lorsque je remarquai Rodrigo et Jofre ; mais je ne les aurais peut-être pas vus si le garçon n'avait émis des bruits de vache en train de vêler tandis qu'il vomissait dans un fossé.

Rodrigo grommelait des paroles qui ressemblaient à des réprimandes, tout en lui caressant doucement le dos.

Je restai de l'autre côté de la route et relevai ma houppelande par-dessus mon nez et ma bouche.

« Est-il malade ? »

Palsambleu ! C'était moi qui avais persuadé l'aubergiste de les loger. S'il avait la pestilence…

Rodrigo leva vivement la tête, puis esquissa un sourire pincé.

« Non, Camelot, ce n'est pas la maladie. Son estomac n'est pas habitué au vin. Il était plus âpre à l'auberge que ce à quoi il est accoutumé. »

Le garçon eut un nouveau haut-le-cœur et grogna en se tenant la tête. Ses yeux étaient injectés de sang, son visage avait la couleur du lait tourné.

« Peut-être n'est-ce pas la qualité, mais la quantité à laquelle il n'est pas accoutumé. »

Rodrigo grimaça, sans toutefois me contredire. Le garçon était toujours penché au-dessus du fossé, mais ses haut-le-cœur étaient désormais secs, contrairement à la pluie qui continuait de tomber.

« Vous prenez la route tôt, Camelot. Avez-vous un long voyage devant vous ? »

J'hésitai. Je n'aime pas discuter de mes affaires avec les étrangers. Dites aux gens où vous allez et ils vous demanderont d'où vous venez. Ils voudront savoir où vous êtes né, d'où vous êtes originaire, insistant que vous devez bien avoir des racines quelque part. Certains vous jugeront même à plaindre si vous n'en avez pas. Que j'aie choisi d'arracher ces racines est une chose qu'ils ne comprendront jamais.

Mais il était impossible de faire preuve de grossièreté envers un homme aussi courtois que Rodrigo.

« Je me rends au sanctuaire de saint John Shorne à North Marston. Il y a de l'argent à gagner là-bas, et la ville est bien au nord, et dans les terres, loin des ports. »

Je la connaissais depuis longtemps. C'était un bon endroit pour laisser passer les pluies d'automne, voire tout l'hiver au besoin. Je n'avais pas la bêtise de croire que la pestilence ne gagnerait pas l'intérieur des terres, mais elle ne pourrait pas monter jusqu'à North Marston, pas avant l'arrivée des gelées d'hiver. Et, comme toutes les fièvres d'été, elle s'éteindrait alors sûrement. Si vous arriviez à survivre jusqu'à ce que le temps change, alors tout serait fini à Noël. C'était ce qu'on disait, et j'étais moi-même assez bête pour me laisser rassurer par cette idée.

« Et vous, quelle est votre destination ? » demandai-je à Rodrigo.

Comme moi, il hésita, manifestement réticent à révéler toute la vérité.

« Nous allons à Maunsel Manor. C'est à quelques lieues d'ici. Nous y passions du temps chaque fois que notre maître rendait visite à sa famille. La maîtresse de maison louait toujours notre musique. Nous allons essayer d'y obtenir une place.

— Ce sera un voyage infructueux. J'ai entendu dire que toute la maisonnée était partie pour sa résidence d'été. Ils ne reviendront pas avant des semaines. »

Rodrigo sembla abattu et désespéré. J'avais déjà vu cette expression chez ceux qui avaient été toute leur vie au service de quelqu'un et se retrouvaient soudain sans rien. Ils ne savaient pas plus comment survivre qu'un chien de compagnie abandonné dans une forêt.

« Vous seriez mieux avisé de vous rendre à une foire ou, mieux encore, à un sanctuaire. Les foires ne durent que quelques jours, une semaine au plus, mais les sanctuaires ne ferment jamais. Trouvez-en un qui soit prisé des pèlerins et liez-vous d'amitié avec l'un des aubergistes. Les pèlerins ont toujours besoin de distraction le soir. Interprétez des chants de guerre entraînants pour les hommes et des chansons d'amour pour les femmes, et vous gagnerez sans problème de quoi vous offrir un lit sec et un repas chaud. »

Jofre gémit bruyamment.

« L'idée de manger vous déplaît peut-être en ce moment, mon garçon, mais attendez que cette gueule de bois soit passée. Vous gémirez plus fort encore lorsque vous serez tiraillé par la faim. »

Jofre leva la tête suffisamment longtemps pour me lancer un regard noir, puis il s'appuya à un arbre en fermant fort les yeux.

« Mais les autres ménestrels auront déjà trouvé de telles auberges, non ?

— Je dirais que oui, mais il est beau garçon. Enfin, lorsqu'il est lavé et sobre, ajoutai-je, car à cet instant il était tout sauf beau avec son visage bouffi et sa mâchoire serrée. Si vous parvenez à le convaincre de séduire les riches matrones au lieu de leurs filles, vous aurez de l'argent. Vous vous distinguerez de la horde habituelle des ménestrels. Les femmes de marchands se prennent pour des femmes bien nées et elles paieront grassement quiconque saura les traiter comme telles. Et qui sait, peut-être aurez-vous la chance de vous trouver une autre livrée. Même les nobles font des pèlerinages. Plus que les autres d'ailleurs, car ils ont plus d'argent et plus de péchés à expier.

— Ce sanctuaire où vous allez, croyez-vous que nous pourrions y travailler ? »

J'avais pressenti que la conversation prendrait cette tournure et me maudis d'avoir ouvert ma bouche.

« C'est à plusieurs semaines de marche. Je vais devoir travailler en route en m'arrêtant à des foires et des marchés. Vous feriez mieux de chercher un endroit plus proche.

— Je ne peux pas marcher. Je suis malade, geignit le garçon.

— *I denti di Dio !* À qui la faute ? » lança sèchement Rodrigo, et Jofre sursauta comme s'il venait de recevoir une claque.

Rodrigo sembla lui aussi surpris par son agressivité car, lorsqu'il reprit la parole, il parla avec douceur, telle une mère tentant d'apaiser un enfant agité.

« Marcher te fera du bien et nous ne pouvons rester ici. Nous devons gagner de l'argent. Sans argent ni abri tu vas tomber malade. » Il se tourna vers moi avec un visage anxieux. « Vous connaissez le chemin de ce sanctuaire ? Vous pourriez nous aider à trouver du travail en route ? »

Que pouvais-je faire ? Si je ne doutais guère que Rodrigo était capable de se débrouiller parmi les intrigues et les manœuvres subtiles d'une cour, les envoyer seuls dans la boucherie qu'était une place de marché aurait été comme envoyer des enfants sur un champ de bataille.

« Vous devrez marcher à mon allure. Je ne suis plus aussi rapide que par le passé. »

Rodrigo lança un regard en direction du garçon léthargique.

« Je pense qu'une allure lente nous conviendra parfaitement, Camelot. »

Et c'est ainsi que les premiers membres de notre petite compagnie furent réunis, les premiers, mais assurément pas les derniers. Par cette matinée humide, je pensais leur rendre service en leur évitant d'apprendre à la dure la survie sur la route. Je pensais leur épargner des jours de famine et des nuits froides et solitaires ; j'avais moi-même connu ces épreuves à mes débuts, et je savais combien une telle vie est misérable. Mais je sais aujourd'hui que je leur aurais plus rendu service en les ignorant plutôt qu'en les entraînant dans ce qui allait arriver.

3

Zophiel

Ce n'est pas tous les jours que l'on voit une sirène, même si on en entend souvent parler. Demandez dans n'importe quel port de pêche et l'on vous jurera que quelque vieillard du village en a un jour attrapé une dans ses filets, ou qu'il est tombé par-dessus bord et a été sauvé par une jeune fille dont les cheveux scintillaient comme un banc de poissons d'argent au clair de lune et dont la queue luisait comme de l'opale sous les étoiles. Aussi, lorsqu'un magicien prétend en avoir une sous sa tente, vous pouvez être certain que nombreuses seront les personnes disposées à dépenser leur argent pour apercevoir une véritable sirène bien vivante.

Pas exactement vivante, car celle-ci était morte. Morte, car elles meurent si elles ne peuvent regagner la mer. Elles sont après tout moitié poisson, et combien de temps un poisson peut-il vivre hors de l'eau ? Une sirène survivra plus longtemps, mais pas éternellement, pas sur la terre ferme, c'est du moins ce qu'expliquait le magicien.

Celui-ci se faisait appeler Zophiel, « l'espion de Dieu », et ce nom lui allait presque trop bien. Les espions doivent se tenir sur leurs gardes, et c'est ce qu'il faisait, on le devinait dès qu'on l'entendait parler pour la première fois ; c'était un homme prudent, intelligent. Il ne promettait rien que son public pût par la suite contester. Si vous promettiez une créature vivante alors qu'elle était morte, la rumeur ne tardait pas à se répandre. Au mieux, personne ne dépensait son argent pour la voir, et au pire, eh bien, il n'y avait aucune limite à ce qu'une foule ivre pouvait faire si elle s'estimait lésée. Après coup, je m'aperçus que Zophiel n'avait même pas prétendu qu'il s'agissait d'une sirène. « Une créature des mers », avait-il simplement dit. Zophiel était assurément malin, aussi affûté qu'un couteau d'écorcheur.

C'étaient des jours où le soleil paraissait ne jamais se lever ; nous semblions vivre dans un éternel crépuscule, écrasés par le poids d'épais nuages gris et de la lourde fumée de mille feux qui couvaient. Dans la tente de Zophiel il faisait plus sombre encore, mais froid, abominablement froid. Pas le genre d'endroit où l'on aurait voulu s'attarder, même pour échapper à la pluie. La tente était étroite, une sorte d'appentis érigé à l'arrière de son chariot, mais suffisamment grande pour accueillir trois ou quatre personnes à la fois. Une vilaine lumière jaune déversée par une lanterne illuminait la petite cage posée en équilibre à l'arrière du chariot. Les barreaux de la cage n'étaient pas là pour empêcher la créature d'en sortir, puisqu'elle n'était pas en état de s'échapper, mais pour empêcher les clients d'en arracher des morceaux pour les emporter comme ils le font avec les reliques des sanctuaires sacrés. Certes, une sirène n'est pas une sainte, mais elle n'est pas non plus de ce monde, alors qui sait ce qu'un fragment de son corps pourrait guérir ? La puanteur à elle seule aurait suffi à exorciser les plus obstinés des démons.

La créature gisait sur le dos dans la cage, étendue

sur un lit de cailloux polis par la mer, de coquillages, de crabes, d'oursins, d'étoiles de mer et de brins d'algues séchées. L'odeur de mer, de sel et de poisson était assez puissante pour convaincre quiconque que cette créature provenait bien des mers ; assez puissante pour masquer les effluves de myrrhe, d'encens, de musc et d'aloès qui flottaient en dessous, à moins d'être familier avec cette odeur.

À cette époque, rares étaient ceux qui auraient reconnu ce parfum capiteux et amer. Je ne l'avais pour ma part pas respiré depuis des années, mais une fois qu'on l'a senti, on ne l'oublie jamais. Et après tant d'années, il avait toujours le pouvoir de me nouer l'estomac et de faire monter les larmes à mes yeux depuis longtemps secs. C'était l'odeur des corps embaumés des chevaliers revenus de Saint-Jean-d'Acre. Revenus comme ils l'avaient promis, mais pas à la tête d'une escorte chargée de trésors et pardonnés de tous leurs péchés passés et futurs. Non, ceux-là étaient revenus dans des cercueils, accompagnés par des frères aux yeux hantés et des servants émaciés, pour être enterrés trop jeunes dans de froides cryptes sous les armoiries familiales. La myrrhe n'est pas bon marché. C'est un parfum rare, produit d'un art délicat. Nous avons appris bien des choses des Sarrasins, notamment comment conserver nos morts massacrés. Zophiel avait-il appris cet art, ou bien avait-il acheté la créature à quelqu'un d'autre ? Dans un cas comme dans l'autre, quelqu'un avait dû débourser une jolie fortune pour l'acquérir.

La sirène, si c'en était une, n'était pas plus grande qu'un petit enfant. Son visage était si desséché et rabougri que ses yeux n'étaient que de simples fentes relevées aux extrémités. Sa tête était couverte d'un fin duvet couleur paille qui se dressait à même la peau, ou peut-être était-ce la peau qui, en se racornissant, l'avait fait se dresser. Ses sourcils et ses cils étaient étonnamment blonds sur sa peau tannée, bien qu'il fût difficile de dire si c'était sa couleur naturelle ou quelque artifice dû à la conservation du corps. Le torse de la créature était aussi lisse et asexué que celui d'un enfant. Ses bras avaient un aspect humain. Un de ses petits poings tenait un miroir à main en argent poli ; l'autre était serré autour d'une poupée sculptée dans du fanon de baleine. La poupée représentait une sirène, du genre de celles, grotesques, que l'on aurait pu voir dans une église, avec des hanches amples, une poitrine tombante et une longue queue de serpent.

Mais à quoi ressemblait la partie inférieure de cette petite créature ? Voilà ce que nous étions vraiment venus voir. Elle n'avait pas de jambes, assurément. À la place se trouvait un long morceau de chair qui s'étirait depuis la taille et formait à l'extrémité deux curieuses extensions qui ressemblaient à des nageoires arrière de dauphin ou de phoque. Comme le reste du corps, la queue, pour autant que l'on pût parler de queue, était brune et ridée, mais elle était nue, dénuée d'écailles ou de fourrure.

« Ce n'est pas une sirène, railla l'homme qui se tenait à côté de moi. C'est… »

Il n'acheva pas sa phrase, incapable de trouver un nom approprié. Il transpirait, empestait l'oignon, et la puanteur de son haleine couvrait même celle du cadavre de la créature.

« J'ai entendu dire, enchaîna son compagnon, que certains charlatans cousaient une queue de poisson à un corps humain pour que ça ressemble à une sirène. »

L'homme en sueur regarda de plus près.

« Ce n'est pas une queue de poisson. Il n'y a pas d'écailles.

— Alors c'est un phoque. Ils ont cousu un bébé humain à un phoque.

— Il n'y a pas non plus de fourrure, répliqua-t-il impatiemment, et il n'y a pas de couture. Si la queue était cousue, je le verrais ; après tout, j'assemble moi-même des étoffes depuis que je suis tout petit.

— Alors qu'est-ce que c'est ? »

Une fois dehors, ils reposèrent cette même question à Zophiel, avec l'agressivité engendrée par l'incertitude. Zophiel les regarda, levant vers eux son nez pâle et fin, comme si la question avait été posée par un simple d'esprit.

« Comme je vous l'ai dit, c'est une créature des mers, une enfant des mers. »

L'homme à l'haleine d'oignon s'esclaffa d'un air suffisant, comme si on lui avait déjà dit ça à de nombreuses reprises et qu'il n'en croyait pas un mot.

« Alors comment se fait-il qu'il n'y ait pas d'écailles sur sa queue ? »

Il parcourut du regard la petite foule avec un sourire narquois qui semblait dire : « Répondez à ça, si vous le pouvez. » Il était encouragé par les nombreux hochements de tête et clins d'œil de l'assistance. Les habitants des villes sont toujours ravis de voir un étranger confondu.

« Vous admettez donc qu'elle a une queue ? » demanda froidement Zophiel.

Le sourire de l'homme s'estompa.

« Mais pas une queue avec des écailles, et elle n'a pas non plus de cheveux sur la tête. Je croyais que les sirènes étaient censées avoir des cheveux, incroyablement longs.

— Avez-vous des enfants, mon ami ? »

L'homme hésita, incertain de la tournure que prenait la conversation.

« Oui, le prix de mes péchés, trois beaux garçons et une jolie petite fille.

— Dites-moi, mon ami, votre fille est-elle née avec des cheveux ?

— Quand elle était bébé elle était aussi chauve que son grand-père.

— Mais elle a maintenant une belle chevelure, je parie. »

L'homme acquiesça.

« Eh bien voilà, ses cheveux ont poussé à l'intérieur. C'est la même chose avec les créatures des mers. Elles naissent aussi lisses et chauves que vous et moi, et les cheveux et les écailles poussent plus tard. »

L'homme ouvrit la bouche et la referma, ne sachant que répondre. Zophiel sourit, mais son sourire n'atteignit pas ses yeux.

« Vous êtes un homme sage, mon ami. Une personne moins intelligente n'aurait pas posé une telle question, et je ne suis pas surpris que vous n'ayez pas connu la réponse. Nombre des plus grands érudits de notre pays ignorent ces choses car les bébés des mers sont rares, on ne voit que les adultes. Les nouveau-nés sont cachés bien loin sous les vagues, dans de profondes grottes marines, jusqu'à ce qu'ils soient assez grands pour nager jusqu'à la surface. Il est rare d'en voir un. Beaucoup plus rare que voir une sirène, ce qui pourtant n'est pas commun. D'ailleurs, je doute qu'on ait vu un bébé des mers depuis cinq cents ans, voire plus. »

Il y eut un moment d'hésitation tandis que la foule digérait ces informations capitales, puis, soudain, chacun plongea la main dans sa bourse, cherchant à se séparer de ses pièces aussi vite que Zophiel pouvait les prendre. Quiconque avait encore de l'argent avait hâte de dépenser son dernier penny pour voir cette créature des plus rares. Même l'homme à l'haleine d'oignon avait l'air radieux, comme si c'était lui qui avait découvert l'enfant des mers. Zophiel savait s'y prendre avec les foules.

De fait, nous avions tous fait de bonnes affaires ce jour-là. La foire de Bartholomew était plus fréquentée que d'habitude. Avec les marchés qui fermaient sur la côte sud, les marchands s'enfonçaient dans les terres. Après tout, comme on dit, la vie continue. Il faut bien manger avant de mourir. Les marchands s'usaient donc la voix à crier, et la foule était tout aussi excitée. On s'arrachait vin et épices, sel et huile, teintures et tissus aux étals. « Achetez maintenant, pressaient les marchands, car nous n'aurons peut-être pas de nouvel arrivage avant des mois. Faites des réserves tant que vous le pouvez. » Et les clients achetaient comme s'ils se préparaient à un siège.

Moi aussi j'avais fait de bonnes affaires. J'avais vendu une douzaine de fragments d'os de sainte Brigitte, qui garantissaient que les vaches donneraient du lait, et plusieurs côtes de saint Ambroise à accrocher au-dessus des ruches pour être sûr qu'elles déborderaient de miel une fois l'automne venu. Les fermiers avaient besoin d'autant d'aide que possible. Les fèves étaient noircies par le mildiou et ils pourraient s'estimer heureux s'ils en sauvaient assez pour recouvrir le fond d'une marmite. La récolte tardive du foin avait déjà été ruinée par la pluie, et il restait à peine un épi de céréale debout. Si la pluie ne cessait pas bientôt, il ne leur resterait que du miel et du fromage pour passer l'hiver.

Les prix avaient augmenté, mais il fallait s'y attendre. Les clients grommelaient, tout en continuant d'acheter. À quoi bon économiser quelques pièces s'il n'y avait rien à acheter la semaine suivante. De plus, si vous deviez dépenser plus pour un baril de porc saumuré, vous vendiez vos couteaux plus cher. Tant pis pour ceux qui n'avaient rien à vendre, c'était leur problème.

Oui, tout bien considéré, ce fut une foire lucrative pour les marchands et les camelots, et Rodrigo et Jofre s'en tirèrent bien aussi si l'on considérait qu'ils n'avaient passé qu'un mois sur la route. Le soir, devant un bon feu, les clients des auberges, satisfaits de leurs habiles marchandages de la journée et adoucis par un repas chaud et par la bière forte, payaient généreusement pour un peu de divertissement. Et Rodrigo et Jofre avaient du talent, plus que je n'en avais vu depuis de nombreuses années, bien que le talent ne suffît pas sur la route et qu'il leur restât encore beaucoup à apprendre.

Ils étaient habitués à jouer sur commande. Les seigneurs et leurs dames savent ce qu'ils veulent. Ils peuvent donner un nom à une chanson ou vous demander d'en écrire une nouvelle. Ils vous diront même le sujet dont devra traiter la chanson. Mais une foule ne connaît pas son humeur, ou alors si elle la connaît, elle ne vous la dira pas. Vous devez être capable de la sentir. Est-elle d'humeur à entendre une chanson d'amour ou un chant de guerre entraînant, un récit d'aventures téméraire ou un couplet paillard ? La foule veut-elle chanter en chœur ou bien se laisser aller à rêver ? Elle croise les bras et lance des regards noirs avec l'air de dire : « Allez, mon garçon, amuse-nous, et que Dieu te préserve si tu n'y parviens pas. »

Mais Rodrigo avait soif d'apprendre. Il aurait pu passer ses journées au chaud et au sec dans les auberges, car il ne servait pas à grand-chose d'aller jouer sur la place du marché sous la pluie, mais il préférait passer tout son temps dehors à me regarder travailler, tentant de comprendre les règles du nouveau monde dans lequel il se trouvait plongé.

« L'astuce, lui expliquai-je, c'est de savoir avant eux ce que les clients veulent. Regardez. »

J'interpellai une femme qui s'approchait.

« Votre fille approche des douleurs de l'accouchement, maîtresse ? Une période dangereuse. Vous devez être morte d'inquiétude. Voyez cette amulette. Le nom des anges sacrés, Sanvi, Sansanvi et Semangelaf, est gravé dessus. Les démons fuiront la pièce dès l'instant où ils l'apercevront. Cher ? Allons, maîtresse, quel prix êtes-vous prête à payer pour la vie de votre fille et de son enfant ? Merci, maîtresse, et qu'elle donne naissance à un beau garçon. »

Tout en me regardant empocher les pièces, Rodrigo secouait la tête d'un air incrédule.

« Mais comment saviez-vous que sa fille attendait un enfant ? Dites-vous la bonne aventure en même temps que vous vendez des os ?

— Vous devez ouvrir l'œil si vous voulez survivre sur la route. Je l'ai vue plus tôt acheter du marrube, de la cannelle et du pouliot royal à cette femme là-bas. À quoi sert cette combinaison si ce n'est à soulager les douleurs de l'accouchement ? Elle n'est elle-même pas enceinte et est trop bien habillée pour être une servante, je pouvais donc supposer sans risquer de me tromper que ces plantes étaient destinées à sa propre fille. Maintenant regardez cet homme qui marche vers nous, que croyez-vous qu'il va acheter ? »

Je désignai de la tête un homme corpulent au teint cireux qui arborait un outrancier couvre-chef vert et jaune et semblait clairement croire que c'était le dernier cri en matière de chapeaux. Il ne cessait de lancer des regards à la ronde tout en se frayant un chemin parmi les flaques de boue, adressant de grands sourires à quiconque lui semblait de plus haut rang que lui-même, comme s'il espérait être reconnu comme l'un d'entre eux.

Rodrigo examina l'homme de la tête aux pieds.

« Ça, c'est le genre d'homme que je connais. J'en ai rencontré bon nombre à la cour de mon seigneur. Il n'achèterait une relique que si elle était présentée dans un coffre d'or couvert de joyaux. Vous ne lui vendrez aucune de vos marchandises.

— Vous en êtes certain, n'est-ce pas ?

— Je parierais un pot de bière chaude », répliqua-t-il avec un sourire.

Comme le marchand approchait, Rodrigo recula légèrement pour me laisser la place de travailler.

« Une légère crise de foie, maître ? Je vois que vous souffrez. Vous avez une constitution délicate. Vous vous êtes amusé toute la nuit malgré un estomac fragile, me semble-t-il. Sa Majesté le roi souffre exactement du même trouble et je suis certain que vous savez ce qu'il prend – de la crotte de loup. Il ne va nulle part sans. Et par chance, il s'avère que j'en ai un paquet ici. Et pas de la crotte de loup ordinaire, celle-ci est importée de Russie, comme celle qu'utilise le roi. Sa Majesté prendrait-elle autre chose que ce qu'il y a de mieux ? Il insiste toujours pour avoir de la crotte russe, car chacun sait que c'est là-bas qu'on trouve les loups les plus robustes.

— Je n'ai besoin de rien de tel », répondit l'homme en agitant la main d'un air dédaigneux.

Mais son regard s'attarda juste un peu trop longtemps sur le paquet pour un homme prétendument indifférent, et je sus que je tenais ma vente.

« Mes excuses, monsieur, mais vous êtes si pâle. Je ne supporte pas de voir un noble homme souffrir inutilement, mais qu'importe, j'ai un bon client à Gloucester, le shérif local. Peut-être le connaissez-vous. Il se jette sur tout ce que je peux lui apporter. Avec les navires étrangers qui ne prennent plus la mer et la demande qui est plus forte que jamais, il fait des réserves…

— Je le prends », coupa précipitamment l'homme.

Puis, recouvrant son sens des affaires, il ajouta : « Mais vous devrez accepter d'être payé en eau de rose car je n'ai plus d'argent. Le prix que m'a fait payer le marchand était exorbitant. » Il produisit un flacon. « Ma femme a insisté pour que je lui en rapporte pour ses pâtisseries, mais je lui dirai qu'il n'y en avait pas. Elle est de bonne qualité. »

Il déboucha le flacon et l'agita en l'air, laissant s'échapper l'odeur.

L'eau de rose ne m'est d'aucune utilité. Sur la route, il vous faut de la monnaie sonnante et trébuchante pour acheter à manger ou des biens qui se conserveront assez longtemps pour être vendus à la prochaine foire ou à la suivante. L'eau de rose, une fois débouchée, perd rapidement son âcreté, ou bien elle tourne. J'étais sur le point de refuser lorsque j'entendis un profond soupir près de moi. Rodrigo, légèrement penché en avant, respirait le doux parfum.

« Elle est excellente », dit-il.

En trois mots Rodrigo avait réussi à anéantir toutes mes possibilités de marchandage. L'homme s'éloigna d'un pas nonchalant avec sa crotte de loup, certain d'avoir fait une meilleure affaire que moi.

Je me tournai vers Rodrigo.

« Avez-vous décidé de me ruiner ?

— Je n'ai pas pu résister, répondit-il d'un air penaud. Chaque fois que je sens cette odeur, je me revois petit garçon à Venise. À Noël les enfants recevaient toujours des petits jésus en masse pain. Pendant des jours l'air était empli d'une odeur d'amandes et d'eau de rose, et nous avions hâte d'y goûter. Nous essayions de nous glisser dans les cuisines pour en voler juste un petit morceau, mais nous n'y arrivions jamais. »

Je secouai la tête. Je n'en avais jamais entendu parler.

« C'est une pâte faite à partir de sucre, d'œufs, d'amandes, et parfumée à l'eau de rose. Très chère, et c'est ce qui la rend si unique. Je n'ai rien goûté de tel depuis que j'ai quitté Venise. C'est… » Il embrassa le bout de ses doigts. « *'Squisito !* Pour moi, c'est le goût de Venise. »

Malgré mon agacement, je ne pus m'empêcher de sourire en voyant son expression exaltée.

« Venise vous manque beaucoup ?

— Encore plus maintenant que nous vivons sur la route. »

Il leva misérablement les yeux vers les lourds nuages gris. « Je n'ai jamais eu l'intention de rester si longtemps. Quand cette pestilence sera finie, je retournerai dans mon pays. Jofre aussi. Je le ramènerai, quoi qu'en dise son père. »

Le jour où nous nous étions rencontrés à l'auberge, Rodrigo m'avait raconté que le père de Jofre l'avait mis à la porte de la maison. Je n'avais pas été surpris outre mesure sur le coup ; la plupart des jeunes hommes doivent quitter leur maison pour apprendre un métier ou servir dans une grande maison. Mais la plupart des pères seraient comblés de joie de revoir leur enfant. Pourquoi un père interdirait-il à son fils de revenir ?

Rodrigo avait toujours les yeux posés sur le flacon d'eau de rose comme si celui-ci contenait une potion magique qui aurait eu le pouvoir de le ramener chez lui.

« *Deo volente*, dit-il avec un sourire mélancolique, dès que la malédiction de cette maladie sera levée, je retournerai dans la ville de mon enfance.

— Mais c'est impossible, Rodrigo. Vous ne serez jamais plus ce que vous étiez alors. De la même manière qu'une brebis rejette un agneau qui a été séparé d'elle, votre patrie vous rejettera comme un étranger. »

Il tressaillit.

« Me condamneriez-vous à être un exilé toute ma vie, Camelot ?

— Nous sommes des exilés du passé. De plus, qu'est-ce qui vous attend là-bas ? Ou bien ce qu'on dit des ménestrels qui ont une femme dans chaque ville est-il vrai ? »

Je ris, tentant de dissiper la mélancolie qui s'était emparée de lui.

« Avez-vous laissé des cœurs brisés derrière vous à Venise ?

— N'avez-vous donc pas entendu nos chansons ? C'est le cœur du pauvre ménestrel qui est brisé. »

Il sourit, posant théâtralement la main sur sa poitrine et adoptant une pose exagérée, tel un soupirant amoureux dans un spectacle de mime. Mais son geste facétieux ne dissimulait pas la douleur qui assombrissait son regard. Celle-ci était réelle et profonde.

« Tenez, vous feriez aussi bien de prendre ça », dis-je en lui tendant le flacon d'eau de rose.

Il ouvrit de grands yeux surpris.

« Mais je ne peux pas accepter un tel présent.

— Elle ne m'est d'aucune utilité », répliquai-je d'un ton aussi bourru que possible.

Il saisit mon épaule.

« Merci, merci, mon ami.

— Vous m'avez coûté une fortune, dis-je sévèrement, mais n'espérez pas vous en tirer à si bon compte. »

Sa bouche se contracta.

« Une fortune ? Honnêtement, Camelot, combien cette crotte de loup vous a-t-elle coûté, pour autant que ce fût réellement une crotte de loup ?

— Vous aviez parié un pot de bière chaude, n'est-ce pas ? »

Je lui enfonçai ma chope entre les mains.

Il s'inclina et, gloussant, s'éloigna sous la pluie en direction de la taverne. Lorsqu'il eut le dos tourné, je ne pus m'empêcher de sourire. Mon nouvel apprenti commençait à apprendre.

Jofre, bien que plus jeune que Rodrigo, avait plus de mal à se faire à sa nouvelle vie. Mais contrairement à Rodrigo, il n'acceptait de conseils de personne. Comme la plupart des jeunes gens empêtrés dans cette période impétueuse qui sépare l'enfance de l'âge adulte, il était ténébreux et imprévisible. À un moment, il pouvait être parmi une foule à rire et à plaisanter, et l'instant d'après se retrouver seul dans une grange ou au bord d'une rivière à bouder.

Mais il me semblait qu'il aimait vraiment la musique, peut-être même plus que Rodrigo. Quand ce dernier lui donnait sa leçon quotidienne, il s'entraînait avec une grande application, observant les mains de Rodrigo comme si ça avait été les mains de Dieu. Parfois Jofre jouait des heures d'affilée, des expressions de douleur et de joie, de chagrin et de passion qui n'étaient pas de son âge traversant ses yeux, tels des nuages poussés par le vent. Mais d'autres fois, s'il ne parvenait pas à maîtriser immédiatement un air difficile, il se mettait dans de violentes colères, jetant son luth ou sa flûte et quittant la pièce comme une furie pour ne réapparaître qu'après plusieurs heures. Il finissait toujours par revenir, en promettant de ne plus jamais s'emporter ainsi, et il se remettait rapidement à son luth. Et tandis qu'il jouait, les vives réprimandes que Rodrigo avait eu l'intention de lui asséner étaient oubliées. Et comment lui en vouloir ? Car lorsqu'il était d'humeur à jouer, la musique de Jofre vous faisait tout lui pardonner.

Mais si Jofre passait ses soirées à jouer dans les auberges, il n'avait rien à faire de ses journées, hormis errer dans les auberges ou sur la place du marché tandis que la pluie tombait implacablement. Les ennuis n'étaient jamais loin. Et lors de la foire de Bartholomew, ils se produisirent sous les traits du grand magicien Zophiel qui, comme Jofre ne tarda pas à le découvrir, avait plus d'un tour dans son sac.

Au troisième jour de la foire, la créature n'attirait plus guère les foules. Tous ceux qui voulaient la voir l'avaient déjà vue, sauf quelques enfants qui continuaient d'essayer de se glisser en douce sous les battants de la tente pour entrer gratuitement. Mais ceux qui parvenaient à se faufiler à l'intérieur en étaient pour leurs frais car l'enfant des mers avait été rangé et Zophiel était maintenant installé à une table devant la tente. L'assistance qui l'entourait désormais était plus petite et principalement composée d'hommes et de garçons. Ils formaient un attroupement compact autour de lui. Mais ils avaient beau examiner attentivement ses mains, Zophiel était trop rapide pour eux.

Il accomplissait le vieux tour des trois gobelets : placez soigneusement un pois séché sous un gobelet retourné de telle sorte que tout le monde le voie bien, puis mélangez les gobelets. Demandez ensuite à quelque pauvre imbécile de deviner où se trouve le pois. Ça semble évident, sauf que, naturellement, le pois n'est jamais sous le gobelet sur lequel le parieur a misé son argent. On pourrait croire que le tour est si connu que plus personne ne s'y laisserait prendre, mais il en est toujours un pour se croire plus malin que le magicien.

Jofre, en cette occasion du moins, ne faisait pas partie des crédules. Il avait vu trop de bouffons et d'amuseurs de cour accomplir ce tour de passe-passe pour se laisser berner, et il s'amusait à expliquer à la foule comment il était exécuté. Mais nombreux étaient ceux qui ne le croyaient pas, car ils avaient beau observer attentivement, ils ne voyaient pas Zophiel cacher le pois dans sa main, et ce dernier parvint à duper bon nombre de spectateurs avant de finalement se lasser des commentaires de Jofre.

Tout en rangeant ses gobelets, il informa la foule qu'il allait maintenant leur montrer un tour de magie. Il envoya un garçon acheter un œuf dur à un étal voisin, qu'il éplucha minutieusement devant la foule qui l'observait avec une fascination étonnante si l'on considérait que chaque membre de l'assistance avait lui-même épluché des centaines d'œufs. Ils continuèrent de l'observer tandis que Zophiel posait l'œuf épluché sur un flacon de verre. Le goulot était trop étroit pour laisser passer l'œuf, mais Zophiel annonça à l'assistance qu'il pouvait faire tomber l'œuf dans le flacon sans le toucher ni l'écraser. On se moqua de lui, mais c'étaient des moqueries rituelles, comme les sifflets qui accompagnaient l'apparition du diable dans un spectacle de mime. Si la plupart des membres de l'assistance étaient certains que quelque chose de magique allait se produire, ils devaient néanmoins se montrer sceptiques ; ça faisait partie du jeu.

Zophiel posa ses yeux verts et perçants sur Jofre.

« Toi, garçon, tu avais la langue bien pendue tout à l'heure. Crois-tu que je puisse faire tomber l'œuf dans le flacon ? »

Jofre hésita. Il regarda l'œuf dodu et luisant posé en équilibre sur le goulot étroit. Il savait aussi bien que les autres que Zophiel ne poserait pas cette question s'il n'était pas sûr de son fait ; le problème était qu'il ne voyait pas comment c'était possible.

L'ombre d'un sourire se dessina sur la bouche de Zophiel.

« Allons, tu étais prompt à expliquer comment le pois se retrouvait sous le gobelet, alors dis-nous, garçon, comment vais-je faire entrer l'œuf dans le flacon ? »

Quelques hommes que l'outrecuidance de Jofre avait irrités se mirent à sourire et à lui donner des coups dans le dos.

« Oui, mon gars, vas-y, dis-nous comment qu'il va faire, puisque tu es si malin. »

Jofre rougit.

« C'est impossible, répondit-il d'un air de défi, tentant de paraître sûr de lui.

— Alors peut-être voudras-tu parier », suggéra Zophiel.

Jofre secoua la tête et tenta de s'écarter de la foule, mais les hommes derrière lui ne l'entendaient pas de cette oreille.

« Puisque tu parles beaucoup, sors ton argent, mon gars, ou bien ne serais-tu qu'un hâbleur ? »

Jofre, rouge de colère, attrapa une pièce et la posa sèchement.

« Est-ce là le prix de ta conviction, mon garçon ? » demanda Zophiel en arquant un sourcil. Il se tourna vers l'assistance. « On dirait que notre petit malin a perdu de son assurance. »

Jofre releva brusquement la tête et, furieux et humilié, jeta une poignée de pièces sur la table. C'était tout ce qu'il avait et Zophiel sembla le deviner. Il sourit.

« Eh bien, mon garçon, voyons si tu as raison. »

Il alluma une fine bougie, ôta l'œuf et laissa tomber la bougie allumée dans le flacon avant de replacer rapidement l'œuf sur le goulot, puis il s'écarta. Pendant un long moment, rien ne se produisit. Tous observaient, fascinés, tandis que la bougie brûlait dans le flacon, puis il y eut un bruit sec et l'œuf franchit en douceur le goulot avant de tomber intact au fond du flacon.

Je songeai que c'était une bonne chose que Rodrigo ne soit pas à mes côtés pour assister à cette scène. Comme j'en avais assez vu, je me retournai, mais quelque chose attira mon regard, une enfant qui se tenait un peu à l'écart à l'ombre d'un arbre. Il faisait si sombre et elle se tenait si immobile que je doute que je l'aurais remarquée si ses cheveux n'avaient été si extraordinairement blancs. J'avais déjà vu ces cheveux. Je la reconnus immédiatement. C'était Narigorm, mais elle ne me regardait pas. Son attention était entièrement fixée sur autre chose.

Elle avait le corps raide, était concentrée. Seul l'index de sa main droite remuait tandis qu'elle suivait le contour d'un objet minuscule qu'elle tenait délicatement dans son autre main. Elle semblait marmonner, regardant fixement sans ciller quelque chose derrière moi. Je me retournai pour voir ce qu'elle observait et m'aperçus qu'il s'agissait de Zophiel, mais lorsque je me tournai de nouveau vers elle, il n'y avait plus personne sous l'arbre. Elle s'était volatilisée.

La foire était censée durer une semaine. C'était ce qu'indiquait la charte, et il en avait toujours été ainsi. Mais en fin de compte elle s'acheva brusquement ce même après-midi. Un messager arriva, éclaboussé de boue et suant presque autant que son cheval. Il demanda à voir les anciens et on sonna la cloche pour les faire venir de tous les quartiers de la ville. Comme la plupart étaient occupés à acheter ou à vendre, ils n'avaient aucune envie d'assister à une réunion, et la cloche continua de sonner pendant un bon moment jusqu'à l'arrivée du dernier, qui grommela que ça avait intérêt à être important, sinon quelqu'un passerait le restant de la foire dans une geôle. Tout le monde avait alors entendu la cloche et savait que quelque chose se passait. Et personne ne s'attendait à une bonne nouvelle. Les affaires laissèrent place aux commérages et aux spéculations – les Écossais ou les Français ou même les Turcs avaient-ils envahi le pays ? Le roi avait-il choisi de leur rendre visite, accompagné de toute sa cour et de la moitié de son armée, le tout aux frais de la ville ? « Que Dieu préserve Sa Majesté – loin de nous. » Ou, chose plus probable, Sa Majesté avait-elle décidé d'un impôt supplémentaire ? Mais que restait-il à taxer qui ne l'était déjà ?

Lorsque les dignitaires de la ville se massèrent finalement sur le balcon, les bavardages et les rires cessèrent. Ils avaient l'air grave, semblaient soudain vieillis. Le crieur public n'eut pas besoin de faire retentir sa cloche ni de forcer la voix. Et c'est dans un silence stupéfait que la nouvelle fut annoncée.

L'épidémie de pestilence avait éclaté à Bristol. Pour se préserver, Gloucester avait fermé ses portes. Personne n'était autorisé à y entrer ou en sortir. Les villages tout le long de la rivière suivaient l'exemple de Gloucester. Pendant que nos regards avaient été tournés vers le sud, la pestilence nous avait lentement contournés par l'ouest. Elle se répandait, gagnant l'intérieur des terres.

Par la suite, personne n'exprima de surprise à l'idée que la pestilence ait atteint Bristol. C'était un port, et il était certain que tôt ou tard un navire infecté y mouillerait. De plus, c'était un navire de Bristol qui avait apporté l'infection sur les côtes, il était donc dans un sens juste que la ville soit atteinte à son tour. Non, le plus stupéfiant, c'était la fermeture de Gloucester. Une ville aussi puissante, dépendante du commerce, qui s'emmurait vivante. Ses habitants craignaient tant la pestilence qu'ils étaient prêts à se ruiner, voire s'affamer, plutôt que de courir le risque de la voir franchir ses portes. Quiconque resterait au sein de ces murs s'y retrouverait aussi sûrement piégé que dans des oubliettes tant que l'épidémie ne se serait pas éteinte. Et les habitants de Gloucester qui avaient eu la malchance d'être éloignés de leur maison et de leur famille lorsque les portes avaient été fermées seraient obligés d'essayer de s'en sortir seuls hors de la ville. Gloucester se trouvait à des lieues de Bristol, en amont de la rivière. Et si ses habitants craignaient que la pestilence se répande si loin, si vite, alors à quelle vitesse progressait-elle vraiment ?

Avant même que la fin de la foire ne soit décrétée, la plupart des voyageurs avaient déjà décidé de s'en aller, d'entamer la grande migration vers le nord et l'est. C'était comme si une grande vague venue du large s'apprêtait à déferler sur nous. Au début, tout le monde était resté immobile, captivé, puis soudain chacun avait pris ses jambes à son cou et gagné les hauteurs de la ville. Sauf que les hauteurs ne nous sauveraient pas de cette vague destructrice. Il n'y avait aucun abri ; le seul espoir était de tenter d'aller plus vite qu'elle tout en priant pour qu'un miracle se produise et l'arrête avant qu'elle ne nous balaie tous.

Quitter la ville ce soir-là ne fut pas chose facile ; les habitants avaient peut-être hâte de nous voir partir, et nous de nous en aller, mais il n'y avait que trois portes. Les marchands étaient arrivés au fur et à mesure pendant plusieurs jours avant la foire, mais maintenant ils essayaient tous de partir en même temps. Certains, rares, prirent les routes menant vers le sud ou l'ouest pour retrouver au plus vite leur femme et leur famille ; les autres – avec chariots, charrettes, bétail, moutons, oies, porcs et chevaux – jouaient des coudes pour franchir la seule porte restante. Les chemins, qui étaient déjà détrempés à cause de la pluie, devenaient impraticables à mesure que les animaux et les chariots retournaient la boue, et ici et là la route était bloquée par des bêtes et des chariots embourbés.

Par chance, je connaissais la région, et lorsque nous eûmes franchi la porte, j'entraînai Rodrigo et Jofre sur un sentier qui menait à une route parallèle qui contournait la ville, ce qui nous permit d'échapper à la foule. La route descendait dans une gorge. Elle était ancienne, et, bien qu'assez large pour les chariots, plus guère utilisée. Elle avait jadis été sèche, mais depuis que les hivers étaient plus humides, elle était souvent inondée, aussi les seuls à l'emprunter étaient-ils les voyageurs à pied ou à cheval. Nul charretier ni berger n'aurait été assez idiot pour s'y risquer à moins que le temps n'ait été sec depuis des semaines.

Nous mîmes si longtemps à sortir de la ville que la nuit tombait lorsque nous atteignîmes la route. Nous traînions des pieds en silence, nous efforçant de conserver notre équilibre sur la route glissante. Nos vêtements étaient trempés et nos bottes si alourdies par la boue que c'était comme avoir des jambes de plomb. Les gouttes d'eau s'abattaient, martelant leurs psaumes de contrition comme si nous étions des condamnés en chemin pour la potence. Nous ne rencontrâmes personne sur la route, et tandis que l'obscurité nous enveloppait, j'espérai qu'il en demeurerait ainsi, car nombreux sont les voyageurs, humains et pires, à hanter les routes solitaires après la tombée de la nuit. Et je n'avais aucun désir de faire la connaissance de l'un d'eux.

C'est alors que, au détour d'un virage, nous aperçûmes un chariot solitaire devant nous. Il était profondément enlisé dans une ornière pleine d'eau et penchait lourdement sur le côté. Je reconnus immédiatement le véhicule ainsi que son propriétaire. Zophiel, le grand magicien, enfoncé jusqu'aux mollets dans la boue gluante, tentait de redresser le chariot de l'épaule tout en le poussant vers l'avant, mais la boue ne cessait d'aspirer la roue. Le cheval avait depuis longtemps cessé de tirer. Il se tenait entre les brancards, baissant la tête sous la pluie, tentant d'atteindre la dernière touffe d'herbe qui surgissait de la boue. Comme Zophiel se trouvait à l'arrière du chariot, il n'y avait personne pour le tirer en avant, et ni ses jurons ni ses menaces ne produisaient le moindre effet sur la bête.

L'expression malheureuse de Jofre se transforma en sourire de ravissement lorsqu'il reconnut la silhouette qui pataugeait dans la boue.

« Bien fait », marmonna-t-il.

Rodrigo, qui avançait devant lui, ne l'entendit pas. D'ailleurs, il n'était pas censé l'entendre. Je suppose que Jofre avait eu la sagesse de ne pas lui raconter sa mésaventure avec Zophiel.

Jofre me donna un petit coup de coude.

« Je dis que nous devrions nous appuyer sur le chariot en passant à côté pour qu'il s'enlise encore plus.

— Et moi je dis qu'il vaut mieux l'aider. Il aura une dette envers nous. Inutile de vous précipiter, mon garçon ; la vengeance est un plat qui se mange froid. »

Mais avant que nous ayons pu atteindre le chariot, un jeune homme jaillit soudain de l'ombre sur le chemin devant nous. En dépit de ses soucis, Zophiel sentit le mouvement et se retourna vivement, produisant une longue dague fine qu'il pointa vers le ventre du jeune homme. Celui-ci fit un bond en arrière et leva les mains en signe de capitulation.

« Non, je vous en prie, je ne vous veux aucun mal. C'est ma femme. »

Les mains toujours levées, il désigna du menton le taillis duquel il avait jailli. Il restait juste assez de lumière pour nous permettre de distinguer une femme assise sur une souche, emmitouflée dans sa houppelande pour se protéger de la pluie.

« Ma femme, reprit le jeune homme. Elle n'en peut plus. Elle est enceinte.

— Et après, gronda Zophiel, qu'est-ce que vous voulez que ça me fasse ? Ce n'est pas moi le père.

— Je pensais que vous la laisseriez peut-être monter à bord de votre chariot. Pas moi, bien entendu, je peux marcher. Ça ne me dérange pas, j'ai l'habitude, mais Adela, elle…

— Seriez-vous encore plus stupide que vous n'en avez l'air ? Ne voyez-vous pas que mon chariot est bloqué ? Décampez. »

Zophiel contourna le chariot pour atteindre le cheval et se mit à tirer sur le licou et à cravacher copieusement la pauvre bête, tentant vainement de la faire avancer. Le garçon le suivit tout en se tenant à distance respectable du fouet.

« Je vous en prie, elle est à bout de forces. Je peux vous aider à dégager la roue, si vous…

— Vous, cracha Zophiel, vous n'avez pas plus de force qu'elle.

— Mais nous, si », dit Rodrigo en s'avançant.

Zophiel saisit à nouveau sa dague et recula nerveusement contre le flanc du chariot, jetant des coups d'œil furtifs à la ronde pour voir si d'autres personnes se cachaient dans l'ombre. Jofre ricanait. Ce spectacle le réjouissait.

Rodrigo fit sa révérence la plus courtoise.

« Ménestrel Rodrigo, à votre service, *signore.* Et voici mon élève, Jofre, et notre compagnon, un camelot. »

Zophiel nous scruta attentivement.

« Toi ! » lança-t-il tandis que ses yeux se posaient sur Jofre. Il recula vivement, agitant sa dague devant lui comme s'il était prêt à nous attaquer tous d'un coup.

« Si vous espérez récupérer l'argent du garçon, vous faites erreur, mon ami. Il était…

— L'argent ? demanda Rodrigo, perplexe.

— Le prix pour voir la sirène », expliqua Jofre en baissant les yeux vers ses bottes crottées.

Rodrigo acquiesça, manifestement satisfait, puis se tourna vers Zophiel et leva les mains, imitant le jeune homme.

« Soyez assuré, *signore*, que nous n'avons aucune intention de vous voler votre argent. Nous étions sur le point de vous proposer notre aide, entre voyageurs, lorsque ce monsieur est arrivé. Mais maintenant qu'il est là, à nous tous nous n'aurons aucun mal à faire repartir votre chariot. »

Zophiel continuait de nous observer d'un œil soupçonneux.

« Et combien voulez-vous en échange de votre aide ?

— Ces garçons soulèveront votre chariot, répondis-je à sa place, à condition que vous acceptiez d'emmener la femme de cet homme. »

Je regardai autour de moi. La pluie ruisselait sur nos visages. Nous étions si trempés et couverts de boue que nous semblions avoir été tirés d'une rivière. « Il me semble que nous avons tous besoin d'un abri ce soir. Il n'y a pas d'auberge sur cette route, mais je connais un endroit où nous serons protégés de la pluie, s'il n'est pas déjà occupé. »

Zophiel se tourna vers l'endroit où, dans la semi-pénombre, nous devinions tout juste la silhouette de la femme blottie sur la souche.

« Si je la laisse monter sur mon chariot, il va de nouveau s'embourber. De plus, ajouta-t-il d'un air irrité, il n'y a pas de place, le chariot est plein.

— Alors laissez-la s'installer à votre place. Elle ne peut pas être plus lourde que vous. Vous marcherez et guiderez le cheval. Dans le noir, ce serait de toute manière la meilleure chose à faire, à moins que vous ne préfériez que votre chariot se renverse.

— Et pourquoi marcherais-je alors qu'une femme serait assise à ma place ? Si son idiot de mari a décidé de la faire voyager à pied dans son état, il n'a qu'à s'en prendre à lui-même. »

Le vent se levait et la pluie nous fouettait le visage, brûlant notre peau déjà irritée par l'humidité et le froid.

« Allons, Zophiel, dis-je. Aucun d'entre nous ne serait sur la route ce soir si nous n'y étions forcés. Ne perdons plus de temps. Nous allons tous être trempés jusqu'aux os et vos roues s'enfoncent de plus en plus. Il me semble que votre choix est simple ; soit vous passez la nuit sous la pluie avec votre chariot embourbé, à la merci du premier assassin venu, soit vous emmenez la femme et nous laissez vous aider à repartir. Nous marcherons tous à côté de vous et soulèverons les roues chaque fois que le chariot s'enlisera, ce qui est certain de se produire, avec ou sans femme à son bord. Qu'en dites-vous ? Si nous nous entraidons ce soir, nous trouverons peut-être tous un lit sec avant l'aube… »

4

Adela et Osmond

Et c'est ainsi que nous en vînmes à passer la nuit tous les six, blottis autour d'un feu dans une grotte, à écouter la rivière rugir par-dessus les rochers de son lit et la pluie s'abattre sur les feuilles des arbres. La grotte était large, mais basse et peu profonde, comme un sourire d'idiot gravé sur la face de la roche. Elle se situait à environ cinq ou six pieds de hauteur, sur la falaise qui bordait la gorge, mais il y avait assez d'éboulis et de saillies pour y grimper aisément, même pour moi et la femme enceinte. Et elle n'était pas occupée, comme je l'espérais, car même en plein jour elle était dissimulée de la route par un enchevêtrement de grands arbres. Dans le noir, il était impossible de la voir, à moins de savoir où chercher, et j'avais même mis un moment pour la retrouver.

Les parois de la grotte étaient couvertes de longues arêtes lisses horizontales, comme si un potier géant avait fait courir ses doigts sur l'argile humide, et le sol descendait en pente vers l'ouverture, de sorte que l'intérieur était constamment sec. Des années auparavant, un berger ou un ermite avait en partie obstrué l'entrée en érigeant un muret de pierres grossières, et au fil du temps de la végétation sèche et des brindilles s'étaient accumulées derrière, dont nous nous servîmes pour allumer notre feu. Nous eûmes bientôt une belle flambée et, grâce à l'abri constitué par le mur, le feu brûlait bien, malgré les panaches de fumée qui refluaient occasionnellement dans la caverne.

Nous avions tous jeté ce que nous avions dans la marmite – fèves, oignons, herbes et quelques tranches de porc salé – pour préparer un potage chaud et nourrissant, bien meilleur que ce qu'on trouvait dans n'importe quelle auberge de la région. Maintenant que nous avions le ventre plein et que nos membres étaient réchauffés, nous commencions tous à nous détendre.

Je disposai quelques pierres au bord du feu. Des pierres chaudes enveloppées dans de la toile sont un bon moyen de se réchauffer les pieds au plus froid de la nuit. J'avais appris cette astuce des années auparavant et je supposais qu'Adela serait heureuse de trouver un peu de réconfort plus tard. Quelque chose me disait que nos deux tourtereaux n'étaient pas habitués à passer leurs nuits dans une grotte.

On dit que qui se ressemble s'assemble, et si c'est vrai, alors ces deux-là étaient faits l'un pour l'autre. Ils étaient tous deux blonds avec de larges visages saxons et des yeux aussi bleus et vifs que des véroniques. Osmond était un gaillard large et trapu, bien en chair, doté d'un teint lisse et clair que bien des filles lui auraient envié. Adela avait également la charpente épaisse de ses ancêtres saxons, mais, contrairement à Osmond, elle était mince, avait les pommettes saillantes comme si elle n'avait pas mangé à sa faim depuis de nombreuses semaines, et des cernes noirs entouraient ses yeux. Certaines femmes, aux premiers mois de leur grossesse, parviennent à peine à avaler un morceau, mais si telle était la cause de sa maigreur, elle s'était pleinement remise car elle avait mangé avec appétit ce soir-là.

Elle reprit quelques forces après le repas et s'étendit contre des sacs, se reposant tandis qu'Osmond s'affairait autour d'elle, s'assurant qu'elle avait assez chaud, qu'elle n'était pas fatiguée, n'avait pas faim, ni soif, jusqu'à ce qu'elle finisse par l'implorer en riant de se reposer lui aussi. Mais il en était incapable, et il me demanda une fois de plus, bien qu'il l'eût déjà fait une douzaine de fois, si je pensais vraiment que ni égorgeurs ni voleurs ne vivaient dans cette gorge.

Cette question taraudait aussi Zophiel. Nous avions été forcés de laisser son chariot et son cheval en bas de la falaise, et bien que nous ayons recouvert le chariot de branches et attaché son cheval dans les épaisses broussailles à un endroit où il ne pouvait être vu depuis la route, Zophiel avait refusé de se reposer avant d'avoir déchargé toutes ses boîtes et de les avoir mises à l'abri derrière nous. Personne n'osa demander ce qu'elles contenaient car il se méfiait déjà assez de nous, mais ce n'était de toute évidence pas de la nourriture : il avait offert une généreuse quantité de fèves sèches pour le potage, mais avait dû retourner les chercher dans son chariot.

Jofre était étendu dans l'obscurité au fond de la grotte, enveloppé dans sa houppelande. Rodrigo lui avait recommandé de s'approcher du feu avec nous autres, mais il avait prétendu avoir sommeil. Je sentais cependant qu'il était parfaitement éveillé et soupçonnais qu'il feignait de dormir afin d'éviter Zophiel, mais il n'est pas facile d'éviter quelqu'un dans une grotte.

Jofre avait été aussi tendu qu'une corde d'arc depuis que nous avions tiré le chariot de Zophiel de la boue.

Je savais qu'il appréhendait que celui-ci n'aborde de nouveau le sujet du pari. Et je tenais autant que lui à éviter ça, car si Rodrigo apprenait combien de leur argent durement gagné son élève avait perdu, il serait furieux. Et comment lui en vouloir ? Mais s'il lui sonnait les cloches devant tout le monde, il était probable que Jofre s'enfuirait dans la nuit, et s'il ne se cassait pas le cou dans l'obscurité, c'est sûrement l'un de nous qui se le casserait en allant le chercher.

Jusqu'à présent, Zophiel avait été trop préoccupé par ses boîtes pour se mêler à la discussion, mais maintenant que tout le monde s'installait pour la nuit, il était temps de créer une diversion, aussi cherchai-je un sujet de conversation qui nous éloignerait des paris et des tours de magie.

« Adela, est-ce votre premier enfant ? C'est l'impression que j'ai, à en juger par la prévenance de votre mari. Profitez-en au mieux maintenant, car quand arrivera le deuxième, il sera au lit avec un mal de tête pendant que vous accomplirez les corvées. »

Adela, rougissant, lança un coup d'œil à Osmond, mais ne répondit rien.

Je tentai à nouveau ma chance :

« Vous feriez bien d'accoucher au plus tôt ; ses nerfs ne tiendront pas longtemps. Pour quand est le bébé ?

— Vers Noël, ou peut-être un peu avant », répondit-elle timidement, regardant à nouveau Osmond.

Il lui frotta la main et fit la grimace.

« Ça fait encore quatre mois. Si elle n'arrive pas à marcher maintenant, qu'est-ce que ce sera en décembre ? observa froidement Zophiel, les yeux fixés sur l'obscurité au-dehors.

— Elle peut marcher, répliqua aussitôt Osmond, prenant la défense de sa femme. C'était à cause de tous les gens qui se précipitaient hors de la ville, ils la bousculaient et elle s'est sentie mal. Elle est forte d'ordinaire, n'est-ce pas, Adela ? Et de plus, nous aurons notre propre maison bien avant que le bébé n'arrive. »

Zophiel se tourna vers Osmond.

« Ainsi vous aurez votre propre maison, n'est-ce pas, mon jeune ami ? Vous avez de la propriété, c'est ça ? De l'argent ? » Il fit une révérence moqueuse. « Pardonnez-moi, monseigneur, je ne m'étais pas aperçu que je voyageais en compagnie d'un noble.

— Je gagnerai l'argent, répliqua Osmond, rougissant furieusement.

— En faisant quoi exactement ? »

La véhémence d'Osmond semblait amuser Zophiel. Il jeta un coup d'œil à leurs sacs. « Vous voyagez léger. Alors qu'êtes-vous, mon ami, un marchand, un bouffon, un voleur peut-être ? »

Les poings d'Osmond se serrèrent et Adela agrippa sa chemise pour le retenir. Il inspira profondément, peinant de toute évidence à rester poli.

« Je suis peintre, monsieur, je peins les tableaux des saints et des martyrs sur les murs des églises. La Nativité, le Jugement dernier, je peux tout faire. »

Zophiel haussa les sourcils.

« Vraiment ? Je n'ai jamais entendu parler d'un homme marié exerçant un tel emploi, ce sont sûrement les moines et les frères convers qui accomplissent cette tâche sacrée ? »

Adela se mordait la lèvre. Elle semblait sur le point d'intervenir, mais Osmond répondit le premier.

« Je peins les églises qui sont trop éloignées des

abbayes et des monastères pour être visitées par les artistes des ordres. Je peins les églises pauvres.

— Alors vous vivrez pauvrement. »

Osmond serra à nouveau les poings.

« Je peux gagner assez pour…

— Quel est ce bruit ? » demanda Jofre.

Il était penché en avant, regardant au-delà du feu, et avait cessé de faire semblant de dormir.

Zophiel fut debout en un instant, observant la pénombre à l'extérieur de la grotte. Nous écoutâmes, mais n'entendîmes rien hormis les crépitements du feu et le grondement de la rivière en contrebas. Après quelques minutes, Zophiel secoua la tête et se rassit, sans toutefois cesser de lancer des coups d'œil furtifs en direction de l'obscurité impénétrable.

Rodrigo, tout en lançant un regard à Osmond, qui semblait toujours furieux, rompit le lourd silence qui suivit :

« Et où allez-vous, Zophiel ? Avez-vous des projets ?

— J'avais prévu d'aller à Bristol pour embarquer à bord d'un navire. J'ai à faire en Irlande.

— Vous arrivez trop tard, remarqua Osmond. Si ce qu'on nous a dit à la foire est exact, vous ne trouverez pas un seul port ouvert entre Bristol et Gloucester. »

Le fait de voir le plan de Zophiel contrarié semblait le réjouir énormément.

« Bristol et Gloucester ne sont pas les seuls ports d'Angleterre, répliqua celui-ci en lui lançant un regard noir, n'avez-vous pas appris cela ? En supposant naturellement que vous ayez reçu la moindre éducation, même s'il est probable que votre pauvre maître ait baissé les bras, et qui pourrait le lui reprocher ?

Adela dut une fois de plus saisir le bras d'Osmond.

Elle regarda dans notre direction avec un sourire timide.

« Où allez-vous tous aller maintenant qu'ils ont fermé la foire ? demanda-t-elle.

— Nous voyageons tous les trois vers le nord jusqu'au sanctuaire de saint John Shorne, répondit Rodrigo avant que j'aie pu le faire. Je n'y suis moi-même jamais allé, mais Camelot affirme qu'il y a là-bas beaucoup d'auberges, beaucoup de pèlerins. C'est un bon endroit pour trouver du travail et un logis. Un bon endroit où rester en attendant que l'épidémie soit endiguée. Et ils ne fermeront pas un sanctuaire.

— Je croyais connaître la plupart des saints d'Angleterre, dit Osmond en fronçant les sourcils, mais je n'ai jamais entendu parler de ce saint John.

— C'est parce que ce n'est pas un saint, expliqua Zophiel, détournant momentanément le regard de l'entrée de la grotte.

— Il est vrai qu'il n'a pas été canonisé, ajoutai-je. Mais ne le dites pas trop fort au sanctuaire ; le clergé local et les villageois se vexent facilement. Il n'est mort que depuis trente ans et les habitants de la région sont si certains qu'il sera reconnu en tant que saint qu'ils lui ont déjà attribué ce titre. Et saint ou non, il ne fait aucun doute que ses miracles attirent les foules.

— Des miracles qui n'ont pas été vérifiés par la sainte Église », objecta Zophiel.

Je haussai les épaules.

« Les foules y croient néanmoins, et où il y a des foules, il y a de l'argent à gagner.

— Quel genre de miracles ? demanda Adela avec enthousiasme.

— Il était pasteur de la paroisse de North Marston, là où se trouve désormais son sanctuaire, et la région a connu une grande sécheresse. Les récoltes, les animaux, les gens, tous souffraient. On prétend que le pasteur John a frappé le sol avec son bâton, comme Moïse, et qu'à cet endroit a jailli une source qui ne s'est jamais tarie et n'a jamais gelé. Et comme on prétend que de son vivant il guérissait aussi les rhumes, les fièvres, la mélancolie et le mal de dents, et même qu'il redonnait vie aux noyés, les gens affluent désormais à sa source pour être guéris de ces mêmes maladies. Après tout, qui n'a pas un jour souffert d'une fièvre ou d'un mal de dents ?

— Et comment les gens faisaient-ils pour se noyer à North Marston, puisqu'il n'y avait pas d'eau ? demanda Zophiel. Ou peut-être avaient-ils tellement hâte de se guérir de leurs rhumes qu'ils tombaient dans le puits miraculeux. »

Il n'avait pas tort. Zophiel avait l'esprit vif, il fallait l'admettre.

« Je n'affirme rien. Je ne fais que répéter ce qu'on dit. De plus, la plupart des pèlerins viennent par curiosité, pour voir la botte. C'est le miracle qui attire vraiment les foules.

— Ah oui, la fameuse botte, grogna Zophiel. La preuve, s'il en fallait une, que toute cette histoire n'est qu'une imposture destinée à soutirer leur argent aux crédules.

— Mais si les gens y croient, alors ça les guérira. L'art, Zophiel, c'est de vendre à quelqu'un ce en quoi il croit, car c'est ainsi qu'on lui donne espoir. Et l'espoir est toujours authentique. C'est seulement la chose en laquelle on le place qui peut se révéler fausse.

— L'espoir est pour les faibles, Camelot.

— Mais qu'est-ce que cette botte ? interrompit

Adela, rougissant lorsque Zophiel se retourna pour la regarder avec mépris.

— Apparemment, pendant qu'il exorcisait un pauvre homme du démon de la goutte, le pasteur John a capturé le diable en personne dans la botte de l'homme. La plupart des vieillards du village jurent avoir vu de leurs yeux le diable piégé dans la botte, mais il s'est transformé en petit scarabée et s'en est échappé par l'un des trous de lacet avant de s'envoler. Et maintenant cette botte est exhibée derrière le sanctuaire. On dit que quiconque la chaussera sentira la goutte s'envoler avec le diable par ce même trou de lacet. Les foules…

— Écoutez ! » lança à nouveau Jofre d'un ton insistant.

Nous nous raidîmes, immobiles, tendant l'oreille. Et cette fois nous entendîmes aussi le bruit. Il était distant, mais indéniable, un hurlement, puis un autre, et encore un autre. Puis plus rien.

Rodrigo resserra sa houppelande autour de lui.

« Rendors-toi, *ragazzo*, ce n'est qu'un chien.

— Ce n'est pas un chien, c'est un hurlement de loup », répliqua sèchement Zophiel.

Adela gémit et Osmond l'entoura de ses bras d'un geste protecteur.

« Ne plaisantez pas ; vous effrayez Adela.

— Il ne plaisante pas, dis-je en secouant la tête. C'est un loup. Mais le hurlement provenait de l'autre côté de la colline, pas de la gorge. Et même s'il s'engage dans la gorge, le feu le maintiendra à distance.

— Si le loup est une bête, certes, convint Zophiel. Mais si c'est un loup humain, alors le feu l'attirera vers nous. »

Il regardait fixement l'obscurité derrière l'entrée de la grotte. Il s'était penché en avant et était maintenant accroupi, cherchant à tâtons son couteau à sa ceinture. « Il y a des bandes de voleurs et d'assassins qui utilisent les hurlements de loups et de chouettes pour se lancer des signaux. Les collines et les gorges telles que celles-ci en sont infestées. »

Osmond avait l'air abasourdi. Il semblait hésiter entre se précipiter hors de la grotte pour attaquer seul les égorgeurs et serrer si fort Adela entre ses bras qu'il risquait de la broyer.

« C'est un soulagement, Zophiel, dis-je, tentant d'alléger l'atmosphère. J'ai un moment cru que vous parliez de loups-garous, mais s'il ne s'agit que de voleurs et d'assassins, eh bien, vous autres gaillards saurez leur tenir tête. De plus, comme j'ai dit, le hurlement ne provenait pas de la gorge, ils ne verront donc pas le feu, qu'il s'agisse de bêtes ou d'hommes. »

Zophiel, comme nous le découvririons tous au fil du temps, n'était pas homme à accepter qu'on prenne ses paroles à la légère. Lorsqu'il se tourna vers moi, il avait les yeux plissés et sa bouche esquissait ce sourire moqueur que je commençais à ne connaître que trop bien.

« Des loups-garous, Camelot ? Allons, vous ne croyez sûrement pas à ces histoires qu'on raconte pour effrayer les femmes et les enfants. Je ne vous prenais pas pour un idiot superstitieux. Certes, si c'était le jeune Osmond qui avait dit une telle chose… »

Le jeune Osmond, oubliant temporairement son angoisse, sembla soudain disposé à en venir aux mains.

« Je suis étonné, Zophiel, répliquai-je, feignant la surprise. L'Église n'a-t-elle pas déclaré que c'était une hérésie de nier l'existence des loups-garous ? Ne sont-ils pas aussi réels que les sirènes ? » Je touchai ma cicatrice. « Comment croyez-vous que ceci me soit arrivé ? »

Adela ouvrit de grands yeux.

« C'est un loup-garou qui vous a fait ça ? »

Rodrigo s'apprêtait à dire quelque chose, mais je croisai son regard et il se contenta de me faire un sourire entendu. Ayant gagné leur attention, je m'installai plus confortablement et commençai à raconter mon histoire.

« Il y a bien des années, quand j'étais enfant, je vivais avec ma mère et mon père dans une vallée isolée couverte d'épaisses forêts à la frontière de l'Écosse et de l'Angleterre. Mon père travaillait dans la forêt, il coupait des arbres pour fabriquer des solives et des poutres. Il gagnait durement sa vie et nous nous en sortions relativement bien. Mais un jour, tandis qu'il était à son travail, la tête de sa hache s'est détachée du manche et s'est plantée dans son pied. La coupure était profonde ; elle s'est infectée, et moins d'une semaine plus tard, il était mort. Ma mère a continué de subsister tant bien que mal, mais c'était une vie cruelle pour une femme seule et nous n'avions guère à manger.

« Puis, un jour, nous avons découvert un étranger, un voyageur, qui gisait grièvement blessé dans la forêt. Nous l'avons ramené chez nous et avons pansé ses blessures, ne sachant s'il survivrait ou mourrait. De nombreux jours durant il a été en proie à la fièvre, mais elle est finalement retombée et il s'est remis. C'était un bel homme, fort et grand, et ma mère en est tombée amoureuse, si bien que lorsqu'il lui a proposé de l'épouser, elle a accepté sans hésiter.

« J'adorais mon beau-père. Il était courageux et brave et courait aussi vite que le vent. Et il subvenait bien à nos besoins, car une fois par mois, quand la lune était assez pleine pour chasser, il disparaissait dans la forêt avant le crépuscule et ne revenait qu'à l'aube. Et à son retour il rapportait toujours de nombreux oiseaux et animaux pour la marmite. Tout le monde avait remarqué que c'était un chasseur exceptionnel, car il n'emmenait ni chiens ni arc, juste un couteau. Je voulais devenir comme lui et l'implorais de m'emmener chasser avec lui, mais il refusait toujours, prétextant que j'étais trop jeune.

« Des fermiers de la région ont alors commencé à se plaindre qu'un loup s'était installé dans la vallée. Des agneaux disparaissaient et des cochons étaient retrouvés égorgés. On entendait un loup solitaire les nuits de pleine lune. Et les fermiers savaient que s'ils ne tuaient pas le loup, il ne leur resterait plus un animal de vivant une fois le printemps venu, aussi ont-ils décidé d'organiser une battue et de le traquer. Ils ont invité mon beau-père à se joindre à eux car il était de loin le meilleur chasseur, mais il a refusé en expliquant qu'il n'avait ni vu ni entendu de loup dans la forêt et, en cela, il disait la vérité.

« Cette nuit-là, mon beau-père est parti chasser seul comme à son habitude. Une fois de plus je l'ai imploré de me laisser l'accompagner. Il a ri, affirmant que j'étais trop lent pour suivre son allure. Mais j'étais déterminé à prouver qu'il se trompait, aussi, lorsque le soleil a commencé à décliner, je me suis glissé hors de la chaumière et ai suivi mon beau-père dans la forêt. Je devais marcher vite pour le suivre. Mais au lieu de s'arrêter pour poser des pièges ou suivre une piste, il courait en bondissant, si bien que j'ai fini par le perdre de vue.

« Il faisait désormais nuit et la lune s'élevait au-dessus des arbres, et j'ai alors compris qu'il ne me restait plus qu'à rentrer à la maison. Mais à peine avais-je fait quelques pas que j'ai entendu un son qui m'a glacé le sang. C'était un hurlement de loup, mais pas un simple cri, c'était un hurlement de douleur, comme si la créature souffrait atrocement. Je suis resté figé sur place. Et c'est alors, tandis que l'éclat argenté de la lune illuminait le sol de la forêt, que je l'ai vu : une grande tête hirsute avec des yeux jaunes de loup, sauf que ce loup ne marchait pas à quatre pattes comme une bête, il se tenait debout comme un homme.

« J'ai hurlé de peur et le loup s'est retourné. Il s'est mis à gronder, dévoilant ses grands crocs blancs. Mais alors qu'il bondissait sur moi, j'ai entendu des hommes qui avançaient à grand bruit dans les broussailles et des chiens aboyer. Et en apercevant les torches enflammées, le loup s'est enfui. Les fermiers et les chiens se sont lancés à sa poursuite. Le loup les a aisément semés, mais les chiens suivaient sa piste, et les fermiers suivaient les chiens.

« Mais je savais où allait le loup. Quand une créature est pourchassée, elle retourne chez elle. J'ai atteint notre chaumière avant les fermiers et leurs chiens, mais pas avant le loup. Ma mère gisait par terre, en sang, égorgée. Le loup était accroupi au-dessus d'elle. Mais comme il se retournait pour se jeter sur moi, je suis parvenu à me rouler sous le lit, où ses coups de mâchoire ne pouvaient m'atteindre. Fou de rage, le loup a attrapé mon visage avec ses énormes griffes et l'a déchiré.

« Les fermiers ont envoyé leurs chiens à l'intérieur pour distraire le loup tandis qu'ils me faisaient sortir de la minuscule chaumière par la fenêtre. Mais aucun chien ne fait le poids face à un loup-garou, et nul homme n'était prêt à risquer de se faire mordre par la créature, aussi ont-ils barricadé le loup-garou à l'intérieur de la chaumière avant d'y mettre le feu. Les hurlements du loup ont retenti à travers la forêt et empli la vallée jusqu'à ce que les flammes le consument finalement et qu'il cesse de hurler. »

Un silence suivit mon récit. Personne ne bougeait. Adela écarquillait de grands yeux et Jofre avait la bouche pendante.

Rodrigo éclata soudain d'un grand rire et me tapa dans le dos.

« Une belle histoire, Camelot, mais ne vous ai-je pas entendu jurer à ce marchand à la foire que vous aviez perdu votre œil en Terre sainte ?

— Que j'aie perdu mon œil est un fait, Rodrigo. Et puisque je ne puis plus m'en servir pour voir, autant que je m'en serve pour nous remplir l'estomac et nous procurer un lit chaud. »

Rodrigo secoua la tête en souriant, puis il se tourna soudain vers Osmond.

« À propos d'abri, j'ai pensé, vous et votre femme devriez nous accompagner au sanctuaire de saint John. Vous peindrez des scènes sacrées. Si le sanctuaire est riche, peut-être qu'ils auront besoin d'un peintre. Quant à Adela, elle pourra s'y reposer pendant l'hiver et y avoir son enfant. Vous trouverez un logis et une sage-femme pour l'aider le moment venu, n'est-ce pas, Camelot ? »

Osmond lança un coup d'œil à Adela et ils me sourirent tous deux d'un air enthousiaste.

Je sentis mon sourire se figer sur mon visage et maudis en silence Rodrigo. Que croyait-il, que c'était un pèlerinage ? Comme si les choses n'étaient pas assez difficiles comme ça, maintenant il me chargeait de mener une femme enceinte, qui pouvait à peine marcher, jusqu'à North Marston. Je ne pouvais pas me retrouver avec ces deux-là sur les bras. J'aurais parié le crâne de saint Pierre que nos tourtereaux n'avaient pas plus d'expérience de la route que Rodrigo et Jofre. Ils nous ralentiraient grandement. La pestilence se rapprochait par le sud et l'ouest. Je n'avais pas le temps de jouer à la nourrice avec une bande de novices. Pour qui me prenaient-ils, pour Moïse ? Mais que pouvais-je faire ? Je voyais l'espoir sur leur visage et ne pus me résoudre à refuser.

Nous n'entendîmes plus de hurlements de loup ; seuls le battement régulier de la pluie sur les feuilles et le rugissement impétueux de la rivière brisaient le silence de l'obscurité au-dehors. Mon corps fatigué était douloureux, mais j'avais l'esprit trop préoccupé par le voyage qui se préparait pour pouvoir dormir, aussi proposai-je de prendre le premier tour de garde, et les autres s'installèrent aussi confortablement qu'ils le purent pour la longue nuit qui nous attendait.

Osmond déboucla les chaussures d'Adela, puis il lui ôta ses bas infects et trempés et massa tendrement ses pieds froids et humides. Ses chaussures rouges pointues étaient légères et jolies, des trous percés dans le cuir dessinant des pâquerettes. Elles étaient faites pour la maison, ou pour se promener dans des cloîtres, mais n'étaient bonnes à rien lorsqu'il s'agissait de patauger dans des flaques ou d'arpenter des chemins de terre. C'était pure folie que de prendre la route avec de telles chaussures. Ils n'avaient pas bien préparé leur voyage ; peut-être ne l'avaient-ils pas préparé du tout.

Qu'est-ce qui avait pu forcer un jeune couple comme eux à prendre la route dans une telle hâte ? Ma gorge s'assécha soudain. Peut-être venaient-ils de Bristol et s'étaient-ils enfuis quand la pestilence avait frappé. Peut-être la contagion imprégnait-elle déjà leurs vêtements. Je me ressaisis ; je ne pouvais pas sauter de peur chaque fois que je croisais un inconnu sur la route. Il n'y avait pas assez de grottes en Angleterre pour que nous puissions tous vivre en ermites dans les collines. Et puis, même les ermites ont besoin que quelqu'un leur apporte à manger.

« Tenez. » J'enveloppai l'une des pierres chaudes dans de la toile et la glissai vers Adela. « Réchauffez-vous les pieds là-dessus. »

Elle me fit un sourire reconnaissant.

« C'est gentil. Merci. »

Je soulevai ses chaussures et les posai près du feu. Cuir de Cordoue, le meilleur, on le devinait rien qu'au toucher malgré la boue qui le recouvrait. Cela faisait de nombreuses années que je ne m'étais pas offert autre chose que des chaussures de marche, et je n'aurais plus jamais ce luxe. La peau de mes pieds était devenue si dure et calleuse à cause de toutes les routes que j'avais arpentées qu'elle était à elle seule comme une paire de chaussures en cuir.

Adela était recroquevillée sur elle-même, les bras serrés autour de son torse, ses petits pieds nus fermement appuyés sur la pierre chaude. Elle frissonnait. Sa houppelande était toujours trop humide pour qu'elle puisse s'envelopper dedans, mais ni l'un ni l'autre n'avait manifestement songé à apporter autre chose.

Je soupirai et lui lançai ma couverture.

« Enveloppez-vous dedans avant d'attraper la mort.
— Mais je ne peux pas prendre votre couverture. Vous pourriez attraper froid. »

Elle ne disait pas ça par politesse. En dépit de son épuisement, ses yeux trahissaient une véritable inquiétude. Il ne faisait aucun doute que la jeune femme me considérait comme un vieux gâteux qui avait besoin d'une bonne couverture et d'un bon bouillon, mais sa sollicitude me toucha néanmoins – la plupart des gens se seraient plus souciés de leur propre confort que de celui d'un vieillard.

« Il vaut mieux que je n'aie pas trop chaud si je dois monter la garde. À mon grand âge, je risque de piquer du nez si je suis trop confortablement installé. Mais vous, vous feriez bien de vous reposer autant que possible. Vous aurez besoin de toutes vos forces demain matin. »

Je n'avais nul besoin de lui recommander de dormir ; ses paupières se fermaient déjà.

« Pourquoi n'ôtez-vous pas votre voile et ne vous mettez-vous pas à l'aise ? Cela ne dérangera pas votre mari, j'en suis sûr. Vous allez vous piquer avec les aiguilles si vous vous endormez avec. »

Elle passa rapidement la main autour du voile de lin qui encadrait son visage, comme pour s'assurer qu'il était toujours en place. Celui-ci était épinglé à une barbette sous son menton et dissimulait ses cheveux, à l'exception d'une mèche filasse au niveau de sa tempe. C'était un habit curieusement démodé pour une si belle jeune femme. Ces temps-ci, seules les vieilles femmes qui ne voyaient aucune raison de se débarrasser d'une chose dont elles avaient été affublées toute leur vie continuaient de porter des barbettes. Mais la plupart des femmes étaient ravies de se libérer d'une parure si contraignante.

« Je ne peux pas… je n'ai pas besoin de l'enlever. Je ne dors pas allongée, à cause… de mon bébé. Les humeurs me remontent si je m'allonge », ajouta-t-elle vivement.

Osmond glissa un bras autour d'elle et elle se pencha avec reconnaissance contre son épaule. Même si elle ne sentait pas les aiguilles, lui les sentirait demain matin ; il en fallait au moins une douzaine pour attacher un tel voile. Il semblait néanmoins disposé à tout accepter pour protéger sa jeune épouse.

Elle n'était pas habituée à dormir parmi des inconnus, ça crevait les yeux. Elle avait eu une enfance protégée, mais ni la timidité ni la pudeur n'étaient un atout sur la route. Avait-elle, avaient-ils, la moindre idée de ce qui les attendait ? Avais-je réellement jadis fait preuve de la même naïveté qu'eux ? Quand on est jeune et amoureux, on croit que la vie ne nous réservera rien d'insurmontable. On croit qu'à deux on pourra tout vaincre. Je priais pour qu'il n'apprenne jamais combien la vie est prompte à séparer ceux qui s'aiment.

Les flammes orange qui dansaient projetaient nos énormes ombres grises sur le mur de la grotte, décuplant de façon grotesque le moindre de nos mouvements, comme un spectacle de mime dont nous aurions été le sujet de moquerie. Nos ombres se mêlaient les unes aux autres, faisant apparaître des monstres dotés de deux têtes hirsutes. Des dragons bossus dormaient, repliés sur eux-mêmes, et des sirènes agitaient leur queue ondulante. Les ombres sont si chimériques, et pourtant elles sont plus grandes que n'importe lequel d'entre nous.

Zophiel était adossé à ses boîtes, sa tête dodelinant lourdement contre sa poitrine. Ce qui, le matin venu, lui vaudrait un torticolis, mais tant pis pour lui. Rodrigo, étendu de tout son long, ronflait, dormant du paisible sommeil du juste. Adela et Osmond étaient blottis l'un contre l'autre contre la paroi de la grotte, la tête d'Adela enfoncée dans l'épaule d'Osmond, qui la serrait dans ses bras.

Jofre était pelotonné au fond de la grotte comme il l'avait été tout du long de la soirée, mais il ne dormait pas. La lumière du feu se reflétait dans ses yeux ouverts. Il observait Osmond et Adela, incapable de détacher son regard d'eux. Et je compris soudain pourquoi il était resté si silencieux toute la soirée. Ce n'était pas juste la crainte que Zophiel évoque le pari ; le pauvre garçon était tombé amoureux. Pourquoi faut-il que les jeunes gens aient ainsi des coups de foudre si soudains et violents ? Adela et Osmond étaient de jeunes mariés ; qu'espérait Jofre ? Mais l'éternel triangle amoureux est aussi vieux que l'humanité. On pourrait même affirmer qu'Adam, Ève et Dieu ont formé le premier, et voyez où ça nous a menés. Tous ces siècles d'intrigues amoureuses n'ont rien donné de bon. Mais à quoi bon le prévenir que tout cela n'apporterait que souffrance ? Les jeunes gens sont prompts à croire aux loups-garous et aux sirènes, mais ils ne croient jamais que les vieillards ont eux aussi connu l'amour.

Tandis que je regardais les corps immobiles d'Adela et Osmond, de Rodrigo et Jofre, baignant dans le doux rougeoiement du feu, je compris soudainement que je n'appartenais à personne, et pour la première fois depuis de nombreuses années, je me sentis vide et éprouvai un terrible sentiment de solitude. Je croyais ne pas craindre la mort. À mon âge, je la savais inévitable, mais je ne lui avais jusqu'alors jamais donné de forme. Maintenant, à mesure que l'effroyable maladie s'approchait inexorablement de nous, je percevais pour la première fois la forme que la mort pourrait prendre et sentis la panique me serrer la gorge.

Zophiel insista pour que nous reprenions la route aux premières lueurs du matin. La gorge le rendait nerveux ; être éloigné de son chariot le rendait nerveux ; nous le rendions nerveux. Je crois qu'il espérait que, sitôt franchi la gorge, il pourrait se débarrasser de nous, particulièrement d'Adela.

Celle-ci semblait avoir repris des forces, même si elle était toujours pâle et, de toute évidence, ses forces retrouvées ne dureraient guère. Mais après les sarcasmes de Zophiel le soir précédent, elle était déterminée à prouver qu'elle pouvait marcher aussi bien que nous, et même Osmond semblait vouloir prouver l'endurance de sa femme à Zophiel. Cependant, Rodrigo, avec son éternelle galanterie, ne l'entendait pas de cette oreille : si nous devions pousser et tirer le chariot alourdi par les boîtes de Zophiel chaque fois qu'il s'enliserait sur la route, Zophiel devait au moins nous prêter main-forte en guidant son cheval à pied, et Adela devait être autorisée à voyager à bord du chariot afin d'économiser ses forces.

Zophiel, ne voyant comment sortir de la gorge sans notre aide, acquiesça de mauvaise grâce, puis passa tout le début du voyage à tourmenter le morose Jofre. Ayant compris que ce dernier avait caché le pari à son maître, il s'amusait constamment à détourner la conversation jusqu'au moment où il semblait sur le point de révéler le secret, avant de passer habilement à autre chose, Zophiel aimait jouer au chat et à la souris, et il était très doué.

Mais cette fois, c'est Rodrigo lui-même qui créa une diversion lorsqu'il se tapa soudain le front.

« Camelot, j'ai oublié de vous dire qu'une de vos amies, une enfant, s'est enquise de vous hier à la foire. J'aurais dû vous le dire plus tôt, mais toute cette agitation quand nous avons dû partir me l'a ôté de la tête.

— Je ne connais pas d'enfant, répliquai-je en fronçant les sourcils.

— Elle a prétendu vous connaître. Une enfant jolie, différente. Ses cheveux, ils étaient… comme du givre. »

Un frisson me parcourut comme si on m'avait passé un chiffon froid et humide sur la peau. Ainsi Narigorm était bien à la foire. Je n'aurais su dire si ce que j'éprouvais était du soulagement ou un trouble. J'avais commencé à croire que je m'étais imaginé la voir. Puis une idée me traversa l'esprit.

« Rodrigo, il y avait des centaines de personnes à la foire, comment savait-elle que vous me connaissiez ? Le lui avez-vous dit ? »

Il secoua la tête, puis haussa les épaules.

« Peut-être nous a-t-elle vus ensemble. Mais elle m'a demandé de vous dire qu'elle serait bientôt avec vous. C'est une bonne nouvelle, n'est-ce pas ?

— Vous ne lui avez pas dit où nous allions, si ? » demandai-je en m'efforçant de dissimuler mon inquiétude.

Il secoua de nouveau la tête.

« Non, elle ne me l'a pas demandé. »

Je poussai un grand soupir. Je voyais à l'expression perplexe de Rodrigo qu'il ne s'attendait pas à une telle réaction de ma part, et je n'aurais pu expliquer mon trouble, pas même à moi-même. Pourquoi enverraitelle un tel message ? Me suivait-elle ? Non, cette idée était idiote. Voilà que je me mettais à imaginer des choses pour de bon ; pourquoi une enfant suivrait-elle un vieil homme qu'elle connaissait à peine ?

« Camelot, cette enfant, est-elle… » commença Rodrigo.

Mais sa question fut interrompue par un cri strident qui se répercuta à travers la gorge, nous faisant nous arrêter. Aucun doute, c'était un cri humain, et la personne qui l'avait poussé était dans une situation désespérée. Il provenait d'un endroit devant nous, derrière un virage, mais notre vue était bloquée par un rocher qui faisait saillie. Comme les hurlements reprenaient, Rodrigo et Osmond tirèrent leur couteau et se mirent à courir dans leur direction, suivis de près par Jofre. Mais alors même qu'ils couraient, les cris cessèrent brusquement, comme coupés net par une hache. Zophiel, Adela et moi suivions plus lentement avec le chariot, mais lorsque nous tournâmes prudemment dans le virage nous vîmes les autres debout sur le chemin, qui regardaient quelque chose un peu plus loin.

Deux hommes, la tête dissimulée sous une capuche, étaient penchés au-dessus d'un troisième qui gisait dans la boue. L'un des hommes encapuchonnés arrachait un sac de cuir au corps étendu face contre terre tandis que l'autre fouillait maladroitement les vêtements du cadavre. Ils n'y étaient pas allés de main-morte. La tête de la victime était une bouillie de cheveux, de cervelle et d'os. Même sa mère ne l'aurait pas reconnu. Les coups avaient de toute évidence été infligés par les lourdes massues qui pendaient toujours aux lanières de cuir accrochées aux poignets des meurtriers. Les voleurs n'avaient même pas pris la peine de tirer le corps hors du chemin pour accomplir leur sale besogne, et maintenant, loin de s'enfuir à notre approche, ils continuaient de s'occuper de leur proie, tels des chiens sauvages que rien n'arracherait à leur victime.

Osmond fut le premier à rompre le silence, stupéfait ; il s'approcha des deux hommes en hurlant, agitant les bras comme pour éloigner des animaux. Les deux voleurs levèrent la tête. Ils ôtèrent leur capuche, mais restèrent accroupis au-dessus du cadavre ensanglanté.

« Vous comptez nous arrêter, jeune maître ?

Osmond s'immobilisa. Un sourire semblait fendre le visage des hommes qui le regardaient d'un air mauvais. Mais ce n'était pas un sourire. Ils avaient les lèvres et le nez rongés. Des lambeaux grisâtres de chair morte recouvraient leur visage, comme de la moisissure sur un fruit pourri. C'étaient des lépreux.

Ils se relevèrent et se mirent à clopiner dans notre direction, faisant tournoyer leurs gourdins comme ils l'avaient sans aucun doute fait avant de frapper le pauvre diable qui gisait sur le chemin.

« Vous allez poser vos mains sur nous, jeune maître ? Vous allez nous emmener ? J'ai une idée, pourquoi ne nous donnez-vous pas votre beau chariot. Je suis las de marcher. Voyager en chariot me fera du bien. Et je parie que vous avez de la bonne nourriture dans ce chariot, et du vin aussi. Allons, donnez-le, ou bien voulez-vous que nous vous embrassions ? »

Ils n'avaient rien à perdre. L'Église les avait déjà déclarés comme morts. Que pouvait-il leur arriver de pire ? Finir pendus ? Dans leur état, la pendaison aurait pu être une bénédiction, pour autant qu'un homme eût osé s'approcher d'eux, mais ils avaient raison, qui allait poser la main sur eux pour les mener devant la justice ? Qui aurait le courage de saisir ces mains sans doigts et de les ligoter, ou de passer une corde autour de ces cous couverts de croûtes ? Peut-on exécuter un homme mort ? Nous volons les reliques des morts, mais il semblait désormais que c'étaient les morts qui allaient nous voler.

C'est Rodrigo qui lança le couteau. Un lancer puissant exécuté par un bras musclé. La lame s'enfonça profondément dans la poitrine du lépreux. Il poussa un cri, chancelant en arrière sous l'effet de l'impact, tentant d'arracher le couteau avec ses moignons. Puis il avança vers nous en titubant, la bouche ouverte, les bras écartés comme s'il comptait nous emmener tous dans la tombe avec lui, avant de s'effondrer sans vie dans la boue. Son compagnon avait déjà tourné les talons et détalait parmi les arbres. Il ne se retourna pas pour voir son ami tomber.

5

Le mariage des infirmes

Nous fûmes tous les six obligés de passer de nombreuses autres nuits dehors dans le froid et l'humidité. La rencontre avec les lépreux dans la gorge semblait avoir convaincu Zophiel qu'il n'était pas sûr de voyager seul, surtout par des routes aussi détrempées. Et même si je sais désormais que Zophiel avait des raisons plus pressantes de voyager en notre compagnie, je me disais alors que, en dépit de son mépris pour saint John et ses miracles, même lui comprenait qu'il était raisonnable de se rendre au sanctuaire et de s'y installer en attendant que le pire soit derrière nous et que les ports aient rouvert. J'en étais pour ma part bien aise, car nous avions besoin de son chariot pour Adela. Elle n'était pas en état d'affronter la boue, le vent, la pluie, jour après jour.

Il pleuvait sans discontinuer depuis trois mois et, bien que les étés précédents aient été mauvais, personne ne s'en rappelait un pire que celui-ci.

« S'il pleut à la Saint-Jean, il pleuvra sept semaines de plus », avait gaiement récité Adela au début, ce qui n'avait pas manqué d'irriter grandement Zophiel.

Mais sept semaines s'étaient écoulées. La Saint-Swithin et ses quarante jours et quarante nuits de pluie était aussi passée. Et il continuait pourtant de pleuvoir. Même Adela n'avait plus foi en ses proverbes. Cette pluie n'avait rien de naturel.

Et avec chaque averse la boue se faisait plus profonde, la marche, plus difficile, nos ventres, plus vides. La vérité, bien qu'aucun d'entre nous ne l'eût admis, c'était que nous commencions à dépendre les uns des autres pour survivre. Nous partagions toute la nourriture et toute la bière que nous achetions avec le peu que chacun d'entre nous gagnait dans les villages que nous traversions. Nous fabriquions des abris de fortune quand nous ne trouvions ni auberge ni grange, et aidions tous à trouver du fourrage pour le cheval.

La jument, comme nous le découvrîmes bientôt, portait bien son nom. Sa robe lustrée était d'un rouge doré flamboyant, et c'était pour cette raison qu'elle avait été nommée Xanthos, d'après l'immortel cheval doué de parole qui avait été donné à Achille. Mais son tempérament s'apparentait plus à celui de la tristement célèbre bête du même nom, la jument mangeuse d'homme du roi Diomède, sauf que notre Xanthos était encore plus misanthrope, car contrairement au cheval du roi qui ne dévorait que ses ennemis, elle prenait grand plaisir à attaquer aussi bien amis qu'ennemis. Elle avait la fâcheuse habitude de mordre, sans prévenir, quiconque se trouvait à portée de dents, simplement pour s'amuser. Nous apprîmes donc rapidement à nous tenir à bonne distance, à moins de serrer fermement sa bride.

Mais Xanthos et le chariot qu'elle tirait devinrent notre arche, notre lien, ce autour de quoi nous nous rassemblions. Nous les tirions hors des ornières durant la journée et les gardions la nuit. Le chariot transportait nos sacs, notre nourriture, notre bière ; il nous servait même d'abri lorsque nous ne trouvions rien d'autre. Nous marchions tous les six vers le sanctuaire de saint John pour nous abriter du temps et de la pestilence, et la perspective des lits secs qui nous y attendaient, de l'argent facile, de la nourriture chaude, l'idée que nous cesserions de marcher dans la boue sous la pluie étaient ce qui nous aidait à continuer quand nos ventres vides nous faisaient souffrir et que nos pieds étaient si humides et engourdis que nous aurions pu nous casser les orteils et les vendre comme des reliques.

Et quelque chose d'autre me poussait à continuer, même si je ne le confiais à aucun d'entre eux. Une fois que j'aurais mené notre petite compagnie à North Marston, je pourrais les y laisser. Ils seraient en sécurité. Fini de jouer les nourrices ou de devoir supporter les railleries de Zophiel et les bouderies de Jofre. Je n'aurais plus à me soucier que de moi-même. À North Marston ils pourraient se débrouiller seuls et je pourrais les abandonner avec la conscience tranquille.

Le besoin d'atteindre le sanctuaire se faisait chaque jour plus pressant. La peur gagnait les terres. Elle montait en silence, telle la marée dans une crique, une peur froide, grise, qui s'insinuait partout. On ne parlait plus dans la région que de la pestilence qui avait atteint Londres. La nouvelle avait ébranlé même les plus optimistes. Certes, Londres était un port ; il était condamné à succomber tôt ou tard, mais il ne se trouvait pas sur la côte sud, ni même sur la côte ouest. Il se trouvait à l'est. La pestilence s'était propagée de tous côtés, et s'apprêtait désormais à étreindre le cœur de l'Angleterre.

Personne ici n'avait vu de lépreux ; la plupart des gens ne savaient guère ce que la maladie faisait aux hommes, ce qui ne les rendait que plus craintifs, car le moindre mal de tête, la moindre quinte de toux, la moindre fièvre pouvait en être le commencement. Comment savoir ? Et pour ne rien arranger, une rumeur circulait qui affirmait que les humains n'étaient pas les seuls à être contaminés ; les animaux et les oiseaux aussi. Des troupeaux de cochons, de moutons, de bovins, même de chevaux étaient tombés malades et avaient péri dans le Sud. Des gardiens avaient quitté leur bétail en bonne santé le soir, et le lendemain matin, à leur réveil, il ne restait plus une seule bête debout dans le troupeau.

« Peut-être les flagellants vont-ils venir, déclara Rodrigo. Je les ai vus un jour à Venise, qui allaient d'église en église. Des hommes et des femmes, nus jusqu'à la taille hormis leur capuche blanche. Ils se flagellaient avec des fouets à pointes de métal sanguinolentes. J'ai entendu dire qu'ils étaient désormais légion dans toute l'Europe, à se crier les uns sur les autres pour s'encourager à se fouetter et à prier plus fort.

— Et s'ils viennent en Angleterre, les rejoindrez-vous ? » demandai-je.

Rodrigo fit la moue et baissa la tête, faussement honteux.

« Vous avez devant vous un abject lâche, Camelot. Je ne goûte point la douleur, qu'il s'agisse de l'infliger ou de la recevoir, même pour le salut de mon âme. Et vous, Camelot ? Porterez-vous la capuche blanche ?

Je portai vivement la main à la surface plissée de ma cicatrice.

« Il me semble que si Dieu veut punir ses enfants, Il est plus que capable de brandir Lui-même le fouet. »

Les flagellants ne vinrent pas. Les Anglais sont différents. Nous n'avons pas la passion des autres contrées. C'est de la pluie et non du sang qui coule dans nos veines. Mais même sans s'adonner à une orgie de fustigation, les Anglais trouvèrent d'autres moyens d'apaiser les cieux et de détourner la colère de Dieu, et qui peut affirmer que leur douleur n'était pas pire que des coups de fouet pour ceux qui en étaient les victimes ?

Ce n'était pas le temps idéal pour un mariage, pas ce dont rêve une jeune mariée, mais ce mariage-ci n'avait rien de romantique. Il faisait un froid glacial et humide. Un vent sournois fouettait les rues. Mais les villageois de Woolstone étaient tout de même déterminés à se livrer aux festivités et ils arboraient leurs plus beaux habits, ce qui, pour les jeunes filles, signifiait leurs tenues les plus légères et les plus suggestives. Leurs mères s'agitaient partout à la fois, se disputant à propos des guirlandes, de la cuisson de la nourriture, tandis que leurs époux montaient des baldaquins, des bancs et des tréteaux parmi les tombes, et faisaient rouler des fûts de bière à travers le cimetière, piétinant même les tombes les plus récentes. Tout le monde était si absorbé par les préparatifs qu'ils semblaient avoir complètement oublié la raison de cette folie collective. Mais si tout le monde autour de vous est fou, alors qu'est-ce qui est normal, et qui étions-nous pour nous plaindre ? Car là où il y a un mariage, il y a à boire et à manger en abondance.

J'avais entendu parler de la tradition des mariages d'infirmes bien des années auparavant. D'aucuns affirment qu'elle remonte à des temps où l'homme n'était pas encore chrétien. On dit que si vous mariez ensemble deux infirmes dans un cimetière aux frais de la communauté, cela détournera la colère divine et protégera le village de la pestilence ou de toutes les maladies qui font rage dans la région. Mais pour que le charme fonctionne, tout le monde dans le village doit apporter sa contribution au mariage. Et dans ce village-ci, chaque habitant avait été contraint d'aider aux préparatifs, de son plein gré ou non, car bien que Woolstone fût niché sous la colline de White Horse, les villageois savaient au plus profond d'eux-mêmes que celle-ci n'offrirait guère de protection contre cette nouvelle malédiction.

Et lorsqu'ils découvrirent Rodrigo et Jofre dans notre compagnie, ils prirent cela pour le signe que leur mascarade était déjà bénie par Dieu. Ne leur envoyait-il pas en effet deux talentueux musiciens juste quand ils en avaient besoin ? La main de Dieu peut être vue dans chaque événement si l'on est déterminé à l'y trouver, tout comme celle du diable.

Les jeunes mariés étaient assis sous un baldaquin, vêtus d'habits propres et simples, mais affublés de chapelets de feuilles et de guirlandes faites d'épis de céréales, de fruits et de rubans, comme si les villageois n'avaient su décider s'il s'agissait d'un mariage ou d'une fête de la moisson. L'alliance avait été fabriquée à partir de copeaux d'étain, la coupe de l'amitié avait été empruntée, et la mariée était nu-pieds. Certes, nombre de jeunes couples ont débuté leur vie conjugale avec moins et néanmoins estimé que c'était le mariage le plus parfait de la Terre, mais ils étaient amoureux. Ces deux-là ne l'étaient pas.

Le futur marié n'avait probablement pas plus de 20 ans, mais tout un côté de son corps était ravagé. Son bras gauche désarticulé pendouillait comme un lièvre mort et sa jambe traînait pitoyablement derrière lui, de sorte qu'il avançait par une série de bonds maladroits, appuyé sur une béquille. Sa tête était trop grosse, comme celle d'un bébé gigantesque, et bien qu'il essayât de parler en tordant la bouche, il ne parvenait pas à se faire comprendre. Il semblait déconcerté de voir tout le monde lui sourire et lui serrer la main. Cela devait le changer des insultes et des coups de pied auxquels il avait normalement droit. Il se gavait et buvait aussi vite que possible, la bière lui dégoulinant des coins de la bouche, se jetait sur la nourriture comme si on ne lui en avait jamais donné autant et qu'il craignait que cela ne se reproduise plus.

La future mariée ne souriait pas. Elle était assise immobile là où on l'avait placée, ses yeux aveugles roulant dans leurs orbites. Il était difficile de deviner son âge. Des années de quasi-inanition avaient fait se racornir sa chair, et bien qu'on eût tenté de peigner le peu de cheveux qui lui restait, cela ne dissimulait pas les croûtes jaunes qui recouvraient son crâne et son visage. Les jointures de ses mains étaient brillantes et gonflées, ses doigts fins, si entortillés contre ses paumes qu'il aurait été impossible de les séparer.

Elle avait rapidement été abandonnée par les jeunes villageoises qui avaient constitué sa suite et qui, une fois leur devoir accompli, s'en étaient allées embrasser et se faire embrasser par leur bien-aimé. Et, bien qu'elle fût entourée de victuailles, elle ne cherchait ni à manger ni à boire, comme si elle était habituée à sentir la nourriture qui ne lui était pas destinée et la bière qu'elle n'avait pas les moyens d'acheter. Je me glissai sur le banc à côté de la jeune femme, arrachai une cuisse d'oie rôtie à la carcasse sur la table et en approchai sa main froide et cireuse. Elle tourna à demi son visage vers moi et me remercia d'un signe de la tête. Au moins les aveugles n'ont pas de mouvement de recul à la vue de ma cicatrice. Serrant la cuisse d'oie à deux mains, elle la porta lentement à sa bouche, la reniflant avant de mordre dedans. Contrairement à son nouveau mari, elle mangeait lentement, comme pour faire durer le plaisir.

« Vous feriez bien d'être prudent, Camelot, me lança Zophiel d'une voix traînante. Ils risquent de vous choisir comme prochain marié.

— Camelot n'est pas un infirme ! rétorqua avec colère Rodrigo.

— Ah non ? »

Zophiel passa la main par-dessus mon épaule pour planter la pointe de son couteau dans une succulente roulade de mouton épicé.

« Il a déjà négligemment égaré un de ses yeux et ne semble pas se rappeler où. S'il perd l'autre, il fera un bon candidat, et vu la rapidité avec laquelle la pestilence se répand, ils vont avoir besoin de tous les infirmes qu'ils trouveront.

— J'y compte bien, Zophiel, répondis-je vivement en voyant les poings de Rodrigo se serrer. Quels autres moyens les vieux gâteux comme moi ont-ils de se faire graisser le vit ? »

Zophiel éclata de rire et s'éloigna à la recherche de plus de nourriture. J'avais vite découvert que le mieux à faire avec lui, c'était de ne pas réagir à ses sarcasmes. J'espérais que Rodrigo le comprendrait aussi. J'avais le sombre pressentiment que ça allait barder entre ces deux-là. Il était grand temps que nous atteignions le sanctuaire et nous séparions.

Comme la nuit tombait, la pluie diminua et les lanternes et les torches furent allumées. Tréteaux et bancs furent écartés pour laisser place aux danses. Rodrigo et Jofre jouèrent, accompagnés par une poignée de villageois aux tambours, au sifflet, au pipeau, ou cognant sur des casseroles. Jofre n'avait cessé de boire toute la soirée, mais bien qu'il accrochât quelques notes, celles-ci étaient noyées sous les crissements des sifflets et des pipeaux des villageois. Rodrigo n'était pas habitué à ce que l'on accompagnât sa musique en cognant sur des marmites, mais il l'accepta de bonne grâce et tenta d'accorder son rythme aux battements, ce qui lui valut des sourires et des félicitations telles que : « C'est bien, mon gars, tu y arrives maintenant. »

Danser dans le cimetière n'était pas chose aisée. Les danseurs trébuchaient sur des monticules et se cognaient à des croix de bois et à des pierres tombales, mais la bière, le cidre et l'hydromel gratuits avaient rendu tout le monde si joyeux qu'ils hurlaient de rire chaque fois que quelqu'un tombait à la renverse. Dans les recoins obscurs, sous le mur du cimetière, des couples faisaient l'amour, ricanant et gémissant, s'agitant dans un mouvement de va-et-vient pour finir par rouler sur le flanc, épuisés, et s'endormir sur place. Les enfants créaient leur propre chaos. Aussi ivres que leurs parents, ils s'excitaient à jouer au chat et à la souris, lançaient des pierres aux guirlandes qui balançaient dans les airs, ou se réunissaient pour tourmenter quelque autre pauvre enfant.

Zophiel ne dansait pas. Il était toujours assis sur le banc, les bras autour d'une fille du village bien en chair vêtue d'une tunique jaune vif trop légère pour le froid qu'il faisait. Elle frissonnait et, gloussant, tentait de se glisser sous la houppelande de Zophiel. Elle avait l'œil vif et le port incertain de celui qui n'est pas encore ivre, mais qui s'en approche à grands pas. Je n'avais encore jamais vu Zophiel avec une femme. Je croyais qu'il les méprisait toutes, mais il semblait au moins leur trouver une utilité. J'espérais pour lui que la fille n'était ni fiancée ni mariée. Les hommes n'aiment guère voir leur dulcinée se faire tripoter, surtout par des inconnus, et encore moins par des voyageurs.

Soudain la fille poussa un petit cri de douleur et s'écarta de lui d'un bond. L'avait-il pincée trop fort, ou bien une mèche de ses cheveux s'était-elle coincée dans la fermeture de sa houppelande ? Elle l'injuria, rejetant ses cheveux en arrière, fila retrouver ses amis de l'autre côté du cimetière, d'où elle continua de lancer des regards furieux dans sa direction. Zophiel semblait s'en moquer éperdument et ne tenta pas de la retenir. Il était là à picorer les restes d'une carcasse de canard, et lorsqu'il la vit qui le regardait, il leva sa chope d'un air moqueur.

La musique cessa. Un grognement s'éleva, mais fut rapidement réduit au silence par le meunier qui grimpa à grand-peine sur l'un des bancs.

« Braves gens. » Il eut un hoquet, tenta une révérence et faillit tomber tête la première. Plusieurs hommes qui se tenaient en dessous l'aidèrent à se redresser. « Braves gens, le temps est venu de mettre l'heureux couple au lit, car comme nous le savons tous, ce n'est pas un vrai mariage tant qu'il n'est pas conso… conso… consommé… tant que le mari ne lui en a pas mis un coup. » La foule rugit de rire.

« Alors ne faisons pas attendre nos deux bienheureux. Menez le timide marié à son adorable épouse.

— À vos ordres, monseigneur ! » lança une voix derrière lui, et une silhouette, aussi agile qu'un chat, jaillit de l'ombre, enveloppée dans une sombre houppelande à capuche.

Plusieurs personnes crièrent lorsque la lueur vacillante des torches révéla sous la capuche non un visage humain, mais un crâne blanc qui souriait.

« La mort à votre service, braves gens ! »

La silhouette fit une cabriole devant la foule et les expressions stupéfaites laissèrent place à des rires enivrés. Le danseur ne portait rien à part son masque de mort. Son corps avait été recouvert de la tête aux pieds d'une épaisse pâte noire, sur laquelle on avait grossièrement peint des os blancs de sorte que, dans l'obscurité, il avait l'air d'un squelette vivant qui batifolait. Tout d'un coup les villageois se remirent à frapper leurs instruments, cognant sur des casseroles, soufflant dans leurs sifflets et leurs pipeaux, et bientôt ceux qui tenaient encore sur leurs jambes suivirent le squelette caracolant qui se mit à leur faire faire le tour du cimetière dans le sens inverse des aiguilles d'une montre.

Au centre de cette procession macabre se trouvait le jeune marié, porté à hauteur d'épaule par un groupe de solides gaillards. Il avait été à moitié déshabillé et ne portait plus qu'une chemise, son derrière nu étincelant à la lueur des torches. La peau grise et ridée de sa jambe flétrie contrastait étrangement avec les muscles fermes de sa jambe valide, comme si un membre de vieillard avait été greffé sur un corps de jeune homme. Il souriait toujours, mais nerveusement maintenant, comme s'il craignait que la foule ne se retourne contre lui d'une seconde à l'autre. Je ne voyais pas la jeune mariée dans la procession et supposais qu'elle avait déjà été menée à quelque chaumière où, en temps voulu, le jeune homme serait aussi transporté pour qu'il y passe sa nuit de noces. Mais une telle intimité ne leur avait pas été réservée.

Après trois tours, le jeune marié fut porté au centre du cimetière, où on le posa par terre à quatre pattes comme un chien. Une paillasse avait été placée sur une tombe, la croix faisant office de tête de lit pour cette couche nuptiale. La jeune mariée, simplement vêtue d'une longue chemise blanche, avait déjà été étendue dessus, comme un cadavre qu'on aurait couché sur son lit de mort. Ses yeux aveugles étaient grands ouverts et elle secouait la tête comme si elle essayait d'entendre ce qui se préparait.

Elle ne voyait ni les nuages argentés qui inondaient la face de la lune, ni les torches vacillantes qui projetaient des ombres gigantesques sur les murs du cimetière, ni les yeux blancs étincelants des villageois qui formaient un cercle autour d'elle et la regardaient. Elle ne vit pas la silhouette de la mort se pencher au-dessus d'elle, éclaboussant la paillasse d'eau au moyen de branches d'hysope, parodiant une bénédiction de lit nuptial. Mais elle sentit les gouttes tomber sur son visage et ses pieds nus et tressaillit comme s'il s'était agi d'huile bouillante.

Le marié, encouragé par les coups de pied au derrière que lui assénait l'assistance amusée, rampa vers la femme allongée jusqu'à être à califourchon sur elle. Le sentant au-dessus d'elle, celle-ci leva les mains pour tenter de le repousser, mais son geste était inutile. Même une femme aux membres valides aurait eu du mal à se débarrasser de son poids. Elle, avec ses mains tordues et son corps ravagé, n'avait aucune chance.

L'une des villageoises les plus sobres eut pitié d'elle.

« Là, là, ne bouge pas mon canard, et ce sera bientôt fini », marmonna-t-elle, saisissant les poignets de la mariée et les plaquant doucement mais fermement contre la croix derrière sa tête.

« Est-ce qu'elle te dit la même chose ? » lança l'un des hommes au mari de la femme.

La foule hurla de rire.

« Vas-y, fiston, donne-lui tout ce que tu as! Nous comptons tous sur toi, alors applique-toi! »

Le marié regarda autour de lui, bouche pendante, ne parvenant à croire qu'on l'autorisait à faire à une femme ce qu'on lui avait toujours interdit. À combien de filles avait-il voulu faire ça ? Avait-il plusieurs fois essayé sans succès lorsqu'il était plus jeune ? Peut-être cela lui avait-il même valu une raclée de la part des frères et du père des filles en question. Et maintenant tous les habitants du village le poussaient à le faire. Peut-être était-ce un rêve ; il risquait de se réveiller bientôt.

Lorsque ce fut fini, les femmes emmenèrent la mariée dans un coin obscur et lui placèrent les mains autour d'une coupe de bière chaude.

« Là, là, mon canard, au moins tu n'as pas eu à le regarder. Crois-moi, avec un mari comme le mien, bien des nuits j'aimerais être aveugle. »

Elles l'abandonnèrent accroupie par terre près du mur du cimetière. Elle appuya fortement son dos contre les pierres dures et anguleuses, comme si la douleur était la seule chose en laquelle elle pouvait croire, puis elle se mit à sangloter. Elle pleurait en silence, comme elle faisait tout le reste ; ses yeux ne voyaient pas, mais ils produisaient des larmes.

Elle pouvait cependant se consoler avec les cadeaux des villageois – quelques marmites, une poignée de chandelles à mèche de jonc, quelques couvertures et une paillasse, des poules et un jeune coq, un ou deux sacs de farine et une hutte d'une seule pièce qui avait autrefois fait office de grenier à sel, ce qui signifiait au moins qu'elle était sèche et dotée d'une bonne porte solide. C'était un palais comparé à ce qu'elle avait eu jusqu'à ce jour, et comme toute la communauté avait participé, elle était mieux installée que bien des filles du village ne pourraient l'espérer l'être lorsqu'elles se marieraient.

Elle n'avait pas pu choisir son mari, et alors ? En cela elle n'était pas différente de n'importe quelle femme bien née, ni même des filles de marchands. Car lorsqu'il est question de terres, de commerce ou d'argent, le mariage est simplement une transaction d'affaires qui doit être négociée par les parents. Bien des jeunes mariées, durant leur nuit de noces, sont devenues des femmes en serrant fermement les yeux et les poings, priant pour que ce soit bientôt fini. Non, tout bien considéré, on pourrait affirmer que l'infirme n'avait pas été plus mal traitée qu'une princesse royale. Même s'il est vrai que les flammes d'un bûcher ne sont pas moins douloureuses lorsque l'on sait que d'autres brûlent avec soi.

Je n'avais pas encore offert de cadeau à la mariée. Je tirai de ma sacoche une petite mèche de poils rêches attachés par un fil blanc et la plaçai sur ses cuisses. Elle la toucha d'un geste hésitant avec une expression perplexe.

« Un cadeau de mariage pour vous, une relique. Quelques poils de la barbe de sainte Uncumber. Connaissez-vous sainte Uncumber ? »

Elle secoua lentement la tête.

« Son vrai nom était Wilgefortis. C'était une princesse du Portugal dont le père a tenté de la forcer à épouser le roi de Sicile, mais comme elle avait fait le vœu de rester vierge, elle a prié la Vierge Marie de faire en sorte que son promis ne la trouve pas attirante, et ses prières ont été exaucées lorsqu'une barbe a poussé sur son visage. Le roi de Sicile, horrifié, a immédiatement annulé le mariage. Mais la princesse n'a pas eu à vivre longtemps avec sa barbe, car son père, fou de rage, l'a fait crucifier. Maintenant les femmes lui adressent leurs prières lorsqu'elles veulent se libérer de leur mari ou de tout autre fardeau qui pèse sur leurs épaules. Vous aussi pouvez vous servir de cette relique pour prier… si vous le souhaitez. »

Comme je me retournais pour m'éloigner, elle appuya fermement ses deux mains sur la relique, les larmes coulant une fois de plus sur ses joues hâves. Une mèche de poils n'est pas grand-chose, mais c'est parfois tout l'espoir que l'on peut donner, et cela peut suffire.

Une femme qui se tenait près de moi alla s'asseoir sur un banc et tendit un pichet à sa voisine.

« Si elle n'a pas un petit après ce soir, ce ne sera pas la faute de son mari. Vous l'avez vu ? Il est rentré là-dedans plus vite qu'un furet dans un terrier. »

Son amie but une longue rasade à même le pichet. Du cidre goutta sur son menton et elle l'essuya du revers de la main.

« Oubliez le petit. Je ne me suis pas séparée d'une bonne marmite pour que nous nous retrouvions avec un infirme de plus sur les bras. Ce que je veux savoir, c'est si ça a marché et si nous serons à l'abri de la pestilence.

— Si ça n'a pas marché, rien ne marchera. Cette liseuse de runes a dit vrai pour tout le reste. Ses runes ont annoncé que les musiciens viendraient bénir le mariage, et ce sont ses runes qui ont choisi les infirmes à marier, alors il ne fait aucun doute que ça marchera.

— Avez-vous dit une liseuse de runes ? » laissai-je échapper sans réfléchir.

Les deux femmes me regardèrent fixement, quelque peu contrariées de voir un étranger interrompre leurs commérages. Finalement, l'une d'elles répondit à contrecœur :

« Oui, personne dans le village ne pouvait se mettre d'accord sur les mariés à choisir, car regardons les choses en face, ce ne sont pas les infirmes qui manquent ici, alors ils ont demandé à la liseuse de runes de désigner l'heureux couple.

— Est-elle ici, la liseuse de runes ? »

La femme secoua la tête.

« Si vous voulez qu'elle vous dise la bonne aventure, vous arrivez trop tard. Elle voyageait, tout comme vous, elle était de passage, et elle est partie il y a une semaine ou plus.

— Oui, appuya l'autre femme. Le plus étrange, c'étaient ses yeux. Vous aviez la chair de poule rien qu'à les regarder. Ça ne m'étonnerait pas que ce soit une fée ; elle avait assurément le don. »

Je n'en demandai pas plus. Je ne voulais pas savoir. Il y avait de nombreux devins sur la route, qui pour la plupart se donnaient des airs. Ils cherchaient délibérément à sembler descendre de fées ; ça impressionne le client, c'est la certitude que le devin n'est pas un charlatan. Il n'y avait aucune raison au monde pour que la liseuse de runes qui était venue ici fût Narigorm, et même si c'était elle, qu'est-ce qui l'aurait empêchée de prendre cette route ? N'importe quelle personne avec un brin de jugeote se dirigeait vers le nord. Et si c'était bien elle, alors elle avait une semaine d'avance sur nous. Elle était depuis longtemps partie. Ce qui était presque un soulagement. Car si elle était devant nous, elle ne pouvait pas nous suivre. Son message avait été une simple politesse, rien de plus, il ne présageait rien.

J'éprouvai soudain une grande lassitude. Les festivités continuaient, mais j'en avais assez. La promesse d'un lit sec après tant de nuits passées dehors était plus tentante que de la bière ou de la nourriture. Je me faufilai parmi les buveurs en direction de l'auberge. Osmond y avait déjà emmené Adela. Quelque chose avait semblé le perturber tout au long de la soirée. Il avait fait son possible pour maintenir Adela à l'écart de la grande table, et je l'avais plusieurs fois surpris à l'observer, baissant les yeux vers son ventre gonflé en fronçant les sourcils d'un air anxieux. Je commençais à craindre qu'elle ait un problème. Peut-être s'était-elle plainte de douleurs, mais si tel était le cas, elle n'en montrait aucun signe. Elle avait mangé avec plaisir tout ce qu'on lui avait proposé, et avait ri avec les villageois qui l'entouraient. Osmond, en revanche, avait à peine avalé un morceau, et dès que le repas avait été terminé, il avait emmené Adela, bien qu'elle eût de toute évidence aimé rester. Peut-être était-il jaloux des autres hommes qui lui parlaient, mais il n'avait jamais montré le moindre signe de jalousie jusqu'à présent.

Je ne voyais aucun des autres hormis Zophiel, qui parlait à voix basse mais d'un ton animé à un grand jeune homme à la tête carrée. Quoi qu'il racontât, il ne faisait aucun doute que ses paroles ne plaisaient pas au jeune homme, car celui-ci s'éloigna vivement et marcha jusqu'à la jeune fille à la tunique jaune, qui buvait désormais joyeusement en compagnie d'autres garçons et filles. Il l'attrapa par le bras, sans ménagement, et l'entraîna. La jeune fille tenta de se dégager.

Je lançai un coup d'œil en direction de Zophiel. Il avait battu en retraite et se tenait contre le mur, observant la scène avec amusement. Je me demandais ce qu'il avait bien pu dire à Tête-Carrée – qu'il s'agisse du petit ami ou du frère de la jeune fille – pour le mettre si en colère. Mais une chose était sûre, Zophiel l'avait délibérément appâté. Peut-être au bout du compte n'avait-il pas été si indifférent qu'il avait voulu le faire croire lorsque la jeune fille s'était éloignée.

Sentant que ça allait barder, un groupe d'une douzaine de gaillards s'approcha et regarda avec un intérêt évident. Je repérai Jofre parmi eux. Il avait le visage rougi et riait avec deux autres jeunes hommes qui se tenaient à ses côtés, ignorant la fille au visage de poupon qui l'enlaçait et cherchait en vain à attirer son attention. Il chancelait, déséquilibré par le poids de la fille accrochée à son bras. De loin il était difficile de dire à quel point il était soûl, mais il n'était pas sobre, c'était certain.

Tête-Carrée criait après la fille en tunique jaune, et elle lui retournait maintenant ses hurlements. Elle parvint à se dégager et courut se mettre à l'abri derrière l'un des garçons, s'accrochant à lui. Tête-Carrée arma son poing et frappa violemment le protecteur en plein nez. Ce dernier vacilla en arrière, entraînant la fille dans sa chute. Tous les garçons qui l'entouraient se jetèrent alors de bon cœur dans l'échauffourée. Les poings et les pichets se mirent à voler.

J'entendis un rugissement familier par-dessus les cris.

« Non, Jofre, tes mains ! *Faccia attenzione !* »

Mais il était trop tard ; Jofre s'était jeté dans la mêlée et avait déjà disparu parmi les poings et les pieds qui battaient l'air.

Des corps s'écrasaient sur les bancs, des tables étaient renversées et des casseroles se fracassaient par terre. Soudain les cris redoublèrent. Une lanterne brisée avait projeté une longue flamme en direction des rubans et des épis de graines séchées qui décoraient l'un des montants, et le baldaquin s'était embrasé. Le feu avait pris rapidement, faisant jaillir des flammes orange dans la nuit, et des fragments de tissu et d'épis rougeoyants flottaient dans le ciel noir, oscillant dangereusement au-dessus des toits des chaumières proches et des étables en bois. Les garçons étaient trop préoccupés par leur bagarre pour s'en soucier, mais les villageois qui étaient encore suffisamment sobres pour s'apercevoir du danger arrivèrent en courant pour séparer les combattants et descendre le baldaquin jusqu'au sol. D'autres vidaient les assiettes et les marmites et s'en servaient à l'abreuvoir proche pour prélever de l'eau qu'ils jetaient sur les flammes.

Le feu fut finalement éteint. Par chance, tout était si humide à cause des mois de pluie que les toits de chaume n'avaient même pas été roussis. La bagarre aussi fut arrêtée. Il était tombé suffisamment d'eau glaciale sur les combattants pour séparer ceux qui n'avaient pas encore été assommés. L'un après l'autre, les garçons, gémissant, furent emmenés, ou traînés, par leurs mères, épouses ou petites amies furieuses. Leurs lèvres et leurs yeux gonflaient à vue d'œil. Ce fut, pourrait-on dire, une fin de mariage typique.

La sortie de Jofre fut, si possible, encore plus ignominieuse. Il avait distribué quelques coups de poing, mais ne sachant se battre il s'était fait plus de mal à lui-même qu'à ses opposants, et un violent coup à l'estomac l'avait achevé. Rodrigo le retrouva, le souffle court, enroulé sur lui-même, cherchant à protéger son visage des pieds qui battaient le sol tout autour de lui. Sa main droite était déjà violette et gonflée. Il ne jouerait plus ce soir, ni pendant de nombreux soirs à venir.

6

Le sanctuaire de saint John Shorne

Au début du mois d'octobre de cette année, parmi les aboiements des chiens, les explosions des cors, les acclamations tapageuses des pèlerins, nous pénétrâmes finalement dans North Marston, la ville de saint John Shorne. Nous arrivâmes le jour de la Sainte-Foy, un bon augure, même si cette année-là les gâteaux rituels étaient rares, car le peu de graines moisies qui avait pu être sauvé des champs détrempés commençait déjà à manquer. Comme tous les voyageurs arrivés ce jour-là, nous remerciâmes sainte Foy, sainte patronne des pèlerins, de nous avoir menés sains et saufs au terme de notre périple. Et, pour une fois, j'allumai même une chandelle en signe de sincère gratitude, car jamais la vue d'une ville ne m'avait tant fait plaisir. Plus besoin de tirer le chariot hors d'ornières pleines d'eau cinquante fois par jour. Plus besoin de piétiner dans la boue et de patauger dans des flaques. Plus besoin de dormir dans des vêtements mouillés. Nous passerions nos nuits au chaud et au sec jusqu'à l'arrivée des gelées d'hiver, qui mettraient un terme à la pluie, et aussi, comme tout le monde l'espérait avec ferveur, à la pestilence.

Mais j'aurais dû, plus que tout autre, me rappeler que sainte Foy est aussi la sainte patronne des prisonniers. J'aurais dû prendre cela comme un avertissement et poursuivre ma marche. Nous n'aurions jamais dû entrer dans cette ville.

Le sanctuaire de Johannes de Schorne, ou John Shorne, comme l'appellent les habitants de la région, était encore plus animé que je ne m'y attendais. Durant ces premiers mois de la pestilence, les sanctuaires prospéraient. Les pèlerinages sur le continent étant impossibles, les saints mineurs d'Angleterre, dont les sanctuaires avaient été quelque peu négligés en faveur d'autres plus prisés à l'étranger, attiraient soudain des foules de fidèles plus ou moins sincères. On jurait que les eaux du puits de saint John, qui avaient un fort goût ferrugineux, étaient un remède assuré contre les rhumes et les fièvres, et bien que la pestilence n'eût rien à voir avec un simple rhume, elle occasionnait assurément des fièvres, aussi les foules qui affluaient à North Marston étaient-elles plus nombreuses qu'autrefois. Les pèlerins buvaient l'eau pour se prémunir de la pestilence, et ils en remplissaient des flacons pour la boire sur leur lit de malade au cas où ils y succomberaient tout de même. J'emportai moi aussi quelques flacons dans mon sac. Il est toujours bon de se réapprovisionner dès que l'opportunité se présente.

Les auberges et les tavernes le long de la route et dans le village lui-même s'étaient multipliées comme des petits pains pour nourrir et loger les foules de pèlerins qui venaient boire les eaux du puits sacré. Les aubergistes pratiquaient naturellement des prix exorbitants, mais nous parvînmes à trouver des lits chauds dans une auberge délabrée, mais raisonnablement propre. Zophiel réussit à faire baisser un peu le prix en persuadant le maussade aubergiste que nous resterions tout l'hiver et que Rodrigo et Jofre divertiraient ses clients. Non que Zophiel eût l'intention de passer l'hiver à North Marston, comme je le découvris bientôt.

Le soir de notre arrivée, je me rendis à l'Angel, une taverne prisée des voyageurs plus expérimentés où l'on pouvait toujours avoir du fromage de tête frit avec de la sauce piquante pour un prix honnête. Dans la brume jaunâtre des bougies à mèche de jonc, il était difficile de distinguer les traits de quiconque, et les clients qui fréquentaient cette taverne préféraient qu'il en soit ainsi. Mais on ne peut passer un mois sur la route à marcher derrière un homme sans reconnaître sa silhouette, et je reconnus immédiatement celle de Zophiel, bien qu'il me tournât le dos.

Il était assis à une table dans un coin et offrait de la bière à deux hommes affalés face à lui. Pas le genre de Zophiel d'offrir à boire à des étrangers, à moins qu'il n'attendît quelque chose en retour. Le hasard voulait que le banc derrière lui fût vide.

« Un navire ? demandait l'un des hommes en agitant sa chope. Vous aurez de la chance d'en trouver un seul à l'ouest, à moins de remonter bien au nord. La pestilence s'est répandue le long de la côte.

— En êtes-vous sûr, mon ami ? demanda Zophiel d'une voix crispée. Il doit y avoir quelques petits ports qui y ont échappé. »

L'homme haussa les épaules.

« De fait, il y en a, mais qui dit qu'ils ne seront pas atteints lorsque vous y arriverez ? »

Son compagnon acquiesça.

« Même si vous trouviez un navire qui mouillait de ce côté-ci, d'après ce que j'ai entendu dire, le prix du passage augmente plus vite qu'il ne faut de temps pour le dire. Il faudrait être désespéré pour dépenser autant d'argent. »

Les deux amis échangèrent un regard entendu, se demandant de toute évidence à quel point Zophiel était désespéré.

Ce dernier acquiesça et se leva brusquement. En se retournant, il trébucha sur un os qui gisait sur la paille qui recouvrait le sol, et heurta ma table.

« Mes excuses, commença-t-il, puis il eut un mouvement de recul. Camelot… qu'est-ce qui vous amène ici ?

— La même chose que vous, j'imagine, un repas correct et quelques affaires. »

Je poussai mon pichet de bière vers lui. Il hésita avant de s'asseoir, puis il remplit sa chope.

« Vous connaissant, Camelot, je ne doute pas que vous avez entendu ce dont nous discutions. »

Ses longs doigts blancs se glissèrent autour du cuir brun et dur de la chope.

« Que la pestilence se répand le long de la côte ouest. J'ai entendu d'autres personnes l'affirmer, mais nous serons plus à l'abri ici jusqu'à ce que les gelées arrivent. Nous sommes loin des côtes. Mais être loin des côtes n'est d'aucune utilité à un homme qui veut un navire, n'est-ce pas ? » Je regardai ses doigts se resserrer sur la chope.

« Vos affaires en Irlande sont-elles si pressantes ? Suffisamment pour que vous risquiez votre vie ?

— La vie est un risque, Camelot. Il n'y a qu'une manière d'arriver dans ce monde, mais des millions de le quitter. Naturelles, accidentelles… délibérées.

— Et laquelle choisiriez-vous, Zophiel ?

— Je choisirais le moment et le lieu. L'inattendu, ne savoir ni où ni quand, est ce que craignent le plus les hommes.

— Que sainte Barbara nous protège d'une mort soudaine. »

Il s'esclaffa.

« Ne me dites pas que vous avez un lambeau de sa robe ou une mèche de ses cheveux dans votre sac.

— Naturellement, répondis-je en écartant les mains, mais même moi, je ne serais pas assez idiot pour tenter de vous le vendre. »

Il rit à nouveau.

« Vous n'êtes pas idiot, Camelot. Je soupçonne qu'avec votre unique œil vous voyez plus de choses que la plupart des hommes avec deux. » Il vida sa chope d'un trait, puis la posa sèchement sur la table grasse. Il se pencha en avant, ses yeux verts et durs fixés sur les miens.

« Mais un mot d'avertissement, mon ami, ne vous avisez pas de vous mêler de ma vie ni de mes affaires.

— J'ai observé vos tours de passe-passe. Il faudrait un œil plus vif que le mien pour détecter une chose que vous souhaitez dissimuler. »

Il sourit et se releva.

« Pour ces paroles, je vais vous offrir à souper. Vous dites que la nourriture est correcte ici, bien que cela soit dur à croire dans une telle porcherie, mais je m'incline devant votre expérience en cette occasion. »

Zophiel pouvait être étonnamment généreux quand l'envie le prenait.

Je le regardai se frayer difficilement un chemin entre les tables bondées à la recherche de la serveuse. Comme d'habitude, il avait consciencieusement éludé mes questions, mais le ton pressant de sa voix lorsqu'il avait interrogé les deux hommes me disait que si c'étaient vraiment des affaires qui l'appelaient en Irlande, alors l'enjeu devait représenter une somme fabuleuse. Et si ce n'étaient pas des affaires, eh bien, lorsqu'un homme est prêt à se jeter à l'eau, c'est généralement qu'il y a le feu derrière lui.

Mais si ces hommes disaient vrai, Zophiel allait avoir besoin que de nombreux pèlerins viennent voir sa sirène pour payer son passage en Irlande. Cependant, s'il restait un endroit en Angleterre où gagner de l'argent, c'était bien à North Marston. Les foules qui étaient venues jusqu'ici étaient résolues à profiter au mieux de leur excursion et étaient d'humeur à se laisser divertir. Zophiel passait donc chaque heure du jour à montrer sa sirène et à accomplir ses tours de passe-passe aux personnes qui faisaient la queue devant le puits. Ses talents de peintre n'étaient en revanche d'aucune utilité à Osmond puisque le sanctuaire et l'église venaient d'être intégralement repeints. Il se mit donc à fabriquer des jouets pour enfants, qui commençaient à se vendre mieux que les emblèmes officiels en fer-blanc que l'on pouvait se procurer au sanctuaire, car il sculptait des bottes en bois desquelles on pouvait faire jaillir de petits diables en goudron dotés d'yeux rouges et de cornes pointues, au grand délice des enfants comme des adultes.

Je devais faire preuve de circonspection autour du sanctuaire. Je ne pouvais pas me permettre de montrer mes reliques sacrées au grand jour, car les prêtres et les religieux n'apprécient guère la concurrence, et la loi est de leur côté, non de celui de l'honnête marchand. L'Église interdit la vente de reliques qui n'ont pas été authentifiées par Rome, bien que la plupart des ecclésiastiques ferment les yeux. Ils savent que mes clients n'ont pas les moyens de s'acheter les reliques authentifiées qui changent de mains à prix d'or. De plus, les gens du peuple font plus confiance à ma cicatrice qu'aux sceaux et documents de Rome, car ils ne savent que trop bien que n'importe quel document peut être falsifié pourvu qu'on y mette le prix. Si un homme veut une rognure d'ongle de saint Walstan pour protéger son bétail, ou une femme, une dent de sainte Dympna pour guérir ses enfants du haut mal, à qui s'adresseront-ils si ce n'est aux gens comme moi ?

Je me trouvai donc un endroit sur un talus à l'abri d'un vieux chêne. Je restais aux abords du village, près de l'Auberge de la botte, à bonne distance du sanctuaire. Les branches épaisses retenaient l'essentiel de la pluie et les racines noueuses de l'arbre formaient un siège naturel, rendu lisse et brillant par l'usure des centaines de derrières jeunes et vieux qui en avaient fait bon usage au fil des années. Face au village se trouvait un lavoir, un grand bassin alimenté par un petit ruisseau et couvert d'un toit de chaume soutenu par quatre piliers. C'était un lieu de rencontre prisé parmi les villageoises qui venaient chaque jour y bavarder tout en lavant leur linge et en l'accrochant sous le chaume pour qu'il sèche dans la brise qui s'engouffrait entre les piliers.

Le talus sur lequel j'étais assis longeait la grand-rue, un poste d'observation parfait pour voir qui entrait et sortait de North Marston. J'exposais quelques amulettes et bagues d'ambre, de jacinthe et de sardonyx, connues pour guérir les fièvres mortelles, et pour ceux qui ne pouvaient s'offrir de pierres précieuses, véritables ou non, je vendais des araignées dans des écrins de noyer à accrocher autour du cou. Car, comme je le leur expliquais, même armé d'un flacon de bonne eau sacrée de saint John Shorne, une petite protection supplémentaire ne peut pas faire de mal. Un homme prudent ne place pas tous ses œufs dans le même panier, un homme sage ne place donc pas toute sa foi dans un seul saint.

Quelques jours après notre arrivée à North Marston, je pris place comme d'ordinaire sous le chêne, et Adela vint me rejoindre et entreprit de réparer les chausses d'Osmond qui étaient pleines d'accrocs et de trous après des semaines sur les routes. Elle s'ennuyait seule dans la grange de l'auberge où nous dormions jour après jour. Osmond lui avait interdit de l'accompagner au sanctuaire où il vendait ses jouets de peur qu'elle ne contracte quelque maladie des pèlerins.

Je comprenais qu'il s'en fasse pour elle. Elle commençait à reprendre des forces. Son visage s'empâtait un peu et elle retrouvait cette expression rayonnante de vitalité qu'ont parfois les femmes enceintes. Mais elle n'avait en aucune manière pleinement récupéré. Au moins à North Marston elle pouvait se reposer et se refaire une santé, et lorsque le bébé arriverait, elle serait bien au chaud dans une auberge, entourée de braves femmes qui l'aideraient pendant l'accouchement. Si les petits diables d'Osmond continuaient à bien se vendre, ils pourraient peut-être un jour louer leur propre petite chaumière. Ce n'était pas un mauvais endroit pour élever un enfant. Et il y aurait toujours du travail à proximité d'un sanctuaire aussi prisé que celui-ci.

Adela leva les yeux et sourit en voyant Rodrigo s'approcher d'un pas rapide, mais il ne s'arrêta pas. À la place, il fila droit devant nous en direction de l'Auberge de la botte. Mais à en juger par l'expression sévère de son visage, il n'y allait pas en quête de bière. J'espérais pour Jofre qu'il n'était pas à l'intérieur.

Jofre était le seul d'entre nous qui ne semblait pas soulagé d'avoir atteint North Marston. Bien que sa main fût en voie de guérison, elle n'avait toujours pas recouvré sa pleine dextérité. D'un côté, Rodrigo craignait que le garçon ne se soit définitivement abîmé la main, mais de l'autre, il était furieux que Jofre se soit mêlé à la bagarre lors du mariage des infirmes. Si ce dernier avait admis sa bêtise, Rodrigo se serait apaisé plus tôt, mais les jeunes hommes admettent rarement leurs torts, surtout lorsqu'ils ont été humiliés, aussi ne cédait-il pas, prétendant n'avoir été qu'un spectateur innocent qui s'était retrouvé pris dans la bagarre et avait été forcé de se défendre. Hélas pour lui, Rodrigo avait clairement vu ce qui s'était passé.

Rodrigo achetait des baumes et des huiles dont il se servait deux fois par jour pour masser la main du garçon, tout en lui ressassant que ses mains étaient son talent et son gagne-pain, que même une blessure bénigne pouvait provoquer une raideur permanente, et que l'ivresse menait précisément à ce genre de comportement imprudent. Si Jofre avait éprouvé le moindre repentir, celui-ci s'était vite transformé en un ressentiment maussade, et je commençais même à compatir avec lui.

« Lâchez-lui un peu la bride, avais-je dit à Rodrigo. Qui ne s'est pas retrouvé impliqué dans une bagarre imbécile juste pour impressionner une fille ? Songiez-vous toujours aux conséquences de vos actes quand vous aviez son âge ?

— Il a trop de talent pour qu'il soit gâché, Camelot. Jofre pourrait être un grand musicien, le meilleur, si seulement il y mettait tout son cœur.

— Et s'il ne le veut pas ?

— La musique est sa vie. Il suffit de regarder son visage lorsqu'il joue.

— Je le vois sur votre visage à vous, Rodrigo, mais je ne suis pas sûr pour ce qui est du garçon. Il a peut-être un grand talent, mais cela ne semble pas le rendre heureux. »

Rodrigo avait baissé les yeux vers les tourbillons que formaient les gouttes de pluie dans les flaques.

« Alors il devra apprendre à vivre sans être heureux.

— Comme vous ? » avais-je demandé, mais il n'avait rien répondu.

Rodrigo revint vers l'endroit où nous étions assis sous le chêne avec une moue encore plus morose que précédemment. Il se laissa tomber sur l'épais tapis de feuilles mortes aux pieds d'Adela et but une longue gorgée de bière avant de me tendre sa chope en s'essuyant la bouche du revers de la main.

« Il sangue di Dio ! Je jure que je vais l'écorcher vif quand j'aurai mis la main sur Jofre. Je l'ai cherché dans toutes les tavernes et toutes les auberges du village et il est introuvable.

— Et vous avez besoin de lui maintenant ? demandai-je.

— J'ai besoin qu'il s'entraîne. C'est mon élève, mais il croit ne plus rien avoir à apprendre. L'avez-vous entendu chanter hier soir ?

— Les gens ont apprécié.

— Les gens ne feraient pas la différence entre un air bien chanté et des miaulements de chat en chaleur. C'était… »

Les mots semblèrent lui manquer. Il cogna son poing dans sa main d'un air exaspéré. « C'était une abomination, un affront aux oreilles de Dieu. En l'écoutant hier soir on aurait cru qu'il n'avait rien appris du tout au cours des cinq dernières années. Pourtant, la nuit précédente, il a bien chanté. Ce n'était pas parfait, mais c'était satisfaisant. Et s'il peut le faire un soir, pourquoi pas le lendemain ? »

Le garçon avait chanté de façon plus que satisfaisante le soir en question. Il avait chanté comme un ange, chaque note parfaite et sincère, son alto propre et pur montant si haut dans les cieux que pour une fois même les ivrognes tapageurs avaient été réduits au silence. Il avait chanté avec toute son âme, n'importe quel idiot avait pu l'entendre, et n'importe quel idiot pouvait aussi comprendre pourquoi. Adela et Osmond étaient dans l'auberge ce soir-là, et chacune de ses chansons avait été dirigée vers le coin où ils étaient assis, Adela penchée sur Osmond, caressant rêveusement son ventre et regardant la cheminée, son visage, pour une fois, serein et paisible.

Mais ils n'étaient pas venus le lendemain soir. Adela était fatiguée et était retournée de bonne heure à la grange située à l'arrière de l'auberge, et Osmond était allé lui tenir compagnie, veillant sur elle tandis qu'il sculptait ses jouets. Jofre, forcé par Rodrigo de rester dans la taverne et de chanter pour les pèlerins, avait été maussade toute la soirée, lançant des coups d'œil pleins d'espoir chaque fois que la porte s'ouvrait. Mais son humeur n'avait fait qu'empirer à mesure que la soirée s'écoulait et qu'il n'y avait aucun signe de sa bien-aimée.

Était-il possible que Rodrigo n'ait pas remarqué la flamme de Jofre ? Peut-être était-il si habitué aux bouderies de son élève qu'il ne voyait pas la différence. Je ne pouvais cependant pas aborder le sujet à cet instant, pas tant qu'Adela, qui n'avait visiblement rien remarqué non plus, était assise à côté de moi.

La colère de Rodrigo l'empêcha de rester longtemps assis, et il s'en alla bientôt pour reprendre ses recherches, marmonnant un nouveau torrent de menaces.

Adela le regarda s'éloigner, faisant gicler la boue autour de lui.

« Il ne va pas donner une correction au garçon, si ?

— Il le réprimandera, mais il ne fera rien, ce qui est bien dommage. Jofre l'amadouera, comme d'habitude, et Rodrigo reviendra sur sa décision et le pardonnera.

— Vous pensez que Rodrigo devrait le battre ? demanda Adela en écarquillant les yeux. Mais vous prenez toujours la défense de Jofre. Je vous ai souvent entendu dire à Rodrigo de ne pas tant le sermonner.

— Les sermons infinis ne servent qu'à donner au garçon l'impression qu'il est constamment en disgrâce, et tant qu'on est en disgrâce, on sait qu'on ne peut être pardonné. Au moins, un châtiment permettrait de tirer un trait sur cette affaire. »

Adela se mordit la lèvre.

« Il y a des choses qu'on ne peut jamais réparer, qu'importe la sévérité du châtiment. Le châtiment n'engendre pas toujours le pardon, Camelot. »

Je la regardai d'un air interrogateur.

Elle rougit légèrement, ajoutant rapidement :

« Mais vous avez dit que Rodrigo lui pardonnerait.

— Il le fera, et de tout son cœur, comme d'habitude, mais Jofre ne se sent jamais pardonné et, surtout, il ne parvient pas à se pardonner lui-même.

— D'avoir mal chanté ? Il ne s'agit que de musique. S'il chante mal un soir, où est le mal ? Cela peut facilement se réparer en chantant bien le lendemain.

— N'allez pas dire ça à Rodrigo ! Il m'a un jour expliqué que gâcher un don de musicien est pire qu'un meurtre. "La musique, a-t-il affirmé, est plus précieuse que la vie elle-même car elle continue d'exister bien après que le compositeur s'est transformé en poussière." Mais c'est un Latin, et les Latins sont des gens passionnés ; ils se pendent pour une chemise qui leur va mal ou se jettent d'une falaise pour une paire de beaux yeux. Alors que la seule chose qui puisse passionner un Anglais, ce sont les mérites de sa bière ou deux coqs qui se battent. »

Adela baissa les yeux vers l'amas de feuilles en décomposition à ses pieds. Les bords de son voile fermement serré recouvraient ses joues, dissimulant son expression.

« Osmond aussi est passionné par sa peinture. Il a un jour dit qu'il ne pourrait pas plus vivre sans peindre qu'il ne pourrait vivre sans respirer, mais il a dû abandonner. »

Sa main papillonna au-dessus de son ventre gonflé.

« Pour vous et l'enfant ? »

Elle acquiesça d'un air malheureux.

« Si peindre est sa vie, alors il doit vous aimer plus que la vie. » Je lui tapotai la main. « Vous avez la chance d'avoir un bon mari, Adela. Croyez-moi, la plupart des hommes ne renonceraient pas à une partie de chasse pour leur femme. »

Mais son commentaire me troublait. J'avais supposé qu'Osmond n'avait pas réussi à trouver du travail en tant que peintre, ce qui n'est pas la même chose qu'abandonner la peinture. Pourquoi abandonnerait-il ? Il m'avait dit avoir 20 ans. Il avait l'âge de se faire artisan, et quand on avait la chance d'avoir un métier, on s'y jetait corps et âme, surtout lorsqu'on avait une femme à entretenir, à moins… à moins qu'il n'ait pas pu produire ses papiers d'artisan. Aucune église, aucun monastère, aucun marchand respectueux des lois ne prendrait le risque d'embaucher un artiste sans papiers de la guilde. Osmond avait affirmé à Zophiel, la nuit où nous avions dormi dans la grotte, qu'il peignait les églises pauvres. Mais la vérité était peut-être qu'il peignait pour ceux qui ne posaient pas de questions.

Adela tira sur ma manche.

« Camelot, regardez là-bas, cette femme près du lavoir, elle nous observe depuis une éternité. Je suis sûre de l'avoir déjà vue dans le village. La connaissez-vous ? »

Je regardai vers le lavoir. C'était la fin de l'après-midi et il ne restait plus qu'une femme qui se tenait derrière l'un des piliers qui soutenaient le toit. Adela disait vrai ; la femme regardait clairement dans notre direction. Elle était petite, menue, devait avoir environ 30 ans, et portait ce qui semblait être une robe de servante, robe qui avait vu des jours meilleurs. Je l'avais également remarquée à plusieurs reprises, qui se tenait à quelque distance, dans un entrebâillement de porte ou à l'abri d'un porche, son regard invariablement posé sur moi alors même que je me trouvais au milieu d'une foule. Je n'y avais guère prêté attention ; j'ai l'habitude qu'on observe mon visage mutilé, et j'ai bien conscience que même au milieu de gens quelconques, vieux et laids, je parais magnifiquement monstrueux. Mais le fait qu'elle était désormais là, à l'écart de la foule, à nous regarder encore, trahissait plus qu'une simple curiosité de sa part.

« Je crois qu'elle me suit. »

Adela sembla alarmée et se leva péniblement.

« Croyez-vous qu'elle vous espionne pour ces prêtres, qu'elle cherche à vous surprendre en train de vendre des reliques ?

— Asseyez-vous, dis-je en tirant sur sa jupe, asseyez-vous. Ce n'est pas une espionne. Ne voyez-vous pas combien elle semble nerveuse ? Mais je pense qu'il est grand temps que j'aille lui demander ce qu'elle veut. Qui sait, peut-être souhaite-t-elle acheter une amulette ? »

Adela semblait toujours inquiète.

« Alors pourquoi ne vient-elle pas simplement vous parler ? On ne se tapit pas dans l'ombre quand on a de bonnes intentions. Vous devriez être prudent. Elle pourrait travailler pour une bande et attendre l'opportunité de vous voler.

— Vous écoutez trop Zophiel. Il voit des bandes de voleurs à chaque coin de rue. N'importe quel coupeur de bourses sauterait sur l'occasion si elle se présentait en passant, mais il ne gaspillerait pas plusieurs journées à suivre un pauvre vieux camelot quand un endroit tel que celui-ci regorge de proies beaucoup plus riches. »

Je m'attendais presque à voir la femme s'enfuir tandis que je m'approchais, mais elle ne bougea pas jusqu'à ce que je sois suffisamment près pour lui parler.

« Désirez-vous quelque chose, madame ? Un charme, une amulette ? » Je baissai la voix. « Une relique ? »

Elle lança un coup d'œil à droite et à gauche comme pour s'assurer que personne ne nous écoutait. Puis elle parla, baissant les yeux vers le sol.

« S'il vous plaît, vous devez venir avec moi.

— Où cela ?

— On m'a envoyée vous chercher. Elle m'a dit que je vous reconnaîtrais à votre… »

Elle n'acheva pas sa phrase et posa rapidement les yeux vers mon visage avant de les baisser de nouveau.

« À ma cicatrice », complétai-je pour elle.

Elle avait le visage pâle et mince, des fossettes prononcées encadrées par des cheveux bruns dont des boucles serrées s'échappaient sous les rebords de son voile. Ses yeux bleu foncé ne cessaient de darder de petits regards nerveux à la ronde comme si elle était depuis longtemps habituée à se tenir sur ses gardes.

« Et qui est cette femme qui vous envoie ? Pourquoi ne vient-elle pas elle-même ? Est-elle malade ? »

La femme cracha rapidement à trois reprises sur le dessus de ses deux index.

« Ce n'était pas la pestilence et elle va de nouveau bien. Vous n'avez rien à craindre. Mais je vous en prie, vous devez venir. Elle sera en colère si je ne vous ramène pas avec moi. »

Il était inutile de la questionner plus avant. Une femme avait de toute évidence envoyé sa servante me chercher ; elle voulait sans doute acheter une relique, et à en juger par l'agitation de la servante, c'était une personne qui avait l'habitude de voir ses désirs exaucés. Je méprise les femmes qui utilisent la peur pour se faire obéir et j'étais tenté de refuser, mais les femmes capricieuses sont généralement riches, et les affaires sont les affaires.

« Soit, répondis-je. Laissez-moi récupérer mon sac. »

Adela, craignant toujours un piège, refusa que je la laisse seule. Soit elle m'accompagnait, disait-elle, soit elle irait chercher Osmond et Rodrigo. La femme haussa les épaules lorsque nous lui demandâmes son avis, comme si ces questions n'étaient pas de son ressort, et elle nous guida à travers un dédale de petites ruelles dans le quartier le plus pauvre du village.

Alors que la zone de l'église et du sanctuaire était un alignement de chaumières prospères, ce quartier était un fatras de huttes et d'appentis mal assortis fabriqués à partir de vieux bouts de bois, de claies et de toiles. On trouve de tels quartiers dans toutes les grandes villes, des gens qui subsistent tant bien que mal grâce aux miettes des riches, mais ils sont rares dans les villages, sauf ceux qui, comme celui-ci, abritent un sanctuaire fréquemment visité, ou un anachorète prisé, qui attire pèlerins et argent. D'infectes flaques de gadoue croupissaient entre les huttes et les piles d'ordures en décomposition. Des enfants à moitié nus se traînaient parmi les porcs qui couinaient, ramassant dans des seaux des crottes de chien qu'ils vendraient aux tanneurs et se battant entre eux pour les plus beaux étrons. Ce n'était certainement pas le genre de quartier où l'on s'attendrait à trouver une femme qui employait une servante.

Plaisance, comme nous avoua à contrecœur s'appeler la femme, marchait rapidement, tête baissée, le visage recouvert de sa capuche bien qu'il eût été impossible de dire si elle cherchait à se protéger de la puanteur ou à se dissimuler. Elle fut plusieurs fois obligée de s'arrêter pour nous attendre. Adela s'accrochait à mon bras, craignant, dans son état, de glisser dans la boue et tentant vainement d'éviter les entrailles pourrissantes et les flaques visqueuses qui jonchaient les ruelles. Je lui recommandai à plusieurs reprises de rebrousser chemin, mais elle secouait résolument la tête et, serrant plus fort mon bras, continuait d'avancer.

Ce quartier était divisé par plusieurs profonds égouts en plein air, que la pluie faisait déborder. Nous en franchîmes périlleusement un en marchant sur une planche glissante, puis continuâmes d'avancer avec précaution, posant les pieds sur des pierres et des bouts de bois qui affleuraient ici et là sur le sol marécageux. Ici les huttes étaient plus espacées, éparpillées sur une étendue négligée infestée de végétation détrempée. Alors que nous semblions sur le point de sortir du village, Plaisance s'arrêta devant une hutte nichée sous un abri d'arbres dégoulinants et écarta un lourd morceau de toile qui faisait office de porte, nous faisant signe d'entrer.

La hutte était constituée de trois claies attachées au moyen de cordes et surmontées d'un assortiment de planches brisées cloutées les unes aux autres qui formaient un toit brillant de moisissure verdâtre. Elle était entourée d'une végétation humide qui atteignait la taille, et un nuage de moucherons voletait au-dessus tel un nuage de fumée. C'était le genre d'abri qu'un berger aurait pu ériger pour s'abriter temporairement en cas de mauvais temps, mais ce n'était pas le genre d'endroit où l'on choisirait de passer une nuit, et encore moins plusieurs, à moins d'être parfaitement démuni, ou alors en fuite. Je vis que la même idée avait traversé l'esprit d'Adela, et elle n'eut pas besoin que je le lui demande pour rester dehors et faire le guet.

En dépit des nombreux interstices dans les murs et le plafond, il faisait trop sombre à l'intérieur pour que je puisse distinguer clairement la silhouette. Puis, de l'obscurité, jaillit une voix d'enfant.

« Je lui avais dit que vous viendriez, Camelot. Je lui ai dit que nous devions vous attendre. »

Son pâle visage se leva vers moi et tandis que je m'accoutumais à l'obscurité, je perçus ses yeux d'un bleu glacial et la blancheur de brume de ses cheveux. Je sentis les poils se dresser sur ma nuque, puis éprouvai une soudaine colère instinctive, comme si j'avais été victime d'une tromperie qui me valait de me retrouver dans un endroit où je n'aurais jamais dû mettre les pieds. Je ressortis aussitôt.

Plaisance et Adela attendaient dehors. Plaisance esquissa pour la première fois un petit sourire triste et anxieux.

« Narigorm avait dit que vous viendriez », répéta-t-elle avec espoir comme si cela justifiait tout.

Adela s'illumina.

« Donc vous connaissez cette femme, Narigorm ? Une parente ?

— Ce n'est pas une femme. Juste une enfant, et elle n'est pas de ma famille. Je ne l'ai rencontrée qu'une fois, et brièvement, il y a plusieurs mois de cela. »

Je me tournai vers Plaisance. « Elle travaillait alors pour un maître ; est-il dans les parages ? »

Plaisance secoua la tête.

« Elle est tombée malade. Son maître a entendu dire que j'étais guérisseuse et il m'a fait chercher pour la soigner. Mais il s'est enfui au milieu de la nuit sans me payer et en laissant l'enfant sans rien à part les vêtements qu'elle portait et ses runes. La femme qui tenait l'auberge l'a mise dehors. Elle prétendait avoir peur de la maladie, mais je crois qu'elle savait que nous n'avions pas d'argent pour la payer. Je me suis occupée du mieux possible de l'enfant dans la forêt jusqu'à ce qu'elle aille mieux. Nous avons travaillé un peu depuis, elle avec ses runes et moi avec mes herbes, mais lorsque nous sommes arrivées ici… » Elle s'interrompit, fit son habituel haussement d'épaules. « Un prêtre nous a donné jusqu'aux cloches des complies pour quitter les lieux, faute de quoi il a dit qu'il nous ferait arrêter pour pratiques diaboliques. »

Parlait-elle des runes ou des herbes ? Probablement des deux, car elles devaient l'une comme l'autre être considérées par les prêtres éternellement jaloux comme des menaces pour les coffres du sanctuaire.

« Mais Narigorm a dit que vous viendriez. Elle a dit que nous voyagerions avec vous, alors nous nous sommes cachées ici jusqu'à ce que vous…

— Elle ne peut pas voyager avec moi ! » me récriai-je avec plus de véhémence que je ne le voulais.

Les deux femmes surprises ouvrirent de grands yeux, puis Adela rompit le silence.

« Mais pourquoi pas ? Nous sommes déjà suffisamment nombreux pour, que deux de plus ne fassent guère de différence. Nous ne pouvons abandonner une enfant ni cette femme dans un tel endroit. De plus, j'aimerais la compagnie d'une enfant, et Osmond les adore lui aussi.

— Vous n'irez nulle part tant que votre bébé ne sera pas né, souvenez-vous. Vous ne voulez pas accoucher sur la route en plein hiver, si ? Et puis, pourquoi partir ? Vous avez un lit bien chaud et sec ici, et Osmond gagne bien sa vie. Vous seriez bien en peine de trouver mieux ailleurs. En revanche, ces deux personnes doivent partir. Si on les trouve ici en dépit des ordres de l'Église, elles risquent des coups de fouet, voire pire. Elles feraient bien de s'en aller sur-le-champ, aujourd'hui même. »

C'était un argument raisonné, un argument pragmatique. Le mieux pour elles était de partir immédiatement, pour leur propre sécurité. Plaisance regardait fixement le sol, les épaules voûtées.

« Allons, Plaisance, il y a d'autres villages où vos talents et ceux de l'enfant seront bien accueillis. Vous gagnerez suffisamment d'argent pour manger à votre faim.

— Elle a dit que nous voyagerions avec vous, répéta-t-elle d'une voix monotone », comme si c'était une prière qu'elle avait apprise par cœur.

Adela s'était glissée dans la hutte et en ressortit en tenant l'enfant par la main. Narigorm semblait, pour autant que ce fût possible, encore plus transparente. Sa robe de laine blanche était presque noire de crasse, mais ses cheveux qui se détachaient sur les arbres sombres étaient plus blancs que jamais. Elle baissa le menton et leva innocemment les yeux vers Adela. Elle n'eut pas besoin de parler, son regard suffit.

« C'est un ange, dit Adela. Nous ne pouvons pas envoyer cette enfant seule sur les routes.

— Quantité d'enfants de son âge doivent s'en sortir par eux-mêmes, et elle ne sera pas seule. Elle a Plaisance avec elle. Il est trop tôt pour que nous partions, et elles doivent s'en aller sur-le-champ. »

Narigorm tourna vers moi son regard imperturbable.

« Vous aussi allez devoir partir, je l'ai lu dans les runes, vous serez parti à la prochaine nouvelle lune. »

Plaisance leva vivement la tête.

« C'est après-demain.

— Et les runes ne mentent jamais », poursuivit Narigorm.

Elle fit un pas dans ma direction et prononça d'une voix sifflante : « Cette fois, vous verrez. »

7

La prophétie

Narigorm avait raison, naturellement, et avant que la nouvelle lune ne se lève, aussi tranchante que la faux de la mort, notre compagnie était une fois de plus sur la route. Je savais que je ne pouvais pas blâmer l'enfant ; comment aurait-ce pu être sa faute ? Elle avait simplement dit ce qu'elle avait lu dans ses runes. Y pouvait-elle quelque chose si les runes annonçaient un malheur ? Et pourtant, je la blâmais. Je sentais, bien que j'eusse été incapable de dire comment, qu'elle avait été l'instigatrice aussi bien que la messagère.

Mais en vérité, la nature humaine était la seule responsable de notre infortune. Quand Adela et moi avions regagné l'auberge ce soir-là, il y avait déjà de l'orage dans l'air. Une délégation de vendeurs d'emblèmes était allée voir les officiels du sanctuaire pour protester à propos des jouets d'Osmond. Les pèlerins les achetaient à la place des emblèmes officiels en fer-blanc qui étaient sanctifiés et bénits par le clergé. Le prêtre en charge du sanctuaire avait pris l'affaire en main et arbitrairement décrété que, puisque les jouets d'Osmond s'inspiraient de la légende de John Shorne, ce dernier devait payer au sanctuaire un impôt correspondant à la moitié du prix de chaque jouet vendu. C'était le double de ce que les vendeurs d'emblèmes payaient au clergé pour acheter leur concession et Osmond, son sang de Saxon bouillonnant dans ses veines, avait juré qu'il préférerait briser lui-même chacun de ses jouets plutôt que de leur donner un penny. Le prêtre avait haussé les épaules : Osmond pouvait soit briser ses jouets, soit payer ; ça lui était parfaitement égal – dans un cas comme dans l'autre son problème avec les vendeurs d'emblèmes était résolu.

Bien qu'il fût clair qu'Osmond allait devoir se trouver une autre activité si nous restions, tout aurait encore pu aller pour le mieux s'il n'y avait eu Jofre. Le lendemain soir, alors que Rodrigo et lui jouaient à l'auberge, trois hommes firent irruption et, avant que quiconque ait pu les arrêter, entraînèrent Jofre dehors. Lorsque nous sortîmes à notre tour, deux grands gaillards l'avaient plaqué contre le mur de l'auberge et un troisième, un petit homme au visage de furet, chatouillait de la pointe de son couteau la gorge de Jofre qui se débattait en vain.

Rodrigo rugit comme un taureau et se précipita vers eux, mais Face-de-Furet ne bougea pas. Il enfonça la pointe de son couteau sous le menton du garçon jusqu'à faire apparaître un minuscule filet de sang. Jofre haleta et cessa aussitôt de se débattre, n'osant bouger un muscle de peur que la lame ne s'enfonce plus loin.

« Reculez. Un pas de plus et son compte est bon. »

Malgré sa rage, Rodrigo vit que l'homme ne mentait pas. Il fit un pas en arrière, levant ses deux mains grandes ouvertes.

« Je suppose que vous êtes le maître du garçon ? »

Rodrigo acquiesça.

« Qu'est-ce… Que voulez-vous de lui ?

— Ce que je veux ? »

Face-de-Furet poussa un gloussement haut perché. « Je veux mon argent, voilà ce que je veux. Votre apprenti a parié aux combats de coqs. J'ai cru qu'il était assez grand pour jouer avec les hommes, mais quand il a perdu, surprise, surprise, il s'est soudain rendu compte que sa bourse était vide. "J'ai dû me faire voler", qu'il a dit. Il était vraiment ennuyé de ne pas pouvoir me payer, alors moi, vu que je suis un homme doux… (et il lâcha une fois de plus son rire sinistre)… je lui ai dit : "Quelle honte, mon gars. On ne peut plus faire confiance à personne de nos jours. Je vais te dire ce que je vais faire, mon gars, que j'ai dit, je vais te donner deux jours pour m'apporter l'argent." Voilà le genre d'homme généreux que je suis, pas vrai, les gars ? Trop doux pour que ça me vaille du bon, pas vrai ? C'est ce que les gars me disent toujours. »

Les deux hommes de main, tout en le tenant par les poignets, arboraient de larges sourires et plaquaient Jofre plus violemment encore contre les pierres âpres du mur de l'auberge.

« Notre jeune ami était censé m'apporter l'argent à midi aujourd'hui, seulement il n'est pas venu. Alors, maintenant, mes gaillards vont lui briser les doigts, un par un, bien lentement. On verra s'il jouera encore aussi bien de son luth après ça. »

Jofre était soudain devenu d'une pâleur de mort ; il suppliait et implorait de façon incohérente, ce qui semblait amuser d'autant plus Face-de-Furet. On dut retenir Rodrigo pour qu'il ne se jette pas sur lui, mais il finit par se ressaisir et, d'une voix qui était à peine plus qu'un murmure, il demanda combien Jofre devait. C'était une somme rondelette, même pour Jofre.

Celle-ci était, comme l'expliqua patiemment Face-de-Furet, naturellement plus élevée que le pari original car il avait été forcé d'attendre après son argent.

« Appelons ça un intérêt – l'intérêt que j'ai à récupérer mon argent. »

Il ricana une fois de plus.

Il était hors de question de ne pas payer. Rodrigo et moi réunîmes le contenu de nos bourses, mais il n'y avait pas assez, et les hommes de main semblaient sur le point de mettre à exécution la menace de leur maître lorsque Zophiel s'avança et tendit l'argent qui manquait, déclarant férocement à Jofre : « Tu m'es redevable, garçon. »

Face-de-Furet était clairement content de lui, mais les deux hommes de main grognaient tels deux chiens-loups frustrés d'avoir été rappelés à l'ordre avant la mise à mort. Dès qu'ils eurent disparu, l'aubergiste sortit de l'ombre.

« Bon, je veux que vous ayez tous décampé aux premières lueurs du matin. Ces garçons causent des ennuis partout où ils vont ; ils viennent chercher leur argent, et s'ils ne l'ont pas, ils cassent tout. Ceci est une auberge respectable pour des gens convenables et je ne veux plus voir ces voyous.

— Mais ils n'ont aucune raison de revenir, protestai-je. Ils ont leur argent.

— Cette fois-ci, répliqua l'aubergiste d'un ton sombre, mais que se passera-t-il la prochaine fois que ce gaillard fera un pari qu'il ne pourra pas payer ? De plus, il me semble que vous vous êtes tous les trois fait plumer. Comment allez-vous payer votre pension ? Et on dit que votre ami a mis les vendeurs d'emblèmes en colère avec ses jouets. Je n'ai pas besoin de me les mettre à dos. Ce sont de bons clients.

C'est facile pour vous, vous êtes juste de passage, mais certains d'entre nous vivent ici. Alors je veux que vous vous en alliez avant qu'il y ait d'autres problèmes. Et je vous remercierai de bien vouloir emporter ce poisson, ajouta-t-il en se tournant vers Zophiel. Ça empeste!

— Ça, espèce de malotru, ce n'est pas un poisson, mais une sirène, répondit furieusement Zophiel. C'est une créature extrêmement rare et précieuse et vous n'êtes pas près d'en voir une autre dans cette infecte porcherie que vous appelez une auberge.

— M'est avis que si ça empeste comme un poisson, c'est un poisson. Et ce n'est peut-être pas la meilleure auberge du village, mais tant que j'en suis le propriétaire, c'est moi qui décide qui y loge. Alors si vous et votre compagnie de vagabonds n'êtes pas sur les routes au lever du soleil, je ne me contenterai pas de quelques doigts brisés. Et n'essayez pas de loger ailleurs dans la région. Une fois que ça se saura, vous ne serez les bienvenus nulle part. Vous pouvez compter sur moi. »

C'est ainsi que, les bénédictions de l'aubergiste nous résonnant encore dans les oreilles, nous quittâmes l'auberge le lendemain matin tandis que l'aube froide et grise se levait au-dessus des champs détrempés. Tous nos espoirs de passer l'hiver au sec avaient été réduits à néant. Osmond, affolé à l'idée d'emmener à nouveau Adela sur la route, s'en voulait, et Zophiel en voulait au garçon. Moi aussi j'étais furieux après lui. Mes espoirs d'abandonner la compagnie et de voyager seul vers le nord s'étaient envolés. Mais il ne servait pas à grand-chose de s'en prendre à Jofre. Le mal était fait. Et je ne pouvais pas les abandonner sur la route, n'est-ce pas ? Il ne me restait donc qu'à les emmener avec moi.

J'étais coincé avec une femme enceinte et une bande de novices. Nous n'avions pas d'argent. C'était le pire temps imaginable pour voyager, et la pestilence se refermait rapidement sur nous de trois côtés. La situation n'aurait pu être pire, et la misère se lisait sur nos visages tandis que nous voûtions les épaules pour nous protéger de la pluie glaciale.

Mais aucun nuage n'est si noir qu'une fine lueur ne le traverse, et je me consolais en songeant que notre départ précipité de North Marston signifiait qu'au moins Narigorm ne voyagerait pas avec nous. Lorsque Plaisance viendrait nous chercher et s'apercevrait que nous étions partis, nous aurions déjà des heures d'avance.

« Il y a d'autres sanctuaires au nord, dis-je, tentant d'égayer les autres. Celui de saint Robert à Knaresborough, et de nombreux autres à York. Si nous pouvions les atteindre, nous serions en sécurité. Ils sont bien à l'intérieur des terres. Ils ne fermeront pas leurs portes. Adela pourra avoir son enfant et vous y gagnerez bien votre vie, mieux même qu'à North Marston. »

Rodrigo et Osmond acquiescèrent d'un air reconnaissant, mais je savais que Zophiel ne se laisserait pas si facilement amadouer. Je devais pourtant faire en sorte qu'il reste avec nous. Adela était plus forte, mais son ventre gonflait de jour en jour et ses forces ne dureraient pas si elle devait marcher longtemps dans cette boue. Elle n'atteindrait jamais York à pied, et nous non plus si nous étions obligés d'accorder notre allure à la sienne, surtout si nous devions porter notre nourriture et nos sacs.

Je devinais sur son visage le douloureux dilemme qui tiraillait Zophiel. Il voulait désespérément prendre la direction de la côte avec l'espoir d'y trouver un navire, mais le monstre dévastateur de la pestilence se dressait entre lui et les ports. Et pour la première fois depuis que nous nous étions rencontrés, j'éprouvai de la pitié pour lui, car une force implacable semblait décider de son sort.

J'inspirai profondément.

« Zophiel, vous devez bien voir que ce serait de la folie d'aller vers l'est. Vous vous jetteriez dans la gueule du loup. Nous devons rester aussi loin des côtes que possible jusqu'à ce que nous soyons plus au nord. Alors vous pourrez aller vers l'est avec quelque chance de trouver un port ouvert. »

Zophiel me dévisagea attentivement avant de répondre.

« Pensez-vous vraiment pouvoir aller plus vite qu'elle ?

— Au moins, si nous voyageons vers le nord, nous nous en éloignerons, nous n'irons pas à sa rencontre. Si nous pouvons rester à distance des zones atteintes pendant encore quelques semaines jusqu'aux gelées d'hiver, alors la pestilence s'éteindra et vous pourrez vous rendre au port qui vous plaira. »

Adela agrippa mon bras.

« Elle s'éteindra quand arriveront les gelées, n'est-ce pas ?

— Les fièvres se propagent toujours en été, quand il fait chaud et que l'air est lourd, mais lorsque arrivent les gelées d'hiver, elles s'éteignent. »

Zophiel éclata d'un rire sinistre.

« Je me dois d'admirer votre optimisme, Camelot, mais il y a juste un détail que vous semblez négliger.

L'été n'a pas été chaud cette année. De fait, il n'y a pas eu d'été, et pourtant la pestilence se propage. »

Adela secoua la tête.

« Mais tout le monde affirme que c'est la pluie qui est à l'origine de cette pestilence, comme elle est à l'origine des moustiques et des moucherons. » Ses yeux pleins de jeunesse brillaient avec conviction.

« Le gel tue les mouches pernicieuses et les créatures qui piquent ; je sais qu'il mettra fin à la contagion.

— Tout comme vous saviez qu'il ne pleuvrait que quarante jours et quarante nuits, Adela. Peut-être avez-vous un autre proverbe pour ça ? Je vous en prie, partagez-le avec nous. »

Adela tressaillit et Osmond, glissant son bras autour d'elle, l'éloigna de nous, lançant un regard noir à Zophiel par-dessus son épaule, même si je remarquai qu'il ne prenait pas la défense de sa femme. J'étais pour ma part ravi que Zophiel ait son petit triomphe. Ce n'était pas cher payé si nous étions parvenus à le persuader de nous suivre.

Nous retrouvâmes nos places habituelles à côté du chariot et reprîmes notre marche, laissant derrière nous les dernières chaumières pour nous engager une fois de plus dans la forêt. Soudain, au détour d'un virage, je vis deux silhouettes qui se tenaient à un croisement. Mon estomac se noua. La blancheur surnaturelle des cheveux ne laissait aucun doute. Narigorm et Plaisance nous attendaient patiemment au bord de la route, comme si elles savaient que nous arrivions.

Le visage d'Adela s'illumina un peu à la vue de l'enfant et elle lui fit un signe enthousiaste de la main.

« Regarde, Osmond, c'est la petite fille dont je t'ai

parlé. Ne t'avais-je pas dit que c'était un amour ? As-tu déjà vu une enfant si angélique ? »

Osmond sourit et Rodrigo eut une expression radieuse et pleine de tendresse, tel un oncle indulgent, tandis que nous nous approchions des silhouettes qui attendaient.

Seul Zophiel semblait trouver l'apparition de Narigorm aussi inopportune que moi.

« Comme si nous n'avions pas déjà assez de problèmes comme ça. » Il regarda ostensiblement Jofre, dont les joues devinrent d'un rouge terne. « Maintenant je suppose qu'on attend de moi que je laisse cette gamine étrange voyager aussi à bord de mon chariot. Et après ça sera quoi, un ours de cirque ? »

Adela se tourna soudain vers moi avec une expression stupéfaite.

« Camelot, ne vous souvenez-vous pas ? Elle a dit que nous allions devoir partir aujourd'hui et qu'elle voyagerait avec nous. Elle a réellement le don. »

Mais avant que j'aie pu répondre, Xanthos redressa soudain la tête et hennit. Ses naseaux s'élargirent, ses yeux se révulsèrent et elle se cabra, cherchant, dans sa panique, à entraîner le chariot hors de la route. Il fallut les forces combinées de Zophiel et de Rodrigo pour lui tenir la tête et la faire s'arrêter.

Zophiel scruta les arbres d'un air anxieux.

« Elle sent un danger, un sanglier sauvage peut-être, ou du sang frais. Les chevaux détestent l'odeur du sang. Dépêchez-vous de faire grimper la gamine sur le chariot si vous y tenez. Je n'ai aucune envie de m'attarder ici plus longtemps que nécessaire. »

Il n'y eut donc en fin de compte aucune discussion. Je ne pouvais rien faire. Narigorm et Plaisance avaient rejoint notre compagnie et personne n'eut le temps d'y réfléchir, car Xanthos continua d'être agitée tout le restant de la journée et Zophiel ne parvint pas à la calmer. Elle renâcla tout au long du chemin, comme si la chose qu'elle avait sentie nous accompagnait. Peut-être était-ce l'odeur de la mort, mais elle ne provenait pas de la forêt.

8

Le garçon-cygne

Le conteur se pencha en avant.

« Le matin, les domestiques trouvèrent le berceau vide et la reine endormie dans son lit avec la bouche maculée de sang. Mais lorsque le roi l'implora d'expliquer ce qui était arrivé à son fils, celle-ci demeura silencieuse et refusa de prononcer un mot, pas même pour protester de son innocence. »

Une foule assez considérable était réunie autour du conteur : des enfants assis par terre devant lui et des adultes adossés au mur de l'église, leurs paniers et leurs paquets posés à leurs pieds. Le commerce s'était interrompu le temps qu'il finisse son histoire. Même les prostituées de la ville avaient tourné le regard vers lui bien qu'il ne fût pas un jeune homme bien bâti. Ses bottes étaient vieilles et usées, ses habits étaient bruns et râpés, comparables à ceux des spectateurs qui formaient un cercle pour l'écouter, à l'exception de la houppelande pourpre attachée en travers de son épaule qui recouvrait sa chemise et son bras gauche.

Les houppelandes pourpres sont rares, du moins sur les marchés. Généralement, seuls les nobles en portent, car ils sont les seuls à pouvoir se les offrir, et ils viennent rarement dans des villages perdus au milieu de nulle part pour s'acheter une oie décharnée ou une baratte à beurre d'occasion. Mais celle-ci n'était pas une houppelande royale, elle n'était ni en soie ni en satin et n'avait pas une doublure de fourrure avec un liseré d'or. Elle était comme ses hauts-de-chausses, usée et tachée, faite d'une laine grossière filée à domicile, grasse et suffisamment épaisse pour le protéger de presque toutes les intempéries. Une bonne houppelande adaptée à la vie sur la route, sans aucun doute cousue par une mère gâteuse. Mais qu'est-ce qui avait pris la brave femme de gaspiller son argent en achetant de la teinture pourpre ? Croyait-elle que son fils avait un destin de roi ? Nombre de mères le croient tendrement, tout comme nombre de fils croient leur mère vierge, mais même Marie n'était pas assez idiote pour habiller de pourpre son fils de charpentier.

« La reine fut donc condamnée à périr par le feu, mais même lorsque la sentence fut prononcée elle refusa de parler, pas un seul mot, pas même pour sauver sa vie. Et nuit et jour, dans sa cellule, elle continua de filer et de coudre les orties pour confectionner six chemises. »

Les enfants, les yeux écarquillés, se rapprochèrent en se glissant sur leur postérieur. Les adultes aussi se penchaient en avant. La mort par le feu. C'était une chose qu'ils connaissaient tous, même ceux qui n'y avaient pas assisté, qui n'avaient pas senti la puanteur qui s'accroche à une ville pendant des jours, qui n'avaient pas entendu les hurlements qui résonnent nuit après nuit dans vos rêves ; même ceux qui n'avaient pas vu de bûcher en avaient entendu parler et frissonnaient. Ils savaient que la reine ne garderait pas le silence quand les flammes la toucheraient, car même les saints ne sont pas assez forts pour ça. Ils retenaient leur souffle.

« Sept années entières s'étaient écoulées depuis que la reine avait fait la promesse de libérer ses frères, qu'un sort avait transformés en cygnes, et de les rendre à nouveau humains. Et, fidèle à sa promesse, pas un mot n'avait franchi ses lèvres de tout ce temps ; pas un seul son ne lui avait échappé. La reine continuait de travailler nuit et jour pour fabriquer les chemises. Jusqu'à ce que, au matin de son exécution, toutes les chemises fussent achevées, enfin, toutes sauf celle de son plus jeune frère à laquelle il manquait la manche gauche. »

Il semblait trop jeune pour être conteur, occupation d'ordinaire réservée à ceux qui ont au moins une barbe fournie. Mais il captivait son public, mieux que bien des hommes plus âgés. Il n'était pas beau, son visage était trop étroit et anguleux, son nez trop long, son menton trop petit, comme si ses traits s'étaient dessinés à des allures différentes. Une fois arrondis par l'âge et adoucis par une barbe, ils finiraient peut-être par s'harmoniser, mais qu'importait, puisque ce qui retenait l'attention de l'assistance, ce n'était pas son visage mais ses yeux. Ils étaient sombres, presque noirs, de sorte qu'il était impossible de distinguer la pupille de l'iris. Son regard balayait les visages de son auditoire, depuis les enfants jusqu'aux vieilles femmes, s'arrêtant sur chacun pendant une fraction de seconde, et leurs yeux ne se détachaient pas des siens.

« La reine fut menée au lieu de son exécution. On l'attacha par la taille au poteau et on lui plaça les six chemises d'orties dans les bras pour qu'elles brûlent avec elle. Les fagots de bois furent empilés autour de ses pieds nus et le bourreau leva la torche enflammée.

Le prêtre s'approcha pour l'inciter à confesser le meurtre de ses bébés, afin que son âme, au moins, soit sauvée des flammes éternelles, mais elle ne prononça pas un mot, pas même pour sauver son âme. Pleurant de chagrin, car il l'aimait toujours tendrement, le roi n'avait d'autre choix que de donner le signal. Le bourreau brandit la torche enflammée et la jeta dans les fagots à ses pieds. »

Le conteur leva haut le bras droit comme s'il tenait une torche et projeta soudain son poing en avant en direction de la grappe d'enfants à ses pieds. Ils haletèrent et tressaillirent, à la fois ravis et terrifiés. Il leva de nouveau la main, pointant le doigt vers le ciel.

« Mais à cet instant un bruit d'ailes chantantes retentit dans le ciel. Six cygnes blancs volaient depuis le soleil levant en direction de la reine. »

Chacun leva les yeux vers le ciel, comme s'il s'attendait à voir des cygnes approcher.

« Tout en volant les cygnes éteignirent le feu à la force de leurs larges ailes blanches. Et comme ils se posaient, la reine lança sur eux les chemises, et leurs plumes tombèrent aussitôt et chaque cygne redevint un homme. Ils retrouvèrent tous leur apparence humaine, tous sauf le plus jeune frère, car il manquait la manche gauche à sa chemise. Et lorsqu'il reprit sa forme humaine, son bras gauche continua d'avoir l'apparence d'une aile de cygne. »

Sur ce, le conteur rejeta sa houppelande en arrière, et un murmure si profond parcourut l'assemblée que chacun semblait hésiter entre prendre ses jambes à son cou et s'approcher de lui. Le conteur sortit son bras gauche de sous sa houppelande, sauf que ce n'était pas un bras, c'était une aile de cygne d'une blancheur pure.

L'aile se déploya, s'étira, comme si elle avait longtemps été attachée, puis s'abaissa et se leva dans un battement régulier. L'air bourdonnait et son souffle soulevait les cheveux des enfants et leur faisait cligner des yeux. Puis elle se replia contre son corps et resta immobile, à nouveau serrée sous sa houppelande.

Les adultes s'agitèrent légèrement, comme s'ils rêvaient, car ils ne pouvaient avoir vu ce qu'ils croyaient avoir vu. Et le conteur reprit son récit comme si de rien n'était.

« Dès que le charme fut rompu et que les frères eurent retrouvé leur apparence humaine, la reine fut capable de parler. Elle expliqua au roi que la sorcière, sa méchante belle-mère, avait jeté un sort à ses frères…

— Elle est vraie ? » interrompit un petit garçon, incapable de se retenir plus longtemps.

Le conteur déploya son aile et la fit battre une fois avant de la replier de nouveau sous sa houppelande. Les enfants hurlèrent, éprouvant un mélange d'émerveillement et de terreur.

« Avez-vous vraiment été transformé en cygne ?

— De quelle autre manière aurais-je pu avoir une aile de cygne à la place d'un bras ?

— Mais le roi ne pouvait-il pas forcer la sorcière à vous rendre votre bras ?

— Une fois que le charme est brisé, ce qui en reste ne peut jamais être défait, surtout si la sorcière qui a jeté le sort est morte. Et elle était morte. Elle a été réduite en cendres sur le bûcher qui était réservé à la reine, et ses cendres, emportées par le vent, se sont éparpillées aux quatre coins de la Terre.

— Et qu'est-ce qui s'est passé après ?

— Le roi et la reine ont eu six fils et six filles et ont régné sur leur royaume avec justice et clémence. Quant aux frères-cygnes, ils ont vécu dans le palais, sont devenus de grands chevaliers et se sont battus pour le roi et la reine. Ils sont courageusement allés tuer des dragons et sauver des jeunes filles dans des contrées lointaines, et ils ont trouvé de belles princesses à épouser et ont vécu heureux. »

Les pièces tombaient en grand nombre ; bien qu'ils n'aient pas grand-chose à donner, les spectateurs appréciaient les conteurs qui faisaient des efforts. Les enfants se massèrent autour du conteur, se mettant mutuellement au défi de toucher cette aile pour voir si elle était vraiment vivante, mais un à un leurs parents les attrapaient et emmenaient à la hâte leur progéniture qui protestait.

« Allez, ma fille, assez d'histoires, tu as du travail avant la nuit. »

« Retourne à la charrette, garçon, ton père va avoir besoin d'un coup de main pour charger. »

« Laisse le conteur se reposer, il doit avoir la gorge sèche. »

Mais personne n'offrit à boire au conteur pour le soulager. Car ils n'avaient que faire de sa gorge.

Les conteurs sont toujours suspects. Ce sont des étrangers exotiques, des hirondelles qui ne restent que tant que durent les beaux jours. Où ils vont après est un mystère. On les accueille pour écouter leurs récits, que l'on se racontera à nouveau durant les longues soirées d'hiver. Ils ont une place d'honneur près du feu, mais comme tous les hôtes qui savent qu'ils ne doivent pas abuser de l'hospitalité, on attend d'eux qu'ils s'en aillent vite. Ils ne sont pas d'ici. On ne voudrait pas voir sa fille en épouser un, de crainte que nos petits-enfants ne soient aussi étranges que les créatures dont ils racontent les histoires. Feriez-vous vraiment confiance à quelqu'un qui a l'habitude de converser avec des sorciers ou qui déclame librement le nom de ceux qu'on ne doit pas nommer ?

Et ce conteur-là était encore plus suspect que la plupart d'entre eux. Vous ne voulez pas vous mêler à quelqu'un qui avoue avoir été envoûté par une sorcière ; le sort pourrait être contagieux. Il pourrait se manifester à tout moment, surtout lorsqu'il n'a pas été totalement levé. Et de plus, comme disent les prêtres, on ne mélange pas les genres, telle est la règle. Pas d'hybride. Pas de créature mi-homme, mi-animal. Si celle-ci venait à mourir, qu'en ferait-on, l'enterrerait-on comme un chrétien ou la suspendrait-on comme du gibier ? Un garçon-cygne, quel genre de créature était-ce là ? Personne ne voudrait voir ses enfants fréquenter une telle chose, pour sûr. On pouvait lire la méfiance sur leurs visages tandis qu'ils emmenaient précipitamment leurs enfants.

Le conteur ramassa ses pièces d'une main et les glissa habilement dans sa bourse avant d'en resserrer fermement le cordon de cuir avec ses dents blanches et pointues.

« Avez-vous épousé une belle princesse ? »

Il regarda autour de lui, surpris. Une petite fille était discrètement revenue et tirait timidement sur sa houppelande. Un petit chien hirsute était appuyé contre sa jambe nue. Le conteur se baissa et caressa les oreilles de la bête, qui le regarda avec des yeux marron aussi grands que ceux de la fillette. Il s'accroupit alors, de sorte à pouvoir regarder directement son petit visage sérieux et sourit.

« Les princesses n'épousent pas les chevaliers qui n'ont qu'un bras. À quoi pourrait bien servir un chevalier manchot ? Il ne pourrait défendre son honneur et la protéger. Il ne pourrait pas tuer les dragons pour elle. Un garçon-cygne ne peut pas tenir à la fois une épée et un bouclier, ni tirer à l'arc. Non, non, ma petite, le garçon a vécu un temps dans le palais et tout le monde était gentil avec lui, surtout la reine, car elle se sentait coupable de ne pas avoir pu finir la chemise. Il avait des domestiques pour lui couper sa viande, des domestiques pour l'habiller, des serviteurs pour le laver. Il ne manquait de rien, sauf d'un but à sa vie. Finalement, lorsqu'il n'a plus pu supporter la gentillesse des serviteurs ni la tristesse qu'il devinait dans les yeux de la reine chaque fois qu'elle le regardait, il est parti chercher fortune, comme se doivent de le faire les princes.

— Si j'étais une princesse, je vous épouserais.

— Merci, ma petite. Mais un jour tu te trouveras un beau prince qui t'emmènera vivre dans un château avec des tourelles dorées, qui t'habillera d'arcs-en-ciel et te donnera la lune pour jouer à la balle avec, et les étoiles pour te faire des paillettes dans les cheveux. »

La fillette gloussa.

« On ne peut pas jouer à la balle avec la lune.

— On peut faire tout ce qu'on veut, princesse, si on le veut assez fort. Maintenant tu ferais mieux d'y aller ou ta mère va commencer à s'inquiéter pour toi, et il ne faut jamais causer de soucis à sa mère.

— Maman est toujours inquiète. Elle s'inquiète pour tout.

— Comme toutes les mères, princesse. »

Le conteur la fit se retourner et la renvoya d'une petite tape sur le derrière, et elle fila, joyeuse comme seule peut l'être une princesse, le petit chien la talonnant fidèlement.

Un vent perfide faisait claquer la pluie contre nos visages et nos mains. Ceux qui avaient des étals dotés de toits la bravaient, soufflant sur leurs doigts engourdis recouverts de chiffons pour tenter de retrouver leurs sensations. Quelques brasiers avaient été allumés, mais ils crachotaient, produisant une épaisse fumée mais pas de chaleur. Sur la place du marché de Northampton, ainsi que sur toutes les routes qui y menaient, une boue puante nous montait jusqu'aux chevilles. Des brassées de joncs, de paille et de fougères avaient été jetées pour créer des passages secs, mais la bataille était perdue d'avance. Les piétinements les faisaient s'enfoncer dans la boue, qui avalait tout comme si elle n'avait pas de fond.

Il y avait eu une pendaison plus tôt dans la journée. Deux pauvres diables accusés d'un vol de moutons qui s'étaient fait rosser tandis qu'ils étouffaient lentement au bout d'une corde devant une foule haineuse. Les corps resteraient pendus sur la place du marché jusqu'à la fin de la journée, en guise d'avertissement. Une fine brume de pluie les recouvrait désormais, ruisselant sur leurs visages gonflés tandis que les cordes craquaient dans le vent. On dit que la pluie bénit les cadavres. Ils auraient bien besoin de miséricorde dans la mort, car ils n'en avaient guère trouvé de leur vivant.

Osmond vint se poster à côté de moi. Au crochet de son bâton était suspendu un enchevêtrement de poupées de bois et de chevaliers sculptés montés sur des chevaux. Il avait travaillé tard dans la nuit pour fabriquer ses jouets partout où nous nous étions arrêtés pour camper. Il faisait tout ce qu'un homme pouvait faire pour subvenir aux besoins d'Adela, et de tout le temps que nous avions été sur la route, je ne l'avais jamais vu oisif. Il se frotta les mains et les tint au-dessus du brasier fumant pour tenter d'attraper le peu de chaleur qui s'en dégageait. Il lui manquait la dernière phalange du petit doigt, chose que je n'avais pas remarquée jusqu'alors. Ce n'était cependant pas cher payé si l'on prenait en compte ses talents. J'avais connu bien des sculpteurs sur bois qui avaient perdu plus d'un doigt avant de maîtriser leur art.

Il leva les yeux vers les pendus et détourna rapidement le regard, se signant et secouant la tête.

« La pendaison est une mort cruelle, Camelot. Je comprends qu'un homme puisse finir au bout d'une corde après avoir commis un crime de passion ; rien de plus simple. Mais quel genre d'homme risquerait de se faire pendre pour un mouton ?

— Si votre femme ou vos enfants étaient affamés, vous y seriez peut-être poussé. Un père risquera tout pour sauver son enfant, même sa vie. C'est une passion qui vous étreint dès l'instant où vous tenez votre premier enfant dans vos bras, et elle ne vous quitte jamais. Vous verrez quand vous aurez votre propre bébé.

— Vraiment ? »

Il se tourna vers moi, son visage anxieux et crispé. « Et si je tiens mon enfant et que je ne ressens rien ? Si je n'arrive pas à l'aimer ou, pire, si je ne supporte pas sa vue ? »

Le ton paniqué de sa voix me surprit.

« Mais vous aimez Adela. Pourquoi n'aimeriez-vous pas votre enfant ? »

Il mâchonna nerveusement l'ongle de son pouce avant de répondre :

« Si l'enfant naît avec une malédiction comme cet infirme au mariage…

— Allons, dis-je d'un ton réconfortant. Pourquoi votre enfant serait-il maudit ? Et puis, au bout du compte, quel qu'il soit, vous l'aimerez, parce que c'est votre enfant. À chaque jour qui passera vous verrez de plus en plus nettement le visage d'Adela dans celui du bébé. Ne serait-ce que pour cela, vous l'aimerez. »

Il frissonna sous la pluie, resserrant sa houppelande autour de lui.

« C'est de ça que j'ai le plus peur, Camelot. J'ai peur de ce que je verrai dans son visage.

— Osmond ? » dis-je en posant la main sur son bras.

Il esquissa un sourire blafard.

« Ne faites pas attention, Camelot. Je m'en fais juste pour Adela, pour la naissance, pour tout. Je me sentirai mieux quand nous aurons atteint York et que nous aurons un toit au-dessus de nos têtes. » Il inspira profondément et jeta un nouveau coup d'œil en direction des cadavres. « Et ce n'est pas en restant plantés là à causer que nous allons arriver à York. Il faut que je vende quelques-uns de ces jouets, car je vais bientôt devoir me mettre à voler des moutons si je ne gagne pas d'argent. »

Il avait raison. Malgré le temps, nous voulions tous à tout prix gagner le peu d'argent que nous pouvions. C'était le premier marché que nous avions trouvé ouvert depuis que nous avions quitté North Marston près de deux semaines plus tôt, et Dieu seul sait si nous en trouverions un autre. Nous avions besoin d'acheter de la nourriture. Voyager dans le froid et l'humidité est déjà assez dur, mais personne ne peut voyager longtemps s'il est tiraillé par la faim. Un ventre vide vous fait travailler plus intelligemment que les invectives de n'importe quel maître. Aussi, croyez-moi, nous travaillâmes dur ce jour-là.

« Ce livre, maître ? Vous êtes de toute évidence un homme de grande éducation et de discernement car il ne s'agit pas d'un livre ordinaire, comme vous pouvez le voir. Il a jadis appartenu à un juif. Très rare. Impossible à trouver depuis que les juifs ont été expulsés. Les gens paieraient une fortune pour mettre la main sur un livre juif. Avec ce livre et les incantations adaptées, vous pouvez fabriquer un golem d'argile et lui donner vie. Pensez-y, maître, un géant avec la force de cinquante hommes qui obéirait à vos ordres et écraserait vos ennemis.

« Cela fonctionne-t-il ? Cela fonctionne-t-il, me demandez-vous ? Mais dites-moi, le roi aurait-il banni les juifs d'Angleterre s'ils n'avaient eu des pouvoirs aussi dangereux ? Je vous le dis, ce n'est que parce qu'il a saisi toutes leurs possessions qu'il a été en mesure de le faire. S'ils avaient toujours eu leurs livres, il n'y aurait plus un chrétien de vivant dans ce royaume.

« L'incantation qui donne vie aux golems ? Je ne pourrais me résoudre à vous dire, maître, des paroles si puissantes, des phrases si maléfiques. Les golems qu'on fait naître avec de telles paroles vous mettront en pièces si vous ne parvenez pas à les commander. Si vous perdez le contrôle ne serait-ce qu'un instant… eh bien, regardez-moi si vous voulez une preuve de leur force, il a suffi d'une chiquenaude pour que je perde mon œil. S'il vous arrivait malheur, je ne me le pardonnerais jamais. Si je pouvais être sûr que vous saurez le commander…

« Maintenant que vous en parlez, maître, cette bourse bien remplie semble démontrer votre autorité. »

Le marchand s'en alla avec le livre bien empaqueté sous son bras après avoir vivement enfoncé le parchemin sur lequel était inscrite l'incantation dans la ceinture qu'il cachait sous ses vêtements. Il sembla s'éloigner avec une confiance nouvelle, comme s'il se sentait déjà invincible.

« Alors, maintenant, c'est un golem que vous devez remercier pour la perte de votre œil, n'est-ce pas, Camelot ? Et moi qui croyais que c'était un loup-garou, ou bien était-ce un Sarrasin ? demanda Zophiel d'une voix traînante. J'ai peine à suivre. »

Appuyé contre l'arrière de son chariot, il regardait Adela et Plaisance ranger la nourriture qu'elles avaient achetée pour la compagnie.

« J'espère pour vous que le marchand n'essaiera pas cette incantation avant la fin du marché. Il ne sera pas heureux de découvrir que vous l'avez trompé.

— Avez-vous déjà essayé ?

— Moi, me servir d'une chose qui a été touchée par un juif ? Plutôt me trancher la main. Leurs livres sont pleins de sorcellerie, n'importe quel idiot le sait. Si j'avais su que vous aviez un tel livre dans votre sac…

— Donc vous croyez bien que leurs livres peuvent faire apparaître des golems, Zophiel. »

Il se renfrogna.

« Un jour vous irez trop loin et quelqu'un vous coupera votre langue de menteur, mon vieux… Décampe, sale gamin ! N'essaie plus ce tour avec moi ! »

Je levai les yeux juste à temps pour voir Zophiel tenter de donner une gifle à un jeune garçon qui était venu en clopinant, écartant les mains dans l'espoir de quelque aumône. Le mendiant avait cependant habilement esquivé le coup avec une vivacité surprenante pour quelqu'un affligé d'une telle claudication. Bien qu'âgé d'environ 12 ans, il était parfaitement nu, et son corps, ses membres et son visage étaient couverts de boue, de traînées de sang séché et de bleus violacés. Il contourna le chariot pour tenter sa chance avec Adela.

« Je vous en prie, madame, ayez pitié, aidez-moi. »

Adela, qui ne l'avait pas vu approcher, lâcha un petit cri de surprise.

« Mon pauvre garçon, que t'est-il arrivé ?

— Attaqué par des voleurs sur la route… ils m'ont battu. Volé mes vêtements. Tout. Ils ont tué mon père. Ils m'auraient tué aussi, mais… »

Il se mit à gémir d'un air pitoyable. Adela, visiblement désolée, s'empressa de passer le bras autour du garçon.

« Là, là, tu es à l'abri maintenant. Nous allons t'aider. Nous…

— Nous ne ferons rien de tel », coupa Zophiel.

Adela leva les yeux, horrifiée.

« Mais vous l'avez entendu, Zophiel, il a été attaqué, son père a été tué. Nous devons l'aider. »

Zophiel éclata d'un rire sans joie.

« Je sais que vous êtes une femme, Adela, mais même vous ne pouvez pas être si simplette. Ce gaillard fait semblant, ne le voyez-vous pas ? Cette ruse est vieille comme le monde. Ils se déshabillent, cachent leurs habits quelque part, puis ils viennent en ville en prétendant s'être fait dépouiller dans l'espoir de tomber sur quelque demeurée de votre espèce qui les prendra en pitié et leur donnera de l'argent et des vêtements qu'ils revendront par la suite. »

Le garçon se remit à gémir, agrippant Adela comme

si ç'avait été sa mère, et bafouillant de nouveaux détails de son histoire.

Adela l'étreignit fermement, serrant la tête du garçon contre sa poitrine.

« Mais regardez-le, Zophiel. Il est couvert de sang.

— Il sera allé dans la rue des bouchers, railla Zophiel. On en trouve par flaques là-bas, n'est-ce pas, garçon ?

— Comment pouvez-vous être si cruel ? »

Adela était elle-même presque en larmes maintenant.

« Vous vous trompez. Il est évident qu'il souffre.

— Je me trompe, vraiment ? »

Zophiel s'avança soudain et, avant qu'Adela ait pu l'en empêcher, il attrapa le garçon par le cou et le traîna derrière lui.

« Que faites-vous ? Laissez-le ! »

Adela tenta de le suivre, mais elle agrippa son ventre gonflé et se laissa retomber, à bout de souffle, contre la roue du chariot.

Zophiel ne répondit rien. Il traînait le garçon en direction de l'abreuvoir à chevaux. Le garçon, qui voyait clairement ce qui l'attendait, se tortillait et résistait de toutes ses forces pour se dégager de la poigne de Zophiel. Ses lamentations s'étaient transformées en invectives, mais Zophiel n'y prêtait aucune attention. Il souleva le garçon et le jeta dans l'abreuvoir, lui enfonçant la tête sous l'eau glaciale. Le garçon se débattait comme un forcené. Zophiel lui souleva la tête en le tirant par les cheveux suffisamment longtemps pour qu'il puisse inspirer une bouffée d'air, puis il le replongea sous l'eau. Il recommença à deux ou trois reprises avant d'être satisfait, et il le tira finalement hors de l'abreuvoir. Après quoi il le ramena, dégoulinant et tremblant, jusqu'à Adela. Le garçon ne se débattait plus, et bien que Zophiel continuât de le serrer d'une poigne d'acier, il n'opposait plus la moindre résistance.

L'eau avait fait son ouvrage. L'essentiel du sang avait été nettoyé du corps de l'enfant, et le peu qui restait ruisselait désormais le long de ses jambes. Hormis les quelques bleus que tout garçon se faisait en vivant normalement, il n'y avait aucun signe de blessure. Adela détourna le regard.

Zophiel, tout en continuant de tenir fermement le garçon, avait une expression triomphale et suffisante.

« Je l'ai soigné. C'est un miracle, pas vrai, garçon ? »

Celui-ci jura copieusement et reçut une gifle.

« Allons, garçon, où est ta gratitude ? Ce n'est pas une façon de me remercier. »

Cette fois-ci le garçon n'osa rien répondre, mais il lui lança un regard noir.

« Au moins, il a eu le bon sens de ne pas essayer le coup de la maladie. Avant, ils se roulaient dans les orties pour provoquer une urticaire et se collaient de faux furoncles avec des asticots à l'intérieur de la peau pour obtenir l'aumône des fidèles sur les marches des églises. Tu n'oses plus jouer ce tour, hein, garçon, pas maintenant que la pestilence fait rage ? »

Le garçon le défia du regard, mais ne répondit rien.

« Mais il doit être dans le besoin pour pousser les choses si loin, déclara doucement Adela.

— Il est juste trop fainéant pour travailler, et puis il aime tromper les gens, n'est-ce pas, garçon ? C'est amusant de tromper les idiots qui méritent de se faire plumer. Eh bien, tu as peut-être raison, garçon, c'est ce qu'ils méritent, mais avec moi ça ne prend pas, et si tu essaies encore une fois de me berner, tu te retrouveras avec des bleus qui ne partiront pas à l'eau. Maintenant décampe. »

D'un mouvement vif Zophiel fit pivoter le garçon et lui donna un bon coup de pied au derrière qui le fit s'étaler de tout son long dans la boue. Il se releva difficilement et, agrippant son postérieur, détala tel un lièvre effrayé. Ce n'est que lorsqu'il fut à bonne distance qu'il s'arrêta pour nous adresser des gestes obscènes, hurlant des jurons jusqu'à avoir le visage écarlate, puis il s'enfuit.

Comme je me retournais, j'aperçus Narigorm. La foule se faisait moins dense et la plupart des commerçants remballaient leurs marchandises pour s'en aller, mais elle était accroupie dans un coin de la place du marché. Une jeune fille aux cheveux recouverts d'un touret et d'un voile de femme mariée se tenait avec gêne devant elle tandis que sa mère tendait une pièce à Narigorm. Cette dernière l'enfonça dans ses vêtements et dessina trois cercles concentriques dans la poussière. Elle tira de sous sa robe une petite bourse de cuir qu'elle portait accrochée par une lanière autour du cou. Elle en versa le contenu sur les cercles. Des losanges de bois s'éparpillèrent. Les femmes interrompirent leurs courses pour observer les morceaux de bois couverts de striures, qui n'avaient pour elles pas plus de sens que les mots latins de la Bible. Ma curiosité s'éveillant, je m'approchai aussi. Je n'avais jusqu'alors jamais vu Narigorm lire ses runes.

Elle se mit à se balancer d'avant en arrière, marmonnant des paroles, sa main flottant au-dessus des runes tel un oiseau de proie. Puis elle en choisit une et la souleva. Le motif ressemblait à deux triangles face à face dont les pointes se touchaient.

« Daeg. Ça signifie “jour”. Quelque chose est sur le point de commencer. Quelque chose est sur le point de changer et de croître. Daeg représente un. Un va venir avant que ça puisse commencer.

— Quelque chose qui va croître et quelqu’un qui va arriver, dit la mère de la jeune fille avec un sourire radieux. Là, je te l’avais dit, mon ange, tu vas avoir un bébé. »

Mais ce n’était pas la jeune fille que Narigorm regardait en prononçant ces mots ; ses yeux étaient fixés sur moi.

Zophiel n’était pas pressé de laisser Adela oublier l’incident du faux mendiant. Le soir même il raconta avec entrain à la compagnie comment Adela s’était fait abuser, et, parmi les rires et les plaisanteries, les hommes s’accordèrent à dire qu’il était aisé de duper une femme. Même Osmond ne prit pas sa défense, se contentant de lui tapoter le bras d’un air affectueux en lui disant qu’elle était une petite oie idiote et généreuse, bien que je soupçonnasse que lui aussi serait tombé dans le piège. C’en fut trop pour Adela et, avec un petit sourire crispé, elle partit se coucher, rougissant et serrant les poings.

Osmond se leva à demi pour l’accompagner, et il l’aurait probablement fait si Zophiel n’avait pas croisé son regard avec un grand sourire.

« C’est ça, vous feriez bien de lui courir après et de vous excuser, garçon. » Il se tourna vers les autres hommes, qui souriaient tous d’un air moqueur.

« Il n’ose rien dire à cette petite oie. S’il le fait, pas de gâteries pendant une semaine. Pas vrai, garçon ? À bien y réfléchir, je m’aperçois que je ne vous ai jamais vu partager son lit.

— Elle vous rationne, pas vrai, mon gars ? dit un autre. Faut pas tolérer ça, pas avec votre jeune épouse. Les femmes, c'est comme les chiens, mon gars, faut leur montrer dès le début qui c'est qu'est le maître, sinon elles montrent les dents quand ça leur chante et plus moyen de les tenir en laisse.

— Je t'ai entendu, Tom ! lança une femme d'âge mûr et bien en chair qui ramassait les assiettes vides à la table de derrière. Attends que j'aille répéter ça à Ann, et elle va te montrer qui c'est qui tient la laisse. Elle va t'enchaîner par les couilles, telle que je la connais.

— Ah, mais tu ne diras rien, ma douce, répliqua l'homme en glissant la main sous sa jupe, parce que je ne te servirais plus à grand-chose si elle m'abîmait, pas vrai ? »

Les badinages et les rires continuèrent. Tous avaient oublié Adela, sauf Osmond, qui tenta une nouvelle fois de s'esquiver, mais cette fois c'est Jofre qui le retint en l'attrapant par le bras.

« Ça va aller. S'il te plaît, reste. »

Il leva les yeux vers Osmond, la main toujours posée sur son bras, et quelque chose dans le ton suppliant de sa voix ou dans l'expression de son visage sembla surprendre Osmond. Ils restèrent un moment sans bouger. Puis Plaisance, avalant le restant de son potage, se leva.

« Jofre a raison. Mieux vaut la laisser un moment tranquille. Vous en avez assez dit pour ce soir. Je vais lui tenir compagnie.

— C'est peut-être mieux ainsi, acquiesça Osmond avec reconnaissance. Dites-lui que je ne voulais pas…

— Elle n'a pas besoin de contrariétés dans son état, le réprimanda-t-elle. Les femmes sont plus susceptibles quand elles attendent un enfant. Mais qui se soucie de ce que je dis ? »

Osmond rougit, mais il n'eut pas le temps de répondre car Plaisance se dirigeait déjà vers la porte en marmonnant : « Les hommes, ils ne réfléchissent jamais avant d'ouvrir la bouche. Des cervelles d'âne. »

Comme elle quittait la pièce, quelqu'un entra précipitamment. Déséquilibré par l'ouverture soudaine de la porte, l'homme tituba et s'agrippa à l'épaule de Plaisance pour ne pas tomber tête la première dans les joncs.

« Du calme, Giles ! lança l'aubergiste. Pas la peine d'aplatir mes clients ! Tu as si soif que ça ?

— Ils ont crié le haro ! »

La plupart des occupants de l'auberge repoussèrent leur chope et se levèrent péniblement. Une clameur de haro n'était pas chose à prendre à la légère.

« Qu'est-ce qui s'est passé, Giles ? Un vol, un meurtre ?

— Combien sont-ils ?

— De quel côté sont-ils partis ? »

Les hommes se massèrent autour de Giles, fermant leur houppelande et relevant leur capuche pour se protéger de la pluie.

Giles avait la mine on ne peut plus sombre.

« Une fillette retrouvée morte, la petite dernière d'Odo le boucher. Elle n'est pas rentrée à la tombée de la nuit. Pas son genre de rester dehors après l'heure du souper, alors sa mère a demandé à quelques voisins de se mettre à sa recherche. Ils l'ont retrouvée grâce à son chien. Son corps était caché derrière des balles de laine dans la remise près de la rivière. Et elle était bien cachée, il aurait fallu des jours pour la retrouver si son chien n'avait pas aboyé.

Toutes les mines s'assombrirent.

« Est-il possible qu'elle se soit retrouvée coincée, qu'elle ait suffoqué peut-être ? demanda l'un d'eux.

— Vous ne demanderiez pas ça si vous aviez vu son cou. Des marques violettes aussi claires que le jour. Ce n'était pas un accident, à moins qu'elle se soit étranglée toute seule. »

Un murmure de colère emplit la pièce.

« Quel genre de crapule ferait ça à une petite fille ?

— Je ne sais pas, répondit Giles en secouant la tête, mais apparemment la dernière fois qu'elle a été vue, elle parlait au conteur. On va commencer par lui.

— S'il a quelque chose à voir avec cette histoire, les reines et les sorcières ne seront pas les seules à finir sur le bûcher. Je l'attacherai au poteau et je grillerai moi-même cette canaille. Allez, les gars, j'ai une envie soudaine de cygne rôti. »

9

Les vampires et les juifs

C'était déjà le milieu de la matinée et nous n'avions toujours pas quitté Northampton. Nous n'étions pas les seuls à être en retard sur la route : depuis les premières lueurs du jour, un flot continu de voyageurs avait tenté de gagner les portes de la ville. Mais elles étaient toujours fermées, et les rues et les allées étaient désormais encombrées de charrettes et de chariots, d'animaux de toutes sortes, de personnes à pied, d'autres poussant des charrettes, toutes tentant de quitter la ville, mais en vain. Les conducteurs aux yeux bouffis maudissaient les personnes devant eux, même si ça ne servait à rien puisque personne ne pouvait ni avancer ni reculer. Les femmes criaient après les enfants, essayant en vain de les empêcher de s'éloigner. Quant aux ménagères et aux commerçants du village, ils râlaient après les voyageurs tandis que, pressés de se mettre au travail, ils tentaient de se faufiler entre les chariots avec leurs paniers et leurs paquets.

Tout le monde était trempé, fatigué et irritable. Nous ne nous étions pas couchés avant les petites heures du matin et avions constamment été réveillés par des festoyeurs ivres et des groupes d'hommes qui fouillaient granges et remises à la recherche du conteur. Ils enfonçaient leurs fourches dans des piles de foin et balayaient chaque recoin obscur avec leurs torches enflammées, tant et si bien que les femmes s'étaient mises à hurler qu'ils mettraient le feu à la ville s'ils n'étaient pas plus prudents. Personne en ville n'avait pu dormir à cause des cris et du vacarme, mais en dépit de tout cela, les seuls mécréants qu'ils avaient découverts avaient été quelques couples malchanceux qui avaient pris la fuite à demi habillés ou nus, surpris par une fourche dans le derrière ou une lumière en pleine face alors qu'ils faisaient l'amour au fond de quelque allée obscure.

Quant au conteur, il demeurait introuvable. Il avait probablement quitté la ville en douce bien avant que les portes ne soient fermées pour la nuit. Le veilleur ne se rappelait pas l'avoir vu sortir, mais comme il ne se rappelait pas non plus l'avoir vu entrer, ça ne voulait pas dire grand-chose. Le pauvre homme protestait que ça avait été un va-et-vient incessant ; comment s'attendre à ce qu'il se souvienne de celui-ci en particulier parmi une telle foule ? Et, par ailleurs, personne ne savait avec certitude si le conteur voyageait à pied ou à cheval, seul ou en compagnie.

Maintenant que la seule piste s'était évanouie, personne ne savait que faire hormis informer le shérif et le coroner dans l'espoir que l'un ou l'autre dépêcherait des soldats dans les villes et villages avoisinants, au cas où le conteur s'y rendrait. Car s'il le faisait, il serait certainement facile à identifier, en supposant, bien entendu, que son aile de cygne soit réelle et non aussi fausse qu'un furoncle de mendiant.

Certains habitants souhaitaient que les portes de la ville restent fermées jusqu'à ce que l'assassin soit découvert car, affirmaient-ils, le tueur n'était pas forcément le conteur ; ce pouvait aussi être l'un des nombreux étrangers venus pour le marché. Cependant, des hommes plus sages raisonnaient que toutes ces bouches supplémentaires à nourrir pèseraient considérablement sur les ressources de nourriture et de bière, et que, étant donné la vitesse à laquelle la pestilence se répandait, ils auraient besoin de la moindre miette de nourriture pour eux-mêmes. Et puis, qu'adviendrait-il des autres enfants ? S'il y avait un tueur en ville, voulaient-ils vraiment que celui-ci se retrouve piégé parmi eux ? Mieux valait prendre le risque de laisser l'assassin s'en aller libre que le voir frapper encore. S'il allait ailleurs et tuait à nouveau, eh bien, ce n'était pas leur problème, au moins leurs enfants seraient en sécurité. « Et qui sait, disaient-ils joyeusement, si nous l'envoyons sur la route, peut-être qu'il attrapera la pestilence, ce qui résoudrait le problème une bonne fois pour toutes. » Et pendant qu'ils discutaient ainsi, les portes restaient fermées.

Comme tout le monde, nous étions prêts depuis les premières lueurs du jour. Zophiel avait insisté pour partir de bonne heure et avait harnaché Xanthos entre les brancards du chariot avant l'aube. Nous avions quitté l'allée des poissonniers et pris place dans la queue avant que quiconque se soit aperçu qu'ils n'ouvriraient pas les portes, et alors d'autres chariots s'étaient placés derrière nous, et plus moyen de regagner l'auberge.

Zophiel était d'une humeur exécrable car il avait dû rester éveillé toute la nuit pour défendre son chariot. Quelques braves âmes demandèrent à le fouiller. Ils fouillaient tous les chariots et charrettes à la recherche du fugitif, mais Zophiel ne voulut rien entendre. Il n'allait pas laisser ces rustres maladroits abîmer sa délicate sirène. Tirant sa dague, il menaça de trancher la main du premier homme qui toucherait son chariot. Difficile de dire si ce furent ses menaces ou le flot d'imprécations en latin qui suivirent qui dissuadèrent les hommes, mais il faut être soit courageux soit idiot pour braver les malédictions d'un magicien, et ces hommes n'étaient ni l'un ni l'autre.

En dépit de sa victoire, Zophiel craignait que tous les chariots ne soient à nouveau fouillés aux portes. Il pouvait s'occuper d'une bande d'hommes à moitié soûls, mais il ne pourrait pas s'opposer à des soldats aux ordres du shérif, qui n'avaient pas la réputation d'être très respectueux des biens d'autrui.

Les autres membres de notre compagnie, bien qu'ils n'aient pas à se soucier d'une sirène, n'étaient pas de meilleure humeur. Adela, pâle de n'avoir pas assez dormi, avait vomi plusieurs fois dans le caniveau à cause de la puanteur de poisson fumé et d'entrailles pourrissantes qui empestait l'allée dans laquelle nous étions retenus. Zophiel lui avait froidement dit qu'elle devrait être reconnaissante de ne pas être coincée dans l'allée des tanneurs, et lorsque Plaisance avait suggéré qu'elle pourrait retourner attendre à l'auberge avec Adela, il avait répliqué que lorsque les portes s'ouvriraient et que les chariots commenceraient à avancer, il n'aurait d'autre choix que de se mettre immédiatement en route, et qu'elles seraient alors forcées de le rattraper. Et étant donné son humeur, il était probable qu'il fouetterait Xanthos pour décamper au plus vite dès que nous aurions franchi la porte, et les femmes le savaient. Adela ne prit donc pas le risque de quitter le chariot.

Plaisance l'aida à s'installer près de Narigorm sur le siège du conducteur, lui enveloppant soigneusement les épaules et les genoux dans des sacs de toile pour la protéger du froid et de l'humidité. En dépit du sentiment de malaise que m'inspirait la présence de Narigorm, il était indéniable que celle de Plaisance était une bénédiction pour Adela.

Plaisance descendit du chariot et se faufila jusqu'à l'endroit où je me tenais. Comme à son habitude, elle regardait les flaques, mais je comprenais désormais que ce n'était pas ma cicatrice qui lui faisait baisser les yeux ; elle détournait le regard chaque fois qu'elle parlait à quelqu'un, comme si elle espérait ainsi être invisible.

« Je vais chez l'apothicaire chercher du sirop de baume et de la menthe pour Adela. Ça lui soulagera l'estomac et je n'en ai plus dans mon sac.

— Mais Zophiel a dit que… »

Elle acquiesça avec impatience.

« Si je manque votre départ, je pourrai marcher assez vite pour vous rattraper sur la route.

— Vous êtes une bonne âme, Plaisance. J'essaierai de faire attendre Zophiel dès que nous aurons quitté la ville. »

Elle leva la main devant son visage, comme pour esquiver le compliment.

« C'est une mitzv… une obligation. Je suis guérisseuse, c'est mon devoir. » Elle resserra sa houppelande autour d'elle. « Je dois y aller. »

Il y avait quelque chose de si définitif dans la manière dont elle avait prononcé cette dernière phrase que je m'alarmai. Je lui saisis le bras alors qu'elle se retournait pour partir.

« Vous allez revenir, n'est-ce pas, Plaisance ? »

Elle se dégagea et leva vivement les yeux vers moi, avant de regarder fixement la jante de la roue du chariot.

« Je resterai avec vous aussi longtemps que possible, mais parfois… parfois il faut partir. Il ne faut jamais s'attacher aux endroits et aux gens à tel point que se séparer devient douloureux.

— Maintenant vous parlez comme une voyageuse aguerrie », acquiesçai-je.

J'avais jadis pris la même résolution. Je m'étais promis de ne plus jamais souffrir comme j'avais souffert le jour où j'avais quitté ma maison. Mais c'est plus facile à dire qu'à faire. L'attachement vous gagne subrepticement quand vous ne vous y attendez pas.

Tandis que je regardais Plaisance disparaître dans la foule, je me demandais quelle souffrance lui avait fait prendre cette même résolution. J'avais le sentiment que ses paroles dissimulaient plus qu'un simple désir de liberté. Mais j'espérais qu'elle resterait suffisamment longtemps avec Adela pour l'aider à accoucher. Elle savait exactement comment la masser quand elle avait mal au dos et quelles herbes utiliser quand ses chevilles étaient gonflées. Elle saurait soulager la douleur du travail et étancher ses saignements. Plaisance avait une connaissance des herbes qui dépassait les quelques potions que chaque femme sait concocter. Et il était clair qu'elle n'avait pas acquis cette connaissance en étant une simple servante.

La pluie martelait le sol, créant autour du chariot des flaques dans lesquelles se mêlaient sang, entrailles et yeux de poisson, tel un infâme brouet de sorcière. Les femmes du village, pour qui tous les étrangers étaient responsables du meurtre, déversaient leurs eaux usées depuis les fenêtres du premier étage, prenant un malin plaisir à entendre les hurlements de rage en contrebas. Les poissonniers juraient tandis qu'ils essayaient de se faufiler avec leurs paniers de poissons dans l'espace étroit qui séparait les boutiques des chariots, et nous leur retournions leurs jurons lorsqu'ils essayaient de jouer des coudes. Mais ça ne faisait aucune différence, nous étions coincés là, et eux aussi.

Jofre, agité et impatient, tambourinait sur le chariot, ce qui commençait à énerver même Rodrigo. Pour le distraire, ce dernier suggéra de prendre les devants pour voir s'il y avait du neuf. Si les portes s'ouvraient pendant qu'ils y étaient, ils nous y attendraient.

Rodrigo lança un coup d'œil à Osmond, qui resserrait pour la douzième fois les cordes du chariot. Il avait l'air aussi tendu que les cordes elles-mêmes. Il s'était excusé d'avoir traité Adela d'oie la nuit précédente. Celle-ci avait pour sa part protesté que c'était de sa faute et qu'elle l'avait bien mérité, mais ils évitaient tous deux de se croiser du regard. Malgré ses dénégations, Adela était toujours vexée, et Osmond le savait. Mais il ignorait comment se racheter.

Rodrigo regarda en direction de la malheureuse Adela, puis il se tourna vers le tout aussi misérable Osmond.

« Accompagnez-nous, Osmond. Ça vaut mieux que de faire le pied de grue ici. »

Jofre se tourna avec un sourire radieux.

« Oui, viens. Nous allons forcer ces vieux idiots à ouvrir la porte. »

Osmond hésita.

« Je ferais mieux de rester avec Adela. Elle ne se sent pas bien.

— Elle ne se sent jamais bien, railla Zophiel. Si c'était un poulet, je lui tordrais le cou pour l'achever. »

Osmond se retourna vivement, serrant les poings, mais Rodrigo le retint d'une main sur l'épaule.

« Soyez prudent, Zophiel, dit Rodrigo. Il n'est pas sage de menacer d'étrangler une femme quand une enfant a été étranglée et qu'on recherche l'assassin.

Ce que vous dites par plaisanterie, d'autres pourraient le prendre sérieusement. »

La colère monta aux joues de Zophiel et ses yeux s'enflammèrent.

« Va avec eux, Osmond », intervint vivement Adela.

Celui-ci se retourna sans la regarder et suivit Rodrigo au milieu des chariots et des étals des poissonniers. Jofre fermait la marche.

« Frénésie, saleté et luxure. »

Narigorm, recroquevillée sur elle-même tel un rat blanc à l'avant du chariot, regardait fixement leur dos tandis qu'ils s'éloignaient. Plaisance baissa les yeux vers elle.

« Tu as dit quelque chose, ma petite ? »

Narigorm fredonna d'une voix monocorde :

« Je coupe les runes troll et j'en coupe trois de plus. Frénésie, saleté et luxure. » Puis elle esquissa un petit sourire froid et triomphant. « J'ai tiré Thurisaz, la rune troll, hier soir. Elle transforme tout ce qui la suit. Elle fait ressortir le côté sombre des runes. Mais je ne savais pas pour qui elles étaient, pas hier soir. »

Adela, qui avait décidément l'air barbouillée, se signa rapidement.

« S'il te plaît, ne chantonne pas comme ça, Narigorm. Ça me fait peur. On dirait une malédiction et je sais que tu ne voudrais pas… Tu étais fatiguée hier soir. Je suppose que les runes sont tombées ainsi par accident, parce que tu n'arrivais plus à te concentrer après… (elle hésita)… après toutes ces horreurs que nous avons entendues à propos du conteur et de cette pauvre enfant. »

Je m'attendais à voir Narigorm se mettre en colère. C'est ce qu'elle faisait normalement chaque fois que quelqu'un remettait en doute la véracité de ses prédictions. Mais lorsque je la regardai, elle continuait de sourire comme si nulle parole ne pouvait effacer de son visage cette expression de satisfaction.

« Oh, non, Adela, les runes ne tombent jamais au hasard. Elles disaient la vérité sur quelqu'un et il ne s'agissait pas du conteur, mais maintenant je sais qui c'est. Je sais. »

Finalement, le bon sens finit par l'emporter et on ouvrit les portes. Il fallut longtemps pour que tout le monde quitte la ville, et Plaisance était revenue bien avant que le chariot ne puisse bouger, mais lorsque nous fûmes sur la route, nous inspirâmes de grandes bouffées d'air pur et commençâmes à nous détendre. Le chariot n'avait pas été fouillé. Une fois qu'ils avaient décidé de nous laisser partir, les habitants de la ville avaient eu hâte de se débarrasser de nous.

Xanthos était étonnamment docile. Elle avait à peine cherché à mordre quiconque en ville, enfin, pas sérieusement, malgré le nombre de gens qui lui étaient passés devant. Elle n'avait pas regimbé ni ne s'était cabrée, même dans la bousculade, et maintenant que nous étions sur la route, elle allait à une allure paisible, cherchant de temps à autre à arracher des touffes d'herbe détrempée, mais se laissant guider en secouant simplement la tête avec irritation.

La route qui s'enfonçait parmi les arbres était en pente, et la montée jusqu'au sommet de la colline fut lente et pénible. Xanthos tirait avec plus d'entrain que d'ordinaire, mais le chariot chargé, la longue pente et la boue épaisse en étaient trop pour elle, et nous dûmes tous pousser le chariot, sauf Adela qui s'accrochait craintivement à son siège tandis que les sabots de la jument glissaient dans la boue. Le chariot semblait plus lourd à cause de la nourriture et de la bière qu'Adela et Plaisance avaient entassées entre les boîtes de Zophiel, et malgré la froideur de la pluie, nous étions tous en sueur lorsque nous atteignîmes le sommet. Une fois en haut nous marquâmes une pause pour reprendre notre souffle et nous partageâmes un pot de bière. La forêt, dense et haute, obscurcissait la vue, mais entre les branches agitées par le vent, nous apercevions de temps à autre l'éclat argenté de ce qui semblait être un lac dans la vallée en contrebas.

Des gouttes de pluie perlaient des arbres et créaient de petits ruisseaux autour des pierres. Les feuilles avaient des teintes d'or, de bronze et de cuivre, et elles avaient commencé de tomber, formant des amas glissants sur la route. Descendre allait être encore plus difficile que monter. Mais si ce que nous apercevions était bien un grand lac, avec un peu de chance, il y aurait quelques villages éparpillés autour de son rivage, perspective réconfortante, car lorsque nous aurions atteint la vallée, nous aurions tous besoin d'un bon feu et d'un repas chaud.

Descendre la colline avec le chariot fut une entreprise périlleuse. Zophiel avait entouré de toile les sabots de Xanthos pour lui éviter de glisser, mais le lourd chariot ne cessait de se déporter sur le côté, menaçant d'entraîner le cheval avec lui. Zophiel et moi tenions la tête de Xanthos pour la calmer tandis que Jofre, Osmond et Rodrigo marchaient à côté du chariot, utilisant leurs épaules et d'épais bâtons pour bloquer les roues dès qu'elles semblaient sur le point de déraper.

Le crépuscule approchait rapidement sous la lourde voûte des arbres, et nous étions si concentrés sur notre progression que nous n'entendîmes tout d'abord pas le rugissement sourd par-dessus le bruissement constant des feuilles. Puis, au détour d'un virage, le bruit nous frappa de plein fouet, comme si mille cavaliers passaient au galop, donnant la charge. Zophiel tira Xanthos si sèchement que, pour la première fois de la journée, elle se cabra et tenta de reculer entre ses brancards, roulant des yeux effrayés. Je comprenais parfaitement ce qu'elle ressentait.

L'éclat argenté que nous avions aperçu en contrebas n'était pas un lac. La vallée était inondée. À quelques mètres de nous, le chemin avait été englouti par un torrent d'eau épaisse et brune. Des arbres entiers étaient charriés comme des brindilles jetées dans un ruisseau par un géant. Quelque chose de bleu, peut-être un morceau d'étoffe, ou bien une tunique de femme, apparut brièvement à la surface, puis disparut, emporté par le courant. D'autres objets plus ou moins familiers faisaient surface, avant d'être à nouveau engloutis sans que nous ayons pu les identifier. Dans la pluie et le crépuscule, nous ne distinguions rien de solide entre nous et les collines au loin, juste le torrent déchaîné.

On aurait pu croire qu'après tous ces mois de pluie, l'Angleterre aurait dû être totalement submergée depuis des semaines. Au temps de Noé, il n'avait fallu que quarante jours pour nettoyer la surface de la Terre. Et au cours de ma vie, qui, bien que longue, n'a rien à voir avec les neuf cent cinquante ans qu'a vécus Noé, j'ai vu des rivières déborder de leur lit et des villages balayés après juste quelques heures de pluie violente sur de la terre sèche. Mais la pluie qui s'était abattue depuis la Saint-Jean n'était ni violente ni soudaine ; elle était régulière et continue, comme si le ciel était une cuvette fêlée qui fuyait lentement, déversant son contenu sur la terre. Et celle-ci absorbait l'eau, telle une épaisse tranche de pain absorbant du jus de viande. Les rivières étaient gonflées, et le courant dangereusement rapide, les fossés étaient inondés, les prés s'étaient transformés en lacs peu profonds, mais il pleuvait toujours et la terre continuait d'absorber l'eau. Il arrive cependant un stade où même une tranche de pain rassis ne peut plus rien absorber, et la terre avait atteint sa limite.

Il était impossible de savoir si l'eau continuait de monter, mais nous ne pouvions prendre aucun risque. Camper près de ces eaux de crue était trop dangereux. Malgré l'heure tardive, nous n'avions donc d'autre solution que de rebrousser chemin et gravir de nouveau péniblement la colline. Notre route vers le nord était bel et bien barrée. Notre seul espoir était d'emprunter un chemin de traverse et de tenter de contourner les eaux sur un sentier plus élevé, ou bien de prier pour que les eaux de crue finissent par baisser. Mais tant qu'il continuait de pleuvoir, cela semblait peu probable. Et même si cela se produisait, la route et les ponts qui enjambaient les rivières auraient été emportés, rendant impossible la progression du chariot.

« Est ou ouest, Camelot ? »

Nous nous tenions à un croisement. Rodrigo, Jofre et Osmond penchaient pour l'ouest, car si la route qui allait vers l'est semblait plate et droite jusqu'à perte de vue, celle qui allait vers l'ouest grimpait, et ils préféraient s'éloigner autant que possible des vallées. Adela prit timidement le parti de son mari.

Mais Zophiel, à ma grande surprise, voulait aller vers l'est.

« La rumeur à Northampton affirme que la pestilence n'est arrivée que jusqu'à Londres à l'est, et nous sommes bien au nord de cette ville. Si les villes sont fermées à l'ouest, elles seront toujours ouvertes à l'est. »

Osmond le regarda d'un air soupçonneux.

« Par villes, vous entendez des ports ? Vous n'espérez pas encore trouver un navire, si ? Est-ce la raison pour laquelle vous voulez nous entraîner vers l'est ? Quelles affaires vous appellent en Irlande de toute manière ? S'il pleut autant là-bas, les Irlandais n'auront pas plus d'argent que les Anglais à gaspiller pour voir des sirènes.

— Comprenez-vous réellement ce qu'est la pestilence, Osmond ? C'est une sentence de mort, et pas une belle mort. Voulez-vous voir votre femme mourir en hurlant de douleur ? Car c'est ce qui arrivera si nous allons vers l'ouest. »

Adela se couvrit le visage des mains. Je lançai un coup d'œil à Jofre. Il tremblait et semblait sur le point de vomir. Je savais qu'il pensait à sa mère.

Osmond, furieux, fit un pas en direction de Zophiel, mais je m'interposai et levai les mains.

« Zophiel manque peut-être de tact, mais ce qu'il dit sur la pestilence est exact ; nous avons plus de chances de la devancer en allant vers l'est. Et, de plus, les eaux de crue s'écoulaient vers l'ouest. Nous irons droit vers elles si nous faisons comme vous dites. Je suis forcé d'être d'accord avec Zophiel, la route vers l'est est la plus sûre, jusqu'à ce que nous en trouvions une qui ira vers le nord et nous mènera aux sanctuaires de York et Knaresborough. Plaisance, qu'en dites-vous ? »

En guise de réponse, Plaisance pointa le doigt en direction de Narigorm qui était accroupie au milieu du croisement. Trois runes étaient étalées devant elle. Sa main flotta brièvement au-dessus, puis elle les ramassa et les renfonça dans sa bourse.

« Nous allons vers l'est, déclara-t-elle simplement, telle une reine donnant l'ordre à ses troupes d'avancer.

— Avez-vous entendu cela, Adela ? demanda Zophiel. Les runes nous indiquent d'aller vers l'est. »

Bien que Zophiel eût jusqu'alors considéré les prédictions de Narigorm, ainsi que mes reliques, comme de simples chicaneries destinées à soulager les crédules de leur argent, il ne rechignait pas à s'en servir lorsqu'elles allaient dans son sens.

« Et je suppose que Plaisance ira là où sa petite maîtresse lui commandera. Donc, puisque nous sommes huit, nous sommes divisés en deux groupes égaux. Aussi nous…

— Nous sommes neuf, coupa Narigorm d'un ton aussi neutre qu'auparavant. Nous sommes au complet. Nous sommes neuf, nous allons donc maintenant vers l'est. »

Zophiel sembla quelque peu pris de court par cette interruption, puis il éclata de rire.

« Je suppose que l'enfant compte Xanthos comme faisant partie de la compagnie. Eh bien, pourquoi pas, puisque c'est elle qui doit tirer le chariot. » Il lâcha la tête du cheval et, reculant d'un pas, lui fit une révérence moqueuse. « Xanthos, à toi de décider. De quel côté ? »

La jument, comme si elle comprenait ce qu'on lui demandait, fit un pas de côté et tourna le chariot sur le chemin qui menait vers l'est.

« Tu ne sais pas ce que tu racontes, espèce de gros balourd. »

L'homme regarda son fils d'un air renfrogné et s'approcha du feu en se penchant au bord du bas tabouret de bois.

Le vieux Walter et son fils Abel nous avaient bien accueillis, partageant leur âtre avec nous, ravis de la nourriture que nous leur avions offerte en échange. Leur chaumière était toute simple, mais chaude et sèche, et une mince partition en clayonnage séparait les quartiers de la famille des corps chauds et fumants du bétail qui partageait leur habitation. Une échelle menait à une plate-forme sous le toit où ils gardaient le foin et où les femmes et les enfants avaient jadis dormi. La femme du vieil homme était depuis longtemps morte, et ses filles étaient mariées et vivaient avec la famille de leurs époux, si bien qu'il ne restait que le fils et le père qui, comme un vieux couple, passaient leur temps à se chamailler. C'était une vieille habitude confortable, et même la présence d'étrangers n'y changeait rien.

« Ce ne sont pas les vampires qui propagent la pestilence, continua le vieux Walter. Car pour que les vampires mordent tout le monde, il faudrait qu'ils soient aussi nombreux que les moucherons, et si des essaims de grands vampires couverts de sang volaient au-dessus des villes et des villages, quelqu'un les aurait vus. Ce ne sont pas les vampires, ce sont les juifs, tout le monde le sait. Ils sont de mèche avec les Sarrasins, les juifs, ils l'ont toujours été. Richard Cœur de Lion l'a dit quand il était roi. Ils veulent nous tuer tous. Ils empoisonnent les puits. Quand toute une rue tombe malade en une seule nuit, il est logique que ce soit l'eau du puits qui les a empoisonnés. »

Abel lui lança un regard noir. Il avait la même façon de froncer les sourcils que son père.

« Eh bien, ça prouve juste que tu racontes des âneries, comme d'habitude, espèce de vieil ivrogne, parce qu'il n'y a pas de juifs en Angleterre. Il n'y en a plus depuis près de soixante ans, quand le grand-père du roi les a bannis. Je parie que tu n'as jamais vu un juif, espèce de vieil idiot. »

Zophiel se mêla à la conversation.

« En fait, votre père a très bien pu voir un juif ou deux en son temps.

— Tiens, tu vois, je te l'avais dit. »

Le vieil homme se tapa sur la cuisse d'un air triomphant. « Vous avez vu du pays, pas vrai, monsieur ? Vous n'êtes pas un ignorant. »

Abel rougit, furieux de se voir contredit.

« Oui, eh bien, il a peut-être vu des juifs en France ou ailleurs, mais toi, tu n'es jamais allé plus loin que le bout de ton champ. Si tu en as vu, ils devaient se cacher dans le fossé avec les gnomes et les lutins que tu crois toujours voir en rentrant de la taverne. »

Zophiel esquissa son sourire froid et dénué d'humour.

« Les fossés et les caniveaux sont certainement le genre d'endroit où on devrait les trouver, mais je crains qu'ils soient bien trop fourbes pour ça. Le roi Édouard, bien qu'il ait fait ce qu'il fallait en les bannissant, a commis une grave erreur en n'exterminant pas la vermine. Morts, les juifs sont visibles, mais je crains que vivants ils ne le soient pas, et ils savent se glisser parmi les bons chrétiens, telles des souris dans une grange, et se reproduire jusqu'à ce que le moment soit venu de frapper. Ils n'ont pas tous fui l'Angleterre ; certains ont choisi de se convertir et de rester. Mais leurs conversions étaient hypocrites, car comment un tueur de Christ qui est damné avant la naissance pourrait-il devenir un vrai chrétien ? Ils pratiquent leur religion en secret, crachant sur l'hostie et tournant en dérision les saints sacrements. »

Le jeune homme avait toujours à cœur de se défendre.

« Vous dites peut-être vrai, mais qu'importe que quelques-uns soient restés ? Ceux qui sont encore vivants doivent être plus vieux que ce vieil idiot, et il est si vieux qu'il n'arrive même plus à pisser droit, alors ils ne risquent pas d'empoisonner un puits sans qu'on les voie. Rien ne prouve qu'ils aient empoisonné qui que ce soit.

— Ah, mais, mon jeune ami, répliqua Zophiel d'un air triomphant, de nombreux juifs ont été jugés en France et déclarés coupables d'avoir causé la pestilence en empoisonnant les puits. Ils ont librement avoué leur culpabilité sous la torture et…

— L'archevêque de Canterbury avouerait que sa propre mère est un coq noir et qu'elle est l'alliée du diable si on lui posait la question sous la torture, tout comme nous tous », intervins-je.

Mais Zophiel poursuivit comme si je n'avais pas parlé.

« Et ils ont été justement exécutés pour leurs crimes odieux. Alors, s'il est prouvé qu'ils sont à l'origine de la pestilence en France, comment cette même maladie pourrait-elle avoir une cause différente en Angleterre ? Non, la cause est on ne peut plus claire, mais il sera ici plus difficile de les faire sortir de leur terrier et de les mener au bûcher. Nous devons tous être vigilants et à l'affût du moindre d'entre eux qui pourrait se cacher parmi nous. »

Adela, manifestement alarmée, se recroquevilla contre Osmond et enfonça le visage contre son épaule. Ce geste ravit Osmond, car il semblait indiquer que la querelle de la nuit précédente était enfin oubliée. Il saisit l'opportunité de lui prouver qu'il était de son côté.

« Comme d'habitude, Zophiel, vous avez réussi à

inquiéter Adela. Quand apprendrez-vous à garder vos vilaines pensées pour vous ? »

Zophiel semblait tout sauf repentant.

« Je ne fais que donner des faits. Si vous avez épousé une femme à l'esprit si faible qu'elle doit constamment être protégée de la réalité, c'est votre problème, mais vous ne pouvez pas nous demander de marcher sur des œufs en sa présence et de prétendre que tout est rose sous prétexte que nous risquerions de l'inquiéter. Ou bien a-t-elle peur que quelqu'un la prenne pour une juive ? »

À ces mots, même le vieux Walter sembla sursauter.

« Elle n'est pas juive, objecta-t-il. Les juifs ont les cheveux bruns et le nez crochu. Je les ai vus dans des peintures sur les murs des églises. Ce sont des créatures à l'air sournois, on les repère à une lieue. Elle, c'est une jeune fille adorable, regardez-la, aussi jolie que notre Seigneur Lui-même. »

Adela lui sourit faiblement tandis qu'il se penchait vers elle en lui faisant un gros clin d'œil lubrique, mais elle tremblait toujours, et Osmond, comme d'habitude, semblait tiraillé entre son désir de la réconforter et celui de coller un coup de poing à Zophiel.

Je tentai de mettre un terme à leurs chamailleries.

« Plaisance, vous reste-t-il de ce sirop de pavot que vous avez déjà donné à Adela, la potion qui l'aide à dormir ? »

Mais Plaisance ne semblait pas avoir entendu. Elle regardait Zophiel en écarquillant les yeux, manifestement aussi terrifiée qu'Adela. Je me levai sous prétexte de tendre son sac à Plaisance, et l'attirai à l'écart du feu.

« Ne faites pas attention, Plaisance. Il n'y a ni juifs ni vampires tapis dans l'ombre. Les gens ont peur. Ils ne peuvent combattre la maladie, alors ils s'inventent un ennemi contre lequel se battre. Ça leur donne le sentiment d'être moins impuissants. Quoique, dans le cas de Zophiel, je ne pense pas qu'il croie un mot de ce qu'il affirme ; il le dit juste par goût de la provocation. Vous devriez aller chercher ce sirop de pavot pour voir si ça calmera un peu Adela avant qu'Osmond ne se mette en tête de se battre avec Zophiel. »

Plaisance esquissa un faible sourire et se pencha au-dessus de son sac, mais ses mains tremblaient tandis qu'elle essayait d'en dénouer les lanières de cuir. Puis elle repoussa le sac et courut vers la porte.

« J'ai laissé le sirop dans le chariot », marmonna-t-elle, et elle sortit précipitamment sans même s'arrêter pour refermer la porte derrière elle.

Narigorm la suivit du regard avec une curieuse expression, comme si elle venait de se rappeler quelque chose. Puis elle croisa les bras et se mit à se balancer sur son derrière, telle une fillette qui garderait pour elle un grand secret.

« Pas fichue de fermer une porte, hein ? » grommela Abel en se levant pour la refermer, mais avant qu'il l'ait atteinte, nous entendîmes un hurlement dehors.

Saisissant un robuste bâton, Abel franchit la porte d'un bond, suivi de près par Rodrigo et, plus lentement, par Osmond, qui dut tout d'abord se libérer de l'étreinte d'Adela.

Des bruits d'échauffourée retentirent, puis quelqu'un cria : « Oh, non, tu ne vas nulle part, mon garçon ! » Après quoi Abel et Rodrigo revinrent, traînant entre eux une silhouette qui se débattait bien qu'elle fût immobilisée par une houppelande qui avait été solidement attachée autour de sa tête et de ses bras. Osmond les talonnait, soutenant Plaisance qui était clairement ébranlée. Abel claqua la porte et actionna la lourde barre de bois avant de se retourner pour faire face à la silhouette enveloppée dans la houppelande, que Rodrigo tenait d'une main de fer.

« Maintenant, mon garçon, voyons voir à quoi tu ressembles. »

Il fit un pas en avant pour ôter la houppelande, mais je sus qui c'était avant que son visage ne fût démasqué. J'aurais reconnu cette houppelande pourpre entre mille.

10

Cygnus

« Ainsi, nous avons attrapé un assassin, déclara triomphalement Zophiel. Tu vas finir pendu, garçon, ou pire, quand le shérif te mettra la main dessus, et il le fera, ne t'y trompe pas, car ta tête sera mise à prix, ce qui tombera à point nommé pour nous tous en ces temps difficiles.

— La prime sera pour moi et pour lui, répliqua Abel en désignant Rodrigo d'un geste de la tête. C'est nous qui l'avons attrapé. Vous étiez assis sur votre cul près du feu, trop effrayé pour sortir au cas où il aurait fallu se battre. »

Abel n'avait pas pardonné à Zophiel de l'avoir contredit.

« Je ne suis pas un assassin, interrompit le garçon-cygne d'un air désespéré. Je n'ai jamais touché cette enfant. Je n'ai plus posé les yeux sur elle après lui avoir parlé sur la place du marché.

— Alors si tu es aussi innocent que tu l'affirmes, pourquoi t'enfuir ? demanda Zophiel, ignorant Abel.

— Soyez juste, Zophiel, intervins-je. Ce n'est pas parce qu'on s'enfuit qu'on est coupable. Vous avez vu les habitants de la ville ; ils étaient remontés. Croyez-vous qu'ils lui auraient offert un jugement équitable ? Lorsqu'ils l'auraient enfin mené au shérif, il ne serait plus resté grand-chose de lui à pendre, qu'il soit coupable ou innocent. À sa place, j'aurais fait la même chose. »

Le garçon-cygne acquiesça vigoureusement.

« Il a raison. J'avais peur, et j'avais de bonnes raisons d'avoir peur. Je crois avoir peut-être vu l'homme qui a tué l'enfant, et il sait que je l'ai vu. Je crois que c'est lui qui a affirmé m'avoir vu avec l'enfant pour se couvrir.

— Nous t'avons tous vu avec l'enfant, rétorqua Zophiel. Tout comme la moitié de la ville.

— Non, vous ne comprenez pas. J'ai vu un homme quitter cette remise à peu près à l'heure où la petite fille a disparu. Il scrutait la rue comme pour s'assurer qu'elle était déserte. Je me tenais sous un porche pour m'abriter de la pluie. Il n'a d'abord pas pu me voir. C'est simplement parce qu'un petit chien lui sautait dessus en aboyant que je l'ai remarqué. Il lui a donné un méchant coup de pied. Ça m'a mis en colère. Je savais que j'avais déjà vu ce chien, mais ce n'est que lorsque la fillette a été découverte que j'ai compris… je n'avais aucune raison de penser sur le coup…

— Alors pourquoi ne pas avoir raconté ton histoire aux autorités ? demanda Zophiel. Tu as vu son visage, si j'ai bien compris. Tu pourrais le décrire.

— J'ai vu son visage, en effet ; il est passé juste devant la porte où je me tenais. Lui aussi m'a vu lorsqu'il est arrivé à ma hauteur, et ça n'a pas eu l'air de lui faire plaisir.

— Alors je répète ma question.

— Parce que j'ai vu autre chose, un emblème sur sa houppelande. Si c'était bien sa houppelande, alors c'était un maître de la Guilde des cordonniers.

Croyez-vous que les gens de la ville croiraient la parole d'un conteur itinérant contre celle d'un concitoyen, surtout si celui-ci est le maître d'une guilde aussi riche ? »

Zophiel haussa un sourcil.

« Et penses-tu que nous sommes plus crédules que les habitants de la ville, que contrairement à eux nous goberons une histoire aussi abracadabrante ? Quelle chance que tu te sois trouvé là par hasard, à regarder la remise où la fillette a été assassinée.

— Mais j'y ai vu le cordonnier.

— Si tu l'as réellement vu, il était sans doute allé inspecter un arrivage de cuir. Quoi de plus naturel à l'heure du marché ? Il avait de bonnes raisons de se trouver dans la remise, contrairement à un conteur vagabond qui ne pouvait s'y trouver qu'avec des intentions néfastes. Il est évident que tu comptais au moins voler. L'enfant t'a-t-elle surpris et menacé de tout raconter ? Est-ce la raison pour laquelle tu l'as tuée ? Ou alors l'as-tu attirée dans la remise afin de la violer et de l'assassiner ?

— La fillette a été étranglée, Zophiel, lui rappelai-je. Difficile d'étrangler quelqu'un avec une aile.

— Il a aussi une main. C'est suffisant pour serrer la gorge d'une petite fille. D'autant que les doigts de sa main seront plus puissants que d'ordinaire, puisqu'il doit tout faire avec cette main.

— Est-ce qu'il vole ? » demanda soudain le vieux Walter depuis son tabouret près du feu.

Il se frottait les yeux et regardait fixement l'aile du conteur depuis qu'on lui avait arraché sa houppelande, comme s'il se croyait victime d'une hallucination provoquée par l'alcool.

« Bien sûr que non, vieux crétin d'ivrogne. Comment veux-tu qu'il vole avec une seule aile ? répliqua sèchement son fils, comme s'il n'était pas rare de voir des hommes ailés apparaître dans cette maison.

— Ces gens disent qu'il a quitté la ville alors que toutes les portes étaient fermées. Alors peut-être qu'il s'est enfui en volant. »

Zophiel s'adressa au garçon-cygne.

« Il n'a pas tort ; comment as-tu fait pour sortir ?

— Je me suis caché… dans votre chariot.

— Tu as fait quoi ? » hurla Zophiel, soudain blême.

Il saisit le garçon-cygne par l'avant de sa chemise, le soulevant presque du sol. « Si tu as abîmé quoi que ce soit, garçon, je t'accrocherai moi-même à une corde. »

Il repoussa le garçon, qui tomba lourdement par terre, et se précipita à la porte, jurant tandis qu'il actionnait la lourde barre. Rodrigo aida le conteur à se relever, lui agrippant courtoisement mais fermement l'épaule, au cas où il tenterait de filer, mais celui-ci ne chercha pas à s'enfuir.

« Zophiel vit avec la crainte que quelqu'un n'abîme sa sirène et ses autres précieuses boîtes, bien que Dieu seul sache ce qu'elles contiennent de si précieux », déclarai-je en guise d'explication, car Abel et son père regardaient la porte ouverte comme s'ils croyaient que Zophiel était devenu fou.

Le conteur prit une inspiration comme s'il s'apprêtait à dire quelque chose, mais il sembla se raviser et referma aussitôt la bouche.

« J'espère pour vous que rien n'est abîmé, mon garçon, continuai-je, sinon vous regretterez de ne pas vous être laissé prendre par les villageois. Au fait, comment vous appelez-vous ?

— Cygnus.

— Eh bien, Cygnus, il reste un fond de fèves dans cette casserole, alors vous feriez aussi bien de vous installer et de vous nourrir. Quoi que nous fassions de vous, nous devrons attendre demain matin. Inutile d'avoir faim s'il y a à manger. La nuit sera longue pour nous tous. »

La porte fut à nouveau barrée et nous prîmes place autour du feu sur la terre battue, nous asseyant sur de vieux sacs en toile ou sur des bûches car le vieil homme ne possédait qu'un petit banc et un simple tabouret. Nous étions serrés les uns contre les autres, mais heureux d'avoir le ventre plein et de nous laisser bercer par la chaleur soporifique du feu.

Après une inspection minutieuse, Zophiel avait été forcé d'admettre que rien dans le chariot n'avait été abîmé, mais sa colère avait, pour autant que ce fût possible, empiré. Il avait malgré lui abrité un fugitif en refusant de laisser fouiller son chariot, et il prenait cela comme un affront personnel. Il était déterminé à ne pas se laisser abuser deux fois et voulait ligoter le prisonnier à l'une des roues du chariot pour qu'il passe la nuit dehors sous la pluie, mais nous l'en empêchâmes. Nos hôtes ne voyaient aucune objection à ce que le garçon dorme dans la chaumière ; de fait, cette idée semblait les ravir, fascinés qu'ils étaient par lui. Aussi Zophiel, ne pouvant punir le garçon à sa guise, se mit à le harceler.

« Dis-nous la vérité, garçon, commença-t-il, et n'essaie pas de nous embobiner avec tes histoires de princes-cygnes et de cordonniers – nous ne sommes pas des enfants. Cette aile est fausse, n'est-ce pas, c'est une ruse pour soutirer quelques pièces supplémentaires aux villageois ? Je suppose que tu es parvenu à convaincre plus d'un idiot qu'elle était réelle, mais ne t'avise pas de me prendre pour un idiot. »

Cygnus parcourut nerveusement le groupe du regard.

« C'est une longue histoire.

— Nous sommes coincés ici, et toi aussi, garçon », répliqua Zophiel d'un ton sinistre.

Adela fit un sourire encourageant à Cygnus, qui, tout en lançant un regard effrayé à Zophiel, s'adressa à elle.

« Je suis né avec un bras valide et un… un bras qui n'en était pas un. C'était un moignon de quelques pouces de longueur, avec six minuscules protubérances alignées à sa base telles de minuscules plumes. C'était une bonne chose que ma mère ait accouché seule, car si une sage-femme avait été présente et avait vu ce que ma mère avait enfanté, elle ne m'aurait pas laissé prendre mon premier souffle. Ma mère disait que les sages-femmes étaient nombreuses à le faire, car elles savaient que les enfants infirmes n'apportent que des problèmes à leur famille.

— Seul Dieu peut décider si un enfant doit vivre ou mourir, lâcha sèchement Zophiel. De telles femmes devraient être menées à la potence. Si j'avais mon mot à dire, aucune femme ne serait autorisée à assister à une naissance. »

Il lança un regard sombre à Plaisance, qui se recroquevilla encore plus dans son coin.

« Ce ne sont pas des femmes sans cœur, protesta Cygnus. Elles ne veulent pas qu'un enfant souffre ou que sa mère soit blâmée. J'ai vu des mères chassées de villages, ou pire, jugées comme sorcières, accusées d'avoir forniqué avec le diable. Ni la mère ni l'enfant n'ont alors droit à la moindre clémence ; ils sont pendus ensemble.

— Et de telles femmes devraient en effet être jugées comme des sorcières, car de quelle autre manière de tels monstres pourraient-ils être conçus ? Pas en couchant avec le mari que Dieu leur a donné, c'est certain, lança Zophiel.

— Vous venez de dire que les bébés étaient innocents. Mais maintenant vous voulez les pendre avec leur mère, objecta Adela, le visage rougi, bien qu'il fût difficile de dire si c'était à cause de son indignation ou à cause de la chaleur étouffante qui régnait dans la pièce.

— Je n'ai pas parlé d'innocence, Adela, répliqua Zophiel d'une voix qui, comme d'habitude, se faisait plus basse et froide à mesure que les autres s'échauffaient. Ce que j'ai dit, c'est que c'était à Dieu de décider si le petit devait vivre ou mourir. Si la mère est coupable, alors l'enfant est un démon et il doit mourir. Même vous, vous n'êtes sûrement pas assez idiote pour implorer qu'un démon échappe à la potence, aussi innocent semblât-il ? Mais si la mère n'est pas coupable, son jugement le prouvera. Dieu protégera les innocents et les sauvera de la mort.

— Comme il les sauve de la pestilence ? » demanda férocement Jofre.

Il y eut un silence gêné. Osmond se signa. Chacun fuyait le regard des autres. C'était la question que tout le monde avait à l'esprit, celle à laquelle personne ne pouvait se résoudre à répondre.

Je relançai Cygnus en le poussant avec la pointe de mon bâton.

« Vous nous parliez de votre naissance. Comment se fait-il que votre mère ait accouché seule, sans personne pour l'assister ? »

Tout le monde poussa un soupir de soulagement, comme si nous avions retrouvé la terre ferme après nous être trouvés en équilibre au bord d'un précipice.

« Ma mère, commença-t-il, ses yeux se tournant nerveusement vers Zophiel, ma mère savait que je serais différent.

— Comment le savait-elle ? railla celui-ci. Un ange lui est apparu ? »

Les paroles sarcastiques de Zophiel semblèrent déstabiliser Cygnus.

« Pas un ange, marmonna-t-il.

— Un rêve alors, suggéra Adela avec empressement.

— Elle a vu… elle a vu un cygne venir à elle, une nuit. La nuit avant son mariage…

— J'ai entendu dire que quand on voit quelque chose d'effrayant on risque de donner naissance à un mon… (Adela se reprit aussitôt)… à un enfant différent. Il y avait une femme dans notre ville qui a été effrayée par un ours quand elle était enceinte, et lorsque le bébé est né, il était couvert de la tête aux pieds d'épais poils noirs.

— Je ne voulais pas dire que ma mère a été effrayée par le cygne, elle… »

Zophiel le dévisageait à mesure qu'il comprenait avec horreur ce que le garçon disait. Il éprouvait déjà suffisamment d'hostilité à son égard sans croire qu'il était le produit de quelque rencontre bestiale entre un oiseau et une vierge. Il n'aurait pas besoin de plus pour le déclarer coupable – une bête qui assassinait les petites filles. Qu'aurait pu produire d'autre une telle union ?

Je me hâtai d'intervenir.

« Donc à cause de son rêve étrange, votre mère croyait que vous seriez différent ? Est-ce la raison pour laquelle elle a choisi d'accoucher seule ? »

Cygnus grimaça.

« Elle savait que je serais différent, mais elle me désirait. C'est ce qu'elle m'a toujours dit. »

Je regardai Osmond ; il avait l'air crispé, et je devinais qu'il ne pensait pas à Cygnus, mais à son propre enfant à naître.

« C'est merveilleux de grandir en sachant qu'on a été désiré », dis-je, et pour la première fois de la soirée Cygnus sourit, le regard rivé au feu comme s'il pouvait y voir le visage de sa mère qui le regardait tendrement au milieu des flammes.

Enfin, après une longue pause, il reprit son récit :

« La nuit de ma naissance, le mari de ma mère dormait dans le lit à côté d'elle. Quand les douleurs sont arrivées, elle n'en a parlé à personne. Sans un mot, elle s'est levée et a quitté la chaumière. La nuit était claire, paisible et froide, le sol était couvert de givre qui projetait des scintillements bleus dans le clair de lune. Ma mère s'est glissée en silence entre les ombres des bouleaux argentés, jusqu'à atteindre les eaux sombres du lac. Là, parmi les joncs, elle s'est fait un nid. Elle était seule, mais ne se sentait pas seule, car elle était observée par le Cygne qui nage sur la rivière du ciel que certains appellent la Voie lactée. Et je suis donc né sous les étoiles du Cygne, et ai été nommé d'après cette constellation. Elle m'a enveloppé dans du duvet pour me tenir chaud et m'a chanté des berceuses tandis que les eaux argentées du lac lui léchaient doucement les pieds.

« Lorsqu'elle a regagné la chaumière à l'aube, le mari de ma mère m'a lancé un coup d'œil et a déclaré que j'étais une bouche inutile à nourrir. Il a conseillé à ma mère de me ramener au lac et de me noyer. Mais elle m'a protégé de lui. Il est resté quelques mois, mais dès que j'ai commencé à essayer de ramper, dès qu'il n'a plus été possible de dissimuler mon moignon sous les bandelettes qui l'emmaillotaient, il est parti s'installer avec une tenancière de taverne à l'autre bout du village. Nous le voyions presque chaque jour, mais lui préférait ne pas nous voir.

« Ma mère travaillait. Elle travaillait comme dix femmes. Elle était fille de laiterie le jour, et la nuit elle filait la laine et tissait des étoffes pour les vendre. Elle était si habituée à filer et à tisser qu'elle pouvait le faire dans le noir. La faible lueur des torches dans la cour qui filtrait à l'intérieur lui suffisait, ce qui nous permettait de ne pas gaspiller de chandelles. Et chaque nuit tandis qu'elle filait, elle me chantait des berceuses du lac.

« Tant qu'elle l'a pu, elle m'a gardé auprès d'elle, à l'écart des autres enfants. Quand j'ai commencé à marcher, elle m'attachait à un poteau dans l'étable pour que je ne m'aventure pas dehors, mais j'ai fini par apprendre à me détacher, même avec une seule main. Je me suis mis à explorer et ai découvert d'autres enfants. Je n'ai pas mis longtemps à découvrir que je n'étais pas comme eux. Et même si je ne m'en étais pas rendu compte tout seul, ils n'auraient pas tardé à me le faire savoir. Un jour ma mère m'a retrouvé dans un coin de l'étable, en train de battre mon petit moignon en pleurant. C'est alors qu'elle m'a raconté l'histoire de ma merveilleuse naissance et expliqué que mes petits bourgeons deviendraient des plumes qui formeraient une magnifique aile blanche, comme celle d'un cygne.

« J'étais ravi à l'idée d'avoir une aile faite de plumes brillantes, cela me semblait bien mieux que n'importe quel bras, et j'avais hâte d'en parler aux autres enfants.

Maïs quand je le leur ai dit, ils se sont mis à rire et à me tourmenter de plus belle. À partir de ce moment, ils m'attrapaient chaque jour, soulevant ma chemise pour voir si des plumes avaient poussé, puis ils se moquaient de moi et me donnaient des coups de pied lorsqu'ils s'apercevaient que mon moignon était aussi lisse qu'avant. Mais quand je rentrais à la maison en larmes, ma mère me disait : « Aie la foi, petit cygne, les plumes vont venir, si tu les veux vraiment, elles viendront. » Mais j'avais beau les désirer ardemment, ma peau restait aussi rose et nue que celle d'un petit rat.

« Je m'inventais des présages. Si je vois sept pies aujourd'hui, alors demain l'aile aura commencé de pousser. Si je parviens à ne manger que des herbes pendant une semaine… s'il pleut pendant trois jours, si… si… Et chaque jour, en ne voyant aucun signe de l'aile, les enfants riaient de plus belle et je pleurais davantage. Finalement, ma mère n'a plus supporté la situation. Elle s'est rendue au lac où elle m'avait eu et a imploré les cygnes de lui donner quelques plumes pour leur petit frère, puis elle s'en est servie pour me fabriquer une aile qu'elle a attachée à mon moignon afin que je puisse voir ce que j'allais devenir. Elle disait que si je la sentais, alors j'y croirais et j'aurais suffisamment de foi pour la faire pousser. Et c'est ce qui s'est passé, car dès que j'ai commencé à la porter, j'ai su ce que ça ferait d'avoir une aile. Mes bourgeons sont devenus des plumes et mon moignon s'est transformé en aile, comme elle l'avait prédit. »

Adela, ravie, frappa dans ses mains.

« Donc elle a vraiment fini par pousser ? demanda-t-elle. Quand cela s'est-il produit ?

— Quand j'ai commencé à être si habitué à mon aile que je croyais qu'elle était à moi, et alors j'ai découvert que c'était vrai. Ç'avait toujours été mon aile, tout comme mon bras avait toujours été mon bras.

— Mais les autres enfants ne vous ont-ils pas tourmenté de plus belle lorsque vous avez eu une aile ? demanda Jofre. Parce que vous étiez… (Il hésita.)… différent ?

— J'étais fier de ma différence. J'avais quelque chose qu'ils ne pourraient jamais avoir. Je n'étais pas un garçon ordinaire.

— Et vous pouviez le supporter, d'être différent ? Jofre se pencha en avant, sa voix était étrangement insistante. « Vous n'aviez pas… honte ? »

Cygnus sourit et, en guise de réponse, il déploya son aile, la fit battre dans l'air, faisant tourbillonner la fumée du feu à travers la pièce jusqu'à ce qu'Abel s'écrie :

« Arrêtez, vous allez mettre le feu !

— Un joli tour, observa Zophiel. Mais vous ne pouvez pas voler, alors à quoi sert une seule aile ?

Adela se tourna vers lui avec colère.

« Laissez-le tranquille, d'accord ? Pourquoi devez-vous toujours tout gâcher ? L'aile est magnifique. Est-ce que je peux la toucher ? »

Cygnus acquiesça, et Adela tendit la main et la caressa aussi doucement qu'elle put, comme s'il s'était agi de l'aile de quelque créature minuscule et fragile, tout en frissonnant de ravissement. Osmond lui attrapa le poignet et la tira en arrière.

« Souviens-toi de ton enfant », dit-il sèchement.

Je lançai un regard en direction de Cygnus et vis une expression de douleur traverser son visage. C'était Adela elle-même qui avait raconté qu'une femme enceinte qui avait vu un ours avait donné naissance à un monstre. J'avais pour ma part déjà vu des hommes empêcher leur femme enceinte de poser les yeux sur moi. Jofre avait raison ; c'est une chose effroyable qu'être différent.

Cygnus poussa soudain un petit cri de douleur. En baissant les yeux, je vis que Narigorm s'était glissée à côté de lui et qu'elle était assise là, tenant une longue plume blanche dans sa main. Cygnus déploya son aile et nous vîmes tous clairement l'espace où la plume avait été arrachée.

Adela fronça les sourcils.

« C'était cruel, Narigorm, tu ne dois pas arracher les plumes d'une créature vivante. Tu lui as fait mal. »

Cygnus tendit la main et caressa les cheveux blancs et doux de Narigorm.

« Elle ne l'a pas fait exprès, j'en suis sûr. Les enfants sont souvent brusques sans le vouloir, comme des chatons qui jouent. »

Narigorm le regarda d'un air innocent.

« Une autre poussera bientôt à sa place, n'est-ce pas, Cygnus ? C'est ce qui se passe avec les vrais cygnes. Quand une plume tombe, une autre pousse à sa place. Quand la vôtre aura repoussé, ce sera la preuve que votre aile est réelle, n'est-ce pas ? »

Elle se tourna vers Zophiel. Celui-ci la fixa un moment du regard, puis il éclata soudain de rire.

Aux premières lueurs du matin, nous étions à nouveau sur la route, laissant le vieux Walter et son fils avec suffisamment de sujets de dispute pour les occuper durant les longues soirées d'hiver lorsqu'ils se rappelleraient la nuit passée en notre étrange compagnie. Bien qu'Abel eût dit à Zophiel, le soir précédent, qu'il avait droit à la récompense qui serait offerte pour la capture du fugitif, dans la lueur froide de l'aube, il avait semblé réticent à aborder de nouveau ce sujet. La seule manière de prétendre à une récompense était de ramener Cygnus à Northampton et de le livrer aux autorités, mais Abel, visiblement, n'aimait pas les villes – d'horribles endroits bondés, pleins de voleurs et de coupeurs de bourses, et étant donné l'épidémie de pestilence, rien n'aurait pu le convaincre de mettre un pied dans une ville tant que la fièvre ne serait pas passée.

Le vieux Walter n'aimait pas non plus les villes ni les autorités car, comme il l'avait dit, « bien des innocents font leur devoir et aident la justice et finissent par se retrouver arrêtés sous prétexte qu'ils ont enfreint une loi qu'ils ignoraient ». Puis, après avoir toussé et copieusement craché par terre : « Miller, du village, a pêché un corps tout gonflé dans l'étang où la rivière l'avait entraîné. Il a crié le haro et envoyé chercher le coroner, tout comme il fallait, mais celui-ci a mis si longtemps à venir que Miller a dû enterrer le cadavre. La puanteur rendait sa femme et ses petiots malades et elle commençait à imprégner la farine. Il aurait perdu tous ses clients s'il n'avait pas enterré le corps en décomposition. Et quand le coroner a finalement bougé son derrière et pris la peine de venir, au lieu de remercier Miller d'avoir fait son devoir, il a noté dans son registre qu'il n'avait pas conservé le corps et Miller a reçu une belle amende quand il est passé devant le juge. Voilà ce que ça vous rapporte de faire votre devoir. Il aurait mieux fait d'enterrer le corps discrètement, aussitôt après l'avoir repêché, et de ne rien dire. Si vous me demandez mon avis, le coroner a fait exprès de prendre son temps, juste pour pouvoir prélever quelques amendes. » Le vieux Walter toussa et cracha à nouveau. « Une sacrée leçon ; ne réveillez pas le chat qui dort ; n'allez pas les ennuyer à moins que ce soient eux qui viennent vous ennuyer. »

Et c'est ainsi que Cygnus se retrouva entre nos mains. Personne dans la compagnie, hormis Zophiel, ne souhaitait retourner à la ville que nous avions quittée la veille. Et même Zophiel fut finalement forcé de concéder qu'y retourner ne serait pas une bonne idée lorsque Rodrigo observa que certains habitants pourraient bien se rappeler qu'il avait refusé de les laisser fouiller son chariot. Zophiel pourrait se retrouver jugé pour avoir aidé et encouragé la fuite d'un homme recherché, délit qui lui vaudrait la même sentence que le meurtre lui-même. Zophiel ne pouvait nier que Rodrigo disait vrai, mais cela ne contribua pas à le rendre de meilleure humeur.

Cygnus continuait de protester de son innocence, mais, comme le fit remarquer Osmond, ni sa culpabilité ni son innocence n'avaient la moindre importance ; le fait était que c'était un fugitif, qu'il était recherché pour un crime capital, et que si nous le laissions repartir et qu'il se faisait attraper, ils le forceraient à avouer comment il s'était échappé. Une fois qu'ils le sauraient, ils seraient certainement après nous. Il était possible que les juges estiment que nous l'avions aidé à sortir de la ville malgré nous, mais s'ils apprenaient que nous l'avions appréhendé puis relâché, la cour ne nous pardonnerait pas. La seule chose à faire était d'emmener Cygnus avec nous et de le livrer lorsque nous rencontrerions un bailli ou un homme du roi qui pourrait nous en débarrasser.

Cygnus, visiblement terrifié, balayait la compagnie du regard d'un air implorant. Il se tourna finalement vers moi, accablé par la peur et le désespoir.

« Vous avez vous-même dit, Camelot, que je

n'aurais pas pu étrangler l'enfant d'une seule main. Laissez-moi partir et je promets qu'ils ne m'attraperont pas, et que s'ils m'attrapent, je ne soufflerai pas un mot sur vous et votre compagnie. Je le jure sur la vie de ma mère.

— S'il n'y avait que moi, je n'hésiterais pas, répondis-je. Mais il y a les autres à prendre en compte, une femme enceinte… l'enfant… »

Je n'ajoutai pas que, en dépit de sa détermination, il finirait sans doute par faire ou dire tout ce qu'on attendrait de lui avant la fin de son jugement. J'avais vu des hommes plus forts se faire briser, et lui n'était pas un guerrier.

Il capitula, toute résistance l'abandonnant soudain, et se mit à fixer désespérément une ornière remplie d'eau à ses pieds.

« Je ne voudrais pas les mettre en danger. Pardonnez-moi. »

Rodrigo, la mine sombre, lui tapa sur l'épaule.

« Vous aurez droit à un procès équitable, *ragazzo*. Nous nous en assurerons. »

Zophiel insista pour que Cygnus soit attaché à l'arrière du chariot et forcé de marcher derrière tel un prisonnier ; ainsi, il n'y aurait aucun doute sur nos intentions si les personnes qui le cherchaient nous rattrapaient sur la route. S'il était vu marchant librement à nos côtés, il aurait l'air de faire partie de notre compagnie, et nous serions sûrement arrêtés comme complices. Adela protesta amèrement, mais nous voyions tous que la suggestion de Zophiel était pleine de bon sens, même si je supposais qu'elle visait autant à punir le garçon qu'à nous protéger. Zophiel lui ligota son bras valide derrière le dos et l'attacha par la taille et le cou au chariot, de telle sorte que si Cygnus essayait de bouger la main pour la dégager, il ne parviendrait qu'à resserrer la corde autour de son cou.

« S'il glisse dans la boue et est traîné derrière le chariot, cette corde lui brisera le cou, grommela Rodrigo avec colère, et il écarta Zophiel pour desserrer les nœuds.

— Il nous a lui-même dit qu'il avait appris à détacher d'une seule main la corde de sa mère quand il était petit. Je compte bien m'assurer qu'il ne se défera pas de ses liens.

— Vous croyez qu'il va s'échapper alors que nous sommes huit à l'observer ? »

Rodrigo attacha à nouveau Cygnus à l'arrière du chariot, mais seulement par le poignet. « Faire un homme prisonnier, soit, mais je ne l'assassinerai pas. »

Zophiel, toujours furieux, prit sa place habituelle auprès de Xanthos, saisit la bride et lui tira férocement la tête en avant, geste auquel elle répondit en faisant un pas de côté et en lui écrasant violemment le pied. Zophiel hurla et l'injuria copieusement tout en agrippant le chariot et en massant son pied endolori tandis que Xanthos se remettait à brouter comme si de rien n'était. Ce cheval commençait à me plaire.

Nous dûmes passer plusieurs jours sur la route avant de trouver un nouveau toit. Ce n'était pas un chemin très fréquenté, et les seuls autres voyageurs que nous vîmes étaient des gens de la région qui transportaient du bois pour leur feu ou déplaçaient leur bétail d'un champ à une étable et vice versa. Chaque fois que quelqu'un s'approchait de nous sur la route, nous remontions notre houppelande au-dessus de notre nez et de notre bouche, cherchant anxieusement le moindre signe de maladie sur leur visage, comme ils le faisaient avec nous, mais tout ce que nous voyions, c'était la faim dans leurs yeux. Ils nous regardaient avec une morne curiosité, retournant parfois nos saluts, s'abstenant la plupart du temps. Et qui aurait pu leur en vouloir ? Si vous commenciez à parler à des inconnus sur la route, vous vous retrouviez soudain à devoir leur offrir l'hospitalité autour de votre cheminée. À les voir, la plupart d'entre eux avaient à peine de quoi se remplir l'estomac, ils ne risquaient donc pas de nourrir des inconnus.

Les récoltes étaient dévastées. Pas la peine d'être fermier pour le voir. Les racines en décomposition dégagent une puanteur qui se répand à des lieues à la ronde. Il n'y avait aucun espoir de sauver ni céréales ni haricots, et si les herbes prospèrent par temps de pluie, elles ne suffisent pas à remplir un ventre vide dans la froideur de l'hiver. Même les fruits d'automne ont besoin d'un peu de soleil pour mûrir.

Nous étions plus chanceux que ces paysans. Nous avions au moins pu acheter des fèves séchées, du mouton salé et du poisson séché à Northampton, même si un an plus tôt j'aurais traité de coquin et de voleur un marchand qui m'aurait fait payer un prix aussi exorbitant. Mais quand la nourriture est rare, ce sont ceux qui la possèdent qui décident de son prix. Les réserves ne dureraient cependant pas longtemps, pas avec une compagnie si nombreuse, aussi, chaque fois que nous tombions sur une parcelle d'oseille ou sur un noisetier ou sur un terrain communal, nous nous arrêtions et récupérions tout ce que nous pouvions pour accroître nos provisions de la journée.

Chasser le gibier était bien trop risqué en cette saison. Même se faire attraper avec un arc ou un piège à cerf était dangereux ; personne ne veut perdre ses oreilles ou ses mains. Mais les oiseaux volent librement, et il s'avéra qu'Osmond était habile à la fronde et que Jofre apprenait vite. À l'approche du crépuscule, les oiseaux reprenaient le chemin de leur nid dans les branches dénudées des arbres, et tandis que nous établissions le campement pour la nuit, Osmond et Jofre s'éloignaient pour voir ce qu'ils pourraient rapporter. Ils revenaient environ une heure plus tard avec une poignée d'oiseaux divers, principalement des étourneaux, des merles et des pigeons, et même en une occasion une paire de bécasses. Il y avait peu de viande dessus, particulièrement les étourneaux, mais ils ajoutaient une saveur bienvenue à la marmite, et même une bouchée de viande peut sembler un festin quand on a froid et faim.

Narigorm était toujours affamée. Bien qu'elle reçût la même quantité de nourriture que les adultes, son appétit n'était jamais satisfait. Elle se mit à poser de minuscules pièges parmi les arbres la nuit pour attraper de petits animaux. Elle écoutait dans le noir, et dès qu'un bruit lui indiquait que quelque chose s'était fait attraper, elle allait le chercher. Après un long, trop long moment, elle revenait, tenant précautionneusement entre ses mains quelque créature inerte. Parfois c'était mangeable, un écureuil ou un hérisson. Souvent c'était une musaraigne ou une belette qu'il fallait jeter. Mais à chaque fois la bête était morte.

Osmond lui proposa de l'accompagner pour lui montrer comment achever les créatures plus rapidement, mais elle refusa avec entêtement, affirmant qu'elle savait les tuer. Et bien que les cris prolongés des petits animaux nous missent tous mal à l'aise, surtout Adela, comme Zophiel disait, il fallait que la fillette apprenne et ne pas la décourager de nous aider à trouver de la nourriture. Et il avait raison, nous avions besoin de tout ce que nous trouvions.

Nous étions en permanence trempés et transis, et camper dans les bois la nuit signifiait que nous nous réveillions courbaturés et fatigués après un sommeil entrecoupé. Mais le froid n'était pas la seule chose qui troublait mon repos. Plusieurs fois j'avais cru entendre un hurlement dans la nuit. J'étais tout d'abord trop faible pour pouvoir le jurer, et j'aurais pu songer que ce n'était rien que le vent dans les arbres, sauf que je voyais Zophiel se redresser, crispé dans l'obscurité, comme si lui aussi tendait l'oreille. Je me disais que ce n'était qu'un chien qui aboyait dans une ferme lointaine, mais plus les nuits passaient, plus le hurlement se faisait fort et distinct. Et il ne s'agissait pas d'un chien. J'aurais juré que c'était un loup, sauf que je savais que c'était impossible, pas dans ces contrées. Votre esprit vous joue des tours étranges quand vous êtes épuisé.

Et Cygnus était le plus épuisé de nous tous. Être attaché à un chariot, éclaboussé par la boue des roues et incapable de choisir son propre chemin parmi les ornières et les flaques minerait n'importe quel homme. Il faut constamment accorder son allure à celle du chariot. Une glissade et l'on se retrouve traîné par terre. Rodrigo marchait d'ordinaire à ses côtés, tentant de l'égayer avec ses anecdotes de la vie de cour. Et quand Cygnus commençait à fatiguer, il passait un bras autour du garçon, le maintenant sur ses pieds lorsqu'il trébuchait. Il demandait souvent une halte sous prétexte de rajuster les chiffons dont il s'était servi pour entourer le poignet de Cygnus à l'endroit où la corde lui irritait la peau, prenant son temps, jusqu'à ce que le garçon ait suffisamment repris son souffle pour poursuivre sa marche. Quand nous nous arrêtions pour camper pour la nuit, Zophiel insistait pour que Cygnus soit attaché à un arbre ou à la roue du chariot, aussi ses nuits étaient-elles encore moins confortables que les nôtres. Mais l'un de nous s'arrangeait toujours pour desserrer un peu ses liens quand Zophiel était occupé avec ses boîtes, de sorte que Cygnus pouvait au moins changer de position de temps en temps.

Mais malgré toutes les misères qu'il devait endurer, Cygnus demeurait plus joyeux que Jofre. Il était difficile de dire si c'était l'attention que Rodrigo portait à Cygnus, ou l'ennui abrutissant, ou simplement le fait d'être trempé et transi qui rendait Jofre de plus en plus morose, mais seul le moment où il allait chasser les oiseaux le soir semblait l'égayer, et cela ne durait pas plus d'une heure ou deux. Jofre était rayonnant de santé après ces chasses, il avait les joues rouges, ses yeux dansaient avec excitation. Je suppose que c'était le seul amusement qu'il avait de toute la journée ; difficile pour un jeune homme habitué à vivre au service d'un seigneur et à voir ses journées emplies de musique, de sport et d'intrigues. Mais une fois que nous étions tous recroquevillés autour du feu, une sombre dépression semblait s'abattre sur Jofre, telles des mouches s'abattant sur un cadavre, et il passait le restant de la soirée à regarder mollement les flammes, ou bien à observer Adela et Osmond pendant qu'ils somnolaient côte à côte.

Jofre ne pouvait même pas jouer de musique car la pluie aurait endommagé ses instruments. Rodrigo essayait de l'inciter à pratiquer son chant, mais Jofre avait toujours une bonne excuse, ce qui lui valait inévitablement un long sermon de la part de Rodrigo et ne faisait qu'accroître la défiance du garçon. Zophiel n'arrangeait pas les choses. Il raillait ouvertement Rodrigo, qui n'était selon lui pas capable de contrôler son élève, affirmant que n'importe quel maître digne de ce nom ferait chanter le garçon à coups de bâton, mais ni les sarcasmes de Zophiel, ni les sermons de Rodrigo, ni les cajoleries d'Adela n'avaient le moindre effet positif sur Jofre. Les joues brûlantes de colère, il partait soudain s'asseoir sous un arbre, à bonne distance de la compagnie, serrant fermement dans sa main un pichet de bière ou de cidre qui était toujours vide le lendemain matin, et l'humeur de Jofre était alors plus noire que jamais.

Un matin, après l'une de ces nuits, nous nous réveillâmes tous courbaturés, trempés et gelés, gémissant tandis que nous pliions le camp et nous préparions à nous remettre en route. Jofre, en guise de punition, avait reçu l'ordre de détacher Xanthos et de la harnacher au chariot. C'était une corvée que, au mieux, il détestait, et Xanthos était plus que réfractaire ce matin-là. Elle avait découvert une parcelle d'herbe inhabituellement grasse et n'était pas prête à abandonner un tel festin sans opposer de lutte. Elle continuait de brouter rapidement tandis que Jofre s'approchait doucement et saisissait son licou. Elle ne résista pas et, enhardi par son succès, Jofre eut la bêtise de lui tourner le dos tandis qu'il la menait au chariot. C'était ce que Xanthos attendait ; elle secoua soudain la tête, le projetant au sol, et lui mordit rapidement le mollet avant de retourner paisiblement à son repas comme s'il n'était rien qu'une mouche importune. Elle avait agi avec tant d'habileté que même Adela, normalement compatissante, ne put se retenir de rire. Mais Jofre ne voyait pas ce qu'il y avait de drôle. Il se tortillait sur l'herbe en se massant la jambe, gémissant qu'il ne pourrait probablement pas marcher de tout le restant de la journée.

Au bout du compte, il fallut les efforts combinés de Zophiel, Rodrigo et Osmond, plus quelques bons coups de cravache, pour mener Xanthos ne serait-ce que jusqu'au chariot, après quoi ils s'échinèrent à la faire reculer entre ses brancards. Mais Xanthos, que l'on avait arrachée à son repas, n'était pas d'humeur à coopérer. Maintenant qu'elle était détachée, elle pouvait librement ruer, cabrer, donner des coups de sabots et mordre, et les trois hommes se retrouvèrent bientôt en sueur malgré la froideur du matin. Comme Zophiel marquait une pause pour s'essuyer le visage, il leva soudain la main pour demander le silence. Nous nous figeâmes tous. Le son lointain de sabots et de voix nous parvint depuis le chemin qui passait juste derrière les arbres. Rodrigo posa la main sur l'épaule de Jofre.

« Va voir, *ragazzo*. Mais reste caché », murmura-t-il.

Jofre, oubliant sa blessure, s'éloigna aussitôt. Aucun de nous ne bougeait. Un groupe de cavaliers sur ce chemin isolé pouvait être synonyme d'ennuis. Mieux valait ne pas attirer l'attention sur nous tant que nous ne savions pas qui étaient ces hommes.

Jofre revint un instant plus tard.

« Des soldats, murmura-t-il. Cinq. Ils voyagent léger, pas de chevaux de bât.

— De quelle direction viennent-ils ? demanda Zophiel.

— De la même que nous. »

Zophiel regarda vers l'endroit où Cygnus était accroupi, toujours ligoté à l'arbre.

« Ainsi ils sont sur la piste de notre petit gibier à plumes. » Il sourit d'un air mauvais.

« On dirait que ton heure est venue, mon ami.

— Non », murmura Adela d'une voix rauque.

Elle se dandina vers Cygnus comme si elle comptait le cacher derrière ses jupes. « Vous ne pouvez pas le livrer. Je ne vous laisserai pas faire.

— Et comment m'en empêcherez-vous ? Un simple cri suffira à attirer leur attention », répliqua Zophiel, tout en prenant soin de parler aussi bas qu'elle.

Le bruit des sabots se rapprochait, un trot enlevé, des hommes qui savaient où ils allaient. Cherchaient-ils vraiment Cygnus ? Nous avions nos bâtons et nos couteaux ; nous aurions pu nous défendre. Mais même s'il n'y avait eu qu'un seul soldat, si celui-ci agissait au nom de la paix du roi, seul un homme qui n'avait plus rien à perdre aurait osé opposer la moindre résistance. Car passer toute sa vie tel un hors-la-loi en fuite avec sa tête mise à prix et tous les autres contre soi n'est pas un risque que l'on court à la légère.

Les autres se tenaient tous immobiles, osant à peine respirer. Cygnus était accroupi par terre avec sur le visage une expression de peur abjecte. Il se mit à tirer désespérément sur la corde qui le reliait à l'arbre, mais Zophiel avait fait du bon travail. Le battement des sabots approcha jusqu'à l'endroit où nous avions quitté le chemin pour nous engager parmi les arbres. Verraient-ils les traces du chariot et, si oui, s'arrêteraient-ils pour examiner les lieux ? Nous avions tous les yeux rivés sur Zophiel, attendant de voir ce qu'il ferait. Il lui suffisait désormais d'un cri, et tout serait fini. Adela avait les mains fermement jointes devant elle, ses lèvres bougeant en silence comme si elle priait, même s'il était difficile de dire si c'était Dieu ou Zophiel qu'elle implorait.

Le bruit des sabots passa à côté de nous, s'éloigna.

Ils n'avaient pas vu les traces. Mais nous continuâmes d'attendre. Si nous pouvions les entendre, eux aussi pouvaient nous entendre. Zophiel pouvait toujours les appeler. Il fit un pas en avant. Osmond esquissa le geste de l'arrêter, mais Rodrigo le rattrapa. Il savait, comme nous tous, que, à la moindre tentative de le retenir, Zophiel crierait, ce qui suffirait à faire revenir les soldats. Aussi nous tenions-nous immobiles, écoutant le son des sabots disparaître au loin. La pluie tambourinait le sol, le vent sifflait à travers les branches nues des arbres, et derrière cela, le silence.

Zophiel se retourna pour nous observer, tirant apparemment grand plaisir à voir nos attitudes figées.

« Un divertissement intéressant. Maintenant, si vous êtes tous suffisamment reposés, peut-être pourrions-nous essayer une fois de plus de mettre cette bête récalcitrante entre ses brancards ? »

Comme il rompait le silence, chacun sembla se souvenir qu'il retenait son souffle, et nous poussâmes un grand soupir collectif. Adela se tourna vers Zophiel et ouvrit la bouche comme si elle était sur le point de dire quelque chose, mais je croisai son regard et secouai la tête. Parfois, avec des hommes comme Zophiel, mieux vaut ne pas demander pourquoi et se contenter d'être reconnaissant. Peut-être l'avais-je mal jugé, peut-être conservait-il après tout un fond de compassion.

Personne ne prononça un mot tandis que nous levions le camp, attachant des cordes, dispersant les cendres du feu depuis longtemps éteint. Quant à Xanthos, après n'en avoir fait qu'à sa tête, elle se laissa gracieusement harnacher au chariot.

Finalement, lorsque nous fûmes prêts à partir, Zophiel marcha jusqu'à l'arbre auquel Cygnus était encore attaché. Ce dernier, toujours blême, lui sourit faiblement.

« Mer… merci, balbutia-t-il.

— Bien entendu, nous pourrions te laisser là pour que les soldats te trouvent à leur retour. Cela nous éviterait bien des soucis. Avec un peu de chance, tu mourrais de faim et épargnerais aux bons citoyens d'Angleterre d'avoir à payer pour ta pendaison.

— Mais je croyais… commença Cygnus d'une voix tremblante.

— Tu croyais que, parce que je n'ai pas appelé les soldats, j'ai décidé de ne pas te livrer, répliqua Zophiel en riant. Oh, non, mon jeune ami, mais je n'ai aucune intention de te livrer à des soldats à moins d'y être forcé. Sur une route telle que celle-ci, sans témoins, ils prétendraient à coup sûr t'avoir capturé eux-mêmes et, comme me l'a rappelé notre sage ami Rodrigo, ils pourraient nous arrêter aussi sous prétexte que nous t'avons abrité. Pourquoi ne feraient-ils qu'un prisonnier quand ils pourraient en faire neuf et obtenir des faveurs supplémentaires de leurs officiers ? Non, j'ai l'intention de te livrer à un bailli en personne, et devant autant de témoins que possible pour qu'on ne s'y trompe pas. »

Cygnus, toujours tremblant, fut une fois de plus mené à l'arrière du chariot et les autres détournèrent les yeux, s'occupant de leurs paquets, évitant de croiser son regard.

« Narigorm, viens vite, nous sommes prêts à partir », lança Plaisance en hissant son sac sur le chariot.

La fillette, accroupie un peu à l'écart, la tête penchée au-dessus du sol, ne sembla pas l'entendre.

« Je vais aller la chercher, dis-je. Finissez de charger votre sac. »

Narigorm, assise sur ses jambes repliées, jouait avec ses runes. Elles étaient éparpillées sur un pan de terre sans herbe sur lequel elle avait dessiné trois cercles concentriques. Elle leva les yeux à mon approche et ramassa les runes tout en effaçant les cercles avec ses mains. Mais j'eus le temps de voir deux objets posés sur les cercles – une longue plume blanche et un petit coquillage que les pêcheurs appellent un éventail de sirène. Elle les ramassa rapidement à leur tour et les enfonça dans sa bourse avec ses runes, avant de se lever.

« Narigorm, est-ce que tu… ?

— Camelot ! Narigorm ! Venez ! Nous partons ! » lança Adela depuis son perchoir à l'avant du chariot.

Narigorm fila et je la suivis plus lentement, regardant les cercles à demi effacés derrière moi. Jouait-elle avec ses runes quand les soldats étaient passés ? Avait-elle pu… ? Non, Zophiel n'avait pas agi sous la contrainte. Sa décision de ne pas attirer l'attention des soldats avait été consciente et, je devais l'admettre, logique. Mais je me demandai tout de même si Narigorm cachait d'autres objets dans sa bourse.

11

La nuit des morts

Nous passâmes une nuit froide et humide de plus à camper parmi les arbres, mais le lendemain, les choses commencèrent à s'améliorer. Les arbres laissaient place à des terres cultivées et nous passâmes devant plusieurs frères convers qui travaillaient aux champs, pataugeant jusqu'au mollet dans la boue gluante et visiblement aussi malheureux que s'ils effectuaient pieds nus un pèlerinage de pénitence. Ils ne pourraient herser la terre tant qu'elle ne serait pas sèche, et comme il continuait de pleuvoir, ce ne serait sans doute pas avant Noël.

Mais il était évident que nous étions désormais sur les terres d'un monastère, et là où il y a un monastère, il y a des hébergements pour pèlerins avec des lits secs, à manger, du feu et de la compagnie pour occuper les longues soirées d'hiver. Nous nous égayâmes tous à cette perspective et hâtâmes le pas pour y arriver au plus tôt. Même Xanthos semblait partager notre enthousiasme et avait d'elle-même accéléré le train.

Soudain, tandis que nous tournions dans un virage, Rodrigo nous demanda de faire halte. Il rejoignit Zophiel et tira sur la tête de la jument pour l'immobiliser à l'abri d'un petit taillis d'arbres.

Nous regardâmes tous anxieusement autour de nous

– d'autres soldats ? Mais Rodrigo nous fit signe d'approcher.

« Qu'allons-nous faire de lui ? demanda-t-il en désignant le conteur couvert de boue affalé contre l'arrière du chariot. Si nous l'emmenons au monastère ainsi attaché, ils sauront qu'il est recherché.

— Et alors ? fit Zophiel. C'est le cas.

— Mais cela fait une semaine que nous avons quitté la ville. Peut-être n'ont-ils pas entendu parler du crime ?

— Rodrigo a raison, s'empressa d'ajouter Adela. Si la nouvelle n'est pas arrivée jusqu'ici, alors nous pourrions emmener Cygnus avec nous comme un compagnon, comme un homme libre. Après tout, vous avez tous dit que nous l'attachions simplement pour nous protéger au cas où il serait recherché. »

Zophiel secoua la tête.

« Vous oubliez les soldats. Ils ont dû passer par ici et se seront certainement enquis de lui au monastère.

— Peut-être venaient-ils pour une autre affaire, dit Rodrigo.

— Et peut-être pas. Proposez-vous de mettre en danger notre liberté en faisant des suppositions sur la mission d'un soldat ? Maintenant nous savons tous qui a appris à Jofre à se montrer si imprudent. Prenez des risques si vous voulez, Rodrigo, mais en jouant avec de l'argent, pas avec notre liberté. »

Les yeux de Rodrigo s'enflammèrent et il fit un pas en avant.

Je me hâtai d'intervenir.

« Il n'y a qu'un moyen de le découvrir. Restez ici, je vais y aller seul en me faisant passer pour un voyageur solitaire, et je me renseignerai discrètement sur les soldats, je découvrirai si la nouvelle est parvenue jusqu'ici. S'ils ne savent rien au monastère, alors vous pourrez entrer avec Cygnus, pourvu qu'il cache son aile ainsi que sa houppelande, car elle est trop aisément reconnaissable. Jofre ou Osmond pourraient lui prêter une chemise avec deux manches et une cotte-hardie. En attachant fermement son aile dessous, il aura l'air d'avoir perdu un bras. Il n'y a rien d'extraordinaire à voir un manchot chercher l'aumône dans un monastère. Personne ne se souviendra de lui.

— Et s'ils ont entendu parler du meurtre ? demanda Zophiel.

— Alors nous devrons attendre ici et tenter de contourner le monastère une fois la nuit tombée. Il y aura trop d'activité pendant la journée pour que nous puissions passer sans nous faire remarquer.

— Suggérez-vous que j'abandonne un lit chaud et un bon repas pour protéger cette créature ? railla Zophiel.

— Non, Zophiel, je vous connais trop bien pour ça, mais vous pouvez renoncer à un lit chaud pour toucher la prime du fugitif. Si Cygnus y est forcé, il pourrait chercher à s'abriter dans l'église du monastère, et alors votre récompense se sera envolée.

— Renoncer au royaume, grogna Zophiel, être un exilé toute sa vie, pour autant qu'il parvienne à gagner un port sans se faire tuer. Je ne crois pas que notre petit oiseau ait assez de cran pour passer des semaines enfoncé dans l'eau jusqu'aux genoux à implorer qu'un bateau daigne l'emmener. Aucun capitaine de navire n'acceptera à son bord un homme qui ne peut ni travailler ni payer pour son voyage, à moins qu'il ne décide de vendre le monstre à un homme riche dont le passe-temps est de collectionner les animaux étranges.

— Il préférera peut-être cette mince chance de survivre à la certitude de mourir. Les hommes s'accrochent à la moindre lueur d'espoir pour échapper à la mort. »

Dans les monastères, les commérages vont bon train. La vie des moines et des frères convers est aussi monotone que la liturgie elle-même, aussi le moindre voyageur qui franchit les portes est-il une source de distraction bienvenue. Je n'avais jamais rencontré un moine qui ne se serait pas arrêté de bon cœur pour bavarder, et je ne mis pas longtemps à apprendre tout ce que j'avais besoin de savoir.

Les soldats s'étaient bien arrêtés au monastère, mais pas pour y chercher le conteur en fuite. L'une de leurs montures ayant perdu un fer, ils avaient fait appel au maréchal-ferrant du lieu pour lui en poser un nouveau, et les soldats en avaient profité pour exiger de la bière et de la viande avant de reprendre leur route. Ils apportaient une nouvelle de Londres, la pire qui fût. Deux cents personnes y mouraient chaque jour rien que de la pestilence. Les cimetières des églises ne pouvaient plus les accueillir et des fosses communes avaient été creusées dans les quartiers les plus pauvres de la ville. Le vieux moine frissonna et se signa, sa voix se transformant en un bas murmure comme s'il craignait d'entendre ses propres paroles.

« Le sol, disent-ils, n'est pas consacré ; imaginez ça, ces pauvres âmes.

— À qui ces soldats portent-ils cette nouvelle ? »

Ma curiosité était éveillée. Il semblait peu probable qu'ils aient été dépêchés simplement pour donner l'alarme dans toute la campagne.

Le vieux moine leva les yeux d'un air surpris.

« Ce n'était pas cette nouvelle-là qu'ils étaient chargés d'apporter. L'un des soldats m'a dit ce qui se passait à Londres, mais seulement parce que je lui ai demandé. J'ai des parents là-bas, voyez-vous, mon frère et sa famille. Des nièces et des neveux, et peut-être même maintenant des petites-nièces et des petits-neveux, Dieu les préserve. Je sais que nous sommes censés renoncer à toute idée de famille lorsque nous entrons dans les ordres, mais tout de même, on ne peut pas s'empêcher de… »

Il écarta les mains dans un geste d'impuissance.

« Et les soldats ? le relançai-je.

— Ah oui, les soldats, ils sont venus chercher l'un des seigneurs nobles du roi. Un chevalier de la Jarretière a succombé à la pestilence et doit être remplacé, car le roi se doit d'avoir vingt-quatre chevaliers de la Jarretière à ses côtés à Windsor – il y tient pour le festin de Noël.

— Le roi maintient les festivités de Noël, en dépit des nouvelles de Londres ?

— Windsor n'est pas Londres. La cour continue comme de coutume, et le roi aura sa nouvelle table ronde et ses chevaliers.

— Peut-être croit-il que les chevaliers de la Jarretière le protégeront de la pestilence tout en lui donnant la victoire en France. »

Le vieux moine me regarda avec l'air de se demander si je me moquais de lui.

« Les chevaliers prêtent serment à saint Georges ; il les protégera des flèches qui tombent du ciel comme de celles lancées par les ennemis du roi.

— Mais vous avez dit que l'un d'eux avait déjà succombé ?

Le vieux moine agita son doigt dans ma direction.

« Même le roi, Dieu le préserve, ne peut pas lire le cœur des hommes. Il est possible que le chevalier n'ait pas été digne de confiance ou qu'il ait trahi son serment. Cette pestilence est le fléau grâce auquel Dieu lave son temple de la licence et de la luxure. Nous devons tous prier pour être épargnés, prier saint Benoît d'avoir pitié. Il y aura des messes spéciales ce soir pour ceux qui sont au purgatoire. Vous vous joindrez à nous, mon frère, n'est-ce pas ? Si ces pauvres Londoniens doivent reposer dans un sol non consacré, leur âme aura besoin de nos prières. »

Si les soldats ne s'intéressaient pas au fugitif, la poignée d'autres voyageurs qui passaient la soirée au monastère ne s'y intéressait pas non plus. Ils parlaient de la pluie, des inondations, de la pestilence et de leurs propres épreuves personnelles, ce qui les ramenait invariablement à la pluie. Aussi, après nous être assurés que l'aile de Cygnus était fermement attachée sous ses vêtements, et après l'avoir averti de ne pas jouer au conteur de crainte de réveiller les souvenirs de quelque voyageur, nous pénétrâmes trempés et transis dans le dortoir.

Les hôtes étant rares, nous pûmes choisir nos lits. Au moins dans un monastère vous pouvez être raisonnablement sûr que les lits seront propres et non infestés de punaises. La bière aussi était bonne, bien que le repas fût frugal – une soupe épaisse et une petite portion de pain ; pas de viande, naturellement, car c'était jour de jeûne. Le vent s'était levé et la pluie cognait contre les murs épais, aussi fûmes-nous pour la plupart ravis de passer l'après-midi à somnoler devant le grand feu dans la salle des pèlerins.

Comme Adela se préparait à coudre, Osmond et elle, tels deux conspirateurs, échangèrent un sourire et un hochement de tête, et le jeune homme se mit à fouiller dans son sac. Puis il se redressa, tenant quelque chose derrière son dos, et fit signe à Narigorm d'approcher. Il brandit alors triomphalement une poupée de bois, qu'il tendit à la fillette. Elle avait un nez et des oreilles délicatement sculptés, des yeux peints, une bouche qui souriait, des joues roses et de la laine de mouton brune en guise de cheveux. Même les bras étaient joints et articulés. C'était un bel objet.

« Adela a songé que tu devais te sentir plutôt seule car tu n'as pas d'enfants avec qui jouer, alors je t'ai fabriqué ton propre bébé pour que tu t'en occupes.

— Et j'ai des bouts de tissu, ajouta Adela avec un sourire radieux, tu pourras t'asseoir avec moi et je te montrerai comment fabriquer un bonnet pour que ton bébé ait chaud à la tête, exactement comme je suis en train de faire pour le mien. »

Narigorm, les mains fermement jointes derrière le dos, les regardait tous deux avec un visage de marbre.

« Elle est à toi, ma petite, prends-la, encouragea Adela. Tu peux la bercer et l'habiller et faire comme si c'était un vrai bébé. Ça sera un bon entraînement pour quand mon bébé sera né, parce que tu m'aideras à m'en occuper, n'est-ce pas ? »

Narigorm saisit finalement le jouet et l'examina minutieusement, faisant courir ses doigts sur les yeux de la poupée et les appuyant fort sur sa bouche peinte. Puis elle leva à nouveau les yeux vers Adela.

« Je vais m'entraîner pour votre bébé. Je m'occuperai des deux, vous verrez. »

Adela et Osmond échangèrent un sourire tels deux parents affectueux ravis de leur cadeau. Mais Narigorm, elle, ne souriait pas.

Cygnus et Zophiel s'étaient glissés dehors chacun de leur côté immédiatement après le dîner, et lorsque je me réveillai de ma première sieste confortable depuis des semaines, je m'aperçus qu'ils n'étaient toujours pas revenus et que Jofre était également parti. Mais il était jeune et plein d'énergie ; il était sans doute parti chercher une compagnie plus amusante, pour autant que cela fût possible dans un monastère. Cependant, l'absence de Cygnus était plus préoccupante. Avait-il décidé de chercher refuge dans l'église après tout ? Sûrement pas ; Zophiel avait raison, personne ne chercherait à s'en sortir de cette manière, à moins de ne plus avoir d'autre choix. De plus, je n'avais pas entendu la cloche du sanctuaire sonner. Il avait plus probablement décidé d'essayer de s'échapper pendant que Zophiel n'était pas là pour le retenir. Et je ne pouvais pas lui en vouloir.

Mais j'avais moi-même un rendez-vous auquel je devais me rendre. Je sortis. Le jour, qui n'était jamais bien lumineux sous les épais nuages gris chargés de pluie, s'assombrissait à mesure que le soir approchait. Je serrai ma houppelande autour de moi pour me protéger du vent et de la pluie et traversai à la hâte la cour en direction des étables. Une pente pavée menait depuis la cour à une longue pièce souterraine dotée d'un haut plafond en voûte. Un côté était divisé par des partitions de bois pour former des stalles pour les chevaux, avec des plates-formes en bois sur lesquelles les palefreniers pouvaient dormir. Des bottes d'avoine, de foin et de paille étaient entassées sur des plateaux surélevés de l'autre côté de la pièce, mais les réserves semblaient maigres lorsqu'on songeait que l'hiver avait à peine commencé. Si la saison s'avérait glaciale et humide, les animaux seraient aussi affamés que les hommes, car les provisions n'étaient suffisantes ni pour les uns ni pour les autres. Peut-être ferions-nous mieux de prier pour les vivants que pour les morts. Au moins, les morts n'avaient plus besoin de nourriture.

Cet après-midi-là il n'y avait que quelques chevaux attachés dans les stalles, mâchant avec satisfaction leur fourrage, parfaitement inconscients de ce que l'avenir risquait de leur réserver. Mais à part ces bêtes, l'étable était déserte. À l'autre extrémité se trouvait une énorme réserve dans laquelle étaient empilés des tonneaux. La seule lumière pénétrait par deux orifices munis de grilles percés dans le sol de la cour, mais elle était suffisante pour que j'aperçoive l'homme que je cherchais.

Le frère convers qui travaillait à la laverie avait dépassé mes attentes. Au mieux j'avais espéré deux habits de moine usés jusqu'à la trame, peut-être trois au plus, mais il s'était arrangé pour en apporter une demi-douzaine. Ils étaient rapiécés, râpés et tachés, exactement ce que je recherchais. Plus la robe semble avoir été portée, plus elle a de valeur, et si elles sont tachées de sang ou de quelque chose qui ressemble à du sang, c'est encore mieux. Inutile de chercher à savoir si ces vieux habits de moine avaient véritablement été jetés ou s'ils seraient simplement marqués comme manquants dans les listes de la laverie, dans un cas comme dans l'autre, le frère convers s'assurerait sans aucun doute qu'on ne le tiendrait pas pour responsable de leur disparition. Il semblait pour sa part ravi de sa part du marché – quelques pièces et une demi-douzaine de bouteilles d'eau de saint John Shorne. J'avais bien fait de faire mes réserves à North Marston.

Il quitta les étables en empruntant un escalier privé tandis que je passais devant les rangées de stalles. La journée avait été parfaitement satisfaisante ; un bon marché de conclu, un ventre plein de nourriture chaude, et la perspective d'une bonne nuit de sommeil. Pour une fois les choses s'arrangeaient.

« Camelot ? »

Je tressaillis lorsqu'une silhouette apparut derrière l'un des chevaux attachés. De telles frayeurs ne sont pas bonnes à mon âge. Je m'appuyai à la partition, le cœur cognant un peu.

« Désolé. Je ne voulais pas vous effrayer, dit Cygnus avec un sourire contrit, tel un enfant surpris à faire une farce.

— Je me demandais où vous étiez passé.

— J'ai songé que je ferais mieux de me tenir à l'écart des autres voyageurs, juste au cas où l'un d'eux… »

Il n'acheva pas sa phrase. Il avait l'air malheureux. « Enfin bref, j'ai songé que je ferais aussi bien de me rendre utile. Vous me nourrissez depuis une semaine et je n'ai rien fait pour mériter d'être entretenu. La pauvre vieille Xanthos avait besoin d'un bon nettoyage. Sa robe était couverte de boue. Les chevaux attrapent froid si leur robe est mal peignée, car c'est elle qui leur tient chaud. Et les sabots pourrissent si on ne les nettoie pas. »

Comme pour confirmer ses dires Xanthos poussa un hennissement bas et donna un léger coup de tête à Cygnus. Il sourit et se remit à la frotter.

« Zophiel ne s'est-il pas occupé de sa jument lorsqu'il l'a mise à l'étable ?

— Il l'a nourrie, mais il avait hâte de retourner à son chariot. Il a dit qu'il voulait vérifier si ses boîtes avaient bougé. Mais qu'importe Zophiel, ajouta-t-il avec impatience. Que faisiez-vous avec ce frère convers, Camelot ? Comptez-vous vendre ces vieux habits de moine aux pauvres ? Vous n'en tirerez pas grand-chose, ça ne vaut pas vraiment la peine de les transporter d'après moi.

— Pas aux pauvres, Cygnus, aux riches. N'importe quelle personne suffisamment pauvre pour porter ces haillons n'aurait pas assez d'argent pour les acheter.

— Mais même morts les riches ne voudraient pas être vus affublés de tels haillons.

— Ah, détrompez-vous, mon garçon, les riches n'accepteraient de les porter que morts. »

Cygnus secoua la tête d'un air confus.

« Les riches à la conscience coupable achètent de vieilles robes de moine pour être enterrés dedans, ainsi lorsque le diable vient pour emporter leur âme en enfer afin de les punir de leurs mauvais actes, il passe à côté d'eux car ce qu'il voit, ce n'est pas un riche pécheur, mais un pauvre moine pieux. Et si le moine qui a porté l'habit était suffisamment saint, alors l'odeur de sa sainteté aura imprégné sa robe, ce qui raccourcira le temps que le pécheur passera au purgatoire ou permettra même de lui ouvrir les portes du paradis. Sentez-les. »

Je levai une robe particulièrement nauséabonde sous le long nez de Cygnus. La puanteur le fit reculer, et j'éclatai de rire.

« Les anges sentiront la sainteté sur l'homme qui portera cette robe bien avant qu'il ait gravi l'échelle, et ils ouvriront en grand les portes du paradis. Ils ne perdront pas trop de temps à l'interroger, car ils seront trop occupés à lui faire couler un bain.

— Croyez-vous qu'il soit si facile de berner les anges et le diable ?

— Si un homme est assez idiot pour se laisser berner, alors il prendra également tous les autres pour des idiots, même le diable. Et si ça permet de l'apaiser durant ses dernières heures et de réconforter les familles éplorées, qui sommes-nous pour les en priver ? Chaque homme, riche ou pauvre, a besoin d'espoir à l'approche de la mort, et chaque veuve a besoin de consolation dans son chagrin.

— Mais c'est pour cela qu'ils s'offrent des prières et des messes, afin d'abréger leur séjour au purgatoire.

— Ah, mais cela ne suffit pas à les rassurer. Les riches ont appris à se méfier de leurs congénères. Dans leur expérience, il n'y a que deux moyens de s'assurer la loyauté d'autrui : par l'argent et par la peur. Quand un riche est mort il ne peut plus commander par la peur, et que se passera-t-il si l'argent vient à manquer ou si les personnes payées pour prier font preuve de négligence ? Mieux vaut porter son salut sur soi que de dépendre des autres. »

J'enfonçai les dernières robes dans mon sac.

« Je n'arrive toujours pas à croire que les riches porteront ces haillons. »

Je poussai un petit rire.

« Vous verrez le moment venu, garçon, enfin si vous restez avec nous, naturellement. »

L'anxiété apparut à nouveau sur son visage.

« Narigorm affirme que Zophiel ne me livrera pas au bailli, déclara-t-il d'un ton incertain.

— Le lui a-t-il dit ? »

Il fronça les sourcils comme s'il essayait de se rappeler les paroles de la fillette.

« Je ne crois pas qu'elle ait dit ça, mais je suppose qu'il l'a fait. Elle semblait si certaine. »

L'image des runes, de la plume et du coquillage me traversa l'esprit. Lisait-elle l'avenir ou essayait-elle de le provoquer ?

Cygnus se mordit la lèvre, me regardant avec anxiété, cherchant quelque indice rassurant sur mon visage.

« Pourquoi ? Vous ne pensez pas qu'elle dit vrai ?

— Espérons-le. »

Puis, voyant la peur apparaître de nouveau sur son visage, je me hâtai d'ajouter : « Je doute que quiconque vous cherche encore. La nouvelle serait arrivée jusqu'ici si c'était le cas. Les gens ont des soucis plus urgents. Étant donné la situation, ils n'ont pas assez d'hommes pour battre la campagne à la recherche d'un fugitif. »

Il valait mieux qu'il croie ça plutôt que de continuer à se faire un sang d'encre. Si on l'arrêtait, il aurait alors suffisamment de temps pour s'inquiéter de son sort.

Je lui saisis le bras.

« Ne soyez pas tenté de vous échapper d'ici, mon garçon. Vous ne pouvez pas reprendre votre ancien métier, du moins pas tant que vous ne serez pas sûr que plus personne ne vous recherche, et la vie sur la route est dure par les temps qui courent. Vous finiriez par mendier pour vivre, et ce n'est pas une vie. Au moins, avec nous, vous mangerez quand nous mangerons, et, qui sait, si vous vous occupez bien de ce cheval, peut-être Zophiel s'apercevra-t-il que vous lui êtes plus utile comme palefrenier que comme fugitif avec sa tête mise à prix. »

Cygnus acquiesça.

« Je ne m'enfuirai pas, Camelot. J'étais sincère lorsque j'ai dit que je ne ferais courir aucun risque à Adela ou à la petite Narigorm. Je ne crois pas que quelqu'un qui fasse du mal à un enfant puisse jamais être pardonné ; c'est pourquoi je n'aurais jamais pu faire une chose aussi affreuse à cette petite fille. Si j'avais une enfant, je la protégerais tant qu'elle ne connaîtrait jamais ni la douleur ni la peur. »

Des larmes brillaient dans ses yeux, et il les essuya férocement.

Je ne me rappelais que trop bien ce genre de passion. La première fois que j'avais tenu mon fils dans mes bras et vu le bleu du ciel concentré dans ses grands yeux, sa petite bouche lisse ouverte d'émerveillement, ses petits doigts fragiles fermement recourbés autour des miens, ce fils qui nie faisait confiance pour le protéger envers et contre tous, j'avais su que je donnerais ma vie pour qu'il ne lui arrive pas de mal. Jamais je n'aurais pu prévoir que cette promesse serait mise à l'épreuve, mais j'étais alors sincère, et pas un seul jour de ma vie je n'ai regretté de l'avoir tenue. Mais Cygnus ne pleurait pas pour un enfant perdu, il pleurait pour l'enfant qu'il savait qu'il n'aurait jamais. Il n'y a pas que les princesses qui refusent d'épouser les garçons-cygnes.

« Zophiel avait raison lorsqu'il a demandé : “À quoi sert une seule aile ?” s'exclama-t-il soudain. C'était ce qui chagrinait ma mère. Je le voyais chaque jour dans ses yeux, comme lorsqu'on regarde un animal qu'on a involontairement estropié. Je crois qu'elle avait espéré que je naîtrais soit avec deux ailes, soit avec deux mains. L'un ou l'autre, peu lui importait, mais je ne suis au bout du compte ni oiseau ni homme. Elle avait la foi, voyez-vous, mais pas assez pour deux ailes, pas assez pour croire qu'une aile pousserait à la place d'une main droite valide. C'est pourquoi j'ai fini par partir.

— Comme le garçon-cygne de l'histoire ? demandai-je doucement.

— Cette partie du conte est vraie. Je suis parti car je ne supportais plus de voir dans ses yeux cette culpabilité dont j'étais la cause. Et aussi parce que je ne voulais pas qu'on s'occupe de moi, comme si j'étais un oiseau blessé.

— Nous partons autant pour quitter l'endroit où nous sommes que pour trouver ce que nous cherchons.

— Vous aussi ? »

Il leva les yeux vers mon orbite vide.

« Croyez-moi, dis-je, je sais ce que c'est qu'inspirer la pitié. J'avais mes raisons de partir. Je connais les vôtres, mais j'aimerais savoir ce que vous cherchez.

— Mon autre aile, naturellement. Croyez-vous que je veuille vivre toute ma vie avec un bras et une aile ?

— Peut-être pas, mais pourquoi pas un bras à la place de l'aile ? Si vous aviez deux bras vous seriez un homme à part entière.

— Vous croyez que deux bras font de vous un homme ?

— Deux ailes font-elles de vous un oiseau ?

— Avec deux ailes, vous pouvez voler », répondit-il avec un sourire triste.

Pendant la nuit des morts, les bons chrétiens sont soit dans leur lit, bien à l'abri sous les couvertures, soit à l'église, cherchant la protection des saints et des prières. Car on dit que c'est la nuit où, entre le coucher et le lever du soleil, les portes du purgatoire s'ouvrent en grand afin que les morts reviennent furtivement, sous la forme de crapauds ou de chats, de chouettes ou de chauves-souris, tourmenter ceux qui les ont oubliés ou négligés.

Lorsque j'étais enfant, on profitait de la nuit des morts pour placer des guirlandes, de la nourriture et de la bière sur les tombes de ses parents afin de les convaincre qu'ils n'étaient pas négligés. Mais les morts ne se laissaient pas abuser par ces témoignages d'un jour ; ils revenaient tout de même, se glissant dans les maisons, grattant les murs, faisant trembler les volets. Nous autres enfants nous pelotonnions les uns contre les autres dans notre lit, feignant de ne pas avoir peur alors même que nous tremblions sous les couvertures chaque fois qu'un craquement ou un gémissement, qu'un grincement ou un hurlement retentissait au cours de cette interminable nuit, heureux de sentir les corps chauds de nos frères et sœurs serrés contre le nôtre. Mais les adultes doivent faire face à leurs fantômes, aussi, comme tous les voyageurs réfugiés au monastère, affrontâmes-nous la nuit froide pour nous joindre aux moines qui priaient pour leurs morts et les nôtres, ainsi que pour les morts qui n'appartenaient à personne.

« *Convertere, anima mea, in requiem tuam...* Reviens, ô mon âme, à la quiétude... »

À côté de moi, Rodrigo soupirait et se signait, marmonnant les mots en même temps que les moines, s'abandonnant à la vieille messe familière tel un vieux chien se prélassant près d'un bon feu. Cygnus, la silhouette de son long nez se détachant à la lueur des chandelles, regardait fixement le sol, comme s'il craignait de croiser le regard aussi bien des vivants que des morts. Quant à Adela, elle avait passé le bras autour des épaules de Narigorm et regardait en alternance la fillette et Osmond, comme s'ils formaient déjà une famille. Prendraient-ils Narigorm avec eux lorsqu'ils se trouveraient enfin un endroit où s'installer ? me demandai-je. Ils semblaient tous deux beaucoup aimer la fillette, et la traitaient déjà comme une nièce, voire comme leur fille, mais qu'en serait-il lorsqu'ils auraient leur propre bébé ? Je soupçonnais que Narigorm ne serait pas ravie d'être supplantée dans leur cœur.

Devant nous, Zophiel, le dos raide, regardait droit devant lui. Il était difficile de dire s'il priait ou non. Et s'il priait pour des morts, qui étaient-ils ? Une femme ? Un enfant ? Je ne lui avais jamais demandé s'il avait eu une famille. Il était difficile de se l'imaginer traitant courtoisement une femme suffisamment longtemps pour la demander en mariage, mais peut-être avait-il été un autre homme dans sa jeunesse, un jeune homme au cœur romantique. Et peut-être était-ce une femme infidèle qui l'avait rendu aigri envers la gent féminine. Ou peut-être pas. Je ne crois pas qu'un homme puisse changer autant. Comme je me faisais ces réflexions, je m'aperçus que Plaisance n'était pas avec nous. Son absence m'étonna ; je l'avais prise pour une femme pieuse. L'absence de Jofre, en revanche, ne fut pas une surprise.

L'église était inhabituellement sombre ce soir-là, afin de rappeler aux personnes présentes les ténèbres de la tombe qui nous attendent tous. Un cercueil ouvert avait été posé sur des tréteaux et placé devant le jubé, une bougie dans chaque coin, prêt pour le prochain cadavre. Et il y en aurait un, si ce n'était le soir même, alors le lendemain. La mort est la seule certitude dans la vie, voilà ce qu'il était censé nous rappeler.

Les murs et les piliers étaient intégralement couverts de peintures représentant des scènes de la Bible et de la vie des saints. Pendant la journée, les rouges et les bleus, les verts et les ors des peintures étaient plus lumineux qu'une tapisserie fraîchement tissée. Mais les chandelles de cette messe avaient été minutieusement positionnées de sorte à illuminer non pas l'or des halos des saints, ni la poitrine ronde et pleine de la Vierge, mais les flammes rouges qui jaillissaient entre les dents de la bouche de l'enfer, où les pécheurs levaient les bras, implorant en vain la miséricorde tandis que les démons à deux visages les poussaient vers le bas. Les prières arrivaient trop tard pour ceux qui étaient condamnés à l'enfer, mais pas pour ceux qui étaient au purgatoire. Comme les murs nous l'enseignaient, ils pouvaient encore être libérés.

Sous le tableau se trouvaient des offrandes laissées par les fidèles – colliers, épingles, broches et bagues ornés de pierreries, crucifix d'argent et jarres contenant des épices onéreuses –, autant d'articles cédés à l'Église en échange de prières à saint Odilon, qui avait insisté pour que tous les moines de Cluny consacrent une journée par an à prier pour les morts au purgatoire en plus de leurs habituelles prières pour les défunts.

Les moines en procession s'arrêtèrent devant le tableau. Dans les ténèbres de l'église, leur visage était invisible sous leurs profondes capuches.

« *Quia eripuit animam meam de morte*... Car il a délivré mon âme de la mort... »

Dieu délivrerait-il les moines ? Épargnerait-il les monastères ? Si les rumeurs disaient vrai, Il n'avait pas épargné les prêtres. Mais si la pestilence gagnait aussi les monastères, qui resterait-il pour prier pour les morts ? Et qu'adviendrait-il des anonymes qui gisaient, privés d'absolution, dans les fosses communes ? Seraient-ils libérés du purgatoire s'il ne restait personne pour les nommer ?

Les moines quittèrent l'église deux par deux, tenant de grosses bougies dotées de capuchons de corne pour les protéger du vent qui s'engouffra dès que la grande porte fut ouverte. Nous suivîmes en procession solennelle, tel un cortège funèbre suivant un cercueil. La messe n'était pas encore finie ; les tombes des moines enterrés dans le cimetière devaient être bénites.

Dehors il faisait froid et sombre. La pluie avait diminué, mais le vent avait redoublé. Il tirait sur nos vêtements et pliait les branches des ifs jusqu'à ce qu'elles gémissent comme les âmes au purgatoire. Nous nous regroupâmes sous les branches nues des arbres fruitiers, tentant de nous protéger les uns les autres du vent glacial et humide, tandis que les moines allaient de tombe en tombe, s'arrêtant devant chacune pour l'asperger d'eau bénite. Mais celle-ci n'atteignait que rarement les monticules car le vent l'emportait dès qu'elle était versée.

« *Dirige, Domine, Deus Meus, in conspectu tuo viam meam...* Dirige, Ô Seigneur, mon Dieu, mon chemin dans ton regard… »

Un ricanement aigu retentit soudain à l'autre bout du cimetière. Les moines interrompirent leur chant et se tournèrent vers l'endroit d'où provenait le son. Nous tendîmes tous l'oreille, mais n'entendîmes rien que le gémissement des arbres et le hurlement du vent. Les moines se remirent à chanter, mais un nouveau cri retentit, que nous ne pûmes ignorer.

Le prieur fit un pas en avant, levant sa chandelle, et lança d'une voix guère rassurée : « Qui va là ? Approchez, montrez-vous, qui que vous soyez. »

Mais l'éclat de la chandelle transperçait à peine l'obscurité.

« Venez, dis-je. Je vous l'ordonne au nom de… »

Mais il n'acheva pas sa phrase car trois silhouettes sombres jaillirent du sol et bondirent en avant.

Plusieurs membres de l'assistance hurlèrent et tentèrent d'escalader le mur du cimetière. Même les moines reculèrent, faisant le signe de croix. Mais le prieur était d'une autre trempe. Il ne bougea pas et, tenant son crucifix devant lui, se mit à ânonner : « *Libera nos a malo.* Délivre-nous du mal », encore et encore tandis que les silhouettes s'approchaient en chancelant.

Et soudain, lorsque la lueur de la chandelle les atteignit, nous vîmes que les créatures étaient humaines, et on ne peut plus vivantes. Je n'en reconnus pas deux d'entre elles, mais je devinai à leur tenue qu'il s'agissait d'un jeune novice et d'un frère convers un peu plus âgé. Quant à la troisième, aucun doute ; c'était Jofre. Et ils étaient tous trois soûls comme des barriques. Jofre s'écarta de ses nouveaux amis et, titubant jusqu'à la tombe la plus proche, leva son pichet avant d'effectuer une révérence exagérée.

« Tenez, fr… frère Squelette, ce n'est pas de l'eau qu'il vous faut, pas vrai ? J'ai… j'ai déjà bien assez bu de ce vin. Buvez, brave homme. » Il renversa un peu de vin sur la tombe. « Ça vous fera pousser les poils sur le torse, non, attendez… vous n'avez plus de torse. Il se mit à ricaner. « Et en voici pour tous vos p… vos petits vers et vos asticots. »

Il versa le reste du pichet sur la tombe. Puis il vacilla sur le côté, trébucha sur le monticule et tomba dans les bras du prieur, sur la poitrine corpulente duquel il vomit, copieusement.

12

Châtiment

Nous eûmes de la chance qu'ils ne nous mettent pas à la porte ce soir-là, même si ce n'est pas par miséricorde qu'ils nous épargnèrent une nuit sur la route, mais simplement parce que le prieur et le maître des novices étaient bien déterminés à garder Jofre au sein de leurs murs suffisamment longtemps pour faire toute la lumière sur l'outrage. Il était clair qu'ils ne tireraient rien de sensé des trois gaillards tant que ceux-ci n'auraient pas dessoûlé, et seule une bonne nuit de sommeil leur permettrait de retrouver leurs esprits.

Les moines traînèrent le frère convers et le novice jusqu'aux planches dures et froides des cellules des pénitents où ils furent enfermés pour la nuit en attendant que leur châtiment soit déterminé. Mais ils nous autorisèrent à porter Jofre jusqu'à l'étable pour qu'il dorme par terre, sur la paille, où il ferait moins de dégâts s'il vomissait à nouveau. Rodrigo, presque blême de rage, lui hurla dessus et se répandit en injures durant tout le trajet. Cygnus, la seule personne qui sur le coup semblait éprouver la moindre compassion pour le jeune homme, tenta de persuader Rodrigo d'aller se coucher, lui promettant qu'il garderait un œil sur Jofre et s'assurerait qu'il ne s'étoufferait pas pendant la nuit.

Zophiel s'en prit furieusement à lui.

« Qu'il étouffe ! Ça nous rendra à tous service. Ne vois-tu pas qu'il a gâché toutes nos chances de passer par ici incognito ? Ceux qui te cherchent te trouveront à coup sûr ; ils se souviendront de nous pendant des années grâce à lui. Ce rustre est un danger pour nous tous. C'est la deuxième fois qu'il nous fait perdre notre logement, car il est certain que le monastère ne renouvellera pas son hospitalité demain »

Rodrigo semblait dévasté, comme s'il venait seulement de comprendre ce que les événements de la soirée pourraient signifier pour Cygnus.

« Cygnus, je ne sais comment m'excuser envers vous… envers vous tous. » Il saisit l'inerte Jofre par les épaules et le secoua. *« I denti di Dio !* Pourquoi fais-tu cela ? Tu m'avais juré après…

— Vous vous essoufflez pour rien, déclara Zophiel avec impatience. Cygnus a pour une fois raison ; laissez-le cuver son vin et occupez-vous de lui demain quand il sera sobre. Mais quand vous le ferez, Rodrigo, assurez-vous de lui donner une leçon qu'il n'oubliera pas. Cette fois il est allé trop loin, et vous ne pouvez pas continuer de faire comme si de rien n'était. En tant que son maître, il est sous votre responsabilité. S'il continue à se comporter de la sorte, il ne tardera pas à se retrouver au bout d'une corde, et s'il finit à la potence, ce sera votre faute. »

Le lendemain matin Jofre fut réveillé sans égards aux premières lueurs de l'aube. Il était pâle et se plaignait d'avoir mal à la tête et la nausée, mais sa souffrance n'était rien comparée à ce que Zophiel aurait souhaité, ni comparée à ce qu'enduraient ses deux compagnons de beuverie aux yeux gonflés qui, contrairement à Jofre, n'étaient pas habitués à abuser du vin. Quand on les tira de leur cellule, ils se tenaient la tête et tressaillaient au moindre bruit.

Lorsqu'on leur arracha les détails de ce qui s'était passé la veille au soir, il s'avéra qu'ils étaient tous les trois aussi coupables. Apparemment, Jofre avait lié conversation avec le jeune frère convers et deux novices. On ne sut jamais lequel des trois avait proposé de jouer aux dés, car ils se rejetaient la responsabilité les uns sur les autres, mais le fait est qu'ils avaient joué. Comme les novices n'avaient rien à parier contre l'argent de Jofre, ils avaient dérobé du vin dans les réserves et s'en étaient servis comme enjeu. Ils avaient commencé par de petites quantités, afin qu'on ne remarque rien, ce qui n'avait sans doute pas suffi à les enivrer. Mais ça avait suffi à leur faire perdre leurs inhibitions, et bientôt les enjeux étaient montés et ils avaient dérobé plus de vin. En entendant la cloche du monastère sonner pour la messe des morts, l'un des deux novices, qui était moins soûl que ses compagnons, avait eu la sagesse de se retirer du jeu et, profitant de l'obscurité qui régnait dans l'église, était furtivement entré par une porte de service pour rejoindre la procession, espérant que son absence n'avait pas été remarquée. Mais les autres avaient continué de boire et de jouer, désormais trop ivres pour tenir compte de la cloche.

Après avoir interrogé le mutin Jofre, le prieur et le maître des novices s'en allèrent chercher le second des deux novices, qui n'avait pas encore été appréhendé et qui devait à coup sûr être agenouillé quelque part à prier avec une ferveur inhabituelle dans l'espoir que son identité ne serait pas révélée. Pour notre part, nous nous préparâmes à partir.

Selon toute probabilité, le frère convers se retrouverait enfermé dans la cellule des pénitents et mis au supplice pendant environ une semaine avant d'être renvoyé du monastère. Au bout du compte, c'est lui qui endurerait le châtiment le plus cruel, car le travail et les refuges étaient rares. Quant aux novices, ils se verraient probablement infliger un mois ou plus de sévères pénitences et pourraient s'estimer heureux si on les autorisait à manger autre chose que du pain rassis pendant des semaines ; ils n'étaient certainement pas près de retoucher à du vin.

Heureusement pour Jofre, le prieur ne souhaitait pas ébruiter le scandaleux incident et préférait régler les choses en toute discrétion, car il savait que celui-ci ternirait l'image du monastère et qu'on risquait de leur demander des comptes, situation qu'il voulait à tout prix éviter. Sans cela, Jofre aurait pu se retrouver face aux tribunaux de l'Église, accusé d'un délit sérieux, et les sanctions auraient été sévères. Mais dans l'état des choses, le prieur fut ravi de laisser Jofre entre les mains de son maître Rodrigo.

Sans doute ce dernier comptait-il asséner un sermon à Jofre, mais il attendait de toute évidence que nous fussions à bonne distance du monastère car, contrairement à la nuit précédente, il ne desserrait pas les dents, en dépit des regards anxieux que lui lançait le jeune homme. Et, comme lui, nous attendions tous une explosion que nous savions inévitable.

C'est donc dans un silence morose que nous reprîmes la route, Zophiel ne prenant même pas la peine de demander à ce qu'on attachât Cygnus à l'arrière du chariot, car il était désormais inutile de prétendre qu'il était notre prisonnier. Comme auparavant, dès que nous eûmes quitté les terres du monastère, nous nous retrouvâmes sur une route presque déserte. Une fine bruine s'était remise à tomber, et seuls résonnaient le bruit des roues du chariot et les cris rauques des freux qui tournoyaient dans le ciel, tentant de repousser un héron qui battait lourdement des ailes à proximité de leur perchoir. La perspective d'une nouvelle nuit dehors nous déprimait tous.

Devant nous, les eaux de la rivière gonflée par la pluie léchaient le bord de ses rives, mais au moins elle n'avait pas débordé, bien qu'elle menaçât de le faire à tout instant. À l'endroit où elle croisait la route, la rivière avait été élargie et de grandes pierres plates avaient été disposées sur son lit pour former un gué. Mais il était difficile de dire si celui-ci était franchissable car l'eau était boueuse et tapissée de feuilles brunes et de brindilles qui tournoyaient dans le courant rapide. À côté du gué se trouvait un pont de pierres, suffisamment large pour permettre le passage des hommes et des chevaux, mais trop étroit pour le chariot.

Zophiel tendit la bride de Xanthos à Osmond et enfonça son bâton dans l'eau au niveau du gué pour en tester la profondeur.

« Trop rapide et trop profonde à mon goût, mais nous n'avons guère le choix. Le dernier chemin suffisamment large pour le chariot que nous avons rencontré se trouvait bien avant le monastère. Soit nous traversons la rivière ici, soit nous rebroussons chemin sur une bonne distance. Et, ajouta-t-il en lançant un regard noir à Jofre, grâce à notre jeune ami, nous ne serons pas les bienvenus au monastère si nous sommes forcés de retourner là-bas. Nous devons donc traverser ici. »

Jofre baissa les yeux.

« Deux d'entre nous vont devoir avancer devant Xanthos, dans le prolongement des roues du chariot, pour nous avertir au cas où des pierres auraient été emportées. Il vaudrait mieux qu'ils sachent nager. Camelot ? Cygnus ?

— Je n'ai jamais appris », répondit Cygnus en secouant la tête.

Zophiel jeta son bâton contre le chariot, manquant de peu la tête de Cygnus, qui dut s'écarter vivement.

« Un cygne qui ne sait ni voler ni nager. Que sais-tu faire exactement, garçon ?

— Je vais le faire, intervint Osmond. Je passais mon temps à me baigner dans la rivière quand j'étais petiot, pas vrai, Adela ? »

Elle le regarda vivement et Osmond rougit soudain comme s'il avait dit une chose qu'il n'était pas censé dire.

« Je vais y aller aussi », déclara doucement Rodrigo. C'étaient les premières paroles qu'il prononçait de la journée.

« Je suis plus grand et plus lourd que Camelot. La rivière aura plus de peine à me renverser.

— Merci, Rodrigo, dis-je en souriant, car votre tact vous empêche de dire ce que vous voulez vraiment dire, à savoir que vous êtes plus jeune que moi. »

Celui-ci s'inclina courtoisement, mais il ne gloussa pas comme il l'aurait normalement fait ; cette affaire avec Jofre le préoccupait clairement. Plus il parlerait tôt au garçon et détendrait l'atmosphère, mieux nous nous porterions.

Narigorm descendit de son petit nid à l'avant du chariot tandis que Zophiel allait vérifier que ses boîtes étaient bien attachées, mais Adela dut attendre qu'Osmond vienne l'aider. Son ventre gonflé rendait chaque jour la manœuvre plus difficile.

« Je parie que si son chariot était emporté, Zophiel préférerait nous voir nous noyer plutôt que perdre ses boîtes, grommela Osmond. Je donnerais n'importe quoi pour savoir ce qu'elles contiennent. Cygnus, n'as-tu rien vu quand tu étais caché à l'arrière du chariot ?

— J'ai bien vu… », commença-t-il avec une curieuse expression, mais il s'interrompit brusquement lorsque Zophiel réapparut.

Cygnus se retourna à la hâte et se dirigea vers le pont.

Nous le suivîmes, à l'exception d'Adela qui implorait Osmond d'être prudent. Il lui assura qu'il aurait traversé la rivière avant elle et, tout en adressant un sourire embarrassé à Rodrigo, s'engagea d'un pas hésitant dans le courant rapide, frissonnant à mesure que l'eau glaciale lui grimpait lentement le long des jambes.

Quant à Xanthos, si elle pouvait ruer et cabrer comme nul autre cheval lorsqu'elle était de mauvaise humeur, face à un danger réel, elle faisait preuve d'un extraordinaire sang-froid, et bien qu'elle hésitât au bord de la rivière, elle se mit à traverser d'un pas ferme lorsque Zophiel la fit avancer. Peut-être les silhouettes familières de Rodrigo et Osmond qui la précédaient l'aidèrent-elles à rester calme tandis que l'eau boueuse tourbillonnait autour d'elle.

Les deux hommes avaient presque atteint l'autre rive lorsqu'un hurlement retentit sur le pont derrière nous. Presque au même instant, Osmond cria à son tour. Nous nous retournâmes vivement et vîmes un jeune gaillard qui avait passé un bras autour de la taille d'Adela et lui tenait un couteau sous la gorge. Un autre homme, plus âgé, était sur la rive, tenant une longue pique effrayante sous le menton d'Osmond, la pointe aiguisée s'enfonçant dans sa gorge. Une femme et une jeune fille apparurent alors au bout du pont, bloquant notre passage. Elles aussi étaient armées de couteaux. Ils étaient tous secs et maigres, mais robustes, comme ces gens qui ont connu la faim mais ont survécu et n'en sont devenus que plus forts. Ils avaient beau être dégoûtants et dépenaillés, ce n'étaient pas des mendiants serviles. Ils avaient tous un air mauvais, même la jeune fille, qui laissait entendre qu'ils n'hésiteraient pas à utiliser leurs armes si l'envie les en prenait.

« Payez votre péage si vous voulez traverser ici. »

L'homme avait les jambes nues, mais le reste de son corps était engoncé dans du cuir sombre et moisi, et il portait un chapeau de cuir rond sur la tête. Sa peau était tannée, si abîmée par le soleil, le vent et la neige qu'elle était difficile à distinguer de ses vêtements.

« Est-ce ainsi que vous percevez le péage, en menaçant les voyageurs d'un couteau ? Votre maître le sait-il ? demanda Zophiel. Et puis, à qui appartient ce passage ?

— À moi. Je vis sous le pont, donc il m'appartient et je décide qui traverse et qui ne traverse pas. C'est moi le maître ici.

— Vous croyez ? » fit Rodrigo qui, tirant brusquement son bâton de l'eau, repoussa la pointe qui se trouvait sous la gorge d'Osmond et, d'un geste fluide, abattit violemment le morceau de bois sur les doigts de l'homme.

Face-de-Cuir poussa un hurlement, lâcha sa pique et tomba à la renverse sur la rive. Au même moment, Osmond, qui reculait vivement tandis que la lame lui éraflait la gorge, perdit l'équilibre sur les pierres glissantes et tomba dans la partie la plus profonde de la rivière. Il refit surface, haletant, et tenta de reprendre pied, mais le courant était trop fort. Rodrigo essaya de l'attraper, mais il était trop tard. Osmond fut emporté par le courant et disparut sans un bruit dans un coude de la rivière. Adela hurla.

Rodrigo hésita brièvement, puis, se servant de son bâton comme d'une perche, bondit sur la rive alors même que Face-de-Cuir tentait de saisir à nouveau sa pique. Mais l'homme avait toujours la main engourdie, aussi Rodrigo parvint-il à lui arracher l'arme et à la retourner contre lui, l'immobilisant sur l'herbe en lui pointant la pique mortelle droit sur le cœur.

Avec toute cette agitation autour d'elle, Xanthos, naturellement, se cabra et tenta de s'écarter, entraînant le chariot qui fit une embardée et glissa par l'arrière au bord du gué. Il vacilla dangereusement, le courant menaçant à tout moment d'emporter Zophiel, Xanthos et la voiture. Zophiel prit alors un risque insensé. Saisissant d'une main ferme la bride de la jument, il se mit à la fouetter violemment sur l'arrière-train. Elle fit un bond en avant et se précipita vers la rive, tirant le chariot jusqu'à la terre ferme.

Dès que Zophiel eut à son tour atteint la rive, il attacha rapidement les rênes du cheval à une branche et courut jusqu'à l'endroit où Face-de-Cuir gisait sous la menace de sa propre pique. Il le hissa sur ses pieds et lui tordit le bras dans le dos.

« Alors, l'ami, quelle était cette histoire de péage ? »

Face-de-Cuir, bien que visiblement ébranlé, n'avait pas perdu sa combativité.

« Vous m'avez peut-être vaincu, mais il tient toujours la fille », dit-il avec un sourire mauvais, désignant de la tête la rive opposée.

Le garçon avait entraîné Adela hors du pont, et elle était désormais à genoux par terre avec le couteau sous la gorge, telle une brebis sur le point d'être égorgée. Elle pleurait frénétiquement, hurlant le nom d'Osmond.

Le garçon regarda vers son père de l'autre côté de la rivière, puis vers nous qui nous tenions sur le pont. Il esquissa un large sourire, laissant voir que plusieurs dents lui manquaient.

« N'essayez pas de vous approcher de moi, prévint-il. Je lui couperai la gorge avant que vous ayez fait un pas. »

Zophiel, qui n'avait aucune intention de s'avouer vaincu, fit tomber Face-de-Cuir à genoux.

« Dites à votre mioche que s'il ne la relâche pas immédiatement, nous vous transperçons avec cette pique. »

Et pour prouver qu'il était tout à fait capable de mettre sa menace à exécution, Zophiel lui tordit violemment le bras derrière le dos jusqu'à ce qu'il hurle de douleur.

« Si… si vous me tuez, il la tuera. Il semble que nous soyons dans une impasse. Mais écoutez, ajouta-t-il d'un ton enjôleur, tout ce que nous voulons, c'est gagner notre vie, tout comme vous. Nous nous occupons du gué, nous le nettoyons pour les gens comme vous, il n'est donc que justice que vous récompensiez nos efforts de quelques pièces.

— Qui vous a donné l'autorisation de prélever un péage ici ? demanda Zophiel.

— *I denti di Dio*, Zophiel ! lança Rodrigo. Qu'est-ce que ça change qu'il ait une autorisation ou non ? Ce garçon tient un couteau sous la gorge d'Adela…

— Attention, fils, derrière toi ! » hurla la femme depuis la rive opposée, mais lorsque le garçon tourna la tête, il était trop tard.

Le bâton d'Osmond s'abattit sur son crâne et il tomba inconscient au sol, le couteau lui échappant des mains. Après quoi Osmond aida Adela à se relever et la serra contre sa chemise dégoulinante. Des gouttes de sang perlaient sur sa gorge à l'endroit où la pique l'avait coupé. Ils s'agrippaient désespérément l'un à l'autre comme s'ils avaient chacun cru l'autre mort.

La mère du garçon poussa un cri et tenta de franchir le pont pour rejoindre son fils inconscient, mais Cygnus et Plaisance la retinrent. Cygnus saisit fermement sa main qui tenait le couteau, tentant d'écarter la lame qui s'agitait dangereusement devant son visage. Elle était si pressée de retrouver son fils qu'elle n'opposa aucune résistance lorsque je lui arrachai son arme. Pendant ce temps, la fille était retournée se mettre à l'abri sous le pont, d'où nous parvinrent des cris stridents de bébé.

Zophiel se tourna une fois de plus vers Face-de-Cuir, haussant les sourcils de son habituel air triomphant.

« Vous avez dit impasse ? Je crois, l'ami, que c'est échec et mat.

— Ce n'était qu'une petite plaisanterie, répondit Face-de-Cuir en arborant son sourire le plus doucereux. Il ne lui aurait jamais fait de mal, mais on n'est jamais trop prudent. Toutes sortes de gens tentent de franchir le pont. Ils nous dépouilleraient si nous ne faisions pas une petite démonstration de force, et ce n'était que cela, une simple démonstration. Nous n'aurions jamais fait de mal à de braves gens tels que vous.

— Pas d'histoires ! cracha Zophiel. Prélever des péages illégaux. Menacer des voyageurs. Combien d'autres personnes avez-vous volées ? Vous finirez au bout d'une corde pour ça, vous et votre famille. »

Il tordit de nouveau violemment le bras de Face-de-Cuir. Le petit homme poussa un cri perçant et une lueur de satisfaction traversa le visage de Zophiel.

« Votre ami a fend… fendu le crâne de mon fils, haleta Face-de-Cuir. S'il est mort, je ne serai pas le seul à avoir la corde au cou. »

Zophiel ne répondit rien, mais il relâcha légèrement son étreinte sur le bras de l'homme.

Face-de-Cuir leva les yeux vers lui, un sourire fourbe aux lèvres.

« Allons, ni l'un ni l'autre ne veut mêler la justice à tout ça, n'est-ce pas ? Nous pouvons mutuellement nous rendre service. Vous cherchez un endroit où dormir ce soir, un endroit chaud où vous pourrez vous sécher. Mais il n'y a pas d'auberge à moins de deux jours de marche, alors on dirait que vous allez dormir à la belle étoile, à moins que… » Il marqua une pause, feignant de réfléchir.

« Je connais peut-être un endroit où vous pourriez dormir au chaud ce soir. Qu'en dites-vous ? Ça vaut bien un penny ou deux, il me semble.

— Que suggérez-vous, que nous passions la nuit terrés comme des rats sous ce pont ? railla Zophiel.

— Oh, non, mon grand seigneur, répliqua Face-de-Cuir d'un ton tout aussi sarcastique. Notre petit pont serait trop humble pour des gens tels que vous. Non, je parle d'une auberge. Du moins, c'en était une.

— Je croyais qu'il n'y en avait pas dans les parages.

— En effet. Mais comme je dis, c'était une auberge. Une veuve l'a reprise après la mort de son mari. Et elle s'en sortait bien, jusqu'à ce que ces suceurs de sang du monastère viennent lui dire qu'elle n'avait plus le droit de vendre la bière qu'elle brassait, mais qu'elle devait vendre la leur, au prix qu'ils décidaient. Ça l'a ruinée. Je suppose qu'ils voulaient qu'elle s'en aille, mais elle a refusé de bouger, parce qu'elle ne voulait pas leur donner cette satisfaction.

— Si l'auberge est fermée, à quoi cela nous servira-t-il ?

— Vous avez l'esprit si affûté que vous allez vous couper. J'y viens. Elle ne vend plus de bière, ni de repas. Je doute qu'elle parvienne même à manger à sa faim par les temps qui courent, personne n'y arrive hormis ces satanés moines. »

Il cracha. « Eux, ils s'en sortent bien, qu'importe que nous autres crevions de faim. Mais cela n'est point le souci de gens tels que vous. Je parie que vous transportez une abondance de nourriture et de bière. » Il coula un regard plein de convoitise en direction du chariot. « Mais la grange où dormaient les clients de l'auberge est toujours debout. Bien sûr, elle n'a plus le droit de se prétendre aubergiste, ni même d'accrocher une pancarte, mais elle vous laissera coucher dans la grange en échange de quelques pennies et d'une part de votre souper. C'est une vieille grippe-sou amère, mais qui peut la blâmer après ce qu'ils lui ont fait ? Alors, qu'en dites-vous ? Vous voulez savoir où est l'auberge ? Vous ne la trouverez pas à moins que je ne vous dise où regarder. »

D'un geste de la tête il désigna Osmond qui se tenait, trempé et tremblant, sur la rive opposée. Adela avait cessé de pleurer, mais elle continuait de l'agripper. Elle était pâle, manifestement bouleversée.

« On dirait qu'une nuit au sec leur ferait du bien. C'est pas bon pour une demoiselle dans son état de dormir à la dure, si elle n'y est pas habituée.

— Que savons-nous que vous n'allez pas nous envoyer dans un repaire de voleurs et de coupeurs de gorge de votre espèce ? »

Face-de-Cuir feignit une mine offensée.

« Me voilà qui cherche à faire le bien et à aider autrui… »

En fin de compte, après que Face-de-Cuir eut juré sur la tombe de sa mère, sur la vie de ses enfants, et sur les larmes de la Vierge que j'avais tirées de mon sac que l'endroit était sûr, et après que Zophiel eut menacé de revenir le couper personnellement en petits morceaux s'il mentait, ce dernier tendit à Face-de-Cuir une petite somme en échange de ses indications. Les pièces disparurent si vite sous la tunique de Face-de-Cuir que même Zophiel, pourtant un escamoteur chevronné, n'aurait pu le battre.

Cela fait, Face-de-Cuir parcourut la compagnie du regard et ajouta d'un air sournois : « L'ancienne auberge est aussi un endroit idéal pour se cacher, au cas où vous chercheriez à semer quelqu'un. Il passerait à côté de vous sans vous voir. »

Il ravala sa salive lorsque Zophiel le saisit de nouveau à la gorge.

« Si vous espérez de l'argent pour votre silence, l'ami, vous perdez votre temps. Nous sommes des gens respectueux de la loi. Nous ne craignons nul poursuivant. »

Face-de-Cuir se dégagea de la poigne de Zophiel et se massa la gorge.

« Je dis juste que si vous étiez… Il y a des gens qui en cherchent d'autres et qui me demandent si j'ai vu quelque chose. » Il haussa les épaules. « Parfois c'est le cas, parfois non. »

Zophiel hésita et plissa les yeux. Puis il éclata de rire et lança une autre petite pièce à Face-de-Cuir.

« Pour ton impudence éhontée, l'ami. »

Plaisance pansa le cou d'Osmond et la tête du garçon après avoir appliqué sur leurs blessures un onguent vert à l'odeur infecte. Elle ne fut pas aidée par la mère du garçon qui, assise, tenait entre ses bras son fils gémissant et maudissait Osmond avec autant de véhémence qu'elle bénissait Plaisance. J'éprouvais de la pitié pour cette femme, fût-elle une voleuse ou pire. Elle et sa progéniture étaient forcées de nicher comme des oiseaux sous le pont, sur une petite plateforme faite de vieux bouts de bois. Ils dormaient au milieu de débris repêchés dans la rivière. Mais la rivière est capricieuse, elle peut sans prévenir reprendre tout ce qu'elle a donné, et plus encore.

Nous nous remîmes finalement en route. En me retournant, je vis Face-de-Cuir relever son fils à coups de pied en le traitant d'idiot tandis que sa mère rouait le vieil homme de coups en jurant encore plus que lui. Sous le pont, leur fille, la seule qui semblait avoir remarqué notre départ, regardait d'un air absent dans notre direction, indifférente aux hurlements du bébé qu'elle serrait dans ses bras.

Face-de-Cuir disait vrai, nous n'aurions pas trouvé l'ancienne auberge s'il ne nous avait donné le chemin. Le sentier était presque intégralement recouvert de mauvaises herbes, et sans indications, nul voyageur ne se serait douté de sa présence. Face-de-Cuir disait aussi vrai pour ce qui était de la veuve. Elle était en effet aussi revêche qu'il l'avait prédit, mais au moins la grange comportait un toit et une porte, bien qu'elle n'eût abrité personne depuis des années hormis quelques poulets miteux.

La veuve était aussi décharnée que ses volailles. Elle avait les joues creuses et des cavités sombres autour des yeux comme si elle n'avait guère mangé que des herbes depuis des mois, mais en dépit de cela, c'était une petite vieille énergique, prête à défendre sa propriété avec une fourche dans une main et un fouet dans l'autre. Deux énormes chiens à l'air affamé couraient autour du chariot, grondant et aboyant. Seul le claquement du fouet de Zophiel et nos coups de bâton les découragèrent de nous mordre. Nous ne pouvions pas vraiment en vouloir à la veuve d'être suspicieuse. L'apparition soudaine d'un chariot et de neuf étrangers devait avoir quelque chose d'inquiétant, et nous mîmes longtemps à la convaincre que tout ce que nous voulions, c'était un endroit sec où passer la nuit. Finalement, les pièces que nous lui lançâmes en signe de bonne foi et la promesse de partager notre souper avec elle la persuadèrent, et elle rappela à contrecœur ses chiens – non, cependant, sans avoir au préalable scrupuleusement mordu dans chacune des pièces avec les quelques dents noires qui lui restaient.

Les vieilles paillasses de la grange étaient moisies, infectes, infestées de vermine. Hors de question de dormir dessus, aussi nous les entassâmes dans la cour recouverte de mauvaises herbes. Mais les châlits de bois étaient relativement propres et, bien qu'ils fussent durs, mieux valait dormir dessus que sur le sol humide, de plus les cloisons qui les séparaient les abritaient en partie des courants d'air. Zophiel déchargea ses précieuses boîtes et les empila consciencieusement dans un coin de la grange, aussi loin que possible de la porte.

Après quoi, tandis que Cygnus était parti chercher du fourrage pour Xanthos, nous entreprîmes de préparer le souper dans la grande cheminée de la vieille auberge. C'était la seule cheminée où un feu pouvait être allumé sans craindre qu'une étincelle n'embrase les vieilles charpentes de bois. Nous avions promis à la vieille femme un festin, et comme aucun de nous n'avait mangé de la journée, nous avions tous hâte de prendre un bon repas chaud.

L'auberge elle-même était encore plus délabrée que la grange. Sur les tables et les bancs qui restaient était empilé un fatras d'objets usés et brisés que la vieille veuve avait amassés. Casseroles fêlées, récipients de cuisine depuis longtemps calcinés, bouts de cuir qui devaient provenir de harnais, chiffons et cordes, le tout mêlé à des sacs de toile et à des barils vides. Dans un coin se trouvait le lit gigogne de la veuve, qui était recouvert d'un assortiment de couvertures et de vieux habits, et pour le moment occupé par un chat écaille de tortue qui feula malicieusement à notre entrée et enfonça ses griffes dans les couvertures, nous défiant de les lui prendre.

« Les gens viennent me voler, déclara la veuve en guise d'explication. Je garde tous mes biens là où je peux les avoir à l'œil. Ils veulent que je m'en aille, vous savez. Mais je ne bougerai pas. »

Et elle était sérieuse. L'air dans la pièce était fétide, il flottait une puanteur de chien humide et de pisse de chat, car les volets étaient cloués aux fenêtres et la lourde porte, verrouillée. Deux étais carrés gisaient de chaque côté de la porte au cas où elle aurait besoin d'être renforcée.

Osmond emmena Narigorm chercher plus de bois pour le feu tandis qu'Adela et Plaisance entreprirent de préparer le repas, après avoir à plusieurs reprises assuré à la vieille veuve que nous avions nos propres fèves et du mouton, que ses poulets ne nous intéressaient nullement.

« Arrêtez de faire des histoires, femme ! lança Zophiel. Pourquoi voudrions-nous vos poulets pouilleux ? Il faudrait faire bouillir ces volatiles pendant un mois avant de pouvoir enfoncer les dents dedans. »

Ce qui nous valut une nouvelle longue tirade sur la qualité de ses poulets. Après avoir vécu si longtemps seule sans personne à qui se plaindre, elle semblait bien décidée à se rattraper et ne cessait de maugréer. Entre le prieur, le maître des novices, Zophiel et Face-de-Cuir, j'avais eu ma dose de fiel pour la journée. Je laissai donc la vieille veuve se lamenter auprès d'Adela et regagnai la grange avec l'intention de faire un petit somme avant le souper. Vous connaissez le proverbe : trop de cuisiniers gâtent la sauce.

À mesure qu'on vieillit, on s'aperçoit qu'on dort moins la nuit, mais paradoxalement on s'endort pendant la journée en moins de temps qu'il n'en faut pour faire bouillir une marmite, et ça avait été une journée particulièrement longue et fatigante. Mais il n'y avait pas que moi qui avais besoin d'un somme. Jofre était pelotonné sur l'un des châlits, sa houppelande au-dessus de son visage, ronflant comme un porc dans la fange. Les excès de la nuit précédente l'avaient clairement rattrapé. Nul doute qu'il essayait aussi d'éviter

Rodrigo et s'était dit que la grange n'était pas un endroit pire qu'un autre pour se faire discret le temps que la mauvaise humeur de son maître retombe.

Au-dessus des lits s'étirait un long fenil, que l'on atteignait au moyen d'une échelle branlante et qui avait jadis servi à entreposer nourriture et fourrage. Comme je l'espérais, j'y trouvai une pile de vieux sacs de toile et un peu de foin de l'année précédente. Ce dernier était noirci et dégageait une puanteur de souris, mais il était plus doux pour mes vieux os que les planches de bois dur, et les ronflements de Jofre étaient ici moins forts. Je secouai donc le foin pour m'assurer que nulle souris ne s'y trouvait, le recouvrai de vieux sacs et m'installai dans un coin du fenil, m'apprêtant à suivre l'exemple de Jofre.

Je m'étais assoupi lorsque la porte de la grange s'ouvrit en dessous et que Rodrigo entra, portant une lanterne. Il la suspendit précautionneusement au crochet dans le mur et plaça la lourde barre en travers de la porte afin que personne ne le suive. Il marcha jusqu'au lit où Jofre ronflait et resta un moment à le regarder. Je soupirai ; ni l'un ni l'autre n'aurait droit à son somme. À en juger par la contenance déterminée de Rodrigo, le moment était venu du sermon qui avait pendu toute la journée au nez de Jofre. Puisque je n'avais aucune envie de l'entendre, il ne me restait qu'à les laisser tous les deux et à rejoindre les autres dehors. Je me relevai, mais me figeai en apercevant ce que Rodrigo tenait dans sa main.

Il se pencha et écarta la houppelande de Jofre. Celui-ci, les yeux toujours clos, marmonna quelque chose, chercha à reprendre la houppelande et tenta de se retourner, mais Rodrigo n'avait nulle intention de le laisser dormir.

« Debout ! »

Jofre ouvrit soudain les yeux, puis, d'un seul mouvement, il se leva et s'écarta de Rodrigo dans l'obscurité de la grange. Son inquiétude était compréhensible, car Rodrigo tenait un fouet, du genre de ceux dont on se sert pour mater les chiens.

Élève et maître se faisaient face, crispés et immobiles. Rodrigo avait une expression sévère et résolue.

« Je n'ai pas envie d'en arriver là, Jofre, Dieu sait que je n'en ai pas envie. Mais je ne peux pas rester là à te regarder te détruire. Tu as trop de talent. Je ne te laisserai pas le gâcher. Zophiel a raison, c'est ma faute si tu te comportes ainsi. Je suis responsable de toi. » Il secoua la tête comme s'il savait que ses paroles tombaient dans l'oreille d'un sourd. « J'ai essayé de te parler, mais tu ne veux pas écouter. Nombreux sont ceux qui disent que j'aurais dû faire ça il y a bien longtemps. » Il ravala sa salive puis, d'une voix aussi sévère que possible, commanda : « Baisse tes hauts-de-chausses, *ragazzo* ! »

Jofre se tenait immobile, n'en croyant visiblement pas ses oreilles.

« Tu m'as entendu, baisse-les ! »

Rodrigo se retourna vivement et s'assit sur le lit de bois bas, une jambe tendue devant lui.

Il allait donc finalement le faire. Mais il ne le fouetterait pas sur le dos comme on fouette un servant ou un félon ou un martyr, ce qui permet au supplicié de rester digne, stoïque, défiant. Ce serait un châtiment tel qu'on en inflige aux enfants, une humiliation. Ce qui n'était pas judicieux. J'avais beau savoir que Jofre méritait une correction, celle-ci ne devait pas prendre cette forme. Ça ne pourrait rien donner de bon.

« Je vous en supplie, implora Jofre, c'est la dernière fois, je le jure sur…

— Non, rugit Rodrigo, je n'écouterai plus tes promesses ! Fais ce que je te dis, *ragazzo*, ou je jure que je vais t'emmener dehors et te flanquer une correction devant toute la compagnie, et Dieu sait que tu le mérites. »

Jofre, rouge de honte, tenta de défaire le nœud de la corde qui entourait sa taille, mais ses mains tremblaient tant que cela sembla lui prendre une éternité. Finalement, ses hauts-de-chausses tombèrent à ses pieds. Il se tint, tête baissée, comme s'il savait que cette fois il n'en réchapperait pas, et lorsque Rodrigo lui demanda d'approcher, il s'exécuta d'un pas incertain et se pencha au-dessus de la jambe de son maître. Rodrigo le tint fermement par la nuque et souleva sa chemise.

Le postérieur rond et ferme du jeune homme brilla à la lueur de la lanterne, sa peau d'un brun pâle était tendue et parfaite, si lisse qu'elle donnait envie de la caresser. Sans les contractions nerveuses des muscles sous la peau, elles auraient semblé appartenir à la statue d'un dieu. Rodrigo hésita comme s'il lui était insupportable de dégrader quelque chose de si parfait. Je crois même qu'il serait revenu sur sa décision si Jofre n'avait pas gémi : « Non, je vous en prie, je promets que… »

Ses lamentations scellèrent son sort. Les jointures des doigts de Rodrigo blanchirent autour du manche du fouet.

« Cette fois, ça ne prend pas, Jofre », dit-il doucement.

Le fouet s'abattit et Jofre se crispa violemment en ne laissant toutefois échapper qu'un halètement. Une zébrure sombre gonfla rapidement à travers son postérieur tremblant. Le fouet s'éleva et s'abattit encore et encore. Les muscles du bras de Rodrigo étaient durs comme du fer à cause de ses années passées à jouer, et le maître battait son apprenti avec une précision de musicien. Il le fouetta sévèrement, lentement, sans pitié, s'interrompant juste assez longtemps après chaque coup pour que la douleur fasse son effet. Jofre se mordait la main pour ne pas crier. Mais maintenant qu'il avait commencé, Rodrigo semblait déterminé à lui infliger une correction qu'il n'oublierait pas de sitôt. Du sang luisait sous la lanterne, mais il ne fléchissait pas.

Jofre pleurait, un torrent de larmes lui coulant des yeux, trop abondant pour que la douleur physique en soit l'unique cause.

« Je suis désolé, je suis désolé », s'écria-t-il, et pour une fois ses excuses semblaient sincères.

Rodrigo jeta soudain son fouet, comme si les mots de Jofre avaient brisé le sortilège qui l'avait possédé, et il prit le garçon dans ses bras, le serrant férocement et le balançant d'avant en arrière. Jofre pleurait de façon incontrôlable, comme si un barrage s'était brisé en lui, laissant s'épancher sa douleur et sa honte.

« Pourquoi fais-tu ça, *ragazzo* ? murmura Rodrigo. Tu as tant de beauté, tant de vie devant toi.

— J'ai… j'ai tellement peur. Je ne peux pas… m'en empêcher. J'ai essayé, mais… mais je ne peux pas. Je ne peux pas.

— Je sais, je sais. »

La main qui avait sévèrement tenu le fouet caressa la nuque arquée du garçon, descendant le long de son dos en suivant les courbes et les creux, avant d'atteindre la chair meurtrie et ensanglantée. Un frisson secoua le corps de Jofre. Rodrigo se pencha pour embrasser la nuque où les minuscules boucles de cheveux châtains étaient trempées de sueur, et Jofre leva son visage maculé de larmes. Il embrassa Rodrigo sur la bouche, d'abord de façon hésitante, puis avec passion, presque avec colère. Rodrigo se laissa aller en arrière sur les planches dures du lit et Jofre se tortilla jusqu'à se trouver au-dessus de lui, cherchant à tâtons l'entrejambe de l'homme plus âgé. C'était au tour du maître d'être immobile tandis que Jofre frottait son bas-ventre contre lui, lui couvrant le visage et le cou de baisers brûlants. Seules les mains de Rodrigo bougeaient comme il caressait tendrement le dos du garçon, telle une mère réconfortant un enfant affolé.

Lorsque Jofre jouit, s'arquant et gémissant, respirant par petits halètements saccadés, Rodrigo l'étreignit fermement contre lui, contenant la passion de Jofre contre son propre corps, comme s'il pouvait le protéger du mal qu'il s'infligeait lui-même.

Jofre poussa un cri sonore, se laissa rouler sur le côté et s'endormit presque aussitôt. Il était étendu sur le ventre, étalé en travers des planches, un bras rejeté au-dessus de la tête, sa chemise soulevée, son dos luisant de transpiration. La lumière jaune de la lanterne vacillait sur les boucles collées à son front, faisant ressortir le relief sec de ses muscles. Son visage rouge et couvert de sueur était détendu et lisse. Avec ses lèvres légèrement entrouvertes, il semblait aussi innocent qu'un ange endormi, un ange pas encore déchu.

Rodrigo se souleva sur un coude, le regardant dormir comme s'il essayait de mémoriser chaque détail de la beauté du jeune homme. Puis il se leva, récupéra la houppelande de Jofre et la plaça au-dessus de lui.

Il alla chercher le fouet dans le coin où il l'avait lancé et marcha d'un air las vers la porte. Il se retourna et regarda un moment la silhouette endormie. Et alors, à la douce lueur jaune de la lanterne, je vis que des larmes coulaient en silence sur son visage.

13

Le récit de Plaisance

Ce soir-là nous entendîmes de nouveau le loup. Nous l'entendîmes tous, et impossible de prétendre qu'il s'agissait d'un mauvais rêve provoqué par la fatigue. Nous avions décidé de prendre notre repas là où nous l'avions préparé, dans la vieille auberge, bien qu'elle fût encombrée du bric-à-brac de la vieille veuve. Osmond grommelait que même si la grange était froide et ouverte aux courants d'air, il serait tout de même plus facile d'y manger car au moins on pouvait y plier les coudes, mais je le dissuadai. Ce ne serait pas convenable de vexer la vieille femme en refusant son hospitalité, arguai-je, et de plus, Adela avait besoin de rester au chaud, du moins tant qu'elle n'aurait pas avalé un bon repas. Je désirais vivement les maintenir à l'écart de la grange aussi longtemps que possible par égard pour Jofre.

En vérité, hospitalité ne semblait pas être un mot que la veuve connaissait. Elle s'agitait tandis que nous faisions un peu de place pour nous asseoir, craignant que nous ne touchions à quoi que ce soit. Elle poussait des cruches sous les tables et entassait les tonneaux en piles branlantes, nous avertissant qu'elle savait exactement ce qu'il y avait dans la pièce et qu'il était inutile de nous faire des idées. Je crois que c'était simplement l'arôme irrésistible de nourriture qui s'élevait de la cheminée qui la faisait nous tolérer. Même les chiens semblaient disposés à devenir nos amis, bavant sur nos jambes et geignant tandis que la marmite mijotait, laissant échapper une douce odeur de mouton. Finalement, après ce qui nous sembla des heures, car nous étions presque aussi affamés que les chiens, Plaisance et Adela annoncèrent que le souper était prêt et demandèrent à Narigorm d'aller chercher Zophiel, Cygnus et Jofre.

« Pas Jofre ! s'empressa de déclarer Rodrigo.

— Je sais qu'il n'est pas en odeur de sainteté, Rodrigo, répliqua Adela en fronçant les sourcils, mais il a besoin de manger. Le pauvre garçon n'a rien avalé depuis hier.

— Jofre dort, intervins-je rapidement. Il ne se sent pas bien. Trop de vin. Mais vous avez raison, Adela, il a besoin de manger. Narigorm, va chercher Zophiel et Cygnus pendant que je porterai un peu de mouton à Jofre. Allez, dépêche-toi, ajoutai-je, car elle me regardait de ses yeux bleus glacials et incrédules. Plus vite tu les trouveras, plus vite tu mangeras. »

Zophiel, s'il avait été là, aurait sans nul doute affirmé que le garçon méritait d'avoir faim, mais je savais que Jofre avait suffisamment été puni pour aujourd'hui. Personne ne devrait souffrir de tiraillements d'estomac par une longue nuit froide quand il y a de la nourriture disponible. Je pris un bol de mouton et du pain plat que Plaisance avait cuit dans les braises de la cheminée et me mis en route vers la grange. Rodrigo me rattrapa juste avant que je ne l'atteigne.

« Jofre… je…

— Je sais, Rodrigo. Je vous ai vu entrer dans la grange avec un fouet. Je devine à quoi il vous a servi. »

Je ne pouvais lui dire que j'avais tout vu. Il fit la grimace.

« Je devais le faire, Camelot. Comprenez-vous ?

— Ce que vous avez fait n'est rien comparé à ce que le prieur aurait fait s'il avait pris des mesures. Avec de la chance, ça lui redonnera un peu de bon sens.

— Et sinon, je ne sais ce que je peux faire de plus. »

Je ne pouvais rien répondre à ça. Mais je devinais que ni le maître ni l'élève n'étaient prêts à se faire face.

« Allez manger, Rodrigo, je vais m'occuper du garçon. »

Il saisit mon épaule.

« Une fois de plus nous vous sommes redevables, Camelot. »

Jofre était toujours endormi lorsque j'entrai. Il était couché en chien de fusil, sa houppelande remontée sous le menton. Mais lorsque je posai le bol et le pain près de lui, il s'éveilla en sursaut en gémissant et tenta de se redresser, grimaçant et saisissant son postérieur.

« J'ai pensé que vous préféreriez manger ici ce soir. Je ne crois pas que vous ayez envie de vous asseoir à table pour le moment. »

En un instant Jofre fut complètement réveillé.

« Je suppose qu'il a tout raconté à tout le monde, dit-il avec colère. À Zophiel aussi ?

— Il n'en a parlé à personne. J'ai juste vu Rodrigo entrer ici. Et je devine à votre grimace que vous avez reçu une correction. Je vais essayer de retenir les autres hors d'ici aussi longtemps que je le pourrai, mais vous feriez bien de vous reposer autant que possible. Si Zophiel vous entend gémir, il n'aura pas besoin qu'on lui dise quoi que ce soit, alors trouvez-vous une bonne excuse, ou bien dissimulez votre inconfort jusqu'à ce que vous alliez mieux. Je présume que vous mettrez quelques jours à pouvoir vous asseoir ou marcher à nouveau confortablement. »

Jofre serra les poings.

« Tout ça, c'est la faute de ce bâtard de Zophiel. Rodrigo ne m'aurait jamais fait ça si Zophiel ne lui avait pas dit de le faire. Il n'avait pas le droit de me traiter comme ça, comme un… un enfant.

— Rodrigo ne vous aurait jamais battu si vous ne lui aviez pas donné de bonnes raisons de le faire. Vous avez de la chance ; nombre de maîtres auraient fait bien pire pour beaucoup moins, vous le savez.

— Je suppose que vous voulez m'entendre dire que je l'ai mérité », répliqua-t-il d'un ton maussade.

Je haussai les épaules.

« Ce que vous dites n'a aucune importance, mon garçon, la question, c'est est-ce que ça vous a guéri ?

— Je ne jouerai pas aux dés ce soir, si c'est ce que vous voulez dire.

— C'était en effet l'idée, mais quand vos blessures auront cicatrisé ? »

Il me regarda un moment avec fureur, puis ses épaules s'affaissèrent et son agressivité sembla s'envoler. Il baissa les yeux vers le sol.

« Je n'y peux rien, Camelot. Rodrigo est le plus grand musicien et le meilleur professeur du monde. Je ne voulais pas le blesser. Ce n'est pas sa faute si je me comporte ainsi, et ce bâtard de Zophiel n'a pas le droit de lui dire qu'il est un mauvais maître. C'est moi. Tout est ma faute. Je suis stupide et inutile.

— Vous n'êtes ni l'un ni l'autre. Rodrigo pense que vous avez un grand talent, plus grand encore que le sien, c'est la raison pour laquelle il vous pousse. Je sais que c'est dur quand on est jeune, mais…

— Pourquoi tout le monde dit-il "quand on est jeune", comme si les choses allaient changer lorsque je deviendrai un homme ? Je suis déjà un homme, Camelot, bien que vous me traitiez tous comme un enfant. Vous ne comprenez pas ; il y a des choses auxquelles je ne peux rien, des choses qui ne changeront jamais. Je ne veux pas être ce que je suis, mais je n'y peux rien. »

Je ne comprenais que trop bien, mais ne pouvais le lui dire. J'avais été aveugle de ne pas le voir plus tôt. Ce soir dans la grange j'avais pris conscience de ce qu'il avait en lui, cette chose qu'il craignait et méprisait à la fois. Il se haïssait, il haïssait sa nature. J'avais presque l'impression qu'il voulait qu'on le punisse pour ce qu'il portait en lui. Peut-être était-ce pourquoi il avait tant cherché à rendre Rodrigo furieux. Je me demandais si Rodrigo l'avait toujours compris.

Mais Jofre avait dit la vérité lorsqu'il n'avait pas répondu à ma question, car nous savions tous deux que, même si Rodrigo le flagellait de la tête aux pieds, ça ne le guérirait pas. Le seul remède à son malheur était d'apprendre à accepter ce qu'il était, et il n'y parviendrait que lorsqu'il trouverait quelqu'un qui lui donnerait le genre d'amour qu'il méprisait autant qu'il en avait besoin. Et en attendant, nul châtiment, fût-il divin ou humain, ne l'empêcherait de se détruire. Comme Rodrigo, je quittai moi aussi la grange au bord des larmes.

À peine eus-je fait quelques pas que je tombai sur Narigorm. Elle était appuyée au mur de la grange, un sourire malveillant se dessinant sur son visage. Elle observait deux silhouettes qui se battaient contre le mur. C'était un combat inégal. Zophiel plaquait Cygnus contre le mur en lui serrant la gorge d'une manière qui n'avait rien d'amical.

« Tu mens, garçon, je sais que tu mens. Tu étais sur le point de dire quelque chose à Osmond près du pont cet après-midi. Ne le nie pas. Je t'ai entendu. Mais quoi que tu croies avoir vu, tu ferais bien de la boucler, tu me comprends, espèce de monstre ? Si je te prends à…

— Un problème, Zophiel ? »

Celui-ci se retourna au son de ma voix et baissa immédiatement la main. Cygnus prit une profonde inspiration. Il semblait effrayé, et on le serait à moins.

« Narigorm ne vous a-t-elle pas prévenus ? Le souper est prêt. Vous feriez bien de venir sur-le-champ à moins que vous ne vouliez que ces chiens s'en chargent avant vous, car je doute qu'on puisse les retenir beaucoup plus longtemps. »

Il était inutile de demander à Narigorm pourquoi elle n'avait pas délivré le message. Je me demandais juste depuis combien de temps elle se tenait là, à côté de la grange, et ce qu'elle avait pu entendre d'autre.

Nous étions tous trop affamés pour parler en mangeant, ce qui n'était pas plus mal. Le simple acte de manger peut couvrir de nombreux silences, et ce soir-là, nous fûmes plusieurs à nous en satisfaire. La marmite se vidait, nos ventres se remplissaient, et finalement les chiens, qui gémissaient et grattaient à la porte, furent autorisés à venir dévorer les restes. Ce qu'ils firent en un clin d'œil, comme s'ils craignaient qu'on leur reprenne leur nourriture. Finalement, lorsque la marmite fut parfaitement propre et que même les bêtes furent certaines qu'il ne restait plus rien, elles se couchèrent et fermèrent les yeux pour se repasser leur repas en rêve.

Nous somnolions, plongés dans le doux contentement qui suit un bon repas, lorsque nous entendîmes un hurlement. Les chiens dressèrent la tête, car eux aussi avaient entendu quelque chose, mais ils se rendormirent bientôt. Nous nous détendîmes à notre tour, songeant que ce que nous avions entendu n'était rien d'autre que le vent hurlant tel un diable tandis qu'il agitait les arbres et les chaumières délabrées. Mais le hurlement retentit de nouveau, plus fort et plus longtemps. Et cette fois-ci, impossible de s'y méprendre.

Zophiel et les chiens se dressèrent en même temps. Les bêtes se ruèrent en grondant vers la porte, les poils se dressant entre leurs omoplates. Zophiel hésitait au centre de la pièce.

« Vous avez entendu ? Vous avez tous entendu ? Camelot, était-ce un loup ou un chien ?

— On aurait dit un loup. »

La vieille veuve se signa.

« Que les saints et tous les anges nous protègent ! »

Bien que la porte fût fermée, Zophiel attrapa l'un des étais pour le caler contre la porte, mais Rodrigo s'était à son tour levé.

« Non, attendez. Je dois aller chercher Jofre. Il est seul dans la grange.

— La grange ! »

La main de Zophiel se figea sur l'étai. Il vacilla, comme si sa tête lui disait de se précipiter dehors mais que ses jambes refusaient de le porter. Je savais qu'il ne s'inquiétait pas pour Jofre, mais pour ses précieuses boîtes.

« Si c'est un loup, il est seul, dis-je, tentant de les calmer l'un comme l'autre. La grange est fermée, et celle-ci aussi. Jofre n'aura pas de problèmes tant qu'il n'ouvrira pas la porte, et il n'est pas assez idiot pour le faire.

— C'est fort possible, intervint la vieille veuve, mais je n'ai jamais entendu parler de loup dans la région depuis mon enfance. Et s'il y en a un, il y en aura d'autres. Ils sont toujours en meute. »

Zophiel était devenu blême.

« Vous êtes certaine de ne pas avoir entendu de loup jusqu'à ce soir ?

— Je suis peut-être vieille, répliqua la femme avec une grimace, mais je ne suis pas sourde. Je vous le dis, ça fait des années qu'il n'y a plus de loups par ici. Ils sont affamés, comme nous tous. Ça les pousse à sortir de la forêt. Renforcez ces portes avant qu'ils ne nous dévorent tous vivants. »

Cygnus approcha de l'entrée d'un pas chancelant.

« Xanthos ! Elle est attachée dans la vieille étable, mais les murs sont à moitié écroulés ; elle n'a aucune chance de leur échapper. »

Zophiel se précipita devant lui et ouvrit la porte en grand. En un instant les deux chiens s'étaient rués dehors. Cygnus voulut les suivre, mais Zophiel attrapa l'arrière de sa chemise, le tira à l'intérieur et claqua le battant.

La vieille veuve se leva difficilement.

« Mes garçons ! cria-t-elle d'une voix stridente, tentant de griffer Zophiel tandis qu'il fermait le verrou. Mes garçons vont se faire déchiqueter ! »

Nous entendions leurs aboiements excités diminuer à mesure qu'ils s'enfonçaient dans l'obscurité. Plaisance se leva et, prenant la veuve entre ses bras, la ramena doucement jusqu'au banc.

« Chut. Ce n'était qu'un seul loup. S'il y en avait plus, nous les aurions entendus répondre à l'appel. Il est probablement vieux ou malade et a été chassé par la meute. L'odeur des chiens suffira à elle seule à l'éloigner. Ils n'auront pas besoin de se battre. »

Elle leva les yeux et fit un sourire rassurant à Cygnus, qui, assis, massait un bleu, le second qu'il recevait de Zophiel en quelques heures.

« Ne vous en faites pas, Cygnus, la pauvre vieille bête n'attaquera pas un animal de la taille d'un cheval, pas sans sa meute. Les poulets sont une proie beaucoup plus facile, au cas où il viendrait par ici. »

Je songeais à la petite famille entassée sous le pont, sans portes pour s'abriter des loups, et j'espérais qu'ils allaient bien.

Zophiel s'en prit à Plaisance.

« Ainsi, vous vous y connaissez en loups, n'est-ce pas ? Peut-être pourrions-nous vous envoyer dehors pour voir s'il préfère les poulets ou la viande humaine. »

Les joues de Plaisance rougirent et elle baissa les yeux, tentant comme à son habitude de se fondre dans le décor.

« Ou peut-être, continua Zophiel, aurais-je dû laisser le jeune Cygnus y aller après tout, étant donné que c'est à moitié un volatile. »

Maintenant qu'il avait effrayé Plaisance et l'avait réduite au silence, Zophiel aurait pu passer sa colère sur Cygnus, un jeu qui l'amusait beaucoup plus, si Narigorm ne s'était pas fait entendre en déclarant : « Plaisance n'a pas peur des loups. »

Zophiel se retourna pour regarder fixement la fillette, qui était assise en tailleur sur le lit de la veuve derrière nous.

« Alors soit elle est plus idiote qu'elle n'en a l'air, soit elle n'en a jamais rencontré.

— Oh, mais si, elle en a rencontré, répliqua Narigorm. Racontez-leur, Plaisance. Racontez-leur l'histoire que vous m'avez dite. »

Plaisance secoua la tête et tenta de battre en retraite dans le coin de la pièce. Mais Narigorm persista.

« Elle a un jour aidé une louve à avoir un petit, n'est-ce pas, Plaisance ?

— Comme une sage-femme ! s'écria Adela avec enthousiasme. Comment est-ce possible ?

— Ce n'était rien.

— Allons, Plaisance, dit Zophiel, ne soyez pas modeste, les sages-femmes de louves, ça ne court pas les rues. Maintenant que nous savons ça, vous devez satisfaire notre curiosité. En outre, ce serait la moindre des choses que de raconter une histoire à notre hôtesse pour la remercier de son exceptionnelle hospitalité. Camelot nous a déjà gratifiés d'une histoire de loups ; la vôtre ne saurait être plus fantaisiste. »

Il parlait encore d'un ton froid et calme, comme si de rien n'était, mais il restait debout, la tête penchée vers la porte, écoutant les aboiements au loin.

« Je vous en prie, Plaisance, implora Adela, nous ne vous laisserons pas en paix tant que vous ne nous aurez pas raconté. »

Plaisance sourit faiblement et, manifestement à contrecœur, commença son récit.

« C'était il y a bien longtemps, je travaillais pour mes voisins en tant que sage-femme, mettant au monde leurs petits et aidant les femmes durant le travail. Un jour, une de mes voisines arrivait à terme et je suis allée chercher des herbes pour préparer une infusion qui soulagerait ses douleurs. »

Adela tendit la main et serra celle de Plaisance en lui adressant un sourire chaleureux.

« Je suis si heureuse de savoir que vous mettrez mon bébé au monde. J'avais tellement peur avant. Je suis une vraie lâche quand il est question de douleur, mais maintenant que je sais que vous serez là pour m'aider…

— Soulager la douleur de l'accouchement va à l'encontre de la volonté divine, lâcha froidement Zophiel. La douleur est le châtiment de la femme pour avoir succombé à la tentation. Dieu prescrit qu'elle doit souffrir pour le bien de son âme. »

Il lança un regard noir à Adela, comme s'il espérait qu'elle souffrirait tous les tourments de l'enfer lorsqu'elle aurait son enfant.

« Vous changeriez de chanson si vous deviez accoucher, répliquai-je. Maintenant laissez Plaisance raconter son histoire ; c'est vous qui avez demandé à l'entendre. »

Je songeais à Jofre alité dans la grange et me demandais si la douleur rachèterait son âme. Il est certain que la douleur change celui qui l'endure, mais rarement en bien.

Plaisance hésita, regarda en direction de Zophiel.

« Allez-y, femme », lança-t-il sèchement, tournant une fois de plus la tête vers la porte, écoutant les sons au-dehors.

Plaisance reprit nerveusement son récit.

« L'hiver avait été long et en me rendant à mes réserves je me suis aperçue que je n'avais plus de pouliot royal. Il n'avait pas encore poussé dans mon jardin car j'habitais en haut d'une colline où le printemps arrive tard. Je suis donc descendue dans la vallée, où les plantes sont plus à l'abri et où les feuilles arrivent plus tôt. Comme le pouliot royal pousse mieux au bord des cours d'eau, j'ai trouvé un ruisseau et suivi son cours dans la forêt. Mais j'avais beau chercher, impossible de trouver le moindre brin de cette plante.

« J'ai commencé à avoir faim et me suis assise à l'abri pour manger un morceau de pain, mais comme je mangeais j'ai senti un picotement sur ma nuque et j'ai su que je n'étais pas seule. En levant les yeux, j'ai vu une énorme louve qui buvait au ruisseau tout près de moi. Son ventre était gonflé, elle attendait des petits. C'était une bête magnifique avec une épaisse fourrure luisante et des épaules puissantes. J'ai tout d'abord été terrifiée, mais elle a alors levé la tête et m'a fixée de ses grands yeux couleur d'ambre, comme des flammes, et lorsque je l'ai regardée dans les yeux la peur m'a quittée et j'ai vu que c'était juste une mère, affamée et assoiffée. Je lui ai lancé le reste de mon pain, qu'elle a habilement saisi entre ses crocs blancs et acérés. Je suis restée immobile jusqu'à ce qu'elle disparaisse, puis je me suis relevée. Et c'est alors que j'ai vu, juste à l'endroit où elle s'était tenue, une épaisse touffe de pouliot royal en feuilles.

« Une semaine plus tard, un soir, on a frappé à ma porte. J'ai d'abord pensé que c'était le mari de ma voisine qui venait m'annoncer que les douleurs avaient commencé, mais lorsque j'ai ouvert, je me suis trouvée nez à nez avec un inconnu. C'était un homme grand, aux cheveux hirsutes et aux yeux farouches, mais il n'était pas vilain.

« “Bonne femme, prends tes herbes et viens vite, qu'il a dit. Ma femme est dans les douleurs de l'accouchement et elle n'a personne pour l'aider.”

« C'était une nuit glaciale, le givre scintillait déjà sur le sol dans le clair de lune, pas le genre de nuit où l'on a envie de quitter la chaleur de son âtre, mais quand un enfant arrive, il n'attend pas. J'ai donc rassemblé les herbes et les onguents dont je pensais avoir besoin et suivi l'homme dans la nuit. Bientôt nous avons passé toutes les chaumières, quitté le village et nous sommes engagés dans la vallée. L'homme ouvrait la marche et je suivais sa grande silhouette sombre. Et c'est alors, tandis que le clair de lune inondait le sentier, que j'ai remarqué qu'il ne laissait aucune trace de pas dans le givre, ni d'ombre sur le sol. J'ai pris peur, mais n'ai rien dit.

« Nous sommes finalement arrivés à une étroite ouverture entre deux rochers. L'homme m'a fait signe d'entrer, mais j'hésitais car l'ouverture semblait être à peine plus large qu'une crevasse. Et tandis que je me tenais là, j'ai entendu une voix puissante lancer de l'intérieur : “Entre, bonne femme, et fais ton travail.”

« Je me suis penchée et glissée dans l'ouverture, et tout d'un coup je me suis retrouvée dans une énorme caverne. Et ce que j'ai alors vu m'a coupé le souffle. Car la caverne était pleine de *sheidim* qui dansaient et riaient et hurlaient comme des loups autour d'un grand feu aux flammes rouges et bleues.

— Que sont des *sheidim ?* » demanda Adela.

Plaisance sembla un moment décontenancée par la question et hésita, puis elle répondit dans un murmure :

« Ce sont des démons.

— Je n'avais jamais entendu ce mot.

— Peut-être ne l'utilise-t-on pas par chez vous, s'empressa d'intervenir Rodrigo. J'ai découvert que chaque village a un mot différent pour décrire ces créatures. N'est-ce pas, Plaisance ? »

Il la dévisageait avec une expression curieusement troublée. Son regard se posa brièvement sur Zophiel, mais celui-ci semblait toujours absorbé par les sons à l'extérieur. Rodrigo et Plaisance échangèrent un regard étrange que je ne sus interpréter, et elle sembla soudain effrayée.

« Poursuivez votre histoire, dit Rodrigo en lui serrant la main et en souriant d'un air rassurant. Le démon… »

Je remarquai que les mains de Plaisance tremblaient comme elle reprenait son histoire.

« Le… le démon qui m'avait interpellée a de nouveau parlé. "Bonne femme, fais ton travail. Si tu mets un garçon au monde, tu pourras demander ce que tu voudras, mais si c'est une fille, tu regretteras d'être née."

« Sur ces mots les *sheid*… les démons ont ri aux éclats, et moi, je tremblais tellement que je parvenais à peine à tenir mon sac. Ils ont écarté un rideau et là, dans le coin, j'ai vu la louve que j'avais nourrie au ruisseau. Elle grondait, mais lorsque j'ai regardé dans ses yeux, je n'ai vu qu'une femme dans les douleurs du travail.

« Elle a parlé, d'une voix basse et gutturale à peine audible. "Bonne femme, tu m'as donné à manger, alors je vais te donner un conseil : prends soin de ne rien manger ni boire tant que tu seras ici, même si tu as faim ou soif, car si tu le faisais, tu deviendrais l'une des nôtres."

« J'ai fait ce que j'ai pu pour elle, mais l'accouchement a été long. Je ne sais combien d'heures je suis restée dans la caverne, à travailler sans un mot. De temps en temps, l'un des démons apportait des assiettes de nourriture et des gobelets de vin rouge sang pour que je me sustente, mais je me rappelais l'avertissement et ne touchais à rien, alors même que j'étais affamée et que j'avais la gorge sèche à cause de la chaleur étouffante du feu.

« Finalement, la louve a donné naissance à un seul petit, un mâle, et les démons ont poussé des cris de joie. Le feu crachait des flammes tremblantes noires et argentées, et le sol tremblait tandis que les démons dansaient autour en se tenant par les bras et en battant des pieds. Celui qui m'avait apostrophée m'a de nouveau interpellée et demandé ce que je voulais en récompense de mon travail. J'ai refusé de prendre quoi que ce soit et expliqué que donner naissance à un enfant était une bénédiction, quel qu'ait été cet enfant. Le Seigneur Lui-même bénit ceux qui accomplissent des bénédictions ; je n'ai besoin d'aucun autre paiement.

« Mais le démon a affirmé que je devais prendre quelque chose, faute de quoi ils auraient une dette envers un humain, et cela était impossible car ils auraient été obligés envers cet humain jusqu'à ce que la dette soit remboursée. Je n'avais pour ma part aucune envie d'être obligée envers un démon, aussi ai-je pris la chose la moins précieuse que j'ai vue. Comme le sol de la caverne était jonché de pierres, j'en ai soulevé une et ai dit que je l'accepterais en guise de paiement. À peine avais-je prononcé ces mots que je me suis retrouvée hors de la grotte, debout, seule à l'orée de mon village, levant les yeux vers la nuit glaciale. C'était comme s'il ne s'était pas écoulé de temps, et pourtant j'avais la sensation d'avoir passé des jours dans la grotte.

« Comme je reprenais la direction de ma maison, j'ai senti quelque chose de dur dans ma main. C'était la pierre que j'avais ramassée. J'étais sur le point de la lancer au loin lorsque le clair de lune est tombé dessus et que j'ai vu qu'elle brillait. Je l'ai emportée chez moi pour l'examiner de plus près. Je jure que quand je l'avais ramassée, ce n'était qu'une vulgaire pierre, mais lorsque je l'ai de nouveau regardée, voici ce que j'ai vu. »

Plaisance enfonça la main sous sa tunique et en tira une épaisse lanière de cuir accrochée autour de son cou au bout de laquelle se trouvait un gros morceau d'ambre, aussi flamboyant qu'un œil de loup.

« Donc, vous voyez, reprit-elle, les loups ne me feront pas de mal. C'est leur signe. »

Zophiel, qui se tenait toujours à la porte, se mit à applaudir d'un air moqueur. Plaisance rougit et replaça vivement le morceau d'ambre sous sa tunique.

« Je confesse, ma chère Plaisance, que j'avais tort. Je croyais l'histoire du camelot tirée par les cheveux, mais je dois avouer que vous le battez. Dites-nous, ma chère Plaisance, croyez-vous honnêtement que Dieu bénirait une femme qui donne naissance à un démon ? Secourir un démon, c'est damner votre âme.

— Je crois que ce que Plaisance voulait dire, intervins-je, c'était qu'il s'agit d'une bonne action qui est bénie, quels que soient les mérites de la personne pour qui elle est accomplie. Il n'y aurait aucune bonne action si elles ne devaient être accomplies qu'au profit des personnes pures, n'est-ce pas, Plaisance ? »

Elle leva juste assez brièvement la tête pour m'adresser un faible sourire, puis la baissa, comme si elle aurait préféré ramper de nouveau dans la grotte des démons plutôt que répondre à Zophiel. Celui-ci s'en prit alors à moi, comme je l'espérais.

« Une idée fascinante, Camelot. Donc, si un démon vous apparaissait, vous… »

Il s'interrompit lorsque le cri du loup retentit pour la troisième fois. Il était plus proche cette fois, toujours à quelque distance, mais beaucoup plus près. Nous devînmes silencieux, à l'affût, écoutant le crépitement du feu et le souffle râpeux de la vieille veuve. Dehors, le vent projetait la pluie contre les murs, gémissant tel un chien qui voudrait rentrer dans une maison. Le feu était faible, et les joncs finirent par s'éteindre en crachotant un mince filet de fumée qui empestait, mais personne ne se leva pour en allumer de nouveaux. Nous étions là, abrutis par la chaleur étouffante qui régnait dans la pièce, à regarder fixement les braises. Seul Zophiel était alerte, la tête penchée contre la porte, attendant un nouveau cri. Il était crispé et agité, un peu comme lorsque nous avions passé la nuit dans la grotte. Et je me demandais si lui aussi avait une histoire de loup. Auquel cas, son histoire le troublait bien plus que celles que nous avions racontées.

Ce n'est que lorsque nous entendîmes les chiens gratter et aboyer à la porte que nous sortîmes de notre léthargie. Zophiel ne fit aucun geste, mais la veuve l'écarta et ouvrit le verrou. Ses garçons entrèrent en bondissant et s'arrêtèrent au milieu de la pièce pour s'ébrouer vigoureusement, nous arrosant généreusement tous de boue, d'eau et de sang. La veuve poussa un gémissement, portant ses mains à sa bouche édentée, avant de s'apercevoir que le sang n'appartenait pas aux chiens. Bien qu'ils fussent trempés et couverts de boue, ils ne montraient aucun signe de blessure. Mais ils tenaient entre leurs crocs une dépouille couverte de fourrure ensanglantée, qu'ils se firent un plaisir de déposer sur les cuisses de la vieille femme, s'attendant clairement à être félicités. Adela se couvrit les yeux et frissonna.

« Qu'est-ce ? demanda-t-elle. Est-ce le loup ? »

La vieille veuve éclata de rire, pour la première fois depuis notre arrivée.

« Que les saints nous protègent ! Ce serait un bien misérable avorton s'il s'agissait d'un loup. C'est un lièvre. Mes garçons sont allés chasser et m'ont rapporté un lièvre pour mon petit déjeuner. Qu'ils sont intelligents ! »

Elle leva les deux moitiés déchirées du lièvre d'un geste triomphal, tel un bourreau montrant une tête tranchée à la foule, tandis que les chiens lui sautaient dessus pour laper le sang qui gouttait des restes ensanglantés.

Nous laissâmes la vieille femme dépouiller le lièvre et prîmes la direction de la grange. Elle sembla à peine remarquer notre départ, occupée qu'elle était à sécher ses chiens en leur répétant encore et encore qu'ils étaient de bons garçons.

Dehors, la pluie était cinglante, et nous eûmes beau nous hâter, c'est trempés jusqu'aux os que nous arrivâmes à la grange. Jofre avait disparu, et je vis une expression paniquée traverser le visage de Rodrigo lorsqu'il aperçut le lit vide. En regardant autour de moi, je vis que l'échelle menant au fenil n'était pas là où je l'avais laissée, et en levant les yeux, je m'aperçus qu'elle avait été hissée sur la plate-forme. Je tirai la manche de chemise de Rodrigo et la lui montrai en silence. Lorsqu'il braqua la lueur de sa lanterne vers le haut, je parvins juste à distinguer la silhouette de Jofre pelotonnée sur le tas de foin que je m'étais auparavant réservé. Il dormait, ou faisait semblant. Peut-être avait-il lui aussi entendu le loup et s'était-il abrité là-haut au cas où la bête parviendrait à entrer dans la grange. Ou bien, ce qui était plus probable, peut-être voulait-il passer la nuit seul afin de panser ses plaies loin des regards. Je ne lui en voulais pas pour le foin. Il avait cette nuit-là plus besoin que moi d'un lit moelleux, et même avec le foin sous lui je doutais qu'il passe une bonne nuit.

Zophiel se précipita pour vérifier ses boîtes dès que la porte de la grange fut fermée derrière nous. Heureusement pour nous, elles étaient intactes, du moins fût-ce ce que nous conclûmes à son expression soulagée, car il ne dit rien. Il ôta ses vêtements trempés aussi vite qu'il put et se glissa nu et frissonnant sous sa couverture sur le châlit le plus proche des boîtes. Je remarquai néanmoins que, malgré sa hâte, il n'avait pas négligé de glisser son long couteau sous les couvertures au cas où il en aurait besoin.

Narigorm était assise dans le coin de l'un des lits, ses genoux remontés sous son menton, ses bras blancs et maigres enlaçant fermement ses jambes. À la faible lueur de la lanterne, ses cheveux étincelaient comme de la neige fraîche. Elle observait Cygnus qui tentait d'ôter d'une seule main les chausses mouillées qui recouvraient ses jambes transies. Sa poupée était posée à côté d'elle.

Cygnus l'aperçut et lâcha un petit éclat de rire.

« Qu'as-tu fait à ton pauvre bébé, Narigorm ? J'espère que tu n'as pas l'intention de traiter tes enfants ainsi lorsque tu seras mère. »

Je suivis son regard. Narigorm avait enveloppé sa poupée dans des bandes de tissu, comme le lui avait montré Adela, sauf que le tissu recouvrait non seulement son corps mais aussi sa tête, de sorte qu'elle ressemblait plus à un cadavre préparé pour un enterrement qu'à un bébé emmailloté. La même pensée sembla traverser l'esprit de Cygnus car il eut soudain une expression sérieuse et baissa la voix.

« Je sais que tu fais ça juste pour t'amuser, Narigorm, mais découvre la tête de la poupée, sois gentille. Si Adela voit ça, ça pourrait la contrarier dans son état. »

Narigorm inclina la tête sur le côté.

« Pourquoi continuez-vous d'attacher votre aile ? demanda-t-elle d'une voix claire et flûtée.

— Camelot dit que c'est préférable, au cas où quelqu'un se souviendrait de mon aile.

— Mais il n'y a personne pour la voir sauf nous. »

Adela, entendant la voix de Narigorm, regarda dans notre direction.

« Elle a raison. Ça doit être désagréable d'être ainsi attaché. Ne vous sentez-vous pas à l'étroit ?

— Un peu, mais ça ne me dérange pas. Il est plus sûr de la garder attachée. Plus sûr pour nous tous. »

Adela se dandina vers lui dans sa robe de nuit, tendant la main vers son aile.

« Laissez-moi au moins la détacher ce soir, pour que vous puissiez la déployer. Nous pourrons la rattacher demain matin si vous voulez.

— Peut-être que la plume a repoussé, ajouta Narigorm. Vous avez dit qu'elle repousserait.

— Peut-être, répondit Cygnus avec un sourire. Ça me démange… »

Il se soumit aux doigts agiles d'Adela tandis qu'elle dénouait ses liens. Puis, dès qu'elle les eut délicatement ôtés, il poussa un soupir de soulagement et déploya sa grande aile blanche. Nous vîmes aussitôt qu'il y avait toujours un espace à l'endroit où Narigorm avait arraché la plume. Mais lorsqu'il souleva son aile, trois autres longues plumes en tombèrent. Elles tourbillonnèrent lentement jusqu'au sol où leur blancheur éclatante se détacha sur la terre battue. Cygnus les regarda, atterré, et Narigorm, sans détacher les yeux des plumes qui gisaient par terre, enroula lentement, délibérément, une autre bande de tissu sur le visage de sa poupée.

14

Le souffleur de verre

Même après tout ce que j'ai vu, je me rappelle encore le jour où nous avons pour la première fois entendu ces cloches. La plupart des villes et des villages ne font désormais plus qu'un dans mon souvenir, mais pas celui-là. On n'oublie jamais ce son, comme le premier baiser ou la naissance de son premier enfant, ou sa première rencontre avec la mort.

C'était le début du mois de décembre, le jour de la Sainte-Barbe pour être précis. Dans mon travail, on doit se rappeler ces choses. Lors des jours qui précèdent la célébration d'un saint une relique de celui-ci vaut deux fois plus qu'à n'importe quel autre moment de l'année. Et la demande de reliques ne cessait de croître, tant les gens avaient besoin d'espoir.

La pluie continuait de tomber, l'eau, de s'élever dans les cuvettes pour former des lacs. Il n'y avait pas de crues subites dans cette partie du pays car il n'y avait pas de collines aux pentes abruptes ni de vallées rocheuses pour canaliser l'eau. La terre était pour l'essentiel plate et marécageuse, avec de nombreux ruisseaux et fossés pour charrier les eaux de pluie. Mais les forêts, les prairies et les marécages absorbaient l'eau jusqu'à ce que le sol regorge comme une plaie purulente. Les fossés débordaient, les ruisseaux devenaient des rivières et les étangs, des lacs. Les habitants des prairies regardaient avec impuissance l'eau monter de plus en plus haut jusqu'à ce qu'elle atteigne le seuil de leurs étables et de leurs maisons.

Nous dûmes à plusieurs reprises revenir sur nos pas, retournant à des croisements pour essayer une nouvelle route à mesure que nous rencontrions des chemins inondés et des rivières infranchissables. J'avais beau à chaque fois essayer de diriger notre compagnie vers le nord et la sécurité des sanctuaires de York, la route était constamment bloquée. L'eau qui grondait à nos pieds nous dictait le chemin à prendre, nous ne contrôlions plus notre avancée.

Nous n'avions jusqu'alors guère croisé de voyageurs sur la route. Hormis les villageois qui se rendaient à leur champ ou en revenaient, les chemins avaient été presque déserts, comme c'est d'ordinaire le cas en hiver. Mais maintenant, plusieurs fois par jour, nous rencontrions des familles trempées et affamées qui avançaient difficilement, les femmes et les enfants portant des ballots sur leur dos, les hommes harnachés au moyen de cordes à de petites charrettes qu'ils peinaient à traîner dans la boue épaisse et qui étaient remplies de vieux meubles et de marmites. Ils emportaient tout ce qu'ils pouvaient sauver de leurs chaumières inondées, sans savoir où ils trouveraient une nouvelle maison. Ils passeraient plus que probablement l'hiver sur les routes, brûlant leurs précieux meubles pour se tenir chaud.

Le corps de ceux qui étaient trop faibles et affamés pour marcher gisait mort au bord des routes. Car la nourriture, qui avait été rare pendant des mois, devenait chaque jour plus dure à trouver, et ceux qui en avaient faisaient payer des sommes exorbitantes pour une poignée de graines moisies ou quelques morceaux de poisson séché infestés de vermine qu'ils n'auraient jadis même pas voulu donner à leurs cochons.

Un jour, à demi submergée dans un champ détrempé, nous vîmes la statue de saint Florian avec un boulet attaché autour du cou. Comme leur saint était incapable de les protéger, les paroissiens avaient débarrassé la statue de sa houppelande écarlate et de son auréole dorée, puis ils l'avaient battue et livrée aux éléments. De nombreux villageois n'imploraient plus la miséricorde de Dieu, ils étaient en colère après Lui. Ils se sentaient trahis, et avaient de bonnes raisons.

Nous continuions de marcher, survivant jour après jour grâce aux oiseaux que nous attrapions pour la marmite et à ce que nous pouvions nous procurer dans les villages avec les quelques pièces que nous gagnions. Depuis quelques semaines, seuls Plaisance, Narigorm et moi rapportions un peu d'argent, car personne n'allait en dépenser pour écouter de la musique ou voir des sirènes. Mais bien que les bourses des villageois fussent aussi vides que les nôtres, ils arrivaient toujours à trouver une pièce pour que Plaisance panse les plaies purulentes de leurs pieds, ou à échanger un collier contre l'une de mes reliques dans l'espoir de voir leur fortune s'arranger. Ils étaient aussi prêts à dépenser une pièce pour que Narigorm leur lise ses runes, même si cela signifiait qu'ils auraient faim un jour de plus. Étrange comme les gens désespérés ont besoin de connaître l'avenir, même s'ils savent qu'ils ne pourront rien y changer. Nous avons tous besoin de notre petit fragment de sainte Barbe – pourvu qu'elle nous protège d'une mort inattendue.

Et c'est ainsi que le soir de la Sainte-Barbe nous nous retrouvâmes sur un autre chemin sans nom, en route vers un autre village sans nom dans lequel passer la nuit. Le chemin traversait un plateau sans arbres et recouvert d'une herbe courte et souple. Xanthos ne cessait de tourner la tête pour se protéger du vent, à la grande irritation de Zophiel, car elle entraînait constamment le chariot sur le côté. Mais je ne blâmais pas la pauvre créature ; le vent nous piquait le visage comme un chiffon humide claquant sur notre peau nue. Soudain, au loin, nous entendîmes les cloches. Nous n'y prêtâmes d'abord pas attention, car nous n'en entendions que des bribes portées par le vent. Le village se trouvait dans le repli du plateau. La vallée n'était pas profonde mais, à notre approche, la courbe de la pente ne nous laissa voir que le clocher en bois de l'église et la fumée des cheminées.

Petit à petit, le son se fit plus clair. Ce n'était pas le simple glas sonore qui annonçait un décès, ni le motif régulier de cloches appelant les fidèles à la messe, mais un vacarme confus, comme si les personnes qui sonnaient les cloches n'avaient que faire qu'elles retentissent à l'unisson ou non. Et il y avait aussi d'autres bruits, des bruits creux, métalliques, comme si on cognait sur des marmites de fer avec des barres de métal.

Zophiel tira sur la bride de Xanthos et nous nous arrêtâmes tous, nous regardant les uns les autres d'un air interrogateur.

« Ces cloches donnent-elles l'alarme ? demanda Adela depuis son perchoir à l'avant du chariot. Et s'il y avait le feu ?

— Un peu de bon sens, femme ! rétorqua Zophiel.

Comment pourrait-il y avoir le feu après toute cette pluie ? »

Le ventre d'Adela était désormais si gonflé que les efforts conjugués de Rodrigo et Osmond étaient nécessaires pour l'aider à grimper sur le chariot et à en redescendre. Ce qui, ajouté à son besoin de plus en plus fréquent d'uriner, ne faisait rien pour tempérer l'antagonisme de Zophiel à son égard.

« Ils crient peut-être le haro, suggéra Osmond. Il a pu y avoir un meurtre. »

Aucun de nous ne put s'empêcher de regarder Cygnus, qui se mordait la lèvre. Au fil des semaines, Zophiel avait cessé de le traiter comme un fugitif, mais nous prenions toujours soin de dissimuler son aile dans les villages, et ne le laissions pas reprendre son métier de conteur de peur que cela ne réveille les souvenirs de quelqu'un. Mais le reste du temps il était aisé d'oublier que sa tête était peut-être toujours mise à prix.

« Ça ne ressemble pas à une alarme de veilleur, dis-je. La cloche du veilleur sonne juste assez longtemps pour appeler à l'aide, et en plein jour combien de temps faut-il pour rassembler quelques hommes ? Il pourrait s'agir d'une coutume locale en célébration de sainte Barbe. Le bruit représente peut-être la foudre qui a frappé son bourreau. S'il y a une fête, alors il y aura à manger, et ils auront peut-être besoin de Rodrigo et Jofre pour leurs danses. »

Rodrigo émit un petit éclat de rire.

« Si c'est là toute l'étendue de leurs talents de musiciens, alors ils ont besoin de nous ! » Il donna à Zophiel une tape dans le dos. « Allons, une fête, ça me plaît. Un bon feu, un bon repas, peut-être même du vin, qu'en dites-vous, Zophiel ? »

Je ne pus m'empêcher de sourire en voyant la joie de Rodrigo. Le visage des autres s'illumina aussi et nous poussâmes le chariot de l'épaule, bien décidés à poursuivre notre route.

Le chemin montait doucement et continuait de dissimuler le village à notre vue, mais dès que nous eûmes atteint le sommet, non seulement nous le vîmes, mais nous le sentîmes aussi. Chaque rue et chaque village d'Angleterre a sa propre odeur. On peut reconnaître les rues de bouchers et les allées de poissonniers, les boutiques de tanneurs et de teinturiers et de charpentiers les yeux fermés, et pour ceux qui y vivent, aussi infecte soit-elle, la puanteur est l'odeur familière de leur foyer. Mais ce relent d'œufs pourris n'était l'odeur d'aucun foyer, ni dans ce village ni dans aucun autre. C'était la puanteur étouffante du soufre qui brûlait.

De l'autre côté des champs, un épais voile de fumée s'élevait depuis une parcelle de terrain communal. Quatre ou cinq hommes étaient occupés à tirer des sacs de toile d'une charrette à foin. Un grand trou avait été creusé dans le sol et des feux avaient été allumés tout autour. La fumée épaisse du feu de bois et de feuilles humides qui couvait balayait le paysage, et les hommes apparaissaient et disparaissaient, tels des fantômes, lorsque les rafales de vent la poussaient vers eux. L'espace d'un affreux moment les hommes semblèrent ne pas avoir de visage ; mais je m'aperçus alors que chacun portait un sac au-dessus de la tête, avec des fentes au niveau des yeux, le sac étant profondément enfoncé sous leur chemise.

À une telle distance, et avec toute cette fumée, il était difficile de distinguer ce qu'ils faisaient. Ils travaillaient vite, allant et venant entre la charrette et la fosse. Je crus tout d'abord qu'il s'agissait de sacs de graines, puis la bile me monta à la gorge lorsque je compris que les sacs ne renfermaient pas des graines, mais des corps. Ils portaient les cadavres jusqu'à la fosse, les faisaient basculer et les jetaient dedans. Il fallait deux hommes pour porter un adulte, mais lorsque je vis un homme porter deux petits sacs qui balançaient tels des lapins tandis qu'il marchait, je sus qu'il s'agissait d'enfants. Il les jeta par-dessus les autres.

Je me tournai de nouveau en direction du village. Les cloches et le fracas métallique continuaient sans diminuer. L'essentiel de la fumée ne provenait pas des cheminées des chaumières, mais de petits brasiers dans les rues qui soulevaient des volutes d'épaisse fumée jaune dans le ciel qui s'assombrissait. Un homme marchait à vive allure dans une rue. Lui aussi avait le visage couvert, et il tenait une torche devant lui bien qu'il ne fît pas encore suffisamment nuit pour qu'il en eût besoin pour y voir clair. Lorsqu'il passa devant une chaumière fermée, l'éclat de sa torche illumina la porte juste assez longtemps pour laisser voir qu'une marque avait été peinte dessus. C'était une croix noire.

Mes compagnons se contentaient de regarder la scène sans un mot. Je me précipitai au côté de Zophiel.

« Nous ferions mieux de nous en aller. Partons aussi vite que possible, éloignons-nous du village. »

Mais il ne bougeait pas. Il regardait, immobile, le champ de fumée et les silhouettes fantomatiques qui s'agitaient.

« Alors ça y est. Elle nous a devancés», déclara-t-il.

Jofre s'accroupit près des roues du chariot et vomit. Sans un mot, Rodrigo s'accroupit à côté de lui et se mit à lui frotter le dos d'un geste mécanique comme je l'avais vu faire la première fois que je les avais rencontrés sur la route.

Adela enveloppa ses bras autour de son ventre gonflé et se mit à se balancer d'avant en arrière, sanglotant de façon incontrôlable et produisant le gémissement sec et animal de la femme qui pleure ses enfants, comme si les corps que l'on jetait dans la fosse étaient ceux d'êtres chers. Osmond grimpa sur le chariot et tenta de la prendre dans ses bras, mais elle le repoussa, lui frappant la poitrine des poings, lui hurlant de s'éloigner d'elle comme s'il était contagieux.

Je vis le désespoir gagner le visage de chacun et le sentis qui étreignait mon propre cœur.

« Allons, en route, éloignons-nous de cette infecte fumée.

— Où, Camelot, où exactement pouvons-nous aller maintenant ? demanda Zophiel. La pestilence est devant nous et derrière nous. Il ne reste nulle part où aller. Osmond, si vous n'empêchez pas votre stupide femme de hurler, je vais m'en charger ! »

Il pivota vivement vers Narigorm. « Toi, petite, tu es censée être la devineresse. Tes runes nous ont menés ici. C'est toi qui nous as entraînés dans ce bourbier. Alors si tu nous disais où aller ? Dans les airs ? Sommes-nous censés nous laisser pousser des ailes comme Cygnus et nous envoler, parce que c'est le seul endroit qu'il nous reste ? »

N'importe quel autre enfant aurait été intimidé par sa colère, mais pas Narigorm. Elle le regarda droit dans les yeux, croisant son regard sans ciller.

« Vers l'est, répondit-elle simplement. Je vous l'ai déjà dit, nous irons vers l'est. »

L'espace d'un instant, je me demandai si elle comprenait vraiment ce à quoi elle assistait, si elle comprenait que les sacs qui étaient jetés dans la fosse contenaient des corps humains, mais Narigorm n'était pas une enfant ordinaire. Quelque chose dans ses yeux pâles et dénués d'expression me donnait plus le frisson que tout ce que je voyais.

« Non, pas vers l'est, vers le nord, objectai-je. Nous devons aller vers le nord. Si la pestilence est à l'est et à l'ouest, nous devons aller vers le nord, c'est la seule route sûre.

— Ne soyez pas un satané idiot, Camelot ! hurla Zophiel. La route du nord passe directement à travers ce village. »

Plaisance passa un bras protecteur autour de Narigorm.

« Si les runes disent d'aller vers l'est, nous devrions les écouter. Le fait que la pestilence soit arrivée jusqu'ici ne signifie pas qu'elle atteindra chaque village. Nous devons aller quelque part. Nous ne pouvons rester ici. Mieux vaut continuer d'avancer que rebrousser chemin. »

Même si je ne voulais pas l'admettre, je savais qu'elle avait raison. À cet instant précis nous n'avions que deux possibilités, est ou ouest, et nous ne pouvions pas revenir sur nos pas.

Zophiel en était manifestement arrivé à la même conclusion car il s'inclina sèchement.

Je ravalai ma salive.

« Mais alors nous devons prendre vers le nord à la prochaine route, ce sera la seule chose sûre à faire. »

Narigorm regarda Zophiel marcher jusqu'à Xanthos, puis elle glissa sa petite main froide dans la mienne comme elle l'avait fait à la foire de la Saint-Jean, et murmura : « Vous n'atteindrez jamais York, Camelot. Nous allons vers l'est, vous verrez. »

Nous contournâmes le village aussi vite que la pluie et la boue le permettaient. Xanthos semblait avoir autant hâte que nous tous de laisser le village derrière nous et elle tirait le chariot avec une énergie que je ne lui avais pas vue depuis des semaines. Elle ne cessait de rouler les yeux et dresser les oreilles comme si elle était poursuivie. On dit que les chevaux sentent l'odeur de la mort, mais peut-être était-ce juste la fumée qui l'importunait.

La route devenait plus dangereuse à mesure que la nuit tombait. Nous traversions une nouvelle étendue de forêt, ce qui rendait le chemin d'autant plus obscur, mais personne ne suggéra de s'arrêter pour établir le campement pour la nuit. Le son des cloches accompagna nos pas longtemps après que les maisons eurent disparu, diminuant petit à petit, masqué par le rugissement du vent qui agitait la voûte des arbres. Lorsque, enfin, nous ne l'entendîmes plus, nous nous arrêtâmes le temps d'allumer les lanternes, puis nous repartîmes, chacun marchant à côté du chariot et agrippant fermement le bois humide. C'était une précaution sensée sur un chemin boueux et obscur, mais ce n'était pas la peur de glisser qui nous faisait nous agripper, c'était que, plus que jamais, le chariot nous apparaissait comme notre seule maison, la seule certitude à laquelle nous pouvions nous raccrocher.

Nous aperçûmes la lueur de feux rougeoyants entre les arbres et des points d'un jaune plus vif qui devaient provenir de lanternes. Nous nous regardâmes avec angoisse, mais il n'y avait ici aucun relent de soufre, juste l'arôme doux et réconfortant du feu de bois. Au détour d'un virage, nous découvrîmes un long bâtiment bas ouvert sur le côté et érigé dans une large clairière. Le bâtiment était manifestement une sorte d'atelier car il y avait à l'intérieur deux fourneaux, dont les portes étaient solidement fermées. Chacun comportait une paire de grands soufflets actionnés par des pédales. De toute évidence, ce qu'on fabriquait ici nécessitait une grande chaleur. Un troisième fourneau, celui-ci en forme de four à pain, ne comportait pas de porte, et des braises rouges brûlaient à l'intérieur. Il y avait ici et là des tréteaux sur lesquels étaient posés de longs tubes de métal, des pinces d'acier toutes en longueur et des planches de bois calcinées. Des bassines d'eau étaient posées auprès de chaque tréteau.

Deux jeunes apprentis dormaient en chien de fusil à même le sol du bâtiment, mais quatre ou cinq autres s'activaient dans la clairière, entretenant des feux au-dessus desquels étaient posées de grandes marmites de fer qui éructaient des nuages de vapeur dans la nuit. D'autres fourneaux jonchaient la clairière, qui avait été si parfaitement dégagée et piétinée que pas un seul brin d'herbe ne survivait. D'immenses tas de bûches se dressaient à une extrémité, et près d'eux se trouvaient quelques cabanes plus petites. Il flottait une odeur de hêtre brûlé, une odeur pure et propre après l'écœurante puanteur de soufre que nous avions laissée derrière nous.

Comme Zophiel immobilisait le chariot, un homme âgé d'une petite vingtaine d'années apparut à l'arrière du bâtiment et sursauta légèrement à notre vue. Les apprentis nous aperçurent au même moment et interrompirent leur travail. Il agita une main dans leur direction.

« Reprenez le travail, les garçons. Si cette potasse n'est pas prête aux premières lueurs, le maître va se servir de mes tripes pour se faire des jarretières, et s'il me fait ça, vous pouvez être sûrs que je vous étriperai à votre tour. »

Il se hâta vers nous, s'arrêtant à quelque distance.

« D'où venez-vous, braves gens ? »

Zophiel désigna la direction d'où nous venions, puis, voyant l'expression paniquée sur le visage de l'homme, il ajouta : « Nous savons que la pestilence est au village, mais ne vous en faites pas, l'ami, nous l'avons contourné de loin et ne comptons pas de malades parmi nous. Et vous, l'ami, des malades ici ? »

L'artisan n'eut pas le temps de répondre. Une voix profonde tonna dans l'ombre.

« Nous allons tous bien, que la Sainte Vierge soit louée ! »

Un homme aux cheveux gris dont le visage et les bras étaient couverts de brûlures jaillit de l'ombre.

« Je suis Michael, le maître souffleur de verre. » Il s'inclina. « Cet homme est mon compagnon, Hugh, même si je devrais plutôt dire que c'est lui le maître maintenant, car il a l'adresse que mes vieux doigts ont perdue. Mais c'est dans l'ordre des choses, non ? »

Je reconnus aussitôt son accent, et Rodrigo aussi. »

« *È un fratello veneziano ?* demanda-t-il avec enthousiasme.

— *Si, si.* »

Les deux hommes, souriant d'une oreille à l'autre, écartèrent grand les bras et s'étreignirent chaleureusement tels deux frères qui ne se seraient pas vus depuis longtemps. Ils firent les présentations, s'interrompant de temps à autre pour s'étreindre encore et se taper dans le dos.

Finalement, maître Michael ouvrit les bras comme s'il allait nous étreindre tous.

« Venez, venez, nous devons manger et boire. Je n'ai pas de lits moelleux à vous offrir, mais j'en ai des chauds. Hugh, dit-il en se tournant vers le compagnon, occupez-vous de nos invités. Ce n'est pas tous les jours que je rencontre deux de mes compatriotes, alors mangeons tant que nous le pouvons. Ce soir nous nous amusons, mais demain nous avons du travail, alors ne laissez pas ces garçons négliger ces feux, *si* ? »

Les apprentis, s'apercevant que l'arrivée des étrangers avait mis leur maître dans une exceptionnelle bonne humeur et qu'ils auraient de la nourriture supplémentaire ce soir, se hâtèrent de nous aider à nous installer. Ils mirent Xanthos à l'abri dans un appentis en compagnie de deux bœufs qu'ils utilisaient pour tirer leur propre chariot jusqu'au marché et pour apporter les bûches depuis la forêt. Cygnus, pour une fois, n'aurait pas à chercher de fourrage, et l'un des garçons glissa une pomme à la jument, ce qui lui valut la reconnaissance éternelle aussi bien de Xanthos que de Cygnus.

Michael était un bon maître, nous confièrent les garçons à voix basse, strict mais généreux, enclin à piquer des colères lorsqu'un garçon était imprudent, mais celles-ci ne duraient jamais, et c'était par-dessus tout un homme juste. Je pouvais comprendre ses colères ; si vous ne faisiez pas attention en moulant un pot d'argile, vous perdiez votre pot, mais si vous ne faisiez pas attention lorsque vous aviez du verre en fusion au bout de votre canne, vous pouviez vous brûler si sévèrement que certaines blessures ne guérissaient jamais. C'étaient des gaillards vifs et enthousiastes, et ils devaient l'être, car ce métier n'était pas fait pour les mollassons.

Ils dégagèrent rapidement les tréteaux, les cuvettes d'eau et tout le matériel qui pouvait être déplacé dans le long atelier, et des tabourets, des sacs de toile et des bancs furent apportés afin que nous puissions manger et dormir à l'abri du vent mordant. L'un des apprentis, protégeant son bras au moyen d'un épais gant de cuir, empila du bois dans le fourneau ouvert rougeoyant où le verre était réchauffé pendant qu'il était travaillé. C'était un artisan aguerri, et il fit un bond en arrière lorsque des étincelles jaillirent, puis il couvrit l'ouvreau pour conserver la chaleur durant la nuit. Les fourneaux, bien qu'ils fussent correctement isolés, faisaient de cet atelier l'endroit le plus chaud où nous étions restés depuis des semaines, et nos vêtements se mirent bientôt à dégager de la vapeur, une odeur de laine humide et de sueur se mêlant à celle du feu de bois. Ce n'est que quand vous avez vraiment chaud que vous vous rendez compte à quel point vous avez eu froid. Lorsque j'approchai mes bottes trempées de la chaleur du fourneau, c'était comme si plus rien ne pourrait me persuader de quitter ce lieu.

Comme tout le monde dans le pays, ils avaient depuis longtemps épuisé leurs réserves de farine, de fèves et de pois, mais ils avaient plus de chance que les habitants des villes car ils pouvaient cueillir des fruits, des herbes et des champignons dans la forêt, de plus, les garçons maniaient tous la fronde avec dextérité. Ils avaient mis une grande marmite à mijoter sur un feu. À en juger par les os de mouton à l'intérieur, qui avaient été si souvent bouillis qu'ils se cassaient si on les touchait, la marmite n'était jamais complètement vidée. À chaque repas ils se contentaient d'ajouter de l'eau et quelques poignées de ce qu'ils trouvaient – oignons et ail sauvages, oseille, orties, et tout ce qu'ils chassaient à la fronde.

Plaisance et Adela se retrouvèrent bientôt à superviser les garçons afin de préparer de la nourriture supplémentaire pour accompagner leur potage. Même Zophiel sembla se laisser gagner par l'enthousiasme, et il apporta notre dernier baril de farine ainsi que du sel et du beurre. Osmond et Jofre, aidés par le furet de l'un des garçons, attrapèrent plusieurs lapins dodus, qui finirent bientôt sur des broches au-dessus de feux de bois, tandis que quelques pigeons étaient roulés dans l'argile et placés à cuire dans les braises pour que leur viande reste tendre et succulente.

Plaisance avait montré à deux garçons comment préparer des *rastons*, des petits pains au miel farcis d'un mélange de chapelure, de beurre et d'oignons que l'on réchauffait jusqu'à ce que le beurre soit fondu, dans l'un des fours qui refroidissaient. Je jure qu'il n'est rien de plus agréable par une froide soirée d'hiver qu'un pain sucré, tout juste sorti du four, rempli de beurre fondu ; un véritable festin pour la Sainte-Barbe.

Après le repas, les apprentis, l'estomac plein à craquer, piquèrent du nez sur leurs sièges, mais Hugh les réveillait les uns après les autres pour qu'ils aillent, bâillant et traînant des pieds, entretenir les feux sous les marmites de fer dans la clairière et remuer le mélange de cendres de bois et d'eau. Les garçons s'exécutèrent à tour de rôle jusqu'à ce que l'eau soit évaporée et qu'il ne reste plus qu'une potasse qu'ils pourraient utiliser le lendemain pour faire fondre le verre. D'autres se succédaient aux fourneaux, alimentant les feux et actionnant les soufflets, car la chaleur devait être maintenue jusqu'au lendemain matin.

Protégés du vent et abrutis par la chaleur des fourneaux, nous commençâmes à discuter et à boire. La conversation en vint inévitablement au sujet que nous cherchions tous à oublier lorsque Hugh se mit à parler du village en regardant d'un air morose le fond de sa chope.

« Ça a débuté il y a dix jours. Du moins, c'est à ce moment-là qu'ils ont trouvé le premier cadavre, mais Dieu sait depuis combien de temps la pauvre femme était morte. Les voisins ont remarqué une puanteur infâme qui provenait d'une chaumière. Ils ont cogné à la porte, mais personne n'a répondu. Et personne ne se rappelait avoir vu qui que ce soit ni entrer ni sortir depuis deux jours. Alors ils ont fini par défoncer la porte et ils l'ont trouvée morte sur son lit. Elle avait péri dans d'atroces souffrances, à en juger par la grimace sur son visage et par la manière dont son corps était tout tordu. Pas une trace du reste de la famille. Apparemment, dès qu'ils se sont aperçus du mal dont elle souffrait, ils sont partis au milieu de la nuit et ont fui le village en secret. La pauvre était probablement toujours en vie quand ils sont partis. Mais qui pourrait en vouloir à son mari ? Il ne pouvait rien faire pour sauver sa femme. Peut-être croyait-il bien faire en mettant les enfants à l'abri avant qu'ils n'attrapent la maladie. Peut-être même que c'est elle qui leur a dit de l'abandonner.

— J'imagine qu'il cherchait plus à sauver sa propre peau, déclara Zophiel. Il est parti sans prendre la peine de prévenir ses voisins, les laissant découvrir le corps et risquer la contagion.

— Vous avez peut-être raison, consentit Hugh en levant les yeux, mais j'estime qu'on ne doit pas juger un homme tant qu'on ne s'est pas retrouvé à sa place.

Personne ne peut jurer la main sur le cœur qu'il sait ce qu'il ferait si sa vie était menacée. La pestilence est une mort cruelle, du moins à ce qu'on dit.

— Sont-ils nombreux à y avoir succombé au village ? demanda Adela d'un air apeuré.

— Près d'une douzaine par jour, d'après ce que nous avons entendu dire. Non pas que nous nous en soyons approchés ces derniers jours. Certains garçons sont de là-bas, mais le maître ne les autorise pas à rentrer chez eux. Il dit que s'ils y vont, alors ils devront rester au village. Ils ne pourront pas revenir de crainte qu'ils n'apportent la contagion avec eux.

— Les pauvres, dit Adela en regardant avec tendresse les têtes ébouriffées, ils doivent être si inquiets.

— Oui, mais ça ne leur servirait à rien de rentrer chez eux. Si leurs familles sont malades, ils ne peuvent rien faire. Ils auront bien le temps de découvrir qui est mort et qui ne l'est pas quand tout sera fini. Avez-vous vu des signes en passant près du village ? »

Osmond était sur le point de répondre, mais je lui donnai un léger coup de pied. Plusieurs paires d'yeux nous regardaient d'un air anxieux. Inutile de leur parler de la fosse et de leur dire qu'il semblait y avoir bien plus que douze corps sur cette charrette à foin.

« La lumière était trop faible pour que nous puissions voir grand-chose, répondis-je. Et nous avons gardé nos distances lorsque nous avons senti la fumée de soufre et entendu ces cloches. »

Hugh fit la grimace.

« Ils continueront de les sonner jusqu'à ce qu'il n'y ait plus un homme debout pour tirer sur la corde. On dit que le bruit éloigne la contagion, surtout le carillon des églises. Au moins nous ne les entendons pas. Ça suffirait à rendre n'importe qui fou, ces cloches qui sonnent matin, midi et soir. Mais je suppose qu'il faut bien tout essayer. Et je vais vous dire mon opinion pour ce qu'elle vaut, poursuivit-il en s'étirant et en donnant un petit coup à un nouvel apprenti endormi pour que celui-ci aille s'occuper des feux, il faut bien qu'il y ait un remède, car toutes les prières que les prêtres et les moines adressent au ciel ne servent absolument à rien. »

Le maître souffleur de verre secoua la tête.

« Assez, Hugh. Nos invités vont penser que tu n'as aucun respect.

— Oui, eh bien, depuis l'été les pardonneurs sont venus ici par troupeaux, à terrifier les pauvres gens en leur disant que s'ils n'achetaient pas leurs indulgences avant qu'il ne soit trop tard, non seulement ils mourraient de la pestilence, mais en plus ils connaîtraient le tourment du purgatoire pendant des années. Et ils ne sont pas donnés, ces bouts de papier qu'ils vendent. Et allez savoir ce qui est écrit dessus avec leur latin ? Ça pourrait être la liste des catins du roi pour ce que nous en savons. »

L'un des apprentis pouffa de rire.

« Tu trouves ça drôle, hein, mon gaillard ? » demanda Hugh, et il traîna le garçon dehors en le tirant par l'oreille ; mais les sourires sur leurs visages indiquaient qu'ils savaient tous deux que ce n'était qu'une plaisanterie.

Michael lâcha également un petit éclat de rire.

« Je vous en prie, excusez-le. C'est un homme bon, il est comme un père pour les garçons, mais il ne supporte pas les gens qui selon lui profitent des faibles. Un pardonneur est venu ici juste après que la pestilence a atteint le village et il s'est mis à sermonner les garçons, à leur dire qu'ils pouvaient acheter des indulgences pour leurs parents. Ce sont de jeunes garçons, naturellement ils étaient bouleversés. Hugh a renvoyé l'homme. Ce qui ne lui a pas plu. »

Rodrigo se pencha en avant avec impatience.

« Assez de ces histoires. Parlez-nous de vous. Comment un de mes compatriotes s'est-il retrouvé ici ? »

Le souffleur de verre fit un grand sourire et battit des mains d'un air satisfait.

« Cela fait bien longtemps qu'on ne m'a pas posé cette question. »

Une centaine de cicatrices blanches et pourpres recouvraient ses mains et ses bras sombres et poilus. Il était petit et trapu, doté de courtes jambes arquées, mais ses années passées à souffler du verre lui avaient donné un torse puissant et de gros bras musclés, si bien que la partie supérieure de son corps semblait appartenir à quelqu'un de beaucoup plus grand et avoir été placée sur les mauvaises jambes. Il avait le visage ridé et grêlé, mais des yeux pleins de vie.

Son vrai nom, nous expliqua-t-il, sur le ton de la confidence, était Michelotto, mais il se faisait appeler Michael, car il avait appris d'expérience que les Anglais n'aimaient pas les étrangers. Son père, qui était veuf et, comme lui, souffleur de verre, lui avait fait quitter Venise avant que les souffleurs de verre ne se retrouvent confinés sur l'île de Murano.

« Aujourd'hui, ajouta-t-il en écartant les mains et en haussant les épaules, personne n'a le droit de quitter l'île. Le doge ne veut pas les laisser partir de peur qu'ils ne révèlent le secret de la verrerie à d'autres nations. Ils peuvent bien être les meilleurs souffleurs de verre du monde, et les mieux payés aussi, qu'est-ce que ça leur rapporte quand ils sont à peine mieux traités que des esclaves ? Mon père, paix à son âme, a été sage de partir quand il l'a fait. Quant à moi, je ne reste nulle part très longtemps. Dès que nous avons épuisé les arbres autour de nous, nous devons aller ailleurs. Il faut tellement de bois pour souffler le verre, voyez-vous, que nous devons nous déplacer tous les deux ou trois ans. Mais ce n'est rien comparé à toi, *ragazzo*, car tu te déplaces chaque jour. »

Il se pencha en avant et ébouriffa d'un geste affectueux les cheveux de Jofre, qui était assis sur un tabouret bas à ses pieds. Il avait insisté pour que le garçon reste à ses côtés durant tout le repas, tel un petit-fils adoré, et il lui avait offert les meilleurs morceaux de viande piqués sur la pointe de son couteau. Jofre se délectait de ces attentions et parvenait à peine à détacher les yeux de Michelotto, buvant chacune de ses paroles tandis que celui-ci parlait de sa vie à Venise. Jofre demanda avec empressement au souffleur de verre s'il connaissait sa mère, mais le vieil homme, conscient que le garçon s'inquiétait pour elle, secoua tristement la tête. Il y avait si longtemps qu'il avait quitté Venise, disait-il, qu'il ne se rappelait presque aucun nom. Il rêvait toujours des places et des canaux, mais il ne se souvenait pas non plus de leur nom. Il lut la déception sur le visage de Rodrigo et de Jofre.

Il parut un moment découragé, puis il sembla avoir une idée et, s'excusant, il se leva et s'enfonça dans l'obscurité. Il revint quelques minutes plus tard, tenant quelque chose de brillant dans sa main. C'était une petite fiole en forme de poire, du genre de celles dans lesquelles les femmes conservent des huiles parfumées. Dans sa main, elle était sombre et opaque, mais lorsqu'il la tint à la lumière de l'une des torches, le verre laissa paraître de riches éclats bleus et pourpres, et de minuscules paillettes d'or scintillant sur toute sa surface.

« Vous voyez, voici ce dont je me souviens, la lumière de Venise est comme le verre. Je me souviens que le soleil de la fin d'après-midi faisait danser des étincelles dorées sur les eaux de la lagune. Je me souviens de la lumière nacrée de l'aube en hiver, et du rouge brûlant et âpre du soleil couchant en été, qui conférait au marbre une teinte rose vif. Je me souviens des nuits où les eaux des canaux étaient noires comme de la martre, du scintillement du clair de lune sur l'eau sombre telle une barrette d'argent dans les cheveux d'une belle femme. C'est la lumière de Venise que je capture dans mon verre. »

Il tendit la petite fiole à Jofre, qui la saisit précautionneusement à deux mains, la leva à la lumière des torches et la regarda sous tous les angles avec une expression de pur émerveillement chaque fois qu'un mouvement de sa main produisait un changement de couleur et de motif. Poussant un soupir, le jeune homme voulut la rendre à Michelotto, mais le souffleur de verre replia les doigts de Jofre sur la fiole.

« Prends-la. Elle est à toi. Tu la regarderas en pensant à ta mère. Et peut-être penseras-tu aussi parfois à moi. »

Comme les bâillements se multipliaient parmi la compagnie, nous repoussâmes finalement les bancs et les tabourets et, nous enroulant dans nos houppelandes, nous nous étendîmes à la chaleur des fourneaux. Michelotto et Rodrigo s'éloignèrent ensemble. Je supposai qu'ils se rendaient à la cabane de Michelotto, où ils continueraient sans doute à parler pendant une bonne partie de la nuit en buvant un verre ou deux. Rodrigo avait le mal du pays, et le souffleur de verre serait sans doute également ravi de se rappeler le bon vieux temps. La magnifique fiole en forme de poire était minutieusement enveloppée et rangée dans le sac de Jofre, mais avant de s'endormir, celui-ci n'avait pas manqué de la déballer plusieurs fois pour la tenir de nouveau à la lumière.

À bien des égards le comportement de Jofre s'était amélioré depuis qu'il avait reçu sa correction, et au cours du dernier mois il n'avait pas, à notre connaissance, été jouer dans les villes ou les villages ; il n'était pas rentré ivre, et aucun villageois en colère n'était venu lui réclamer de l'argent qu'il lui devait. Mais Rodrigo continuait de s'inquiéter à son sujet. Jofre avait toujours eu tendance à se replier sur lui-même, mais depuis la correction, ses humeurs sombres étaient devenues plus fréquentes. Il n'avait plus ces éclats de colère qui le faisaient s'en aller soudain, à la place, il semblait figé, comme s'il essayait de se couper de tout sentiment ou de toute émotion.

Jofre répétait docilement sa musique chaque fois que Rodrigo le lui demandait, et ce avec une concentration qu'il n'avait pas montrée depuis des mois. Ce qu'il jouait était techniquement correct, mais mécanique, comme s'il cherchait délibérément à se détacher de la musique et à ne pas se laisser affecter par elle. Rodrigo était en colère et frustré. Il entendait mieux que n'importe lequel d'entre nous ce manque de passion et l'interprétait comme une bouderie de la part de Jofre, une revanche pour la correction qu'il avait reçue. Mais je sentais que Jofre ne cherchait pas à agacer Rodrigo ; il craignait sincèrement de se laisser aller à ressentir la moindre émotion après le déferlement qui l'avait submergé dans la grange. Mais ce soir, tandis qu'il écoutait Michelotto parler de Venise, j'avais détecté, pour la première fois depuis des semaines, une lueur de vie dans ses yeux. Et tandis que j'essayais de trouver le sommeil, j'espérais que cette soirée serait décisive et que nous avions retrouvé le garçon qui jouait et chantait comme un ange.

Un tonnerre de sabots et de cris me réveilla. Il faisait toujours sombre, mais la clairière semblait pleine de cavaliers qui chevauchaient à travers les feux, mettant en fuite les apprentis terrifiés. Osmond et moi attrapâmes Adela et l'entraînâmes à bras-le-corps parmi les arbres derrière l'atelier, à bonne distance de la lumière des feux et des torches. Nous la forçâmes à se tapir derrière un épais tronc et lui ordonnâmes de ne pas bouger. Je la recouvrai de ma houppelande afin que, si quelqu'un regardait de ce côté, la blancheur de sa peau ne trahisse pas sa présence. Puis j'entraînai le réticent Osmond loin d'elle. S'il y avait du grabuge, mieux valait qu'Adela reste immobile, invisible parmi les ombres, et il était vital que nous n'attirions pas l'attention sur elle.

Zophiel était lui aussi tapi derrière l'une des cabanes. Il avait attrapé l'un des apprentis et secouait par les deux bras le garçon terrifié.

« Je sais que ce sont des soldats, idiot, mais quelles armes portent-ils ?

— Je ne sais pas, monsieur, gémissait le garçon effrayé.

— Alors dis-moi à quoi elles ressemblent, siffla Zophiel.

— Deux… deux lions dorés, monsieur, passant… gardant… sur fond rouge.

— Y avait-il quoi que ce soit au-dessus ? Réfléchis, garçon, réfléchis !

— Une mitre, monsieur.

— Une mitre ? Tu en es sûr ? Et sous la mitre, y avait-il une Vierge à l'Enfant ? »

Le visage du garçon se tordit tandis qu'il se concentrait.

« Il y avait quelque chose, je ne sais pas quoi, monsieur, je n'ai pas bien regardé.

— Les hommes de l'évêque de Lincoln », grogna Zophiel.

Il relâcha l'enfant, qui s'enfuit parmi les arbres sans demander son reste.

« Que viennent-ils faire ici ? Nous ne sommes pas à proximité de Lincoln, chuchota Osmond.

— Le diocèse de Lincoln s'étend jusqu'à Londres, il possède des terres partout, répondis-je. Zophiel, nous devrions… »

Mais il s'était volatilisé.

J'entendis un cri de rage que je reconnus. C'était Rodrigo. Osmond et moi nous précipitâmes dans la clairière.

En son centre, deux soldats maîtrisaient Michelotto. Il avait les bras tordus derrière le dos et l'un des soldats le maintenait à la gorge tandis qu'il se débattait. Bien que les soldats fussent à cheval, il ne se laissait pas faire. Deux autres hommes tenaient Rodrigo, qui tentait également de se dégager. Quant aux autres soldats, toujours à cheval, ils avaient acculé Hugh, trois ou quatre apprentis, Jofre, Plaisance et Narigorm contre l'une des cabanes. Il n'y avait aucune trace de Cygnus ni de Zophiel.

Ce n'est que lorsqu'il s'approcha au trot et descendit de son palefroi que je remarquai l'homme qui s'était tenu en silence dans l'ombre. Il était clair à son grand chapeau à large bord que c'était un pardonneur. C'était un homme mince et efflanqué, guère plus grand que

Michelotto, et malgré son visage tanné par les voyages, il conservait néanmoins une pâleur sous la surface, comme s'il dormait trop peu et se rongeait trop les sangs. C'était probablement une bonne chose qu'il ait choisi d'être pardonneur, car il ne semblait pas fait pour le travail physique. Mais ce n'était clairement pas un pardonneur ordinaire, car il semblait avoir une certaine autorité sur les soldats de l'évêque. Sur un signe de sa part, ils traînèrent Michelotto vers lui.

Il scruta le souffleur de verre des pieds à la tête avant de parler.

« Oui, c'est le juif. Tiens, tiens, la pestilence se déclare dans un village bien qu'il n'y ait personne à des lieues à la ronde, et devinez quoi, on découvre qu'un juif vit à leur porte. Quelle coïncidence, non ? »

Michelotto se débattit violemment, parvenant presque à dégager une de ses mains.

« Je ne suis pas juif, pardonneur. »

Celui-ci sourit comme s'il s'agissait d'une plaisanterie.

« Un souffleur de Venise qui n'est pas juif, j'ai peine à le croire. C'est parce que Venise grouille de juifs que tant de personnes y sont mortes.

— Ma famille, ils étaient juifs, mais nous nous sommes convertis quand j'étais enfant. J'ai les papiers pour le prouver.

— Alors ce sera encore pire pour vous. On pend les juifs, mais on brûle les hérétiques… à petit feu.

— Je ne suis pas un hérétique. »

Michelotto semblait apeuré, et on le serait à moins.

« N'importe quel juif ou musulman qui se convertit à la vraie foi, puis qui reprend ses anciennes habitudes, tel un chien retournant à son vomi, est un hérétique. Un juif tueur de Christ est une vile créature, mais un juif qui a reçu la miséricorde de Notre-Seigneur et qui a craché dessus est encore pire.

— Mais je ne me suis pas renié. Je suis un bon chrétien. Quand je peux, je vais à la messe. Ce n'est pas facile avec mon métier d'y aller chaque fois que je le devrais, mais j'y vais quand je peux. Demandez au prêtre.

— Le prêtre est mort de la pestilence. Il a été l'un des premiers à tomber malade, n'y voyez-vous pas un signe ? Un juif hérétique commence toujours par tuer un bon chrétien.

— Mais je ne lui ai rien fait. Je ne l'ai pas vu depuis des semaines.

— Mais je croyais que vous aviez dit aller régulièrement à la messe. Maintenant il semblerait que vous affirmiez le contraire. Et vous empêchez aussi vos apprentis d'y aller, n'est-ce pas ? Pour corrompre leur âme innocente et les rendre aussi vils que vous. »

Michelotto tenta de se libérer des mains qui le tenaient.

« Non, vous vous trompez. Je ne les empêche pas. Je ne ferais jamais…

— Mais vous leur avez interdit d'aller au village dimanche dernier, n'est-ce pas ? coupa le pardonneur. Tout comme vous avez ordonné à votre compagnon de les empêcher d'acheter des indulgences.

— Non, attendez, s'écria Hugh en se frayant un chemin parmi les chevaux. C'est moi qui vous ai ordonné de quitter les lieux car vous faisiez peur aux garçons avec vos histoires de mort. Le maître n'en savait rien, jusqu'à ce que je le lui dise. Vous ne pouvez pas l'accuser de ça.

— Ah non ? fit le pardonneur en souriant. Un maître est responsable de tous les actes de ceux qu'il emploie. Et je présume que vous n'aurez pas la bêtise de nier qu'il leur a interdit d'aller à la messe dimanche.

— C'était à cause de la pestilence au village. Il ne voulait pas qu'ils l'attrapent, répliqua Hugh avec indignation.

— C'est précisément lorsqu'ils courent un péril mortel qu'ils devraient aller à la messe pour purifier leur âme. Mais vous dites que votre maître préférerait sauver leur corps et condamner leur âme à l'enfer. Cela ressemble à de la logique juive à mes yeux. Mais peut-être vous a-t-il également corrompu.

— Assez, Hugh, dit Michelotto en secouant la tête, inutile de vous attirer des ennuis. »

Une expression vaincue avait gagné son visage. Il se retourna d'un air las vers le pardonneur. « Que dois-je faire pour vous convaincre que je ne suis pas juif ? Si vous voulez que je le jure sur la croix, je le ferai. »

Souriant, le pardonneur secoua la tête.

« Et vous laisser blasphémer Notre-Seigneur ? Si vous ne croyez pas au Christ, alors le serment ne signifiera rien. Non, je vous réserve une autre épreuve. »

Il marcha d'un pas tranquille jusqu'à son cheval et tira un paquet de sa sacoche de selle. Lentement et théâtralement il le déballa. Michelotto se crispa, attendant de voir quel instrument de torture allait être révélé. Je regardai avec appréhension les fourneaux autour de nous ; il y avait trop d'endroits où chauffer à blanc un fer ou des pinces. Michelotto avait l'habitude des brûlures, mais combien de temps un homme pouvait-il supporter le fer ?

Le pardonneur adressa un signe de la tête à l'un des soldats montés, qui descendit de cheval et vint se tenir près de lui. Il tendit le paquet au soldat, qui le porta jusqu'à Michelotto et lui agita son contenu sous le nez. Nous poussâmes tous un soupir de soulagement ; il ne contenait rien qu'un amas de bouts de viande rance. La chair avait une teinte verdâtre et empestait, mais ça n'était pas un fer.

« Du porc, déclara le pardonneur avec un sourire diabolique. Tout ce que vous avez à faire, c'est manger un peu de porc. Un juif ou un musulman ne pourrait pas le faire, mais pour un chrétien, c'est une bonne viande saine. Tout ce que vous avez à faire, c'est manger le porc, sans vomir, et je saurai alors si vous êtes un vrai chrétien et je vous relâcherai.

— Mais la viande est pourrie ! répliqua férocement Hugh. Vous ne pouvez pas demander à quelqu'un de manger ça ! »

Le pardonneur se tourna vers le soldat.

« Cette viande vous semble-t-elle bonne ?

— Si fraîche, répondit le soldat avec un grand sourire, qu'on dirait qu'elle bouge encore. »

Le pardonneur se tourna de nouveau vers Hugh.

« Peut-être, mon jeune ami, trouvez-vous qu'elle sent parce que vous ne pouvez pas non plus avaler de la bonne viande chrétienne. Je me demande comment cela pourrait se faire ?

— Je vais la manger, dit Michelotto d'une voix plate et résignée.

— Non, implora Hugh.

— Ai-je le choix ? »

Les deux soldats lui tinrent fermement les bras tandis que le troisième l'attrapait par les cheveux, lui tirant la tête en arrière, et lui enfonçait morceau après morceau dans la bouche, lui laissant à peine le temps d'avaler entre chaque bouchée. Plaisance, qui serrait Narigorm contre elle, enfouit sa tête dans les cheveux de la fillette. Au bout du compte, nous autres fûmes également forcés de détourner le regard. Michelotto tentait de garder la viande aussi longtemps que possible, mais ils ne le laissaient ni se reposer ni reprendre son souffle. Et il finit par vomir, comme ils savaient qu'il le ferait.

Le pardonneur, souriant, se retourna.

« Ligotez-le et attachez-le derrière les chevaux. »

Michelotto tomba à genoux, vomissant encore et encore. L'un des apprentis, plus courageux que les autres, se précipita en avant et lui porta un flacon à la bouche. Un soldat s'apprêta à lui donner un coup de pied, mais le pardonneur leva la main.

« Non, laissez-le boire. Qu'il se nettoie l'estomac. Je n'ai pas envie qu'il vomisse pendant tout le trajet. Ça va me dégoûter de mon petit déjeuner. De plus, je le veux vivant. Je ne veux pas qu'il meure sur la route et prive la populace de son divertissement. C'est bon pour le moral, un bûcher, c'est la preuve que l'Église a les choses en main. »

Les soldats lâchèrent finalement Rodrigo et se retournèrent pour grimper sur leur monture. Rodrigo courut jusqu'au pardonneur qui était déjà en selle. Il l'attrapa par le bras.

« Cet homme n'a rien fait. Vous devez lui donner une chance de se défendre. Vous êtes un homme de Dieu et vous savez en toute conscience que l'épreuve n'était pas juste. Laissez-le répondre comme il se doit.

— Ne craignez rien, l'ami, il sera entendu. Tout le monde au palais de l'évêque l'aura entendu avant que nous en ayons fini avec lui. Nous ne brûlons personne avant qu'il ne se soit confessé, et lorsque nous en aurons fini avec lui, il se confessera.

— Vous tortureriez un homme au nom d'un Dieu miséricordieux ? » demanda amèrement Rodrigo.

Les yeux du pardonneur scintillèrent à la lueur des torches.

« Juste un instant, est-ce le même accent que celui de maître Michael que j'entends ? Un autre Vénitien ? Serait-il possible que nous ayons deux juifs pour le prix d'un ? Bien, bien. C'est mon jour de chance. »

Michelotto leva les yeux.

« Cet homme, un Vénitien ? C'est un bâtard de Génois. Vous me traitez déjà de juif, et maintenant vous m'accusez d'être le compatriote de ce fornicateur ? Emmenez-moi si vous voulez, je préfère être brûlé vif plutôt que de devoir passer une minute de plus en compagnie d'un Génois. »

Michelotto cracha en direction de Rodrigo, et de la salive rendue violette par le vin lui atterrit sur la joue avant de lentement dégouliner sur son visage.

Les soldats éclatèrent de rire et tournèrent leurs chevaux vers le chemin.

Le pardonneur parcourut la clairière du regard.

« Vous pouvez faire passer le mot. Nous dénicherons tous les juifs, où qu'ils soient, et croyez-moi, nous les trouverons. »

Quelques minutes plus tard, ils étaient partis, traînant Michelotto derrière eux au bout d'une longue corde. Nous restâmes tous immobiles à écouter le martèlement des sabots s'estomper au loin. L'un des apprentis se mit à redresser en silence et mécaniquement les bancs qui avaient été retournés. Un à un, les autres se joignirent à lui comme s'ils ne savaient que faire d'autre.

Il avait recommencé de pleuvoir. Je marchai jusqu'à Rodrigo, qui continuait de regarder fixement en direction du chemin bien qu'il n'y eût plus rien à voir ni à entendre hormis le vent dans les branches et le crépitement de la pluie.

« Il vous a renié pour vous sauver la vie, Rodrigo. »

Celui-ci ne répondit rien. Il avait les yeux bordés de larmes. Hugh s'approcha en titubant avec une expression anéantie.

« Tout est ma faute. Si je n'avais pas renvoyé le pardonneur, il ne serait pas revenu avec les soldats. » Il donna un violent coup de poing dans le tronc d'arbre le plus proche.

« Je suis un imbécile, un stupide imbécile au sang chaud.

— Il serait de toute manière revenu, lui assurai-je. Qu'importe ce que leur rapportent les indulgences, les pardonneurs en veulent toujours plus. Ils sont toujours là à chercher quelque chose qu'ils pourront rapporter à leur maître en échange d'une récompense, et l'Église sait les utiliser comme espions. Comme vous l'avez dit vous-même, ni les prières ni les messes n'ont stoppé la pestilence. Attraper quelques juifs est une manière de montrer au peuple que des mesures sont prises pour le protéger. Mais que Dieu vienne en aide à Michelotto, il vaudrait mieux pour lui qu'il meure sur la route. »

Nous achevâmes de nettoyer les lieux du mieux possible, puis je m'étendis une fois de plus dans la chaleur de l'atelier et fermai les yeux. J'entendis vaguement les autres marcher autour de moi à la recherche de leur propre couche, mais ma fatigue était telle que je ne pus ouvrir les yeux et voir de qui il s'agissait.

Pour la deuxième fois de la nuit je me réveillai en sursaut, croyant entendre au loin un hurlement de loup. Autour de moi je vis Rodrigo, Jofre, Osmond et Adela, tous assis. Le hurlement les avait aussi réveillés. L'un des apprentis gémit dans son sommeil, mais les garçons continuèrent de dormir, recroquevillés les uns contre les autres dans un coin de l'atelier, trop épuisés par les événements de la nuit pour être réveillés par quoi que ce soit. J'entendis Osmond murmurer des paroles réconfortantes à Adela. Je restai immobile et écoutai quelques instants, mais n'entendis plus rien. Un à un les autres s'allongèrent à leur tour. Mais je ne parvins pas à retrouver le sommeil.

Je me levai aussi silencieusement que possible et me glissai dehors pour me soulager. Il faisait toujours sombre. Le vent rugissait dans les branches au-dessus de moi et il faisait froid après la chaleur de l'atelier. Dans la clairière, les feux rougeoyaient d'un éclat rubis sous les marmites de fer, mais les flammes s'étaient éteintes. Je m'apprêtais à regagner l'atelier lorsqu'un mouvement attira mon regard. Narigorm était assise près de l'un des feux, ses runes éparpillées devant elle.

« Trop tard pour ça, Narigorm, dis-je. Un avertissement nous aurait été utile avant l'arrivée des soldats.

— Neuf pour la connaissance. Neuf pour neuf nuits dans l'arbre. Neuf pour les mères de Heimdal. Et ainsi commence Morrigan.

— Commence quoi ? » demandai-je.

Elle leva la tête et ouvrit de grands yeux comme si elle s'apercevait seulement de ma présence.

« Un est parti. Maintenant nous sommes huit.

— Comment ça, un est parti ? »

J'étais à bout de fatigue et irritable.

« Zophiel ? Il va revenir, je peux te l'assurer. Il n'irait nulle part sans ses précieuses boîtes, et il ne peut pas les transporter à pied.

— Pas Zophiel. »

Une autre pensée me traversa l'esprit. Cygnus. Je ne me rappelais pas l'avoir vu après l'arrivée des soldats. Leur vue avait dû lui donner la frayeur de sa vie, et il n'était guère surprenant qu'il se soit enfui. Et si tel était le cas, il n'avait aucune raison de ne pas revenir.

« Tu parles de Cygnus ? »

Elle secoua la tête. Je savais qu'elle voulait que je continue de deviner, mais je n'étais pas d'humeur à jouer à ses jeux enfantins. Il faisait un froid glacial, il était tard. Je voulais retourner me coucher. Je m'apprêtai à m'en aller.

« Plaisance », dit-elle.

Je me tournai de nouveau vers elle.

« Plaisance ? Ne dis pas de bêtises. Elle est restée avec toi tout le temps que les soldats ont été ici, pourquoi se serait-elle enfuie maintenant ? »

En guise de réponse, Narigorm désigna une rune posée en travers d'un des cercles. Le motif qui figurait dessus représentait une ligne droite avec deux courtes lignes qui formaient un angle vers le bas comme si un enfant avait dessiné la moitié d'un pin.

« Ansuz, le frêne, le signe d'Odin. Il est resté suspendu à l'arbre pendant neuf jours pour apprendre la signification des runes.

— Qu'est-ce que ça a à voir avec Plaisance ? » demandai-je, mais Narigorm avait de nouveau les yeux baissés vers les runes.

Je les observai à mon tour, cherchant à voir si quelque chose m'avait échappé. Il n'y avait ni coquillage ni plume, mais je vis alors quelque chose posé sur la terre. Dans la faible lueur des feux, ça m'avait presque échappé. Un petit brin de plante. Je le ramassai et l'examinai attentivement. Le long épi orné de minuscules fleurs jaunes, quoique sec, était reconnaissable entre mille. C'était de l'aigremoine, et il avait été attaché par un épais fil rouge, le même fil dont se servent les sages-femmes pour attacher cette plante aux cuisses des femmes afin de faciliter le passage du bébé.

Je m'accroupis et regardai les yeux d'un bleu glacial de Narigorm.

« Narigorm, arrête de jouer, dis-moi où Plaisance est allée. »

Elle me regarda pendant un long moment, sans ciller, avant de répondre finalement :

« Plaisance est morte. »

15

La première mort

Nous trouvâmes Plaisance tôt le lendemain matin. Hugh avait ordonné aux apprentis de nous aider à la chercher et, en fin de compte, ce fut l'un d'eux qui revint, blême et tremblant, nous annoncer qu'il avait découvert son corps. Il délivra son message d'une voix entrecoupée et vomit aussitôt, mais après une chope de bière, il se laissa finalement persuader de nous mener à l'endroit où elle se trouvait.

Hugh, Rodrigo, Osmond et moi suivîmes le garçon dans la forêt, laissant Jofre à l'atelier pour veiller sur Adela et Narigorm. Nous marchâmes environ un quart d'heure, et je commençais à croire que le garçon était perdu ou qu'il avait tout imaginé lorsqu'il s'arrêta net et pointa le doigt. Un corps était suspendu à la plus haute branche d'un vieux chêne. Bien qu'elle nous tournât le dos, je la reconnus immédiatement. Ses longues jupes humides étaient collées à ses jambes. Ses bras inertes pendouillaient inutilement le long de ses flancs, ses mains étaient pourpres à cause du sang qui s'y était accumulé. L'épais voile qu'elle portait toujours pour se couvrir les cheveux avait disparu et ses cheveux étaient détachés. Des longues mèches mouillées serpentaient sur ses épaules. Sa tête dodelinait et formait un angle étrange.

Elle était pendue à une corde à laquelle un nœud de cuir avait été attaché. Tandis que le corps balançait dans le vent, le frottement de la corde humide contre la branche produisait un vagissement comparable à celui d'un nouveau-né. Comme nous la regardions, frappés d'horreur, il y eut une soudaine rafale de vent et le corps se retourna comme pour nous souhaiter la bienvenue. Elle avait les yeux grands ouverts et semblait regarder droit vers nous. L'apprenti poussa un cri strident et prit la fuite.

Osmond fut le premier à recouvrer ses esprits. Il grimpa à l'arbre et, à califourchon sur la branche, se pencha suffisamment en avant pour pouvoir couper la corde avec son couteau. Il la trancha avec application ; rien ne servait de se presser car nous voyions à l'angle que faisait sa tête qu'elle avait le cou brisé. Rodrigo et Hugh rattrapèrent le corps dans sa chute et le posèrent sur les feuilles mortes. Les yeux aveugles de Plaisance nous fixaient. Je passai la main dessus pour essayer de les fermer, mais la rigidité s'emparait déjà d'elle. Elle était morte depuis quelques heures.

La lanière de cuir avait pénétré profondément dans son cou. Tandis que Rodrigo la coupait et l'enlevait, le morceau d'ambre que lui avait offert le loup apparut. Il avait été caché par ses cheveux. Et ce n'est qu'à cet instant que je m'aperçus que c'était son collier qui avait servi à fabriquer le nœud.

« Elle a eu de la chance, déclara Rodrigo. L'ambre a immédiatement appuyé contre sa nuque et l'a brisée. Elle est morte sur le coup. C'est une bénédiction. J'ai vu des hommes mourir par pendaison, et c'est une mort atrocement lente.

— Mais si le cou a été brisé de cette manière, cela signifie qu'elle n'a pas été hissée au moyen d'une corde. Elle a dû être poussée depuis une certaine hauteur », dis-je.

Osmond s'accroupit auprès du corps.

« D'un cheval ? Si les soldats l'avaient placée sur un cheval et avaient fait partir la bête ? »

Rodrigo secoua la tête.

« Ça ne lui aurait pas brisé le cou, pas si elle avait basculé en arrière. Il a fallu une chute brutale vers le bas. » Il regarda la haute branche.

« Elle a pu sauter depuis cette branche.

— Vous pensez donc qu'elle s'est donné la mort ? » demandai-je.

Hugh, qui se tenait à côté de moi, inspira profondément et se signa.

« Palsambleu, ne dites pas cela. Mieux vaudrait qu'elle ait été tuée plutôt qu'elle se soit donné la mort.

— Ils auraient pu lui briser le cou puis la pendre, suggéra Osmond.

— Ça m'étonnerait. »

Je fis un bond en entendant la voix traînante de Zophiel derrière moi. « Pourquoi prendre la peine de la pendre si elle était déjà morte ? Il est clair qu'elle s'est suicidée. C'était bien le genre de femme hystérique encline à de tels accès de mélancolie. »

Rodrigo se leva et lança un regard noir à Zophiel.

« Où étiez-vous caché toute la nuit ? Savez-vous quoi que ce soit ?

— Je ne crois vraiment pas vous devoir des comptes, Rodrigo. Je ne suis pas votre élève. Mais puisque vous me le demandez, je n'étais pas, comme vous dites, “caché”, je gardais nos provisions dans le chariot. Il fallait bien que quelqu'un le fasse, avec ces rustres qui mettaient notre campement à sac.

— Quel dommage que vous ne soyez pas resté pour rencontrer le pardonneur, Zophiel. Vous vous seriez bien entendus. »

Hugh les regardait tour à tour, visiblement troublé par l'antagonisme qui les opposait.

« Peut-être que la personne qui l'a pendue l'a fait pour qu'on pense à un suicide au lieu d'un meurtre, suggéra-t-il.

— Le compagnon n'a pas tort, déclara Zophiel en haussant légèrement la voix. Quelqu'un a-t-il songé à se renseigner sur l'endroit où notre ami Cygnus a passé la nuit ? »

Nous nous regardâmes.

« Il a raison. Ça pourrait être… », commença Osmond d'une voix hésitante.

Je secouai la tête.

« Je ne conteste pas qu'un homme qui ne s'est servi que d'un seul bras toute sa vie ait la force et la dextérité nécessaires pour briser le cou d'une femme. Il y a de nombreuses manières d'y parvenir. Mais pour pendre un corps mort à un arbre de cette hauteur, il faut deux mains. L'extrémité de la corde n'était pas attachée au niveau du sol, ce qui signifie que quelqu'un aurait dû grimper à l'arbre pour la hisser, exactement comme vous avez fait pour couper la corde. Et comment aurait-il hissé un cadavre ? La corde n'atteignait pas le sol.

— Mais si le corps était étendu sur un cheval sous l'arbre, dit Osmond, ça aurait pu le soulever suffisamment haut. Xanthos serait docile comme un agneau si Cygnus le lui demandait. »

Hugh secoua la tête.

« D'après ce que j'ai vu de lui, Cygnus est un garçon doux. Je doute qu'il soit même capable de tordre le cou à un poulet. Si elle a été assassinée, le coupable est plus que probablement un étranger de passage. Ça pourrait aussi être l'un de ces charbonniers dans la forêt. Des bonshommes étranges, ils vivent seuls neuf mois d'affilée. Sans même une femme avec eux, pour la plupart. On dit qu'ils rendent même les cochons nerveux, et ce n'est pas parce qu'ils ont peur de finir en jambon.

— Ou, déclara doucement Rodrigo, elle a simplement pu se donner la mort. »

Hugh baissa les yeux vers la silhouette débraillée à ses pieds.

« Ah oui, ça aussi, dit-il sobrement. La justice voudrait que nous criions le haro et appelions le coroner. C'est à lui de décider comment elle est morte, mais… écoutez, nous avons eu assez de soucis ici. Si le pardonneur est appelé à témoigner, ça nous retombera dessus. Il nous en veut. Et je dois veiller sur les garçons. Maintenant que leur maître est parti et que leurs parents sont plus que probablement morts, il ne reste que moi pour les empêcher de mourir de faim. Je suppose que personne de sa famille ne va venir la chercher, aussi… »

Il laissa sa phrase en suspens, une expression suppliante sur le visage.

« Vous voulez dire, l'enterrer ici en secret et ne pas signaler le décès, dis-je.

— Palsambleu, pas ici ! s'exclama-t-il vivement. Son fantôme ne nous laisserait aucun instant de répit. Elle est morte de mort violente, de sa main ou de celle d'un autre, qu'importe, son esprit se vengerait sur les gens de la forêt. Elle n'aurait de repos tant qu'elle ne nous aurait pas tous entraînés dans la tombe avec elle. Vous allez devoir l'emmener avec vous. Enterrez-la loin d'ici, quelque part où elle ne pourra faire de mal à personne, et poursuivez votre route jusqu'à ce que le fantôme soit loin derrière vous. »

Nous quittâmes la verrerie avant midi. Bien qu'il agitât la main en signe d'au revoir et nous souhaitât bonne chance, Hugh avait l'air profondément soulagé. Le chariot avait désormais un fardeau supplémentaire. Nous avions enveloppé le corps sur place dans la forêt, au cas où nous aurions rencontré quelqu'un en le rapportant à la verrerie. Hugh était allé chercher quelques vieilles peaux de mouton pour dissimuler sa forme, de sorte qu'un observateur non averti n'aurait vu qu'un paquet de peaux. Au moins, c'était l'hiver, et il n'y avait pas de mouches qui pourraient être attirées par le cadavre. C'était la première fois que le vent froid et la pluie m'arrangeaient, même s'il ne faisait pas assez froid pour garder longtemps un cadavre.

À notre retour, Hugh et Rodrigo portèrent directement le corps au chariot pendant qu'Osmond et moi allions chercher Adela et Narigorm. Nous trouvâmes Cygnus occupé à réconforter Adela, son bras valide entourant ses épaules. Osmond courut vers eux et l'écarta vivement d'Adela, lui demandant où il s'était trouvé pendant la nuit.

L'explication de Cygnus était aussi plausible que celle de Zophiel. Il s'était enfui dès que les soldats avaient chargé dans la clairière, sans même attendre de voir quelles couleurs ils portaient, présumant naturellement qu'ils étaient venus le chercher. Il s'était enfoncé aussi profondément que possible dans la forêt et avait fini par ramper dans un épais taillis de broussailles où il avait passé la nuit. Ayant fui en pleine nuit sans le moindre repère, il avait mis un bon moment à retrouver son chemin jusqu'à l'atelier une fois le jour levé. De fait, il ajouta qu'il serait sans doute toujours en train de tourner en rond s'il n'avait entendu l'un des apprentis appeler le nom de Plaisance.

Bien qu'il sût maintenant que Plaisance avait été retrouvée pendue, Cygnus raconta son histoire en toute candeur, sans laisser paraître qu'il se pensait soupçonné. Osmond continuait de le regarder avec méfiance, mais même lui fut bien obligé d'admettre que son histoire n'était pas moins crédible que celle de Zophiel.

Adela était consternée. Plaisance parlait peu, mais elles avaient souvent passé du temps ensemble à préparer les repas, Adela faisant la conversation pour toutes les deux, et elle en était venue à la considérer presque comme une tante, la seule femme qu'elle avait pour lui tenir compagnie. Et la façon dont elle était morte choquait profondément Adela.

« C'était la personne la plus gentille et la plus douce qui soit. Elle n'aurait jamais fait de mal à quiconque. Qui aurait pu faire quelque chose de si atroce à quelqu'un comme elle ? »

Mais aucun de nous n'avait la réponse à cette question.

Je craignais qu'une fois le choc passé, son effarement et sa tristesse ne laissent place à de la peur. Son bébé devait naître trois semaines plus tard, et elle avait placé tous ses espoirs dans Plaisance pour mettre le bébé au monde en toute sécurité. L'accouchement était un moment dangereux aussi bien pour la mère que pour l'enfant, mais Adela s'était persuadée que tant que Plaisance était là, ni elle ni son bébé ne risquaient rien. Désormais, ce ne serait qu'en nous réfugiant dans une auberge ou un couvent que nous trouverions une autre femme d'expérience pour l'aider, et avec la pestilence qui nous cernait de trois côtés, nos chances de trouver un toit, sans parler d'une sage-femme, semblaient bien minces.

Nous tînmes la promesse que nous avions faite à Hugh et marchâmes deux, peut-être trois heures avant d'enterrer Plaisance. Au bout du compte, c'est la crainte d'avoir à camper près de sa tombe qui nous fit choisir l'endroit, car il nous fallait assez de lumière pour creuser puis reprendre notre route avant la tombée de la nuit. Trouver un endroit ne fut pas aisé. Le sol de la forêt semble meuble, mais il suffisait de creuser un peu pour bientôt rencontrer un épais enchevêtrement de racines. Nous aperçûmes finalement un endroit sur la gauche du chemin où plusieurs vieux arbres avaient été arrachés par les récentes tempêtes et gisaient déracinés et pourrissants, à moitié couverts de fougères, de champignons aussi blancs que des os et de coussins de mousse vert sombre.

Nous nous mîmes à creuser près de l'un des troncs arrachés, utilisant nos mains nues, des bâtons, et la pelle que Zophiel avait apportée pour dégager le chariot des ornières. L'odeur douce et riche des feuilles moisies s'accrochait à notre peau, et nous eûmes le visage sillonné de boue avant même d'avoir creusé suffisamment profond pour que nous puissions appeler ça une tombe. Lorsque nous nous arrêtâmes finalement, nous avions un long trou peu profond, en partie dissimulé sous la courbure du tronc.

« Ça ne sera pas assez profond pour empêcher les animaux de la déterrer, observa Zophiel. Recouvrez-la de pierres, que vous dissimulerez sous de la terre et des feuilles afin que personne ne puisse voir la tombe. »

Nous fîmes glisser le corps dans le trou. Il y eut un bruit mat lorsque Rodrigo jeta la première pierre dessus.

À ce bruit, Adela se mit à gémir : « Non, ne faites pas ça, je vous en prie », et elle tomba à genoux, agrippant son ventre. Osmond la ramena au chariot tandis que nous continuions de recouvrir le cadavre de cailloux. Je me demandais si nous faisions vraiment ça pour empêcher les charognards de déchiqueter le corps ou si, comme Hugh, nous craignions son fantôme et voulions l'empêcher de quitter sa tombe.

Il était manifeste que le sol, plus sombre que les alentours, avait été creusé, mais la tombe était derrière le tronc, invisible depuis le chemin. Dans un jour ou deux, le sol et les feuilles commenceraient à se fondre dans le paysage. Et au printemps, plus rien ne permettrait de distinguer la tombe du reste du sol.

Nous ne pouvions rien faire de plus, mais s'en aller comme ça semblait indécent. Je regardai vers l'endroit où Narigorm se tenait impassible, les yeux baissés. Elle n'avait pas versé une larme pour sa nourrice et protectrice. Bien que Zophiel ne fût pas à proprement parler affligé, il semblait néanmoins troublé par les événements. En revanche, Narigorm, son visage ne trahissant ni surprise ni chagrin, avait assisté à l'enterrement avec curiosité, comme si elle avait observé des fourmis en train d'arracher la chair d'une grenouille écrasée. En sentant mon regard posé sur elle, elle leva la tête et me regarda droit dans les yeux. Ses paroles de la nuit précédente résonnèrent dans ma tête comme si elle les prononçait à voix haute, mais ses lèvres étaient immobiles. « Et ainsi commence Morrigan. »

C'est Jofre qui rompit le charme. Il fit un pas en avant et planta sur le monticule une croix qu'il avait fabriquée au moyen de deux bouts de bois attachés ensemble. Zophiel arracha aussitôt la croix et la jeta dans les broussailles.

« Idiot, à quoi bon essayer de dissimuler la tombe si tu attires l'attention dessus ? »

Jofre rougit.

« Mais il n'y a pas de prêtre pour l'enterrer, nous n'avons pas prononcé une parole, nous ne pouvons pas simplement l'enterrer comme un chien.

— Pourquoi pas ? Si elle s'est tuée, aucun prêtre n'accepterait de l'enterrer. Elle a de la chance d'avoir une tombe. Tu as vu assez de cadavres gisant au bord de la route pour le savoir. » Zophiel ramassa la pelle. « Maintenant, à moins que tu ne comptes passer la nuit avec le corps, je suggère que nous repartions. Il reste à peine une heure ou deux de lumière du jour. »

Il s'éloigna. Nous prononçâmes quelques prières furtives au-dessus de la tombe, nous signant rapidement avant de nous en aller à notre tour. Jofre fut le dernier à quitter la tombe. Lorsqu'il crut que personne ne l'observait, il alla rapidement récupérer la croix qu'il avait fabriquée et la posa à plat sur la tombe. Je ne dis rien ; comme lui, je voulais faire quelque chose pour Plaisance.

Tandis que nous avancions péniblement sur le chemin, je retrouvai Rodrigo à l'arrière du chariot. Je lui tirai sur le bras pour lui faire signe de ralentir jusqu'à ce que les autres soient hors de portée de voix.

« Dites-moi honnêtement, Rodrigo. Croyez-vous que c'était un meurtre ? Car si tel est le cas, je ne vois pas la main d'un étranger. Plaisance ne serait jamais allée si loin dans la forêt en pleine nuit, à moins d'être accompagnée par une personne de confiance, surtout avec des soldats dans les parages. »

Rodrigo regardait fixement devant lui en direction de Cygnus et Jofre qui traînaient avec découragement les pieds dans la boue.

« Peut-être est-elle allée retrouver Cygnus pour lui dire qu'il pouvait revenir en toute sécurité.

— Ç'aurait été une idiotie de s'éloigner dans la nuit sans savoir où le chercher. Et je ne vois toujours pas comment Cygnus aurait pu la pendre. Et puis, quelle raison aurait-il eue de l'assassiner, à moins que… »

Je songeai à ce que Hugh avait dit à propos des charbonniers. Était-il possible que Cygnus ait tenté de la violer comme il avait peut-être déjà violé et assassiné une fillette ? J'étais plus disposé à croire Zophiel capable d'un tel acte plutôt que Cygnus.

Rodrigo secoua la tête.

« Ce n'est pas lui qui a fait ça. Je sais au fond de mon cœur que c'est elle qui s'est passé la corde autour du cou et qui a sauté.

— Mais pourquoi se serait-elle pendue, Rodrigo ? Il y a assez de pauvres hères mourants qui donneraient tout ce qu'ils ont pour rester en vie, ne serait-ce qu'un jour de plus. Quel motif avait-elle ? »

Il se retourna et m'observa un moment.

« Ne le savez-vous pas, Camelot ? »

Je secouai la tête.

« Vous rappelez-vous cette nuit que nous avons passée avec Walter et son fils ? demanda-t-il. Zophiel parlait de brûler les juifs sous prétexte qu'ils sont responsables de la pestilence. Il affirmait qu'en Angleterre il restait des juifs cachés parmi les chrétiens. Et hier soir, quand les soldats sont venus chercher Michelotto, encore une fois la question des juifs. Et vous avez vu ce que le pardonneur lui a fait et les menaces qu'il a proférées ? Torture, bûcher ?

— Vous croyez que Plaisance était bouleversée par ce qu'ils allaient faire à Michelotto ?

— Pour lui, oui, bien sûr. Mais elle était aussi bouleversée, comme vous dites, par ce qu'on lui ferait si quiconque découvrait son secret. Plaisance était juive, Camelot. Ne vous en êtes-vous pas rendu compte ? »

Je me rappelai soudain l'expression sur le visage de Plaisance dans la chaumière de Walter, la manière dont elle tremblait. Et moi qui avais stupidement cru qu'elle avait peur des juifs!

« En êtes-vous sûr ? Vous l'a-t-elle dit ? »

Il pinça les lèvres et fit la moue.

« Dans un sens, oui. Dans l'auberge de la vieille veuve, quand elle a raconté qu'elle avait été la sage-femme d'une louve, vous vous rappelez ? »

J'acquiesçai.

« Elle a expliqué que la grotte où on l'avait emmenée était pleine de démons, sauf qu'elle n'a pas utilisé le mot démon, elle les a appelés *sheidim*. C'est un mot que je n'ai jamais entendu dans ces contrées, mais je l'ai souvent entendu dans mon enfance. À Venise, il y avait un quartier où vivaient les juifs. Il y avait de fins orfèvres parmi eux. Des souffleurs de verre aussi, avant qu'ils ne soient envoyés à Murano, comme l'a expliqué Michelotto, mais je n'étais pas encore né à l'époque. »

Il essuya la pluie de ses yeux.

« Les juifs étaient tolérés car ils apportaient de la richesse à la ville grâce à leur commerce et aux impôts qu'ils payaient, car ils étaient taxés deux fois plus que les chrétiens. De plus, chaque fois que les prêtres voulaient un coffret d'argent pour leurs reliques ou un calice d'or fin pour leur église, à qui d'autre auraient-ils pu s'adresser qui aurait eu autant de talent que les juifs ? Ils restaient principalement dans leur quartier, car les chrétiens ne voulaient guère avoir affaire à eux, mais c'est leur musique qui m'a attiré vers eux dès que j'ai su mettre un pied devant l'autre. »

Maintenant qu'il parlait de musique, son visage s'illumina comme il le faisait chaque fois qu'il saisissait son luth.

« Les juifs sont d'excellents musiciens. Vous devriez les entendre jouer pendant leurs mariages. » Rodrigo soupira comme s'il mourait d'envie de les entendre de nouveau. « La musique commence doucement et lentement, jouée par un seul homme, chaque note si pure et claire, telle une goutte d'eau tombant d'une feuille, et peu à peu les autres musiciens se joignent à lui et les gouttes forment un ruisseau, puis le ruisseau devient un torrent qui s'engouffre dans vos oreilles et vous fait danser comme si vous étiez ensorcelé. Et certains affirmaient que c'était exactement ce que leur musique faisait, elle vous ensorcelait, et que c'était précisément l'intention des juifs. Ils voulaient vous faire danser jusqu'à ce que vous succombiez d'épuisement, car si vous mouriez en dansant, sans recevoir l'absolution, insouciant, votre fantôme serait forcé de danser pour l'éternité parmi les tombes et dans le désert et vous ne trouveriez jamais le repos. Les prêtres affirmaient que c'était leur manière de voler les âmes chrétiennes.

« Le prêtre d'une église proche en était si convaincu qu'il commandait qu'on sonne les cloches chaque fois qu'ils jouaient. Il recommandait aux chrétiens d'accélérer le pas et de se boucher les oreilles lorsqu'ils passaient près du mur, mais je ne le faisais pas. Quand j'étais petit, j'errais constamment dans le quartier avec l'espoir d'entendre cette musique. Au bout d'un moment ils se sont habitués à me voir debout sous les porches, en train d'écouter, et ils m'ont fait entrer, allant jusqu'à me montrer comment jouer quelques notes. C'est ainsi que j'ai commencé à apprendre à jouer. Mes parents ont pris peur lorsqu'ils ont découvert où j'allais car tout le monde sait qu'on prétend que les juifs tuent les petits garçons et se servent de leur sang pour faire leur pain de Pâques. Ces histoires sont absurdes, naturellement, car quiconque connaît les coutumes juives sait qu'ils abhorrent le sang et font même tremper leur viande pendant des heures pour qu'il n'en reste plus une goutte, de peur de pécher en la consommant. Cependant mes parents croyaient ces balivernes et m'interdisaient de m'approcher d'eux, mais la musique me faisait revenir en dépit de leurs menaces. » Ces souvenirs lointains lui arrachèrent un sourire nostalgique. « Peut-être le prêtre avait-il raison après tout, peut-être étais-je ensorcelé. »

Il marqua une pause lorsque nous arrivâmes à une flaque particulièrement large qui bloquait la route, la boue et les feuilles tourbillonnant dans l'eau après le passage des roues du chariot. Nous quittâmes le sentier et nous frayâmes un chemin parmi les arbres pour la contourner. Lorsque nous rejoignîmes de nouveau la route, Rodrigo reprit son récit.

« Lorsque j'ai été un peu plus vieux et que j'essayais d'économiser la moindre pièce pour m'acheter mon propre luth, les juifs me payaient généreusement pour leur servir de *Shabbat goy.* »

Il sourit en voyant mon air perplexe.

« Vous ne connaissez pas non plus cette expression ? »

Je fis signe que non.

« Leur religion leur interdit de travailler depuis le coucher du soleil du vendredi jusqu'au coucher du soleil du samedi. Par travail ils entendent aussi la moindre tâche domestique, ils ne peuvent donc pas allumer de feu, ni même de chandelles lorsqu'il fait nuit. Ils ne peuvent même pas remuer la nourriture dans la marmite, alors ils emploient des chrétiens pour s'en charger à leur place, et c'est ainsi que j'ai entendu les histoires que les vieilles femmes racontaient pour tuer le temps, des histoires de *sheidim* et d'anges, de vierges possédées par les *dybbuks* qui tuaient leur mari pendant leur nuit de noces, et de vieux imbéciles qui trouvaient la sagesse grâce à leurs filles.

— C'est là-bas que vous avez entendu le mot qu'a utilisé Plaisance ?

— Je ne crois pas qu'elle avait l'intention de le prononcer, répondit-il gravement. Mais peut-être ne savait-elle pas qu'il permettrait de l'identifier. Les mots sont la trame même des histoires ; il est difficile de les séparer.

— Donc quand Adela a attiré l'attention sur ce mot en demandant ce qu'il signifiait, vous avez tenté de couvrir Plaisance en nous disant qu'il était spécifique à un village. »

Rodrigo acquiesça.

« J'espérais que personne d'autre ne comprendrait. Je l'espérais de tout cœur. Surtout Zophiel, car même s'il ne le connaissait pas, il est assez malin pour s'apercevoir que ce n'est pas un mot anglais, mais il était préoccupé par le loup et écoutait le récit d'une oreille distraite. »

Il baissa la voix et regarda devant nous d'un air inquiet, bien que le chariot eût alors pris une bonne avance.

« Zophiel n'aurait pas hésité à l'exposer s'il avait eu le moindre soupçon, et elle le savait. Zophiel joue au chat et à la souris avec Cygnus en le menaçant de le livrer, peut-être qu'elle croyait qu'il jouait au même jeu avec elle. Et après avoir vu ce qu'ils ont fait à Michelotto, elle a préféré se donner la mort plutôt qu'attendre qu'ils viennent la chercher. » La colère inonda son visage. « C'est ce pardonneur et Zophiel qui sont tous les deux responsables de sa mort. Les paroles haineuses de Zophiel… »

Je me rappelais ce que Plaisance avait dit le matin où nous avions été coincés à Northampton… « Parfois il faut partir. » Je me demandais si elle se doutait alors que ce départ serait le dernier. Si seulement elle nous avait quittés ce jour-là.

Rodrigo se tourna vers moi, le visage soudain blême.

« Mais si Zophiel a compris qu'elle était juive ? Le pardonneur a dit qu'ils pendaient les juifs. Si c'était lui qui l'avait pendue ? » Il me serra férocement le bras.

« Camelot, est-ce possible ? Croyez-vous qu'il l'ait tuée, pas juste avec des mots, mais de ses mains ?

— Mais pourquoi ? Je comprends qu'un homme qui déteste autant les juifs souhaiterait sa mort s'il apprenait qu'elle était juive, mais pourquoi la tuer lui-même au lieu de la livrer à l'Église ? Un homme tel que Zophiel tirerait sans doute beaucoup plus de satisfaction à la voir humiliée et exécutée en public.

— Mais il n'a pas non plus livré Cygnus, alors qu'il en a eu deux fois la possibilité. Je commence à croire que Zophiel ne souhaite peut-être pas attirer sur lui l'attention des autorités. »

16

La chapelle

« Qu'en dites-vous, Camelot, demanda Cygnus. Sont-ils morts ou ont-ils fui ? »

C'était une bonne question car la chapelle semblait assurément abandonnée. Elle était bâtie tout contre l'arche centrale d'un pont de pierres qui semblait la soutenir d'un côté. Les piliers qui la portaient s'enfonçaient au milieu de la rivière tumultueuse en contrebas. Deux marches menaient du pont à sa lourde porte en bois, mais en regardant par-dessus le muret, je distinguai sous la chapelle une deuxième pièce dont la base touchait presque l'eau agitée. J'espérais qu'il s'agissait de la sacristie et non d'une salle de sépulture, et frissonnai à l'idée de corps enterrés dedans, suspendus à jamais au-dessus de ce torrent sombre.

La chapelle avait été construite récemment. Nombre de saints et de grotesques qui en bordaient le toit n'étaient encore que des formes grossières taillées par un apprenti dans l'attente qu'un maître sculpteur n'en cisèle les détails. Les murs et le toit d'ardoise étaient achevés, mais aucune maçonnerie n'avait pour le moment été peinte.

Bien que le bâtiment ne fût pas achevé, il semblait déjà à l'abandon. Des feuilles brunes s'étaient accumulées au coin des marches et de la porte, et d'autres bloquaient les gouttières. Plusieurs blocs de pierre étaient empilés contre l'un des murs, dont certains étaient à moitié taillés, comme si les ouvriers venaient de poser leurs outils, mais les faces coupées des pierres étaient couvertes d'une mousse verte qui indiquait qu'elles n'avaient pas été déplacées depuis un bon moment.

Je revins sur mes pas pour retrouver Cygnus et les autres près du chariot.

« On dirait que ceux qui travaillaient ici sont partis à la hâte, mais difficile de dire si c'était pour gagner le prochain village ou l'autre monde.

— Espérons que ce n'était pas l'autre monde, si Adela doit accoucher ici », répliqua Cygnus.

Adela, perchée comme d'habitude sur le chariot, semblait atterrée.

« Je ne peux pas mettre mon bébé au monde dans une chapelle. »

Cygnus tenta d'ouvrir la porte avant de répondre. La poignée de fer était dure mais la lourde porte n'était pas verrouillée. Il la poussa mais n'entra pas. Un relent de moisi s'échappa de la chapelle, mais nous ne perçûmes pas l'odeur putride que nous en étions venus à redouter.

« Pourquoi pas ? Les murs sont solides, et une fois que nous aurons allumé un feu nous y serons au chaud et au sec. De plus, elle n'est pas achevée, ce qui signifie qu'elle n'a pas encore été consacrée, et dans ce cas c'est un bâtiment à l'abandon, et non une chapelle. »

Les yeux de Zophiel s'enflammèrent.

« C'est néanmoins un lieu sacré, et y mettre un enfant au monde serait une profanation. »

Cygnus essuya la pluie de son visage et désigna un

panneau sculpté juste au-dessus de la porte, qui représentait la Vierge à l'Enfant. C'était la seule sculpture à l'extérieur de la chapelle qui avait été achevée.

« Marie ne considérerait certainement pas un accouchement comme une profanation de sa chapelle ?

— Le sien n'était pas entaché par le péché, mais cette… cette… »

Zophiel était si indigné qu'il ne put achever sa phrase.

Rodrigo, qui, penché au-dessus du pont, observait l'eau déchaînée en contrebas, se redressa et lança un regard furieux à Zophiel.

« Les assassins et les voleurs trouvent refuge dans les églises. Pourquoi pas une femme et un enfant innocents ? Trouvez-vous que la naissance d'un bébé pollue plus la maison de Dieu que le sang sur les mains d'un meurtrier ? »

Rodrigo blâmait toujours Zophiel pour la mort de Plaisance. Qu'elle se soit donné la mort ou qu'on l'ait tuée, qu'importait : Zophiel était responsable, il en était certain.

Je tentai d'en revenir au sujet qui nous occupait avant qu'une guerre n'éclate entre eux.

« Cygnus a raison ; il n'y a aucune raison pour que, en tant que voyageurs, nous ne puissions pas nous abriter quelques jours dans cette chapelle. Consacrée ou non, l'Église le permet. Mais nous ne savons toujours pas s'il est sûr d'y entrer. Nous n'avons pas déterminé ce qui est arrivé aux ouvriers. Ils ont interrompu brusquement leur travail. Certes, la chapelle ne sent pas la mort, mais il y a une pièce en dessous. Si nous y trouvons un cadavre, il sera trop tard, nous aurons déjà été exposés à la contagion. »

Cygnus acquiesça.

« Alors je vais y aller seul et passer les lieux au crible, dit-il. S'il y a un mort là-dedans, je vous le crierai depuis l'intérieur et vous devrez poursuivre votre route sans moi. »

Rodrigo s'interposa entre Cygnus et la porte de la chapelle, mains levées.

« Non, non, Camelot a raison, si vous tombez sur un corps, c'en sera fini de vous. Vous avez entendu Hugh à la verrerie, la femme qu'ils ont découverte au village était morte dans d'atroces souffrances. Nous ne pouvons pas vous laisser courir un tel risque. Si nous ne pouvons être certains que l'endroit est sûr, nous devrions tous repartir.

— Le danger est à chaque tournant, objecta Cygnus. Nous pouvons à tout instant tomber sur un mort ou un mourant. Si nous ne courons pas ce risque-ci, il y a de fortes chances pour qu'Adela mette son enfant au monde sur la route. Le bébé peut arriver à tout moment et nous ne savons pas si nous trouverons un meilleur endroit que celui-ci. »

Il désigna la route qui s'éloignait du pont. Il n'y avait pas une maison, pas une grange. Rien que des arbres sans feuilles et des jachères qui s'étalaient à perte de vue, et au loin un escarpement qui dissimulait ce qui se trouvait derrière. « Nous ne pouvons courir le risque de continuer plus longtemps. »

Il tira le col de sa capuche par-dessus sa bouche et son nez et le maintint fermement en place. Puis il écarta Rodrigo de son chemin. Nous restâmes sous la pluie à l'attendre.

Nous savions tous que Cygnus disait vrai. La question du lieu où Adela donnerait naissance à son enfant se faisait chaque jour plus pressante. Bien que de nombreuses femmes, par nécessité, accouchassent au bord de la route, nombre d'entre elles y mouraient aussi, et Adela, malgré son sang saxon, n'avait pas la force nécessaire pour endurer une telle épreuve. Noël approchait et, comme le disait Cygnus, le bébé pouvait arriver à tout moment. Le fait d'être constamment secouée tandis que le chariot franchissait des routes défoncées, des pierres et des nids-de-poule dans la pluie glaciale aurait sûrement suffi à ouvrir l'utérus de n'importe quelle femme. Et Adela avait déjà commencé à ressentir les fausses douleurs qui précèdent souvent le travail, ce qui l'avait tellement terrifiée qu'elle s'était convaincue que, à moins qu'elle ne trouve une sage-femme pour l'aider le moment venu, elle mourrait pendant l'accouchement. Depuis la mort de Plaisance, son moral était tombé si bas que même Osmond ne parvenait plus à lui arracher un sourire, et il avait beau la supplier de manger, si ce n'était pour elle, alors pour le bébé, elle n'arrivait pas à avaler plus de deux ou trois bouchées. Je commençais à craindre que ses sombres pressentiments ne s'avèrent justifiés et qu'elle ne survive pas à l'accouchement.

Nous avions, à plusieurs reprises, suggéré de l'emmener à un couvent, car on y trouvait des infirmeries bien équipées et de grandes compétences médicales. De fait, nombre de femmes riches envoyaient chercher des nonnes pour les assister pendant les couches. Mais à la simple évocation d'un couvent, Adela devenait hystérique, hurlant qu'elle préférait mourir sur la route plutôt qu'aller dans un tel endroit. Je lui expliquai que nous ne lui demandions pas d'entrer dans les ordres, simplement d'y mettre son bébé au monde, mais à ma grande surprise, même Osmond semblait farouchement opposé à cette idée.

Aussi, puisque ni l'un ni l'autre ne pouvait être

persuadé, n'avions-nous eu d'autre solution que de chercher une auberge qui serait toujours ouverte aux voyageurs et dont le propriétaire serait prêt à loger une femme qui était si clairement proche de son terme. Mais la plupart des aubergistes ne l'étaient pas, ainsi que nous n'avions pas tardé à le découvrir. En effet, comme ils nous l'expliquaient, leurs autres clients n'hésiteraient pas à demander à être remboursés s'ils louaient un lit et n'arrivaient pas à dormir à cause d'une femme qui criait pendant des heures. Et puis, il faudrait nettoyer après, comme si leurs servantes n'avaient pas assez à faire comme ça. Et qui rembourserait une paillasse abîmée, ils aimeraient le savoir. Sans parler, ajoutaient-ils dans un murmure, des problèmes auxquels ils seraient confrontés si une femme mourait. Par les temps qui couraient, aucun aubergiste ne voulait qu'on apprenne qu'il avait un cadavre sur les bras. Ce n'étaient pas des hommes sans cœur, mais les affaires étaient les affaires dans ces temps difficiles.

La dernière ville que nous avions traversée, non loin de la chapelle, ne nous avait pas plus réussi. À première vue, elle avait semblé prometteuse. Au moins les portes de la ville étaient grandes ouvertes et le veilleur jovial avait été catégorique : la pestilence ne les avait pas atteints. À l'en croire, tout le monde se portait comme un charme. Toute cette hystérie à propos de la pestilence n'était que balivernes. Il ne se faisait aucun souci, car seuls ceux qui avaient une conscience coupable devaient s'inquiéter, et sa conscience à lui était aussi propre qu'un nouveau-né car il allait à la messe aussi souvent qu'il était humainement possible. Il avait lancé à Adela un regard entendu et nous avait dirigés vers le Red Dragon, une auberge proche de la place principale, qui, affirmait-il, était tenue par une vieille bonne femme convenable qui savait brasser une bonne bière quand elle était d'humeur. Elle ne refuserait personne, quel que soit son état, pourvu qu'on lui offre un petit supplément en échange de sa peine. Et il y avait aussi des gentilles filles qui travaillaient là-bas, avait-il ajouté, en adressant à Zophiel un clin d'œil de connaisseur. C'était donc avec bon espoir que nous avions franchi la porte.

Si chaque ville possède sa propre odeur, ici, c'était la puanteur du fumier. La rue principale était suffisamment large pour permettre le passage d'un chariot, mais une boue visqueuse montait jusqu'aux chevilles, et comme les égouts en plein air étaient obstrués par les ordures, leur eau infecte débordait dans la rue. De chaque côté de la rue, un dédale de passages et de ruelles serpentait entre des grappes d'ignobles maisons et ateliers en bois dont les derniers étages en surplomb touchaient presque le bâtiment d'en face. Ces infâmes petites allées étaient si sombres et étroites que la lumière du jour n'en atteignait jamais le sol, où cochons, chiens, poulets et enfants fouillaient dans les poubelles et se battaient entre les piles de déchets puants. Dès que nous pénétrâmes dans la ville, une nuée de garnements aux jambes arquées se jeta sur le chariot pour quémander des pièces. Les plus audacieux tentèrent même de grimper sur le chariot en mouvement pour voir ce qu'ils pourraient y chaparder et Zophiel dut les frapper plusieurs fois avec son grand fouet pour les faire décamper.

Nous n'eûmes guère de peine à trouver l'auberge du Red Dragon. Elle semblait aussi infecte et négligée que les autres bâtiments de la ville, et il flottait autour une dégoûtante odeur de bière rance et de chou bouilli. Malgré le froid et la pluie, une fille se prélassait dans l'entrebâillement de la porte. Ses cheveux dégringolaient de son bonnet et sa tunique était raide de graisse. Elle avait des pustules tout autour de la bouche, mais c'était, comme l'avait dit le veilleur, une gentille fille, et son visage s'illumina à notre vue. Elle traversa la rue d'un bond, faisant balancer ses hanches amples. Son regard se posa d'abord sur Zophiel, puis tour à tour sur Rodrigo, Jofre et Osmond, comme si elle essayait de décider avec lequel tenter sa chance. Elle sembla conclure que Zophiel était l'homme en charge. Avec un sourire aguicheur, elle lui donna un léger coup de hanche et attrapa la bride de Xanthos pour la mener dans la cour.

« Suivez-moi, monsieur, dit-elle. L'étable est derrière. Je vais vous montrer. »

Mais Zophiel lui saisit le poignet et l'écarta sèchement, tirant Xanthos en avant tandis que derrière nous la fille déçue hurlait que les lits étaient propres et qu'elle les réchaufferait elle-même pour nous.

« Zophiel, nous venons de passer devant le Red Dragon, dit Osmond en le rattrapant. Nous ne nous arrêtons pas ?

— Voudriez-vous vraiment que votre femme accouche là-dedans ? demanda Zophiel d'un ton cassant. Si elle survivait à la naissance, la crasse et la puanteur la tueraient en moins d'une semaine.

— C'était peut-être mieux à l'intérieur, répliqua faiblement Osmond.

— Si c'est cette catin qui s'occupe du ménage, j'en doute sincèrement. »

Osmond leva les yeux vers Adela qui, le visage pâle, était ballottée d'un côté et de l'autre par le mouvement du chariot. Elle avait les yeux clos et le front plissé, comme si elle souffrait.

« Il y a peut-être une autre auberge ou d'autres logements quelque part en ville, nous pourrions demander, suggéra Osmond, visiblement désespéré.

— Regardez autour de vous, garçon. Le veilleur affirme qu'ils n'ont pas la pestilence, mais cet imbécile continuera d'ignorer son existence même lorsqu'on le jettera dans la fosse. Ils pourraient déjà être une douzaine à mourir dans les arrière-salles de ces maisons infâmes, et nous n'en saurions rien jusqu'à ce qu'il soit trop tard. Vous et Adela pouvez rester ici si vous le désirez, mais seuls. Souhaitez-vous que je m'arrête pour la faire descendre ? Car croyez-moi, je ne serais que trop heureux de vous laisser tous les deux ici. »

Osmond baissa les yeux et fit signe que non.

Cygnus fut longtemps à l'intérieur. Son examen de la chapelle avait été rapide, mais il avait appelé pour nous dire qu'il descendait à l'étage inférieur. Nous n'entendîmes rien de plus. Xanthos ne cessait de s'agiter entre les brancards, baissant la tête pour se protéger de la pluie qui tombait à torrents. Étrange comme la pluie semble mouiller plus lorsqu'on se tient immobile que lorsqu'on marche, comme le froid semble plus saisissant. Zophiel était impatient de reprendre la route, marmonnant que ce serait un châtiment divin si le garçon trouvait la mort à l'intérieur après ce qu'il avait eu l'audace de proposer. Et il finit par se retourner et tirer sur la bride de Xanthos.

« Venez, dit-il froidement. Nous partons. »

Narigorm, recroquevillée comme à son habitude à l'avant du chariot, leva la tête.

« Pas encore, dit-elle. Le moment n'est pas encore venu de partir. »

Zophiel, désormais furieux, l'ignora et tenta de tirer

la jument vers l'avant, mais Xanthos résista et refusa de bouger. Elle semblait savoir que Cygnus manquait à l'appel et ne ferait pas un pas sans lui. Zophiel s'apprêtait à saisir son fouet lorsqu'un fort battement d'ailes retentit au-dessus de nos têtes et que nous vîmes plusieurs pigeons s'envoler. Quelques minutes plus tard, la tête de Cygnus apparaissait à l'une des petites ouvertures du clocher.

« L'endroit est sûr, lança-t-il. Il n'y a personne. J'ai cherché partout. »

Zophiel se retourna et lança à Narigorm un regard mauvais, mais celle-ci descendit du chariot et, en un instant, disparut dans la chapelle.

Nous la suivîmes prudemment. Il faisait froid et humide à l'intérieur, plus froid même que lorsque nous nous tenions dehors sur le pont, mais l'endroit était étonnamment lumineux. Trois des côtés de la chapelle comportaient des fenêtres surmontées d'un linteau horizontal, et le flanc est était percé de fenêtres plus petites et plus hautes. Tout autour des murs, des niches avaient été creusées pour abriter des représentations de saints, peut-être de la Vierge Marie elle-même, mais elles étaient vides. À l'extrémité est de la chapelle, une estrade surélevée était surmontée d'un autel en pierre sur lequel les cinq mystères glorieux du rosaire avaient été minutieusement ciselés. Contrairement aux sculptures du dehors, celles-ci avaient été peintes, et les robes et les silhouettes regorgeaient de riches teintes bleues, vertes, jaunes et rouges, le tout agrémenté de touches dorées. Juste derrière l'autel, un échafaudage en bois avait été érigé contre le mur, sur lequel une scène peinte semblait presque achevée. En revanche, les autres murs de la chapelle étaient encore nus.

D'un côté du sanctuaire se trouvait une porte qui

ouvrait sur un étroit escalier en colimaçon menant à la crypte en dessous. Celle-ci était plus petite que la chapelle et uniquement éclairée grâce à deux étroites fenêtres en hauteur. Dans un coin il y avait un petit renfoncement en angle doté d'un trou d'évacuation qui donnait sur la rivière. Une lourde porte sur le mur nord donnait sur l'extérieur. Lorsque la rivière était plus basse, il y avait probablement une petite île en son milieu à laquelle la porte donnait accès, permettant aux personnes et aux provisions qui arrivaient par bateau d'accéder à la chapelle. Mais maintenant les marches à l'extérieur étaient presque totalement recouvertes par l'eau bouillonnante. Si la rivière continuait de monter, l'eau passerait sous la porte et pénétrerait directement dans la crypte.

Quelques planches et tréteaux encombraient la pièce, ainsi que quelques cruches et barils vides, et un brasier dans lequel il restait des bouts de bois noircis et quelques os d'oiseaux calcinés. Un amas de fines cendres grises gisait toujours sur le plateau inférieur. Quelques nasses et un enchevêtrement de lignes de pêche entassées dans le coin suggéraient que les ouvriers agrémentaient leurs rations de tout ce qu'ils pouvaient attraper dans la rivière. Mais hormis ce bric-à-brac, la crypte ne comportait aucun mobilier.

Bien qu'elle fût plus humide et plus froide que la chapelle, nous décidâmes que c'est dans la crypte que nous cuisinerions et dormirions. Le brasier avait de toute évidence été apporté par bateau, et le hisser à l'étage par l'escalier étroit n'aurait pas été chose facile. Cygnus avait également observé que les fenêtres de la chapelle avaient été conçues de telle sorte que la lueur des chandelles à l'intérieur serait visible à l'extérieur, et même si rien n'interdisait aux voyageurs de se réfugier dans la chapelle, nous ne voulions pas attirer l'attention sur nous, car qui savait quels vagabonds et autres coupeurs de gorge erraient la nuit dans les environs ?

Zophiel nous fit part de son intention de dormir sans lumières à l'étage, car c'était là que nous avions mis ses boîtes à l'abri. Personne n'avait eu le courage de les porter jusqu'en bas, et comme l'avait observé Rodrigo lorsque Zophiel avait protesté, si le niveau de la rivière montait rapidement, nous ne voudrions pas abandonner ses précieuses boîtes, n'est-ce pas ? Xanthos et le chariot étaient cachés parmi les arbres de l'autre côté du pont, sur la rive opposée à la ville. Nous nous installâmes donc, nous préparant à rester là jusqu'à la naissance du bébé d'Adela.

Agenouillé dans le sanctuaire à côté de l'autel, Osmond écrasait une petite quantité de terre verte dans un mortier. Je savais que c'était la couleur dont les peintres se servaient pour représenter les tons de chair. Je le regardai y ajouter avec soin quelques gouttes d'huile et continuer de la broyer vigoureusement avec son pilon. Il leva vers moi un visage radieux tandis que je m'approchais. Ses yeux brillaient d'un éclat que je ne leur avais jamais vu jusqu'alors.

« J'espère que ça va marcher, dit-il avec excitation. J'ai toujours utilisé des œufs pour lier la couleur, mais à cette saison, même si nous trouvions une poule ou une oie qui n'a pas encore été mangée, elle n'aurait pas pondu. J'ai trouvé quelques vieux œufs de pigeon dans le clocher, mais ils étaient si flétris qu'il n'y avait rien à en tirer. Rodrigo affirme que certains peintres à Venise se servent d'huile pour lier le pigment. Je n'en avais moi-même jamais entendu parler, mais il a généralement raison pour ce genre de chose. Il m'a donné un peu de celle qu'il utilise pour l'entretien de son luth et de ses flûtes. Je ne voulais pas, des fois qu'il en aurait besoin, car il tient à ses instruments comme à la prunelle de ses yeux, mais il a insisté. »

Je ne pus m'empêcher de sourire face à son enthousiasme.

« Rodrigo est un homme généreux, surtout envers les autres artistes. Alors que comptez-vous peindre ? »

Il désigna le mur est de la chapelle contre lequel était érigé l'échafaudage.

« Je vais finir ça. Celui qui a commencé était un bon peintre. J'espère lui rendre justice. »

Je m'approchai pour examiner le tableau. Il représentait la Vierge Marie. Elle portait une mante raide bleu et or, et dessous, comme réfugiés dans une grotte, une foule de personnages miniatures priaient sereinement, à genoux, tels des nains sous une reine gigantesque. Au premier plan, un marchand couvert de bijoux et sa femme étaient plus grands que les autres. Les autres figurines semblaient représenter la famille du marchand, ses enfants, parents, frères et sœurs. Plusieurs maisons minuscules, deux bateaux et une grappe d'appentis, qui appartenaient tous au marchand, étaient également sous la protection de Marie.

Il y avait aussi d'autres personnages, mais ils n'étaient pas abrités par la mante de la Vierge et ne priaient pas. Ils s'enfuyaient, pris de panique, car au-dessus de Marie, le Christ assis sur son trône était entouré d'anges et de démons qui jetaient leurs flèches et leurs lances sur le monde en dessous. Les projectiles rebondissaient sur la mante de Marie, mais ceux qui n'étaient pas sous sa protection reculaient, terrorisés, tandis que lances et flèches s'abattaient sur eux, leur transperçant le torse, les membres et les yeux.

Le tableau était presque achevé, ne restait à peindre que le visage et les mains de Marie, qui avaient été esquissés en rouge sur le mur blanc.

Osmond vint se poster à côté de moi.

« La Madone de la Miséricorde, expliqua-t-il. Notre-Dame de la Miséricorde qui protège ceux qui prient pour elle. Et eux, dit-il en désignant le marchand et sa femme agenouillés au premier plan, doivent être les bienfaiteurs qui ont commandé la construction de cette chapelle afin que les prêtres prient pour leur âme. Je ne comprends pas pourquoi elle a été abandonnée alors qu'ils étaient si près de l'achever, d'autant qu'on peut supposer qu'en cette période ils doivent plus que jamais avoir besoin des prières des prêtres.

— Peut-être le marchand et sa famille ont-ils déjà succombé à la pestilence, ou bien il a pu perdre sa fortune et se trouver dans l'impossibilité de payer les ouvriers. Quelle que soit la raison, lorsque des artisans ne reçoivent pas l'argent qui leur est dû, ils ne continuent pas de travailler pour rien. Je suppose que ce ne sera pas le dernier bâtiment à être abandonné avant d'être achevé.

— Je croyais que la richesse des marchands était inépuisable. Ces dernières années, plus les moissons étaient mauvaises, plus ils s'enrichissaient. Plus ils engraissaient, plus les pauvres devenaient maigres. C'était du moins le cas de mon père.

— Votre père était marchand ? »

Il acquiesça, fronçant les sourcils, et détourna le visage. J'attendis, mais il n'ajouta rien. Je n'insistai pas. L'histoire d'un homme ne regarde que lui.

« Alors je le plains. Cette pestilence provoquera de

nombreux revers de fortune, bons ou mauvais. » Je jetai un coup d'œil à la peinture et aux pinceaux qu'il tenait dans sa main. « Mais je crains que vous ne puissiez espérer être commissionné pour achever ce tableau, du moins pas tant que la pestilence fera rage. »

Il sourit, son humeur sombre s'évanouissant en un clin d'œil.

« Mais je ne veux pas être payé. J'achèverai ce tableau en guise d'offrande, ainsi la Vierge Marie nous sourira et aidera Adela à donner naissance à un enfant en bonne santé. »

Il se hissa sur l'échafaudage en bois et observa l'espace où aurait dû se trouver le visage de la Vierge, d'abord sous un angle, puis un autre.

Je le regardai un moment, mais Osmond était déjà absorbé par ses premiers coups de pinceau hésitants, et il semblait avoir oublié ma présence. Je marchai jusqu'à la porte et me tournai vers lui. Il plissait le front dans sa concentration, mais l'expression sur son visage indiquait sa totale satisfaction à mesure que ses gestes rapides se faisaient plus assurés.

« Vous comprenez que si l'artisan revient une fois que nous serons partis, il croira que le visage de la Vierge est apparu miraculeusement sur le mur, et la chapelle deviendra riche grâce à tous les pèlerins qui viendront voir le prodige. »

Il éclata de rire sans détacher ses yeux du mur.

« Alors je dois peindre le visage le plus parfait d'Angleterre pour être à la hauteur d'un tel miracle. »

Rares furent les personnes à franchir le pont au cours des jours suivants. C'était l'hiver, et un hiver humide par-dessus le marché, pas une saison pour voyager à moins d'y être forcé. Les familles qui avaient fui les inondations ou la pestilence n'étaient pas venues jusqu'ici, préférant se réfugier dans des villes qui étaient toujours ouvertes. On pouvait espérer y trouver du travail et un logement bon marché, et s'ils ne trouvaient pas de travail, ils seraient plus susceptibles de recevoir l'aumône dans des rues fréquentées que sur une route isolée. Les personnes qui passaient sur le pont avaient des affaires pressantes et ne jetaient que très rarement un coup d'œil à la chapelle inachevée, sauf, occasionnellement, pour se signer et marmonner une prière sans même descendre de leur monture dans l'espoir que leur voyage se déroulerait bien. Il était évident que la chapelle n'était pas consacrée, aussi personne ne prenait la peine de venir y allumer un cierge. Et nous prenions soin de ne pas laisser voir nos lumières le soir, de crainte d'attirer des personnes dont les affaires ne seraient pas si honnêtes.

Puis ce fut Noël. Nous entendîmes les cloches de l'église sonner en ville pour la messe des anges à minuit, et encore pour la messe des bergers à l'aube, mais nous ne répondîmes pas à l'appel. Comme pour bien des gens, ce Noël ne ressemblerait pour nous à aucun autre. Dans de nombreuses églises, les cloches ne sonneraient pas et les cierges ne seraient pas allumés, car il n'y avait plus personne pour le faire.

On dit que la veille de Noël à minuit les abeilles dans les ruches chantent un psaume, que toutes les vaches dans les étables s'agenouillent et que les moutons se tournent vers l'est. On dit aussi que toutes les bêtes sauvages se taisent. Si c'est vrai, alors ce que nous entendîmes après le carillon de minuit n'était, comme le suggéra Osmond, rien de plus qu'un chien qui aboyait en ville à cause des cloches. Mais il eut beau faire cette suggestion d'un ton rassurant tandis qu'Adela s'accrochait à lui, je pense que même lui n'en croyait pas un mot. Nous avions trop souvent entendu ce même hurlement pour nous méprendre à son sujet. C'était le cri d'un loup solitaire.

« Même si c'était un loup, dit Osmond en serrant Adela dans ses bras, nous avons d'épais murs de pierres et une porte neuve et robuste pour nous protéger. Pas même une souris ne pourrait entrer.

— Mais il doit être affamé pour s'approcher autant d'une ville.

— Même s'ils étaient toute une meute, nous serions à l'abri ici. Maintenant, endors-toi, Adela. »

Mais même si Adela avait trouvé le sommeil, je n'y serais pas parvenu. Je n'arrivais pas à m'ôter ce hurlement de la tête. Il y avait des loups dans la forêt, mais chaque bête tuée donnant lieu à une récompense, ils avaient été repoussés dans des endroits isolés, à l'écart des grandes routes, des fermes et des villes. Il est vrai qu'au cours des dernières années, la famine avait, au cœur de l'hiver, poussé des meutes à s'approcher de petites fermes et de villages reculés, mais le chariot nous avait empêchés de quitter les grandes routes. Comment avions-nous pu tant de fois entendre un loup au cours de notre voyage, et pourquoi toujours un seul ? À moins qu'il n'y en ait eu qu'un – toujours le même – et qu'il nous ait suivis ? Ce n'était pas possible, ça n'avait aucun sens, et pourtant cette idée me donnait le frisson.

La crypte demeurait froide et humide ; la chaleur du brasier emplissait à peine la pièce. Le bruit de l'eau agitée, moins perceptible pendant la journée, était si fort la nuit que je me réveillai plusieurs fois en sursaut, m'imaginant que la rivière était en crue et inondait la pièce.

Cygnus, qui, depuis quelques nuits, marmonnait dans son sommeil, se réveilla aussi soudainement en poussant un cri et se redressa, tremblant dans la faible lueur du brasier.

Narigorm l'observait. Elle était assise droite, adossée au mur, enveloppée dans une couverture. Un petit objet tomba de sa main et heurta doucement les dalles de pierres. Elle le ramassa vivement. Resserrant la couverture autour d'elle, elle posa le menton sur ses genoux, puis tourna la tête et regarda fixement les flammes. Je me demandai si elle avait dormi. Ce froid mordant était une épreuve pour chacun d'entre nous, jeunes comme vieux.

Cygnus se leva et gravit l'escalier à pas feutrés. Il ne revint pas.

« Osmond, tu es réveillé ? murmura Adela. Je crois que Cygnus est malade. Tu l'as entendu crier ? Nous devrions peut-être aller le voir ?

— Il n'est pas malade, grommela Osmond d'une voix endormie. Quand un homme crie comme ça dans son sommeil, ça signifie qu'il a une conscience coupable. Je ne veux pas que tu restes seule avec lui. Qui sait ce qui se passe dans la tête d'une telle créature ?

— Mais tu ne peux pas continuer de croire qu'il a assassiné…

— Vous allez vous taire et dormir ! » s'écria Jofre d'un ton irrité depuis un coin de la pièce.

Nous dûmes finir par dormir, car lorsque nous nous réveillâmes la lueur du jour pénétrait l'obscurité de la crypte. L'humidité qui suintait du sol de pierres froides était si glaciale que je dus me tenir plusieurs minutes devant le brasier rougeoyant avant de pouvoir bouger mon dos raide et douloureux. Mais Osmond, en dépit de l'agitation de la nuit, était d'une humeur remarquablement gaie. Il était bien déterminé à célébrer Noël et ne tarda pas à convaincre Jofre et Rodrigo de l'aider à piéger quelques canards sur la rivière, tandis que Zophiel acceptait, un peu à contrecœur, d'essayer de pêcher quelques poissons.

Rodrigo et moi en étions encore à essayer d'enfiler nos bottes humides qu'Osmond et Jofre s'étaient déjà précipités à l'étage. Les autres les avaient suivis, à l'exception de Narigorm, qui était toujours assise avec sa poupée sur ses genoux près du brasier qui couvait.

« Tu ferais bien de te remuer aussi, fillette, lui dis-je. Si les garçons attrapent quelque chose, nous aurons besoin d'un bon feu pour préparer notre repas. Toi et moi irons chercher du bois, chacun d'un côté de la rivière.

— Je ne veux pas aller chercher du bois. Je veux chasser des oiseaux. »

Rodrigo lâcha un petit rire.

« Laisse ça à Jofre et Osmond, *bambina*. Le courant est trop rapide. C'est dangereux pour une petite fille comme toi. » Il lui tapota la tête d'un geste affectueux. « Viens, tout en cherchant du bois, tu pourras t'imaginer le gros canard qu'il servira à rôtir. Ça va être bon, *si* ? »

Il lui saisit doucement la main, l'aida à se lever. Sa poupée de bois tomba par terre.

Rodrigo se pencha pour la ramasser.

« Je vais la mettre à l'abri… »

Il s'interrompit, stupéfait, tenant la poupée dans sa main. Elle était toujours enveloppée de chiffons, mais sa tête avait été dégagée. Et maintenant qu'elle était à l'air libre, nous vîmes que la poupée n'avait plus de visage. La laine brune avait été arrachée ; le nez et les oreilles sculptés avaient été rognés ; les jolis yeux avaient été détachés et la bouche, lacérée. Rodrigo regarda Narigorm, puis la poupée, comme s'il n'arrivait pas à croire qu'une enfant fût capable d'une telle chose.

« Pourquoi as-tu fait ça ? Osmond a passé des heures à la sculpter et à la peindre pour toi. Il sera vexé en voyant que tu l'as détruite, et Adela aussi. »

N'importe quel autre enfant aurait eu l'air penaud ou aurait cherché à s'excuser, mais pas Narigorm. Elle ne rougit pas, ni ne riposta. Elle se contenta de regarder calmement Rodrigo.

« Elle est à moi et je n'aimais pas son visage. Maintenant elle peut être qui je veux. »

Comme nous sortions de la chapelle, je remarquai que, pour la première fois depuis des mois, le ciel était plus clair. Le vent avait tourné, les nuages avaient battu en retraite et il y avait un petit pan de bleu. Je m'aperçus alors que je n'avais pas levé les yeux vers le ciel depuis une éternité. On ne regarde pas en l'air quand il pleut. Je restai un moment à observer les branches nues qui s'agitaient dans le vent, les freux qui volaient au-dessus de nous, leurs ailes irrégulières secouées par les rafales. Une volée d'étourneaux dont le plumage pourpre chatoyait à la lueur pâle du soleil se dirigeait vers l'escarpement au loin, et un pigeon solitaire battait des ailes en direction de la ville. C'était comme si, après tous ces mois de pluie, les oiseaux se rappelaient enfin comment voler.

Je trouvai Cygnus sur l'autre rive. Il attachait Xanthos sur une nouvelle parcelle d'herbe, sa robe brillant d'un éclat rouge doré dans la lumière. Même elle semblait percevoir le changement de temps car elle levait la tête et gonflait les naseaux comme pour inspirer le vent. Mais je vis aussitôt que Cygnus ne partageait pas son excitation. Il avait les traits tirés et des cernes sombres entouraient ses yeux, les faisant paraître plus noirs que jamais. Ses mouvements étaient apathiques et chaque geste semblait lui coûter un effort. Je n'avais jusqu'alors jamais remarqué à quel point il avait l'air fatigué. Xanthos le poussa doucement et il posa la joue contre son flanc, ferma les yeux.

« Vous ne vous sentez pas bien, Cygnus ? »

Il tressaillit au son de ma voix et se redressa. Il esquissa un sourire.

« Ne craignez rien, Camelot, ce n'est pas la pestilence.

— Il existe d'autres maladies.

— Je ne suis pas malade, Camelot, juste fatigué. »

Il se baissa, arracha une touffe d'herbe et la tendit à Xanthos.

Il regarda l'eau qui coulait sous le pont et, après une longue pause, se tourna finalement vers moi.

« Je rêve des cygnes, Camelot. Voilà ce qui trouble mon sommeil chaque nuit. Ils m'attendent. Je les vois remonter la rivière, d'abord deux, puis trois, puis quatre. Je veux les rejoindre, mais je ne peux pas. Je les vois arriver, de plus en plus nombreux, de toutes les directions, jusqu'à ce que la rivière soit recouverte de corps blancs. Ils arquent les ailes, plient le cou, et leurs yeux sombres se tournent vers moi, scintillant dans l'obscurité. Ils attendent en silence, et je sais que c'est moi qu'ils attendent. Et alors, soudain, ils s'envolent et me donnent des coups d'ailes. Je dois me recroqueviller sur moi-même pour me protéger, l'air est plein de plumes et je n'arrive plus à respirer. Je cherche mon souffle, et tout d'un coup ils s'éloignent dans le ciel. Je leur crie de m'attendre, mais ils ne m'entendent pas. »

Cygnus se couvrit le visage de la main comme s'il cherchait à esquiver des coups d'ailes. Je m'approchai et lui posai la main sur l'épaule.

« C'est la crypte, Cygnus. Elle est trop proche de la rivière. Le bruit de l'eau contre les piliers est si fort qu'il imprègne aussi mes rêves. » J'essayai de rire. « Vous allez me prendre pour un vieil idiot, mais je fais des cauchemars et je rêve que l'eau s'engouffre à l'intérieur et que je me noie. »

Cygnus ne sourit pas.

« Pourquoi n'essayez-vous pas de dormir une nuit ou deux à l'étage dans la chapelle jusqu'à ce que vous soyez reposé, Cygnus ? Vos rêves cesseront, j'en suis certain. »

Il ne répondit rien. Il hésita une minute, puis se tourna vers moi, écartant sa chemise pour exposer son aile repliée. Il la déploya et de nouvelles plumes tombèrent, emportées par le vent. Il y avait de grands espaces dans son aile, et dans la lumière vive de l'hiver, les plumes qui restaient n'étaient plus lisses ni blanches, mais emmêlées et grises. Cygnus tendit le bras et saisit une plume qui tombait avant que le vent ne l'emporte. Il me la tendit, tel un enfant offrant une fleur.

« Pourquoi cela se produit-il, Camelot ? Je croyais que tout ce que j'avais à faire, c'était croire en mon aile, mais je perds ma foi et les cygnes le sentent, ils savent que je les trahis. Ils viennent pour me pousser à croire, mais les nouvelles plumes ne poussent pas. Je n'arrive plus à croire en elles. Pas assez pour les faire repousser. »

Osmond et Jofre franchirent en titubant la porte de la chapelle, bras dessus, bras dessous, agitant en l'air des canards inertes telles des faveurs lors d'un tournoi. Osmond était trempé et Jofre, couvert de boue, mais il avait les yeux brillants et les joues rougies par le froid et l'effort. Rodrigo et Zophiel les suivaient à une allure plus paisible, portant des poissons et des filets. À eux quatre ils avaient attrapé trois canards et même quelques petites truites, malgré Zophiel qui se plaignait que la rivière était trop agitée et le courant trop rapide pour pêcher. Mais avec huit personnes affamées, les canards et les poissons n'iraient pas loin, d'autant que nous n'avions rien pour les accompagner. Nous avions cependant de bonnes raisons d'être reconnaissants, car rares seraient ceux qui feraient un aussi bon repas ce jour-là.

Osmond jeta ses oiseaux sur le sol de la chapelle et expliqua, parmi les fous rires, qu'il avait accidentellement glissé dans l'eau et n'avait été sauvé d'un bain forcé que par Jofre, qui l'avait attrapé avant qu'il ne boive la tasse pour de bon. Adela, après s'être assurée qu'il ne s'était ni cassé d'os ni fendu le crâne, craignit qu'il n'eût attrapé froid. Elle insista donc pour qu'il se débarrasse de ses vêtements trempés pendant qu'elle irait en chercher d'autres dans la crypte. Osmond s'exécuta docilement et attendit nu son retour, tremblant et serrant son torse dans ses bras. Il avait perdu du poids et son corps s'était sculpté au cours des dernières semaines. Des perles d'eau scintillaient sur les poils fins et dorés de sa poitrine tandis qu'il se battait les flancs pour essayer de se réchauffer, puisque Adela, encombrée par son ventre gonflé, prenait son temps pour lui apporter des vêtements.

Claquant des dents, Osmond ramassa sa chemise trempée et la lança en direction de la tête de Jofre.

« Ne reste pas planté là à me regarder, idiot ! Quel ami tu fais ! Tu me sauves de la noyade pour finalement me laisser mourir de froid. Pour l'amour de Dieu, va me chercher une couverture ou quelque chose. »

Jofre, comme s'il sortait d'une transe, attrapa sa houppelande et la lui tendit, mais Osmond, dont les doigts étaient engourdis par le froid, la lâcha.

Zophiel leva les yeux des filets et des lignes qu'il était occupé à démêler.

« Quel est ton problème, garçon ? On dirait que tu es face à une femme nue et que tu as peur de la toucher. Enveloppe-le dans la houppelande et frotte-le bien. Fais circuler le sang pour le réchauffer. La dernière chose dont nous avons besoin, c'est qu'il attrape la fièvre. »

Jofre devint écarlate et ramassa la houppelande, mais Rodrigo s'avança vivement et la lui prit des mains.

« Je vais le faire. Tu as aussi froid que lui. Va te réchauffer au brasier. »

Jofre descendit l'escalier d'un pas chancelant sans prononcer un mot. Rodrigo passa la houppelande autour des épaules d'Osmond et le frictionna vigoureusement, jusqu'à ce qu'Osmond proteste en riant qu'il préférait mourir de froid plutôt que de continuer à encaisser les coups de Rodrigo. Mais à cet instant, Adela revint avec les vêtements secs.

Nous mangeâmes dans la chapelle. Aucun de nous n'avait envie de retourner à la crypte froide et humide pour y prendre notre festin de Noël. À défaut de nous réchauffer, le soleil hivernal qui brillait à travers les hautes fenêtres emplissait la pièce d'une lumière qui nous avait tant manqué depuis si longtemps, et nous

nous en abreuvions tels des prisonniers qui auraient passé des mois dans un cachot. Le scintillement chamarré de la rivière en contrebas se réfléchissait sur les murs blancs de la chapelle, y dessinant un motif infini qui ondulait sur sa surface, tel un banc de minuscules poissons aux couleurs de l'arc-en-ciel.

Bravant l'avertissement d'Osmond, Adela ne manqua pas une occasion de mêler Cygnus à la conversation joyeuse et de s'assurer qu'il recevait une bonne portion de nourriture. Ce dernier était toujours d'humeur maussade, mais même lui ne pouvait résister à l'arôme irrésistible du canard et de la truite rôtis et, conscient des efforts que faisait Adela pour l'inclure, il fit son possible pour dissimuler sa mélancolie.

Nous mangeâmes lentement pour faire durer le plaisir, ce qui n'est pas aisé quand on est affamé, faisant passer chaque bouchée avec une rasade de bière qui avait commencé à devenir aigre. Nous brisâmes le crâne des canards pour récupérer les cervelles rôties ; ça n'était pas grand-chose, mais chaque bouchée comptait, puis nous suçâmes les pattes qui avaient été bouillies avec la dernière poignée de fèves. Lorsqu'il ne resta plus un seul morceau de chair ni sur les oiseaux ni sur les poissons, nous tentâmes de nous convaincre que nous étions repus, en dépit de nos estomacs qui nous criaient le contraire, et continuâmes de mâcher les extrémités des os des canards pour en extraire la moindre saveur.

Rodrigo se mit à décrire avec nostalgie les banquets de Noël auxquels il avait pris part lorsqu'il travaillait pour son seigneur : les danses et les chants, les jeux et les combats de coqs et les divertissements libertins auxquels s'adonnaient les jeunes gens, qui oubliaient le temps de Noël la bienséance ordinairement de rigueur.

Il nous expliqua, arrachant à Adela des gloussements embarrassés, que les hommes s'attachaient d'énormes vits et poursuivaient les femmes. Qu'hommes et femmes échangeaient leurs vêtements et jouaient à être le sexe opposé, les hommes posant et minaudant dans leurs tuniques tandis que les femmes allaient et venaient en éructant et en criant des ordres. Puis elles grimpaient sur le dos des hommes, qui se mettaient à courir à travers la pièce comme des chevaux de course, et tout le monde finissait pêle-mêle sur la paille, riant à gorge déployée.

« Alors, poursuivit Rodrigo, venait le festin avec sa procession infinie de pages et de serviteurs qui apportaient ragoûts et pains, gâteaux et tartes. Il y avait des cygnes, des oies, des perdreaux, des alouettes et de gros cuissots de chevreuil. Et pour couronner le tout, un succulent sanglier rôti était apporté par quatre serviteurs qui croulaient sous son poids. Il était glacé, de telle sorte que sa peau brillait à la lueur des torches, recouvert de guirlandes de houx, de lierre et de gui, et accompagné de pommes sauvages rôties et de fruits secs. »

Les descriptions de Rodrigo nous donnaient autant faim que si nous n'avions rien mangé, et, pour le faire taire, Zophiel finit par lui dire de faire son devoir de musicien et de nous jouer quelque chose. Rodrigo fit un large sourire, comme si c'était exactement ce qu'il attendait. Il prit pour une fois sa flûte au lieu de son cher luth et commença de jouer la mélodie familière d'une vieille danse de Noël. Cygnus, qui avait pour le moment laissé de côté ses idées noires, se leva et s'inclina d'un air grave devant Adela.

« M'honorerez-vous d'une danse, madame ? »

Osmond bondit sur ses pieds pour protester, mais

Adela avait déjà refusé en riant, secouant la tête et posant une main sur son ventre gonflé.

« Vous me faites un grand honneur, sire, mais je crains de ne point pouvoir me mouvoir, et encore moins danser. »

Cygnus se tourna alors vers Narigorm et lui prit la main, l'aidant à se lever.

« Alors, jeune maîtresse, je dois vous implorer de m'accorder cette danse. Vous joindrez-vous à nous, sire Osmond, car nous devons être au moins quatre ? »

Osmond, qui était déjà debout, sembla vouloir refuser, mais, sur l'insistance d'Adela, il céda, fit une révérence raide, puis regarda autour de lui à la recherche d'un partenaire. Un regard noir de Zophiel suffit à nous faire comprendre à tous que Noël ou non, certaines libertés ne pouvaient être prises, pas si l'on tenait à sa vie. Aussi, considérant de toute évidence que je n'étais plus depuis longtemps en état de danser, Osmond marcha-t-il jusqu'à Jofre et l'attrapa-t-il par la main.

« Venez, jolie demoiselle, vous danserez avec moi. Allons, ne soyez pas timide, ajouta-t-il tandis que Jofre tentait de se libérer.

— Allons, Jofre, lança Adela. Vous devez danser, ou vous gâcherez la fête. »

Jofre se laissa entraîner à contrecœur. Rodrigo avait recommencé de jouer, et ils se mirent à faire des pitreries, s'enlaçant les uns les autres dans une parodie de danse. Bientôt ils rirent tous de bon cœur tandis qu'ils ne cessaient de tourner dans le mauvais sens et de se percuter. Ils tentèrent de crier les pas à voix haute, ce qui ne fit qu'accroître la confusion, jusqu'à ce qu'Adela, des larmes de joie ruisselant sur son visage, les supplie de cesser car elle avait un point de côté à force de rire, tandis que Narigorm, qui riait plus fort que tous les autres, les implorait de continuer.

À bout de souffle et riant toujours, ils s'écroulèrent sur le sol de la chapelle. Osmond, le visage écarlate, agita un doigt en direction de Zophiel.

« À vous, nous vous avons épargné la danse, mais votre tour est venu de nous divertir. »

Zophiel sourit, beau joueur.

« Je vois, mon ami, que vous vous êtes autoproclamé roi de la fête, mais la coutume veut, n'est-ce pas, que le seigneur soit celui qui trouve la fève dans le gâteau. Vous devez présenter votre fève, si vous voulez que nous vous obéissions.

— Je crains que nous les ayons mangées toutes, répondit Osmond en riant.

— Sûrement pas, monseigneur. »

Sur ce, Zophiel se pencha en avant et, tout en plaçant une main sous le menton d'Osmond, lui donna une petite tape sèche dans le dos, et lorsque Osmond, surpris par le coup, ouvrit la bouche, une fève tomba dans la main de Zophiel. En voyant sa mine stupéfaite nous éclatâmes tous de rire. C'était un vieux tour, mais accompli avec talent.

« Maintenant que vous nous avez présenté votre fève, monseigneur, vos désirs sont des ordres. Que souhaitez-vous que je fasse ?

— Amusez-moi, mon brave », répondit Osmond en s'adossant aux jambes d'Adela et en agitant la main d'un geste royal.

Zophiel inclina la tête et, après avoir fouillé dans ses boîtes, revint avec plusieurs objets dissimulés sous un tissu. Il produisit tout d'abord un gobelet de bois dans lequel il plaça une bille blanche. Il recouvrit le gobelet, et lorsqu'il nous montra de nouveau son contenu, la bille était devenue noire. Après quoi il redonna vie à un crapaud mort dans une bouteille, et l'animal se mit à faire des bonds, tentant de s'échapper. Puis Zophiel plaça un œuf sur un tissu, et lorsqu'il fit passer une baguette au-dessus, l'œuf s'éleva légèrement dans les airs avant de retomber sur le tissu.

À chaque nouveau tour, Adela battait des mains avec ravissement telle une enfant, tandis que les autres souriaient, poussaient des exclamations stupéfaites, ou bien éclataient de rire. Seul Jofre était devenu silencieux. Il ne se joignait ni à nos applaudissements ni à nos rires, se rappelant sans aucun doute le jour où il avait rencontré Zophiel et avait été forcé de miser tout son argent sur de tels tours. Et il avait raison de se méfier ; nous savions l'un comme l'autre qu'à tout moment Zophiel pouvait décider de lui remémorer cet événement afin de l'humilier devant nous tous. Mais Zophiel s'était apparemment laissé gagner par la bonne humeur et se retenait pour une fois de tourmenter qui que ce soit. Il souriait avec satisfaction à chacune de nos exclamations admiratives et s'inclinait d'un air grave à chaque salve d'applaudissements.

« Et maintenant il nous faut une histoire, ordonna Osmond en se tournant avec impatience vers Cygnus. Aucun festin de Noël n'est complet sans histoire. »

Narigorm se tortilla pour le regarder.

« Pas Cygnus. C'est au tour d'Adela. Elle doit raconter une histoire, c'est elle la reine du festin, elle doit faire quelque chose.

— C'est Cygnus le conteur, objecta Adela en secouant la tête. Je ne connais aucune histoire.

— Alors racontez-nous comment Osmond et vous êtes tombés amoureux, insista Narigorm.

— Allons, Adela, dit Cygnus avec un sourire encourageant. Je suis certain que c'est une histoire romantique, meilleure que tout ce que je pourrais raconter.

— Non, laissez-la, elle doit se reposer, protesta Osmond.

— Elle peut parler en se reposant, railla Zophiel, ou bien est-ce encore trop lui demander ? Je serais, pour ma part, curieux de connaître votre histoire. Vous ne nous avez jamais dit ce qui vous a amenés à prendre la route. Je suppose que vos parents n'approuvaient pas votre union, et que c'est la raison pour laquelle vous n'avez plus nulle part où aller. »

Adela lança un regard à Osmond. Il avait le visage rouge, mais il était difficile de savoir si c'était de colère ou de gêne. Elle se mordit la lèvre, puis commença.

« Quand j'avais 14 ans mes parents m'ont promise à un homme nommé Taranis. Il avait vingt ans de plus que moi, et j'avais peur de lui car, malgré sa courtoisie, il avait des yeux froids et je devinais à sa manière de traiter ses serviteurs qu'il était cruel. Il voulait à tout prix m'épouser sur-le-champ, mais j'ai tant imploré mes parents qu'ils ont fini par le persuader d'attendre un an, le temps que je fasse preuve de meilleure volonté. Ils étaient cependant catégoriques : tôt ou tard, je l'épouserais. Mais plus la date du mariage approchait, plus mon désespoir grandissait. Chaque jour en allant au puits, je regardais au fond et voyais mon reflet dans l'eau sombre et froide, et chaque jour je me voyais devenir plus pâle, plus maigre.

« Puis, le jour de mon quinzième anniversaire, j'ai fait un rêve. Un homme, un inconnu, entrait dans ma chambre par la fenêtre et s'approchait doucement de mon lit. Il était jeune et fort. Ses yeux étaient doux et pleins de bonté. Il m'expliquait que j'étais le battement de son cœur, le souffle de sa vie, le désir de son âme. Il me touchait et je fondais sous ses doigts. Il m'embrassait et l'amour surgissait dans ma poitrine. Nous avons passé toute la nuit dans les bras l'un de l'autre. Puis, au chant du coq, il est reparti discrètement. Je l'ai imploré de revenir et il m'a promis de le faire à condition que je ne raconte mon rêve à personne, car si je le faisais, je le perdrais à jamais.

« Les semaines suivantes ont été les plus heureuses de ma vie. Je passais mes nuits dans ses bras et mes journées à rêver de la nuit. Et quand je regardais dans le puits, je voyais la rougeur de l'amour éclore sur mes joues et un éclat rieur danser dans mes yeux. Mais ma cousine a commencé à avoir des doutes. Elle voyait bien que j'étais amoureuse, et passait ses journées à essayer de me faire parler et à me taquiner : "Qu'est-ce que tu risques à me raconter ? Je suis ta cousine ; tu peux me faire confiance."

« Je mourais d'envie de partager mon grand bonheur avec quelqu'un, alors j'ai fini par lui raconter. Mais ma cousine était jalouse, et elle est aussitôt allée voir Taranis, qui lui a dit quoi faire. Ce soir-là, tandis que je dormais, elle a verrouillé sans que je le sache la porte et la fenêtre.

« À minuit j'ai entendu la voix d'Osmond à la fenêtre. "Pourquoi as-tu fermé la fenêtre ? Qu'as-tu fait ? Je ne pourrai plus jamais revenir."

« J'ai couru jusqu'à la fenêtre et l'ai ouverte en grand, mais il était trop tard – il avait disparu. Le lendemain lorsque je suis retournée au puits et que j'ai regardé l'eau sombre et glaciale, ce n'est pas le reflet de mon visage que j'ai vu, mais le visage d'Osmond. Ses yeux étaient ouverts, mais il ne me voyait pas.

« Je suis allée voir la vieille femme qui garde les

abeilles, car c'est une femme sage, et lui ai demandé comment je pouvais entrer en contact avec Osmond.

« "Il gît au fond du puits. Il n'est pas encore mort, mais il est mourant. Taranis a conjuré un sortilège à partir de l'os d'un cadavre. Plus le sortilège approchera, plus il s'affaiblira, et dans trois jours il mourra." "Comment puis-je le sauver ?" l'implorai-je. "Avec l'os de ses os. Tu devras te rendre à la tombe à minuit et prélever le fémur du cadavre dont Taranis s'est servi pour conjurer le sortilège. Tu devras percer un trou dedans et descendre avec jusqu'au fond du puits."

« J'ai fait ce qu'elle a dit, bien que très effrayée. À minuit je suis allée au cimetière. Des ombres couraient sous la lune et des voix murmuraient parmi les ifs. Il y avait beaucoup de tombes et j'ignorais laquelle Taranis avait utilisée. Mais c'est alors que j'ai entendu une voix d'homme crier : "Rendez-moi mon os !" Je me suis doucement approchée et ai vu le squelette d'un homme redressé, il était à moitié sorti de sa tombe mais était pris jusqu'aux rotules dans la terre. J'étais terrifiée, mais je pensais au visage d'Osmond, alors je me suis précipitée en avant et ai arraché le fémur. Cependant, même si j'avais affronté la peur, je savais que je ne pourrais jamais plonger dans cette eau noire et profonde.

« Le lendemain, je suis retournée au puits et, en regardant en bas, j'ai de nouveau vu le visage d'Osmond. Il avait les yeux clos, comme s'il dormait. Mais j'avais peur de sauter car je savais que je me noierais.

« Le troisième jour, j'ai regardé dans le puits, et le visage d'Osmond était d'une pâleur de mort. J'ai pleuré amèrement. Osmond était mort et je ne supportais pas l'idée de vivre. Je craignais plus de vivre sans lui que de mourir. J'ai fermé les yeux et sauté.

« L'eau glaciale s'est refermée autour de moi et j'ai coulé dans les profondeurs noires et impénétrables, mais lorsque j'ai rouvert les yeux, j'ai découvert que j'étais dans une pièce ronde. Une myriade de couleurs pâles scintillait sur les murs, tels les arcs-en-ciel dans une chute d'eau. Le sol était aussi doux que de la mousse, et au milieu de la pièce se trouvait un grand lit rond, autour duquel étaient suspendus des rideaux qui brillaient comme des élodées vertes. Osmond était étendu sur le lit. Sa peau était froide comme une pierre, ses lèvres, bleues, il respirait à peine. J'ai essayé de le secouer, mais ne suis pas parvenue à le réveiller. Je l'ai embrassé, mais ses lèvres n'ont pas répondu aux miennes. C'est alors, tandis que je le regardais avec désespoir, que j'ai vu une mouche marcher sur son visage. J'ai tenté de l'écarter, mais elle ne cessait de bourdonner autour de sa tête. J'ai levé le fémur pour essayer de la tuer, et les paroles de la vieille femme me sont revenues à l'esprit : "Avec l'os de ses os."

« Comme je prononçais ces mots, la mouche s'est posée sur l'os et a rampé dans le petit trou. Je l'ai bouché du doigt, et Osmond a aussitôt ouvert les yeux en se redressant.

« Je lui ai dit ce qui s'était passé, et il a rapidement bouché le trou de l'os avec un morceau d'étoffe arraché à sa chemise, car il savait que la mouche était le sortilège envoyé par Taranis pour le tuer. Maintenant qu'elle était prise au piège dans l'os, Osmond lui a ordonné de nous faire sortir du puits et de nous emmener loin au-delà des collines, car il savait qu'une fois que Taranis aurait découvert que le sortilège avait échoué, il en invoquerait un autre, plus puissant encore. Dès que nous avons été en sécurité, il a enveloppé l'os dans une coiffe de bébé et l'a lancé dans un marais où le sortilège ne pourrait plus faire de mal.

« Six jours durant nous avons été heureux, rayonnants de bonheur. Les yeux d'Osmond brillaient à chacun de mes sourires et ma bouche chantait à chacun de ses baisers. Tout au long de la journée nous marchions main dans la main, heureux d'être enfin réunis, et nous passions nos nuits ensemble, nous abandonnant à l'ardeur de notre passion.

« Mais au septième jour, ma cousine a regardé dans les eaux noires du puits et m'a vue étendue nue auprès d'Osmond sur les draps de soie. Folle de rage et de jalousie, elle est allée voir Taranis. Il a jeté un autre sortilège, plus terrible que le premier, sous la forme d'un taureau écorché qui traînait sa peau ensanglantée derrière lui. À son approche, Osmond s'est endormi et je ne suis pas parvenue à le réveiller. Et le taureau m'a emmenée tandis qu'Osmond dormait. Il m'a déposée dans un grand château de granite. Le sol était en marbre blanc et les lits étaient en fer. Taranis m'a placé sur la tête un lourd chapelet qui a meurtri ma peau. Il a entouré mon cou de chaînes d'émeraude, et mes poignets de bracelets de rubis qui me coupaient à chacun de mes mouvements. J'errais de pièce en pièce, pleurant, car tout était froid et dur ; il n'y avait ni chaleur ni douceur dans le château. Il essayait de me prendre de force, mais je lui résistais. Il essayait de me courtiser avec des cadeaux, mais les cadeaux qu'il m'apportait étaient dénués de vie.

« Alors je me suis enfuie et ai erré à la recherche d'Osmond, usant jusqu'à la trame mes vêtements et mes chaussures. Et c'est nue que j'ai finalement atteint la mer et le rivage des rochers chantants.

« Je suis allée au premier rocher et ai demandé : “Où puis-je trouver mon amour ?”

« Le rocher a répondu : “Donne-moi quelque chose en échange de ma chanson.”

« Alors je me suis coupé les cheveux et les ai donnés au rocher, mais la chanson du rocher n’avait pas de paroles. Et sans mes cheveux j’étais honteuse.

« Je suis allée voir un deuxième rocher et ai demandé : “Où puis-je trouver mon amour ?” Et je me suis coupé la poitrine et l’ai donnée au rocher, mais les paroles de sa chanson n’avaient pas de lettres. Et sans ma poitrine je ne pouvais pas allaiter un enfant.

« Au troisième rocher j’ai donné mes pieds, mais les lettres de sa chanson n’avaient pas de sens. Et sans mes pieds je ne pouvais pas danser.

« Au quatrième rocher j’ai donné mes mains, mais les notes de sa chanson n’avaient pas de motif. Et sans mes mains je ne pouvais ni tisser ni filer.

« Au cinquième rocher j’ai donné mes yeux, mais sa chanson n’avait pas de mélodie. Et sans mes yeux je ne pouvais ni lire ni écrire.

« Au sixième rocher j’ai donné mes oreilles, et si le sixième rocher m’a répondu avec une chanson, je n’ai pas pu l’entendre.

« Je suis alors arrivée au septième et dernier rocher, et ai demandé : “Où puis-je trouver ma maison et mon amour ?”

« Et j’ai laissé le rocher me couper la langue. Et sans ma langue je n’avais plus de voix. Tout ce qui me restait, c’étaient mes larmes, et elles sont tombées dans la cavité du rocher et ont formé une flaque au bord de la mer.

« Mais pendant ce temps Osmond me cherchait. Il a trouvé le château de Taranis, et ils se sont battus jusqu'à ce qu'Osmond prenne le dessus et le tue. En entendant toute cette agitation, ma cousine s'est précipitée, mais tout ce qu'elle a trouvé de Taranis, c'étaient trois minuscules gouttes de sang sur le marbre blanc.

« Osmond l'a attrapée et a menacé de la tuer si elle ne lui disait pas où j'étais. Elle a alors regardé dans le puits, et là, dans l'eau noire, elle a vu les rochers chantants et la flaque de larmes. Mais elle l'a averti qu'à la prochaine marée d'équinoxe, la mer recouvrirait la flaque de larmes, et qu'alors il ne me retrouverait jamais car je ne serais plus qu'une goutte d'eau dans la vaste mer.

« Osmond m'a cherchée pendant des semaines, et finalement, le soir de la première marée d'équinoxe, il est arrivé aux rochers chantants. Au premier rocher il a trouvé mes cheveux et les a sentis. Puis il a trouvé ma poitrine et l'a caressée. Il a baigné mes pieds. Il a embrassé mes mains. Il a pleuré dans mes yeux. Il a murmuré des mots d'amour dans mes oreilles et versé du miel sur ma langue, jusqu'à finalement arriver à la flaque de larmes. Mais il se faisait tard et les vagues déferlaient déjà sur les rochers, chacune plus haute que la précédente. Il avait tout ce qui était moi, et pourtant il ne m'avait pas et ne savait comment me rendre ma forme humaine. Il a crié mon nom, à l'endroit et à l'envers. Il a tenté de récupérer les larmes dans ses mains pour les emporter, mais elles glissaient entre ses doigts, et pendant ce temps le soleil ne cessait de décliner et la mer de monter, atteignant presque le bord de la flaque.

« Alors, tandis qu'une nouvelle vague déferlait vers les rochers, il s'est souvenu des paroles de la vieille femme. "Avec l'os de ses os." Il a aussitôt attrapé son couteau, s'est coupé la troisième phalange du petit doigt et l'a laissée tomber dans la flaque de larmes. Je me suis soudain retrouvée gisant dans la flaque, mais je ne pouvais respirer. J'étais comme une noyée, car la vague s'était abattue sur la flaque et mon esprit avait déjà commencé à dériver dans la vaste mer. Mais lorsque Osmond a tendu la main pour toucher mon visage, trois gouttes de sang de son doigt coupé me sont tombées dans la bouche, et mes yeux se sont ouverts. Et nos larmes sont devenues des larmes de joie. »

Adela saisit la main d'Osmond et l'embrassa, avant de la lever pour montrer le bout de doigt manquant. Osmond rougit et ôta vivement sa main.

Cygnus frappa sa main avec enthousiasme contre les dalles du sol.

« Bien joué, Adela. Une très belle histoire d'amour. C'est vous qui auriez dû être conteuse, pas moi. »

Rodrigo lui donna une légère tape dans le dos.

« Allons, Cygnus, à votre tour de faire mieux. »

Ce dernier protesta qu'il en était incapable, et nous raconta à la place une histoire comique dans laquelle des bouffons tentaient de sauver la lune de la rivière. Tout en racontant son histoire, il baragouinait et gambadait à travers la chapelle, mimant si bien le sauvetage de la lune d'une rivière imaginaire que nous ne tardâmes pas à rire tous aux éclats. Seul Jofre ne riait pas et semblait perdu dans ses pensées.

Ce ne furent peut-être pas des festivités aussi grandioses que celles décrites par Rodrigo, mais durant quelques heures nous parvînmes au moins à oublier nos craintes et la misère qui régnait dehors. Cependant, l'après-midi touchait à sa fin et les ombres s'étiraient dans la chapelle. La gaieté était retombée et nous nous apprêtions à contrecœur à passer une nouvelle nuit glaciale dans la crypte. Je songeais à Plaisance qui gisait seule dans la forêt obscure et me sentais coupable d'avoir ri si peu de temps après sa mort.

Osmond s'allongea par terre, posant la tête sur les jambes tendues d'Adela. Il était perdu dans ses pensées et regardait la peinture à l'autre bout de la chapelle, comme s'il mourait d'envie de s'atteler à nouveau à sa tâche.

« Comment avance le tableau, Osmond, avez-vous progressé ? demandai-je.

— Son visage est fini et j'ai attaqué les mains. D'ordinaire on garde le visage pour la fin, mais je ne sais pas combien de temps nous serons ici et je voulais au moins l'achever.

— Je peux voir ? » demanda soudain Narigorm.

Osmond sourit avec indulgence.

« Bien sûr, tu verras quand ce sera fini.

— Mais vous avez dit que le visage était fini. Pourquoi je ne peux pas voir son visage maintenant ? »

Osmond secoua la tête en riant.

« Ne sois pas si impatiente. »

Mais Adela s'en mêla.

« S'il te plaît, Osmond. Ça me rassurerait tellement de savoir qu'elle peut désormais veiller sur nous. Et, comme tu dis, si nous devons partir avant qu'elle soit achevée, nous ne la verrons peut-être jamais. »

Osmond était visiblement tiraillé entre le désir de montrer son tableau et celui de le cacher jusqu'à ce qu'il soit achevé. Mais les supplications d'Adela l'emportèrent, et il se leva et grimpa sur l'échafaud, écartant le tissu qui était suspendu à une planche. Puis il sauta de l'échafaud et revint vers nous.

Il aida Adela à se lever et la mena au sanctuaire.

Nous les suivîmes, levant les yeux. Adela poussa alors une exclamation stupéfaite, ses yeux luisant de larmes, et elle enfonça la tête dans l'épaule d'Osmond. Nous n'eûmes nulle peine à comprendre son émotion. Le visage de la Madone était magnifique, et c'était indéniablement celui d'Adela, jusqu'à la mèche de cheveux filasse qui sortait de sous son voile blanc.

La plupart des artistes s'inspirent du visage de la femme qu'ils aiment – épouse, fille ou maîtresse – pour représenter la Madone. Il est même des papes et des évêques qui ont insisté pour que le visage de leurs catins devienne celui de la Vierge. Le fait qu'Osmond avait utilisé sa jeune femme comme modèle n'avait donc rien de surprenant.

Rodrigo rompit le silence.

« *Bellissima*, Osmond. Elle est adorable. Le visage, les yeux, tant de douceur et de compassion. »

Osmond, rayonnant de fierté, répondit avec modestie : « C'est grâce à vous, Rodrigo. C'est vous qui m'avez appris à utiliser de l'huile. La peinture sèche bien plus lentement qu'avec une détrempe à l'œuf, on peut donc prendre son temps et mêler soigneusement les tons et les ombres. »

Et il avait raison. Je n'avais jamais vu un tableau si réaliste, la peau était si chaude et les yeux si vivants que la bouche souriante semblait sur le point de s'ouvrir pour parler.

« Ce n'est pas mon huile, c'est votre talent, dit Rodrigo en s'inclinant. Vous avez un grand don, et un modèle magnifique qui inspirerait n'importe quel artiste. »

Il embrassa le bout de ses doigts en regardant Adela, qui, souriant avec ravissement, leva la tête et embrassa Osmond sur la joue.

Nous nous retournâmes tous lorsque la lourde porte de la chapelle claqua derrière nous.

« Qui va là ? » lança aussitôt Zophiel.

Il se dirigea vers la porte.

« Personne, répondit Narigorm. C'est Jofre qui est sorti. Il a claqué la porte. » Puis, voyant nos mines perplexes, elle esquissa un petit sourire entendu.

« Jofre n'est pas content qu'Osmond ait peint Adela.

— Pourquoi ? demanda celle-ci, visiblement surprise. Cela l'offense-t-il qu'une femme enceinte serve de modèle à la Vierge ? »

Mon estomac se noua lorsque je compris soudain à quoi Narigorm faisait allusion. Comment cette gamine pouvait-elle savoir, à moins qu'elle nous ait entendus, Jofre et moi, discuter dans la grange le soir où il avait reçu une correction ? Mais même si elle nous avait entendus, rien n'avait été dit clairement. Était-elle vraiment si perspicace ?

Je me hâtai d'intervenir pour la faire taire :

« Jofre s'ennuie vite s'il n'a rien pour se distraire, et alors il part seul. Il l'a toujours fait. Ça n'a rien à voir avec le tableau. »

Narigorm me fixa de ses grands yeux innocents.

« Mais si. Jofre est jaloux. Il veut qu'Osmond le peigne lui, pas elle. »

Je me tournai vers Rodrigo, qui semblait affolé. Zophiel l'avait également remarqué, et une expression de triomphe apparut lentement sur ses traits secs, comme s'il venait de découvrir un grand secret.

« C'est donc là que vont les préférences de notre jeune ami, n'est-ce pas ? Je m'étais toujours interrogé sur les hommes qui choisissent de jouer de la jolie musique au lieu de gagner leur vie à la sueur de leur front. On dirait que j'avais raison.

— Je ne suis pas sûr qu'accomplir des tours de magie et exhiber une sirène fasse couler beaucoup de sueur, Zophiel », répliquai-je froidement.

Mais Zophiel n'eut pas le temps de répondre car Osmond intervint :

« Qu'insinuez-vous, Zophiel ?

— N'est-ce pas évident ? N'avez-vous pas remarqué la manière qu'il a de vous regarder tout le temps, vous et Adela ? Et ce, depuis que vous nous avez rejoints. Je croyais que c'était votre femme qui lui plaisait, mais il semblerait désormais que vous ayez visé juste en l'appelant jolie demoiselle cet après-midi. N'avez-vous pas remarqué qu'il est toujours impatient de partir seul à la chasse avec vous ? »

Osmond rougit furieusement.

« Bien sûr qu'il est impatient d'aller chasser avec Osmond, répliquai-je fermement. Quoi de plus naturel pour un jeune homme ? Ils ont presque le même âge. Un jeune homme comme Jofre n'a pas envie de passer son temps en compagnie de vieux barbons comme nous ; il préfère être avec d'autres jeunes personnes. »

Zophiel semblait grandement amusé.

« Mais la plupart des jeunes hommes préféreraient passer leur temps à courtiser une belle femme plutôt qu'aller chasser avec leur mari. Si j'étais vous, Osmond, j'éviterais de lui tourner le dos. »

Osmond semblait de plus en plus en colère et mal à l'aise.

« Mais je jure que je n'ai rien fait pour l'encourager. Je ne suis pas comme ça. Comment a-t-il pu croire que j'étais l'un de ces…

— Il ne pense rien de tel, Osmond, déclarai-je. Si Jofre recherche votre compagnie, c'est parce qu'il en est venu à vous considérer comme un grand frère.

Vous savez peindre, chasser, nager, faire toutes ces choses que n'importe quel jeune homme admirerait. De plus, vous avez une très belle femme. Quel jeune homme ne vous adulerait pas ? Il veut être comme vous et cherche naturellement à obtenir votre approbation, rien de plus. N'avez-vous pas éprouvé la même chose à son âge envers quelqu'un que vous admiriez ?

— Non », répondit-il catégoriquement.

Adela s'approcha et lui saisit le bras.

« Mais si, dit-elle. Ne te rappelles-tu pas que tu suivais Edward D'Fraenger à la trace quand tu étais jeune ? Tu faisais n'importe quoi pour te faire remarquer et... » Elle s'interrompit brusquement et lança un regard effrayé en direction de Zophiel. « Enfin... c'est ce que tu m'as dit un jour. »

Rodrigo, qui semblait soudain vieux et las, se dirigea vers la porte.

« Je dois aller chercher Jofre ; il va bientôt faire nuit.

— Attendez, lança Cygnus à sa suite. Je vous accompagne. Je dois aller voir Xanthos. »

Zophiel regarda la porte se refermer derrière eux.

« Peut-être la musique n'est-elle pas la seule chose que Rodrigo a enseignée à Jofre. Il est aisé pour un maître de corrompre un jeune élève innocent et de lui inculquer ses propres goûts pervers. Cela expliquerait son indulgence à son égard. Son affection pour ce garçon est inhabituelle, ne trouvez-vous pas ?

— Vous voyez le mal partout, Zophiel.

— Parce qu'il y est, Camelot. »

17

Les bains

Rodrigo et Cygnus cherchèrent Jofre longtemps après la tombée de la nuit, mais cela ne servit à rien puisqu'il était évident qu'il ne voulait pas qu'on le trouve. Il avait pu s'en aller dans n'importe quelle direction, tout comme il pouvait être tout près, à bouder dans le noir, ignorant leurs appels. Tout ce qu'il nous restait à faire, c'était attendre qu'il revienne quand il serait prêt.

Jofre ne revint qu'au petit matin. Zophiel avait, bien entendu, insisté pour barrer la porte de la chapelle dès qu'il avait fait nuit, mais Cygnus, Rodrigo et moi avions décidé de dormir à l'étage, aussi fûmes-nous tous réveillés lorsqu'il se mit à cogner avec insistance à la porte.

« Réveillez… vous, réveillez le maître de maison, je viens faire ribote ! » chantait-il d'une voix de fausset enfantine.

Zophiel lui cria qu'il ne serait autorisé à rentrer dans la chapelle que lorsqu'il aurait dessoûlé et qu'une nuit dans le froid ne lui ferait pas de mal. Mais les ivrognes s'en vont rarement quand on le leur demande, et Jofre continua de cogner et de chanter jusqu'à ce que Rodrigo écarte finalement Zophiel et lui ouvre. À cet instant, Jofre, qui s'appuyait manifestement contre la porte pour tenir debout, s'écroula dans les bras de Rodrigo avant de s'affaler par terre en ricanant. Un petit tonneau lui tomba des bras et roula bruyamment sur les dalles. Zophiel l'arrêta du pied, le déboucha et en renifla le contenu.

« Du vin. » Il fit couler quelques gouttes du liquide rouge dans la paume de sa main et le goûta. « Fort, par-dessus le marché. Où s'est-il procuré ça ? »

Rodrigo attrapa Jofre par l'avant de sa chemise et le hissa sur ses pieds. Jofre tenait à peine debout.

« Tu as entendu, *ragazzo*, où t'es-tu procuré ça ?

— Mon ami me l'a... donné, répondit Jofre tout en hoquetant.

— Quel ami ? » demanda Rodrigo en le secouant.

Jofre écarta les bras.

« J'ai des tas d'amis... des tas et des tas. Un dragon et des chevaliers et de grands, grands Sarrasins avec des épées recourbées. Il y avait des tas d'épées... et un dragon. Je vous ai parlé du dragon ? »

Il tomba à genoux et ferma les yeux, chancelant.

« Des acteurs, dis-je. Il a dû rencontrer une troupe d'acteurs et boire avec eux. S'il y a de l'alcool quelque part en ville, vous pouvez être sûrs que les acteurs le renifleront. Il est probable que les tavernes ont gardé quelques tonneaux en vue des célébrations de Noël. »

Rodrigo lâcha la chemise de Jofre et le garçon s'écroula par terre, se roula en boule tel un bébé et s'endormit instantanément.

Rodrigo se retourna avec dégoût, marcha jusqu'à la fenêtre et baissa les yeux vers la rivière sombre et tourbillonnante. Il frappa le mur et se tourna vers nous avec une expression à la fois furieuse et déconcertée.

« Pourquoi fait-il ça ? Il se comportait mieux ces

dernières semaines. Je croyais qu'il avait appris sa leçon.

— Vous ne pouvez en vouloir à un jeune homme de se soûler à Noël, observai-je. Je parie que tous ceux qui sont en ville ce soir et ont assez d'argent sont ivres.

— Ce qui signifie, déclara Zophiel d'un ton acerbe, que Jofre est allé en ville et a bu dans quelque trou à rats où il a pu être contaminé. Et ces repaires d'ivrognes grouillent de voleurs et de coupeurs de bourses qui ont pu faire avouer à notre jeune ami où il logeait. L'excuserez-vous encore lorsqu'ils arriveront ici pour nous couper la gorge et nous dépouiller ?

— Et qu'avons-nous donc qui vaille la peine d'être volé, Zophiel ? Qu'avez-vous tant à cœur de protéger ? » demandai-je sèchement.

Mais si j'espérais le mener à révéler quoi que ce soit sur le contenu de ses précieuses boîtes, je perdais mon temps. Même lorsqu'il était réveillé en sursaut en pleine nuit, Zophiel avait tous ses esprits. Il me toisa froidement.

« Le chariot, un cheval, vos reliques soi-disant authentiques, les instruments de Rodrigo. Même une loque vaut la peine d'être volée pour qui ne possède rien. Nous ne sommes peut-être pas riches, mais nous avons bien des choses qu'un homme pourrait convoiter, n'êtes-vous pas d'accord, Camelot ? »

Nous avions tous attendu que la pluie s'arrête, mais maintenant qu'elle avait cessé il faisait plus froid et le vent était glacial. Les faibles rayons de soleil qui perçaient durant les éclaircies nous redonnaient peut-être du courage, mais ils ne réchauffaient nullement nos os transis. La nourriture était notre principale inquiétude. Nos réserves étaient taries et nous dépendions de ce que nous cueillions ou attrapions, et la tâche n'était pas aisée.

Mais la faim n'était pas la seule chose qui nous poussait à nous isoler dans nos pensées silencieuses. Cygnus semblait plus épuisé et misérable que jamais. Bien qu'il dormît dans la chapelle, les cauchemars ne cessaient de troubler son sommeil, à la grande irritation de Zophiel, qui lui disait que s'il ne pouvait pas contrôler sa bouche, il ferait mieux de dormir dehors dans le chariot vide où il ne dérangerait que Xanthos.

Maintenant que Noël était passé, Adela devenait de plus en plus irritable et difficile. Tiraillée entre son désir de voir le bébé naître et sa crainte de l'accouchement, elle avait peur de laisser Osmond partir à la chasse au cas où les douleurs commenceraient en son absence. Ce dernier devait donc non seulement s'occuper d'Adela, mais il n'osait plus regarder Jofre en face. Il faisait tout son possible pour éviter de se retrouver seul avec lui, et il préféra demander à Zophiel et Rodrigo de l'accompagner à la chasse, bien que ni l'un ni l'autre n'eût été bon chasseur. Mais Narigorm s'empressa de proposer d'y aller à leur place, et Osmond, malgré sa réticence, dut avouer que même des chasseurs expérimentés auraient été bien en peine de montrer autant de persévérance et de patience qu'elle lorsqu'il s'agissait de traquer une proie. Chaque fois que Jofre proposait de l'aider, Osmond refusait, prétextant quelque piètre excuse qui déconcertait et blessait le garçon. Quant à Zophiel, il le raillait à la moindre occasion, mais Jofre ne sembla tout d'abord pas faire le lien entre les sarcasmes de Zophiel et la froideur d'Osmond.

C'est le jour de Saint-Jean-l'Apôtre, deux jours après Noël, que la situation dégénéra. Jofre, Zophiel et moi étions seuls dans la chapelle. Nous venions de nous réveiller, et notre souffle produisait une brume blanche dans l'air. Dehors, un givre dur recouvrait tout. Le moindre brin d'herbe étincelait de blancheur dans la lumière pâle, et les ornières dans la boue étaient aussi solides que des pierres. Le courant de la rivière était trop rapide pour qu'elle gelât, mais les flaques sur la route étaient comme du verre. Xanthos se tenait sous les arbres, battant des sabots, des bouffées de vapeur s'échappant de ses naseaux roses. Cygnus était déjà sorti pour l'emmener boire à la rivière, car son seau d'eau, qui avait été rempli la veille au soir, était complètement gelé.

Osmond et Adela jubilèrent en voyant les branches des arbres scintiller. C'était ce que nous avions attendu, ce que toute l'Angleterre avait tant espéré. Comme toute fièvre estivale, la pestilence serait sûrement éradiquée par les glaces de l'hiver. Je priais ardemment pour que ce soit vrai, même si, comme l'avait dit Zophiel, l'été précédent n'avait pas été suffisamment chaud pour provoquer la fièvre, ce qui ne l'avait pas empêchée de se propager. Mais si les gelées d'hiver ne la tuaient pas, alors qu'est-ce qui le ferait ?

J'étais sur le point de sortir pour essayer de trouver quelque chose à manger quand Osmond arriva de la crypte, ses filets enroulés autour du bras, suivi de Narigorm. À la vue de Jofre, il hésita, mais il se reprit et se dirigea d'un pas résolu vers la porte de la chapelle sans le regarder.

« Attends, Osmond, lança Jofre. Si tu vas chasser, je vais t'accompagner. »

Osmond attrapa Narigorm par l'épaule et la tint devant lui tel un bouclier humain.

« Non, je peux poser les filets avec Narigorm. Pourquoi ne vas-tu pas chasser à la fronde dans la forêt ? Si les canards sont rares, nous aurons besoin de pigeons ou de perdreaux, et peut-être attraperas-tu des lapins, ce sera toujours ça de pris. »

Jofre ne semblait pas remarquer l'embarras d'Osmond. Il attrapa sa houppelande.

« Je pourrai chasser à la fronde plus tard. Les berges vont être glacées et la rivière est en crue. Narigorm ne pourra pas te rattraper si tu glisses. Vous pourriez tous les deux être emportés. Mieux vaut que nous y allions tous les deux, ce sera plus sûr.

— J'ai dit non ! » riposta sèchement Osmond.

Son ton véhément fit reculer Jofre.

« Nous attraperons beaucoup plus d'oiseaux, Jofre, si nous chassons séparément à partir de maintenant », marmonna Osmond.

Et il poussa Narigorm vers la porte sans attendre de réponse, abandonnant Jofre dans la chapelle. Ce dernier avait une expression de chiot qui se serait pris un coup de pied sans savoir pourquoi.

« On dirait qu'il vous a abandonnée, jolie demoiselle », railla Zophiel.

Jofre ne sembla pas s'apercevoir qu'on lui parlait. Il lâcha sa houppelande, marcha jusqu'à la fenêtre et regarda dehors, perdu dans ses pensées.

« Laissez-le tranquille, Zophiel, prévins-je à voix basse. Nous avons assez de problèmes comme ça. »

Celui-ci m'ignora.

« Quel tableau, une demoiselle au cœur brisé qui se tient à la fenêtre, regardant son amant s'éloigner. Vous devriez écrire une chanson là-dessus, Jofre. »

Jofre se retourna en entendant son nom.

« Vous avez dit quelque chose, Zophiel ?

— J'observais simplement que vous faisiez un

tableau bien tragique ; la vierge abandonnée qui attend en vain son amour. Mais vous n'êtes pas exactement vierge, n'est-ce pas, Jofre ? Je suppose que vous avez déjà eu bien des amourettes. »

Jofre était trop préoccupé pour percevoir les subtilités de la conversation, mais il rougit légèrement à la mention d'amourettes.

« Moins que vous, Zophiel, répliqua-t-il avec insolence.

— Vraiment ? C'est regrettable. »

Zophiel épousseta soigneusement sa manche.

« Dommage que cette personne-ci soit mariée.

— Si vous parlez d'Adela, sachez qu'elle n'est pour moi qu'une amie. »

Je fis la grimace, conscient qu'il venait de tomber en plein dans le piège de Zophiel.

« Non, je m'en doutais. Les jupes ne vous intéressent pas, n'est-ce pas, Jofre ? J'ai entendu dire que certains hommes préféraient les coqs aux poules. Personnellement, je trouve cela abject et répugnant. Cependant, comme je disais, quel dommage pour vous que ce coq-ci soit marié. Qui sait, vous et votre maître auriez peut-être pu… »

Jofre, comprenant soudain, devint rouge de colère. Il se rua sur Zophiel, poings levés.

Ce dernier, riant, l'esquiva aisément.

Je m'interposai.

« Laissez, Jofre, ne voyez-vous pas qu'il cherche à vous appâter ? Allez passer votre colère sur les oiseaux avec votre fronde, au moins cela servira à quelque chose. »

J'attrapai sa houppelande, la lui plaçai de force entre les mains et le poussai vers la porte.

Comme je l'ouvrais, Zophiel lança : « Je crains que

votre ami Osmond garde désormais ses vêtements en votre présence, garçon, mais si vous aimez les coqs, peut-être pourriez-vous goûter à un cygne. Je suis certain qu'il vous en serait reconnaissant ; après tout, un monstre comme lui doit avoir autant de peine que vous à trouver chaussure à son pied. »

Il me fallut toutes mes forces pour empêcher Jofre d'écraser son poing sur le visage de Zophiel, chose que je mourais également d'envie de faire.

Je retournai à la chapelle en fin d'après-midi avec un sac à moitié rempli de faînes, de noisettes et de glands. Il m'avait fallu plusieurs heures pour ramasser ce maigre butin car, à en juger d'après le sol retourné, des sangliers ou des cochons m'avaient précédé. Il faudrait une éternité pour décortiquer les faînes, mais nous n'avions pas grand-chose à faire durant nos sombres soirées, et elles pourraient être séchées pour faire de la farine, pourvu que nous nous retenions de les manger avant. La porte de la chapelle n'était pas fermée et je fus surpris de trouver les lieux déserts, mais j'entendis la voix de Cygnus s'élever de la crypte. Il semblait raconter une histoire à Adela pour l'occuper. Je barrai la porte avant de les rejoindre et les trouvai blottis devant le brasier de la crypte. Ils sourirent à mon entrée.

« Toujours aucun signe, Adela ? » demandai-je.

Elle fit non de la tête.

« Il arrivera le moment venu. Estimez-vous heureuse de pouvoir vous reposer maintenant, car une fois que le bébé sera là, vous n'aurez plus une minute de paix pendant des années. »

Cygnus se leva et resserra sa houppelande pourpre autour de ses épaules.

« Si vous pouvez tenir compagnie à Adela, Camelot, je vais aller voir Xanthos.

— Je ferais mieux de monter avec vous et de barrer la porte derrière vous. Zophiel serait furieux si à son retour il trouvait ses boîtes sans surveillance. »

Cygnus porta vivement la main à sa bouche.

« J'ai oublié de fermer la porte, n'est-ce pas ? C'est comme ça que vous êtes entré ? Je pensais à autre chose, puis Adela m'a appelé et… »

Je lâchai un petit éclat de rire en voyant son expression horrifiée.

« Tout va bien, mais je vous suggère de ne pas en parler à Zophiel, car vous pourriez vous retrouver de nouveau attaché au chariot. »

Je barrai la porte derrière Cygnus et parcourus la chapelle du regard, juste pour m'assurer que, comme je l'avais dit à Cygnus, tout allait bien. Je vérifiai les boîtes de Zophiel empilées dans un coin. La puanteur de la sirène imprégnait la pièce – algues, et le parfum amer de la myrrhe et de l'aloès. J'étais désormais si habitué à cette odeur que je ne la remarquais généralement plus, mais parfois, sans prévenir, elle m'assaillait de nouveau et les souvenirs ressurgissaient – le jour où ils avaient apporté à la maison la tête de mon frère.

Cela faisait des mois que la nouvelle de la chute de Saint-Jean-d'Acre nous était parvenue. Et durant tous ces mois nous n'avions pas su s'il était mort ou vivant. Nous nous disions qu'il était peut-être sur le chemin du retour. Ou bien qu'il avait été blessé et qu'on le soignait quelque part en attendant qu'il ait retrouvé assez de forces pour rentrer à la maison en clopinant. Et un jour, quand nous nous y attendrions le moins, il franchirait la porte. Nous avions continué d'espérer jusqu'au jour où nous avions été appelés au salon et avions vu le cercueil devant mon père et senti cette odeur.

Je n'aurais pas pu reconnaître sa tête. Son visage était fripé et sombre comme du cuir, ses cils et sa barbe, d'un blanc saisissant. Ses lèvres retroussées dessinaient un horrible sourire, ses yeux serrés fort semblaient avoir été frappés d'horreur par une chose qu'ils n'avaient pu supporter de voir. On nous disait que c'était sa tête, mais j'avais refusé de le croire jusqu'à ce que je voie le petit bout qui manquait à son oreille gauche depuis qu'un chien l'avait mordu quand il était enfant. C'est étrange comme, en fin de compte, seules nos cicatrices nous distinguent. Mon père tenait la tête entre ses mains, comme si mon frère était à nouveau un petit garçon qui se tenait à ses pieds pour recevoir sa bénédiction. Il n'avait pas pleuré. Ses seules paroles avaient été : « Je peux maintenant enterrer mon fils. »

Les gens leur en voulaient, vous savez, ils en voulaient aux chevaliers de ne pas avoir tenu bon. Même si Jérusalem était tombée depuis des années, ils se disaient que tant que nous tenions Saint-Jean-d'Acre, nous reprendrions un jour la Terre sainte. Mais quand Saint-Jean-d'Acre était tombée, un rêve s'était écroulé avec elle. Les chevaliers avaient détruit leur dernier espoir, et les gens ne pouvaient pas le leur pardonner. Mon père était l'un d'eux, il affirmait que ceux qui avaient fui étaient des parjures, qu'ils avaient trahi le Christ et leur roi. Et il avait déclaré qu'il préférait que son fils revienne mort sur son bouclier plutôt que dans la peau d'un lâche. Nous l'avions supplié de ne pas dire ça, mais il l'avait dit, et il était trop tard.

Croyez-vous que les mots ont le pouvoir de tuer ? Qui sait où ils vont une fois qu'ils ont été prononcés à voix haute ; ils s'envolent telles des graines portées par le vent. « Ne dites jamais de mal, disait ma nourrice, car de minuscules démons se cachent partout, attendant d'attraper vos paroles et de s'en servir pour empoisonner la pointe de leurs flèches. » Mon père avait parlé, et maintenant mon frère était mort.

J'entendis Adela appeler d'une voix anxieuse depuis la crypte.

« J'arrive », répondis-je.

Je jetai un nouveau coup d'œil aux boîtes ; aucune ne semblait manquer. Au moins Zophiel ne s'apercevrait pas que Cygnus avait oublié de barrer la porte. Je me retournai pour rejoindre Adela. Le soleil de la fin d'après-midi brillait à travers les fenêtres, projetant de longs puits de lumière sur le sol de pierres. Des couches de poussière s'étaient accumulées depuis que les ouvriers avaient abandonné la chapelle, mais nous n'avions pas pris la peine de balayer. À quoi bon quand nous apportions toujours de la boue avec nous ? Mais alors que je m'apprêtais à m'éloigner, je remarquai quelque chose que je n'avais pas vu auparavant. Plusieurs boîtes avaient été déplacées. Quelqu'un les avait fait pivoter sur elles-mêmes avant de les repousser dans leur position originale, laissant des marques fraîches en forme d'éventail dans la poussière. Probablement Zophiel, avant d'aller à la pêche. Il les vérifiait constamment, il ne faisait donc aucun doute qu'il l'avait encore fait ce matin. L'envie d'essayer d'en ouvrir une me prit alors, mais j'entendis des voix dehors. Osmond et Narigorm étaient de retour. J'allai leur ouvrir la porte.

Jofre ne revint pas pour le souper. Personne ne l'avait vu de la journée. Zophiel était inflexible : nous ne devions rien lui laisser à manger puisqu'il n'avait rien rapporté pour la marmite, pas même un moineau plumé. Et je dois avouer que personne, ni même Rodrigo ou la compatissante Adela, ne protesta autrement que pour la forme, car nous avions tous si froid et si faim que, même si nous avions voulu lui garder quelque chose, je doutais que nous eussions pu nous retenir de manger sa part.

Comme l'obscurité tombait, l'air devint plus froid. Nous ajoutâmes du bois au brasier dans la crypte et nous blottîmes tout autour, enveloppés dans nos houppelandes. Le bois était toujours trop humide pour bien brûler et engendrait plus de fumée que de chaleur. La rivière qui déferlait en dessous de nous semblait plus bruyante que jamais. Parfois, nous entendions une branche ou quelque autre objet s'écraser contre le pilier de la crypte entraîné par l'eau déchaînée. La pierre amplifiait les bruits, de sorte qu'on eût dit que quelque bête énorme rongeait les fondations de la chapelle.

Nous nous apprêtions à passer une nouvelle nuit glaciale lorsque nous entendîmes de nouveau le loup. Et un hurlement de loup, même si vous l'entendez souvent, vous donnera toujours des frissons dans le dos. Adela poussa un cri d'angoisse, et Zophiel et Rodrigo bondirent sur leurs pieds.

« La porte est-elle toujours barrée ? demanda vivement Zophiel. Personne n'est sorti depuis que je l'ai fermée ce soir ? »

Il parcourut le groupe du regard comme s'il soupçonnait que l'un de nous s'était glissé à l'étage et avait ouvert la porte pendant qu'il regardait ailleurs.

« Mais Jofre est toujours dehors, objecta Rodrigo. Il est peut-être sur le chemin du retour. Le hurlement provenait de la rive où se trouve la ville. Il sera en danger et s'il… n'est pas en état de se défendre.

— Vous voulez dire ivre, déclara Zophiel. Oui, j'ai peur que vous ayez raison. Quand notre ami a un verre dans le nez, il est incapable de se défendre contre un lapin en maraude, et encore moins contre un loup. »

Cette idée semblait le réjouir.

« Alors vous allez venir le chercher avec moi ? »

Je n'en revins pas que Rodrigo pût croire un seul instant que Zophiel l'accompagnerait, et le refus sarcastique de ce dernier ne me surprit nullement.

« Vous croyez vraiment que je vais me priver de sommeil pour aller chercher ce stupide petit ivrogne ? Ça lui fera les pieds s'il se fait dévorer. »

Mais les mains de Zophiel tremblaient et je savais que son refus tenait moins à son mépris envers Jofre qu'à sa peur de se retrouver dehors dans le noir avec un loup rôdant dans les parages.

Nous entendîmes un nouveau hurlement et nous raidîmes. Adela, qui s'était recroquevillée sur elle-même, regardait avec crainte le plafond comme si elle craignait que la bête ne bondisse à travers la vitre à l'étage au-dessus. Osmond la serra contre lui. Cette fois, même lui ne pouvait prétendre qu'il s'agissait d'un chien.

« Les loups gardent le chemin des morts », déclara soudain Narigorm.

Mon estomac se serra. Narigorm était accroupie juste en dehors du cercle de lumière jaune vacillante projetée par le brasier. Son visage et son corps étaient dissimulés dans l'ombre noire de la crypte, mais ses mains étaient visibles et flottaient au-dessus de quelques runes. Il n'y en avait que trois devant elle et je ne vis aucun autre objet – ni coquillages, ni herbes, ni plumes. J'avais assez souvent observé Narigorm tandis qu'elle lisait ses runes pour savoir que lorsqu'il n'y en avait que trois, cela signifiait qu'elle leur posait une question. Une simple question, mais la réponse ne serait pas simple, ça, je le savais. Et le loup était-il la question ou la réponse ?

Zophiel traversa la pièce et saisit le poignet de la fillette, éloignant sa main des runes.

« Que veux-tu dire ? » demanda-t-il d'un ton dangereusement calme.

Narigorm leva la tête. Des flammes jumelles se réfléchirent dans ses pupilles, comme du feu brûlant dans de la glace.

« Les loups ramènent chez eux les esprits des morts, où qu'ils soient.

— J'ai déjà entendu cela, dit Cygnus, visiblement mal à l'aise. Ma mère me disait que les esprits des personnes qui venaient de mourir longeaient les chemins antiques pour retrouver leurs maisons ancestrales. Les loups gardent la route pour s'assurer que les esprits des morts ne sont pas détournés du droit chemin par les démons ou les sorcières. Est-ce ce que tu veux dire, Narigorm ? »

Celle-ci ne répondit rien, mais resta assise, les yeux levés vers Zophiel. L'homme et l'enfant se scrutaient avec des visages dénués d'expression. Zophiel fut le premier à détourner le regard. Il lâcha son bras comme s'il avait été brûlant et pivota brusquement sur ses talons.

Comme si le charme avait été brisé, Rodrigo attrapa son bâton et sa houppelande.

« Je vais chercher Jofre », annonça-t-il.

M'appuyant sur mon bâton, je me relevai péniblement et m'enveloppai dans mon manteau.

« Je vous accompagne, Rodrigo. Je suis peut-être trop vieux pour me battre, mais plus nous serons nombreux, plus nous serons en sécurité. Un loup n'attaquera pas un homme entouré. Qui d'autre veut venir ? »

Je me tournai vers Osmond, mais il évitait soigneusement mon regard et fixait le sol.

La nuit était claire et glaciale, chaque étoile étincelant sur son lit de martre. La lune était arrondie mais pas complètement pleine ; elle le serait le lendemain. Mais elle était suffisamment lumineuse pour inonder le pont d'une lueur opaline. En contrebas, l'eau, désormais noire, rugissait et déferlait sous les arches. Le clair de lune argenté scintillait à sa surface comme des écailles sur le dos d'un poisson gigantesque.

De l'autre côté du pont, la route s'enfonçait en tournant dans les ténèbres, longeant des terrains broussailleux jonchés de souches. Rodrigo avait emporté une lanterne, comme la règle l'imposait à ceux qui étaient assez courageux ou idiots pour sortir en pleine nuit, afin d'indiquer que nos intentions étaient honnêtes. Un honnête homme, prétend la loi, se montrera et ne cherchera à dissimuler ni sa présence ni son identité. Mais que dit le règlement des hommes malhonnêtes qui peuvent voir la lumière à des lieues à la ronde et ainsi repérer des voyageurs à détrousser ? Qui protégera les gens honnêtes de la loi ? Mais cette nuit-là, je craignais plus le loup que n'importe quel homme, et la lumière nous aiderait au moins à le tenir à distance. Cygnus s'était courageusement joint à nous, et il lançait des regards inquiets en direction des broussailles qui bordaient chaque côté de la route, où des ombres couraient et les branches grondaient.

Soudain Rodrigo s'arrêta net et pointa le doigt.

« Là-bas », dit-il d'une voix sifflante.

Une paire d'yeux, proche du sol, rougeoyait dans l'éclat de la lanterne. Pendant un moment, ni nous ni la bête ne bougeâmes, puis elle tourna la tête et s'éloigna. Nous aperçûmes une queue rouge et fournie et poussâmes un soupir de soulagement ; un renard, rien qu'un renard. Nous nous remîmes en marche. Nous étions tellement à l'affût que nos yeux et nos oreilles commençaient à nous faire mal, mais il n'y avait aucun signe du loup.

Il n'y avait pas non plus le moindre signe de Jofre sur la route, bien que la cloche du couvre-feu eût sonné en ville une heure plus tôt. Nous atteignîmes la porte de la cité. Un remblai escarpé, surmonté par une barrière en clayonnage, en marquait la limite. La barrière était en mauvais état et aurait constitué une piètre défense contre quiconque, hormis contre les vieux barbons comme moi qui n'étaient plus capables d'escalader une clôture. Comme nous nous y attendions, la porte du corps de garde qui enjambait la route était solidement fermée.

Je frappai avec mon bâton contre le portillon enchâssé dans la grande porte. Un petit judas s'ouvrit, laissant paraître la tête du veilleur de nuit.

« Qu'est-ce qui vous amène ? grommela-t-il.

— Nous sommes venus chercher un garçon.

— Chacun ses goûts. »

J'ignorai sa réflexion.

« Cet homme est le maître du garçon. Il est venu pour le ramener à la maison. Il aurait dû rentrer il y a plusieurs heures. Vous connaissez les jeunes hommes, toujours à courir après quelque jolie fille. Pouvons-nous entrer ?

— La porte est fermée pour la nuit.

— Raison de plus pour le récupérer et le ramener à la maison. Ce garçon est du genre à causer des problèmes quand il a bu un verre ou deux, il devient turbulent, il dérange les braves gens chez eux, il poursuit leurs filles, il casse des choses. Vous ne voulez pas vous retrouver avec une litanie de plaintes pendant votre service, n'est-ce pas ? Laissez-nous entrer et nous le traînerons hors d'ici avant qu'il ne fasse des dégâts. »

Le veilleur hésitait.

Je lui glissai une pièce à travers le judas.

« Pour votre peine», dis-je.

Cela sembla le persuader, et le portillon s'ouvrit en grand.

Une fois à l'intérieur, nous lui décrivîmes Jofre, mais il se contenta de hausser les épaules, impatient qu'il était de retourner se réchauffer le postérieur à son feu. Il affirma qu'aucun garçon n'était passé ici, mais bon, il n'était de veille que depuis la cloche du couvre-feu, Jofre était sans doute arrivé en ville bien avant.

Nous marchâmes tous les trois côte à côte dans la grand-rue, espérant voir Jofre se diriger vers la porte. La ville semblait encore plus sordide à la lumière jaune orangé des torches. La plupart des maisons étaient plongées dans l'obscurité, les volets étaient tirés, et seule la lueur de chandelles apparaissait ici ou là à travers les fentes. Mais, malgré le couvre-feu, il y avait encore du monde dehors. Les tavernes étaient ouvertes, et de temps à autre un groupe de bons vivants en sortait. Parfois un homme était mis à la porte et atterrissait sur le derrière dans la rue s'il était chanceux, ou tête la première dans l'égout s'il ne l'était pas. Les allées et les venelles étaient plus sombres qu'auparavant, mais les cris qui émanaient de leurs profondeurs indiquaient qu'elles n'étaient pas désertes.

Nous arrivâmes à hauteur de l'auberge du Red Dragon. Elle était illuminée et des rires bruyants nous parvenaient de l'intérieur. Malgré leur dénuement, nombre de gens étaient déterminés à profiter au mieux des fêtes de Noël, sans se soucier des rumeurs de pestilence, ou peut-être justement à cause d'elles.

La porte de l'auberge s'ouvrit et une fille vida un seau d'eau sale dans la rue. Nous fîmes tous trois un bond en arrière.

« Attention, ma fille ! m'écriai-je. Regardez où vous videz ça ! »

Elle leva les yeux. C'était la jeune servante que nous avions vue se prélasser devant l'auberge le jour où nous étions passés devant.

« Je vous demande pardon, messieurs, je... » Elle s'interrompit soudain en nous reconnaissant. « Ne seriez-vous pas les messieurs qui êtes passés avec un chariot il y a quelques jours ? » Elle posa son seau et tira sur l'avant de sa robe, laissant encore mieux voir son ample poitrine. » Vous avez réussi à vous débarrasser de ce vieux grincheux qui conduisait la jument, hein ? Ça lui arrive de sourire à celui-là ? Si vous voulez passer du bon temps, vous êtes au bon endroit. Suivez-moi, messieurs. Nous allons nous occuper de vous. »

Je fis un pas en avant.

« Peut-être une autre fois, mais pour le moment nous cherchons le jeune homme qui était avec nous. Je ne sais pas si vous vous souvenez de lui. Mince, cheveux bruns et yeux marron.

— Pour sûr que je me souviens de lui. Il est venu il y a quelques jours avec les acteurs. Un beau garçon, avec des manières, et gentil aussi. Il peut partager mon lit quand il veut, et je ne dis pas ça de beaucoup d'hommes. Mais ça ne l'intéressait pas, si vous voyez ce que je veux dire. Toujours la même chose avec les plus beaux, ils sont soit moines, soit sodomites.

— L'avez-vous vu ce soir ?
— Possible. »

Je fouillai dans ma bourse ; Rodrigo vit ce qu'elle attendait et produisit une pièce. La fille la prit avec une petite révérence et l'enfonça sous son corsage.

« Il est aux bains. » Elle attrapa le bras de Rodrigo et l'attira un peu plus loin dans la rue jusqu'à l'entrée d'une allée sombre. « La deuxième maison sur la droite. Vous verrez l'enseigne.

— Vous êtes sûre qu'il y est ?

— Certaine. Un client du Red Dragon l'a vu entrer. Surtout, il a vu avec qui il est entré. »

Son sourire s'évanouit et elle agrippa le bras de Rodrigo avec insistance.

« Il faut le faire sortir de là, le plus vite possible. Comme j'ai dit, c'est un gentil garçon et je ne voudrais pas qu'on abîme son joli minois.

— Vous croyez que quelqu'un lui veut du mal ? demanda Rodrigo, alarmé. Pourquoi ?

— Écoutez, si quelqu'un vous demande, je n'ai rien dit, d'accord ? »

Nous acquiesçâmes.

« L'autre soir quand il est venu avec les acteurs, il est devenu ami avec l'un des garçons du coin, plus qu'ami, si vous voyez ce que je veux dire. S'il s'était entiché de quelqu'un d'autre, personne ne se serait soucié de ce qu'il faisait ni d'avec qui il le faisait, du moment qu'il peut payer, mais Ralph va lui causer des ennuis. Son père est le maître de la Guilde des bouchers. Il possède beaucoup de propriétés en ville, il a de nombreux intérêts, mais il ne compte pas en rester là. Il doit connaître les penchants de son fils, j'en suis certaine, mais il s'en moque. Il a arrangé un mariage entre Ralph et la fille d'un baron qui possède une douzaine de fermes dans la région. On comprend que cette union lui serait favorable ; le baron produit les bêtes, et le boucher les abat. Tous les profits restent dans la famille, d'autant que la fille est le seul enfant encore en vie du baron.

« Le problème, c'est que le baron veut des petits-enfants, beaucoup, et il veut un gendre qui mettra toute son énergie à les lui donner. Si le père de la fille entend dire que quelque chose ne tourne pas rond avant le mariage, tout sera annulé en moins de temps qu'il n'en faut pour le dire, et le père de Ralph n'appréciera pas. Croyez-moi, mieux vaut éloigner votre garçon de Ralph avant que le paternel n'apprenne quoi que ce soit, pour autant qu'il ne soit pas déjà au courant. » Elle lança un regard anxieux à la ronde. « Nombre de gens ici ont des dettes envers lui, et ils pourraient chercher à s'en acquitter en allant colporter quelques ragots. »

Nous la remerciâmes et nous engageâmes dans la petite allée qu'elle avait désignée. Les étages en surplomb bloquaient le ciel, de sorte que seul un mince ruban d'étoiles était visible entre les bâtiments. L'allée empestait la pisse et pire, mais par chance les immondices sur lesquelles nous marchions étaient gelées et nous n'avions pas à patauger dedans.

Comme l'avait dit la servante, nous n'eûmes aucun mal à trouver les bains grâce à l'enseigne ornée d'une baignoire placardée sur la porte. La femme qui nous fit entrer fut polie, jusqu'à ce qu'elle découvre que nous n'étions pas venus pour nous baigner ; elle nous ordonna alors de décamper. Mais lorsque nous décrivîmes Jofre, son attitude changea et elle sembla bien malgré elle ravie de notre venue.

« Ah, eh bien, vous feriez bien de l'emmener. Je

ne veux pas d'ennuis. » Elle désigna de la tête l'une des pièces. « Il est là-bas. »

Nous entrâmes. La pièce était chaude et embuée, il flottait une odeur de bois mouillé, recouverte d'un parfum propre de thym, de laurier et de menthe. Trois grandes baignoires en bois étaient disposées en cercle au centre de la pièce. Elles étaient dotées de paravents triangulaires pour abriter les baigneurs des courants d'air et conserver la vapeur. La propriétaire prenait de toute évidence grand soin de ses clients car les baignoires étaient couvertes d'un drap de lin pour éviter les échardes. Entre les baignoires se trouvaient plusieurs petites tables. Des aiguières de bière et de vin, des assiettes de viande rôtie, de fromage, de légumes saumurés et de fruits conservés dans du miel étaient posées à portée de main des baigneurs. Je sentis mon ventre gronder.

Nous ne reconnûmes pas les deux garçons et la fille dans la baignoire qui faisait face à la porte. Ils étaient nus, ne portaient qu'une serviette sur la tête, et étaient enfoncés jusqu'au cou dans l'eau chaude parfumée. Je mourais d'envie de les rejoindre. L'idée de tremper mes membres froids et douloureux dans un bain chaud pendant une heure ressemblait au paradis. Cela faisait des années que je n'avais pu le faire. Me prélasser dans un bain chaud est l'un des nombreux plaisirs auxquels j'ai dû renoncer.

Les deux autres baignoires étaient dissimulées par les paravents. Nous avançâmes. L'un des baigneurs leva la main en nous apercevant.

« Nous sommes au complet. Essayez les autres baignoires. » Puis, souriant à Rodrigo :

« Mais nous pourrions tout de même vous faire une petite place.

— Je ne suis pas venu me baigner, répliqua Rodrigo d'un ton bourru. Je suis venu chercher mon élève. »

Nous entendîmes un mouvement soudain en provenance de la troisième baignoire, comme si quelqu'un avait été surpris.

Je fis le tour. Ils n'étaient que deux dans cette baignoire. Un jeune homme un peu plus âgé et trapu que Jofre qui, malgré ses cheveux dissimulés sous un bonnet de lin peu flatteur, était beau garçon et qui, avec ses yeux noisette, sa mâchoire carrée et ses lèvres pleines, n'était pas sans rappeler Osmond. L'autre occupant de la baignoire, dissimulé autant qu'il pouvait derrière le paravent, était Jofre et il ouvrait de grands yeux inquiets.

Étant donné l'avertissement de la fille de la taverne, je savais que nous devions agir aussi vite et discrètement que possible. Il était important que Rodrigo ne perde pas son calme, pas ici. Je me tournai vers lui.

« Allez demander à l'une des servantes de lui apporter ses vêtements », dis-je.

Rodrigo hésita, mais Cygnus comprit aussitôt la situation et l'emmena.

Je me tournai de nouveau vers Jofre.

« Venez, garçon, séchez-vous. C'est le couvre-feu ; nous devons regagner la porte avant le changement de veilleur. »

Mais Jofre, maintenant que sa peur initiale était passée, n'était pas d'humeur à partir sans se rebeller.

« Pourquoi le ferais-je ? »

Il avait le visage rougi et je compris aussitôt que cela était autant dû à l'aiguière de vin à moitié vide qui était posée sur la table qu'à la chaleur du bain.

L'autre garçon, dont je supposais qu'il s'agissait de

Ralph, passa d'un air désinvolte le bras autour des épaules mouillées de Jofre.

« Inutile qu'il parte. Il peut passer la nuit en ville.

— Il est l'apprenti d'un maître, et son maître lui ordonne de venir. La loi lui impose de lui obéir. De même que vous, Ralph, devez obéir à votre père. »

Il sembla surpris que je connaisse son nom.

« Et qu'avez-vous à voir avec mon père, monsieur ?

— Rien du tout, et j'aimerais qu'il en demeure ainsi pour sauver notre peau à tous. Si vous tenez un tant soit peu à Jofre, encouragez-le à partir maintenant, pour lui, si ce n'est pour vous. »

Lorsque Rodrigo et Cygnus revinrent dans la pièce avec ses vêtements, Jofre s'était laissé persuader de sortir du bain, et il tentait maladroitement de se sécher. Il laissa la servante l'habiller, et lorsqu'elle eut fini, Jofre jeta une poignée de pièces sur la table avec l'insouciance d'un jeune seigneur. Il lança un regard mauvais à Rodrigo, puis se pencha au-dessus de la baignoire et embrassa avec passion et insolence Ralph, avant de finir par se laisser mener dehors. Je me demandai soudain d'où venait l'argent, mais ce n'était pas le moment de le lui demander, car tandis que nous quittions l'allée, je crus voir un homme qui nous observait, appuyé au mur d'une maison proche. J'agrippai fermement mon bâton, mais lorsque nous arrivâmes à l'endroit où il s'était tenu, il n'y avait plus personne. Je m'en voulus de me laisser effrayer par des ombres ; cependant, plus vite nous sortirions de la ville, mieux ça vaudrait.

Jofre marchait entre nous, tremblant dans l'air glacial de la nuit après son bain chaud. Il était silencieux et j'espérais de tout cœur que Rodrigo aurait la sagesse de tenir lui aussi sa langue, du moins tant que nous n'aurions pas regagné la chapelle. Il y avait trop d'allées obscures et d'ombres tapies dans les recoins pour vouloir attirer l'attention sur soi. Je regardai plusieurs fois par-dessus mon épaule, mais ne vis personne derrière nous, ce qui ne suffit cependant pas à me rassurer. Une armée entière aurait pu se cacher dans l'ombre. Rodrigo et Cygnus lançaient également des regards anxieux chaque fois que nous croisions un groupe d'hommes, mais personne ne nous provoqua et nous vîmes enfin la porte de la ville devant nous.

Le veilleur tendit la main dans l'attente d'une autre pièce avant d'ouvrir la porte.

« Donc vous avez retrouvé le petit coquin, n'est-ce pas ? Vous le ramenez à la maison pour lui flanquer une correction, hein ? » Il lâcha un petit rire de satisfaction. « Tu vas regretter ça, mon gaillard. »

Je sentis Jofre se raidir à côté de moi et murmurai : « Tenez votre langue, garçon », tout en le poussant en avant. Une fois la porte franchie, j'inspirai avec soulagement l'air froid et pur de la nuit. La seule chose dont nous devions désormais nous soucier, c'était du loup.

18

Naissance et mort

Le lendemain était le jour des Saints-Innocents, ainsi nommé d'après le massacre des enfants juifs par le roi Hérode. C'était aussi le jour de la naissance de Judas l'Iscariote. Le jour le plus funeste de l'année, dit-on. Certains refusent de quitter leur lit ce jour-là. Ils ne sortent pas, ne vont pas vendre leurs articles sur le marché, n'achètent pas de bêtes, car, disent-ils, ce qui est commencé ce jour-là ne sera jamais achevé. Et cette année-là, la fête des Saints-Innocents devait être fidèle à sa sinistre réputation.

La journée n'avait pas débuté plus mal qu'une autre. Nous nous étions arrangés pour ramener Jofre à la chapelle sans incident ni dispute et, Dieu merci, sans rencontrer le loup. Zophiel nous attendait sans doute avec quelques paroles bien senties, mais il n'avait pas eu l'occasion de les prononcer car Rodrigo avait poussé Jofre jusqu'à la crypte en laissant juste à Zophiel le temps d'observer : « Donc le loup ne l'a pas dévoré. Quel dommage ! »

Rodrigo lui-même n'avait pas adressé une parole à Jofre de tout le trajet. L'air froid et la longue marche n'avaient pas tardé à dessoûler le garçon, qui, bien conscient que les silences de son maître étaient plus dangereux que ses colères, avait plusieurs fois regardé Rodrigo avec appréhension, comme s'il essayait de lire ses pensées. Lorsque nous avions atteint la crypte, il s'était tourné d'un air défiant face à Rodrigo, s'attendant clairement à une confrontation, mais son maître avait simplement dit : « Il est tard, Jofre, va te coucher. » Puis Rodrigo avait gagné sa couche et s'était étendu sans un mot de plus. Jofre était resté planté là un moment, bouche bée, frottant distraitement son postérieur, puis il s'était à son tour allongé dans son coin et avait enfoncé son visage dans sa houppelande.

Mais quel que fût le châtiment que craignait Jofre, je sentais bien que cette fois Rodrigo n'était pas en colère. Ce qui le mettait hors de lui, c'était le penchant de Jofre pour la boisson et le jeu, son refus de pratiquer son instrument et le fait qu'il gâchait ses talents. Mais pas ça, il n'en voulait pas à Jofre pour ça. Il savait depuis longtemps que c'était inévitable, et il avait peur pour lui.

Le petit déjeuner fut silencieux. Tout le monde était fatigué à cause des troubles de la nuit précédente, et nous n'avions pour rompre le jeûne qu'un bouillon clair préparé à partir des carcasses bouillies de la veille. Celui-ci fut vite avalé, et nous nous apprêtâmes sans entrain à passer une nouvelle longue journée dans le froid à la recherche de quelque chose à mettre dans la marmite.

Jofre avait soigneusement évité les regards durant tout le petit déjeuner et, avant que quiconque fût prêt, il se hâta d'attraper son sac et sa fronde.

« Je vais chasser, marmonna-t-il en regardant le sol. Je rentrerai avant la tombée de la nuit », ajouta-t-il en regardant nerveusement Rodrigo.

Il se dirigea vers l'escalier qui menait à la chapelle, mais n'atteignit que la deuxième marche. Zophiel, qui descendait en sens inverse, le poussa si violemment en arrière que le garçon perdit l'équilibre et retomba dans la crypte. Il se releva tant bien que mal et tenta de regagner l'escalier, mais Zophiel lui bloqua le chemin.

« Pas si vite, mon jeune ami. Je veux d'abord que tu répondes à quelques questions. Où es-tu allé hier soir ? »

Rodrigo s'avança.

« C'est mon élève, Zophiel. Où il est allé ne vous regarde pas.

— Moi, je crois que ça me regarde, Rodrigo, quand c'est mon argent qu'il dépensait.

— Vous lui avez donné de l'argent ?

— Je ne lui ai rien donné, Rodrigo. Jofre l'a volé. »

Décontenancé, Rodrigo se tourna vers Jofre, qui regardait Zophiel en écarquillant les yeux. Une rougeur terne apparut sur le visage du garçon, bien qu'il fût impossible de dire si c'était une rougeur de colère ou de culpabilité.

« Je croyais connaître tous les vices de votre élève – indolence, ivrognerie, jeu, sodomie ! Mais maintenant on dirait que nous devons ajouter le vol à cette liste qui ne cesse de s'allonger. Alors, garçon, je te le redemande, où es-tu allé ?

— Je n'ai rien volé », répondit Jofre, serrant les mâchoires de colère.

Zophiel s'approcha d'un pas.

« Alors maintenant nous pouvons ajouter le mensonge à la liste, n'est-ce pas ?

— Jofre n'est pas un voleur, déclara Rodrigo d'une voix ferme.

— J'observe, Rodrigo, répliqua Zophiel sans décrocher son regard du visage de Jofre, que vous avez eu la sagesse de ne pas affirmer qu'il n'était pas un menteur. Mais peut-être ne connaissez-vous pas votre élève aussi bien que vous le croyez. Vous a-t-il jamais dit, par exemple, que lors de notre première rencontre, Jofre a perdu tout l'argent de sa bourse à mon profit lors d'un pari qu'il a fait pour montrer combien il était intelligent. Il tenait beaucoup à ce que vous ne l'appreniez pas. Peut-être s'est-il dit qu'il me déposséderait pour rétablir l'équilibre. »

Jofre leva le menton et lança un regard noir à Zophiel.

« C'est vous le menteur, Zophiel. Je ne vous ai jamais volé d'argent. »

Zophiel sourit froidement.

« Non, mais tu as volé autre chose, n'est-ce pas, quelque chose que tu pouvais revendre dans cette ville pouilleuse. »

Il produisit une petite boîte de sous sa houppelande. Elle était à peu près de la taille d'un coffret à bijoux, mais était constituée de bois ordinaire et dotée de bandes de fer. Le verrou avait été forcé. Il l'inclina et des brins de paille en tombèrent, qui touchèrent les dalles dans un murmure.

« Vide, comme vous pouvez le voir. Mais hier matin elle ne l'était pas. »

Il lança violemment la boîte dans le coin de la pièce, où elle heurta les pierres avec fracas, arrachant un cri à Adela.

Zophiel l'ignora et attrapa Jofre par l'avant de sa chemise, approchant son visage de celui du jeune homme.

« À qui l'as-tu vendu, garçon ? Réponds-moi ! »

Rodrigo écarta Zophiel et saisit Jofre par le haut des bras, le faisant pivoter pour qu'il lui fasse face.

« Aux bains, tu avais de l'argent. Où te l'es-tu procuré ? Tu n'as rien gagné depuis des semaines. Réponds-moi, Jofre. »

Jofre, grimaçant, tenta en vain de se dégager des mains de fer de Rodrigo.

« Je ne suis pas un voleur. Je jure que je n'ai rien pris à Zophiel. J'ai gagné l'argent aux combats de chiens. Je ne vous l'ai pas dit car je savais que vous seriez en colère. Mais je ne l'ai pas volé, je le jure. »

Rodrigo scruta pendant quelques instants le visage du garçon, puis il le lâcha, secouant la tête comme s'il ne savait plus que penser. Jofre recula, frottant ses bras endoloris.

« Donc tu l'as gagné en pariant, n'est-ce pas, Jofre ? dit Zophiel d'un ton désormais glacial. Félicitations. La chance a dû tourner en ta faveur, car tu n'as jamais rien gagné jusqu'à présent. Tu joues aussi mal que tu mens. Alors, dis-moi, où as-tu trouvé l'argent pour miser ? Tes nouveaux amis sont-ils si généreux qu'ils t'ont laissé jouer gratuitement, ou bien as-tu mis en jeu le contenu de cette boîte ? As-tu parié ce qui m'appartenait ?

— Je n'ai jamais touché vos satanées boîtes !

— Vraiment ? Tu sais, dit Zophiel d'un air songeur, c'est aujourd'hui le jour des Saints-Innocents, n'est-ce pas ? »

Jofre sembla décontenancé.

« Quand j'étais petit, continua Zophiel, ce jour-là, notre maître fouettait tous les élèves de l'école pour leur rappeler la souffrance des saints Innocents. Quelle tristesse de laisser ces vieilles coutumes s'éteindre. » Sans prévenir, il tordit le bras de Jofre derrière son dos et le poussa vers l'escalier. « Mais j'ai un fouet là-haut. Peut-être te déliera-t-il la langue. »

Jofre, incapable de se libérer, se tourna frénétiquement vers son maître.

« Rodrigo, s'il vous plaît, empêchez-le. Ce n'est pas moi, je le jure ! »

Mais celui-ci se tenait tête baissée, bras croisés, incapable de le regarder.

Cygnus s'avança alors.

« Attendez, Zophiel. C'est moi, c'est ma faute. »

Zophiel se retourna soudain, sans toutefois lâcher Jofre.

« Tu m'as volé ?

— Non, non, répondit Cygnus en secouant la tête, je jure que non, mais j'ai laissé la porte de la chapelle ouverte hier après-midi. J'étais distrait. J'ai oublié de la barrer quand Rodrigo est sorti, puis je suis descendu parler à Adela, laissant la chapelle vide. Je lui ai raconté une histoire pour la distraire, et ce n'est que quand Camelot est revenu que je me suis aperçu du temps que nous étions restés à discuter.

— Tu es restée seule avec Cygnus ? demanda vivement Osmond en se tournant vers Adela.

— Et pourquoi pas ? Osmond, tu sais que ce ne sont que des balivernes. Cygnus ne… »

Elle s'interrompit soudain, le souffle coupé, et agrippa l'un des tréteaux pour se soutenir.

« Adela, êtes-vous malade ? demandai-je.

— Ce n'est rien. Une légère douleur, c'est tout », répondit-elle en secouant la tête.

Zophiel revint alors à la charge.

« Camelot, est-ce vrai ? »

Je me tournai vers lui et acquiesçai.

« La porte n'était pas barrée à mon retour, et Cygnus et Adela étaient ici, dans la crypte. Je crains que n'importe qui ait pu entrer et vous voler. D'ailleurs, que vous a-t-on pris, Zophiel ? »

Il ignora la question.

« Et vous n'avez pas songé à m'en faire part ? »

Je haussai les épaules.

« Si peu de gens passent par ici, et je n'ai rien remarqué de manquant quand j'ai regardé. La poussière par terre indiquait que quelques boîtes avaient été déplacées, mais vous en vérifiez souvent le contenu vous-même, Zophiel, comme vous l'avez fait ce matin, j'ai donc supposé que c'était vous qui les aviez déplacées avant de sortir.

— Vous voyez ? fit Jofre en tentant de se dégager de l'emprise de Zophiel. N'importe qui aurait pu voler l'une de vos précieuses boîtes et je n'étais même pas ici hier après-midi. J'étais en ville. Alors lâchez-moi ! »

Il se débattit violemment et cette fois parvint à se libérer. Il se tourna et jeta un regard noir à Zophiel.

« Excusez-vous, Zophiel, pour m'avoir traité de voleur.

« Pas si vite, mon jeune ami. Camelot a raison, peu de gens passent par ici, et si le voleur était venu par hasard, pourquoi aurait-il pris le contenu d'une boîte qui se trouvait sous plusieurs autres ? Pourquoi ne pas prendre la première chose sur laquelle il pouvait mettre la main, ou alors le tout, et pourquoi prendre la peine de tout remettre exactement en place ? Cela prend du temps, et il aurait sans doute voulu s'enfuir au plus vite avant d'être découvert. Non, mon jeune ami, je crois que tu es revenu en douce et que, trouvant la porte ouverte et la pièce vide, tu as saisi ta chance, sachant que si l'un de nous revenait à l'improviste, il ne s'étonnerait pas de ta présence. Tu as tout remis en place, dans l'espoir que je ne remarquerais pas le vol tout de suite, pour que je ne fasse pas le lien avec toi. Et je ne l'aurais pas fait, si Narigorm n'était pas venue me dire qu'elle avait lu dans ses runes qu'on m'avait volé quelque chose. »

Je me tournai vers Narigorm qui était accroupie, aussi immobile qu'une araignée, dans un coin. Elle leva de grands yeux sous ses cils blancs, mais son visage était de marbre.

« Non, mon jeune ami, reprit Zophiel, ce que me dit Cygnus ne t'exonère pas ; cela explique simplement comment tu as procédé. »

Il attrapa de nouveau Jofre et le poussa en arrière, le plaquant contre le mur en le tenant par la gorge.

« Je pourrais te livrer au bailli de la ville et te faire pendre, mais je suis un homme miséricordieux. Je ne vais pas te livrer. Je vais juste t'emmener à l'étage et te fouetter, garçon, jusqu'à ce que tu avoues, même si je dois te saigner jusqu'aux os. Et on verra après si tes amis sodomites te trouvent toujours aussi mignon, qu'en dis-tu ? »

Jofre leva brusquement le genou et atteignit Zophiel dans les parties. Celui-ci tituba et se plia en deux en grognant. Jofre se précipita vers l'escalier tandis que Zophiel sifflait entre ses dents : « Tu vas le payer, espèce de petit menteur pervers. »

Jofre se retourna, des larmes de rage lui embuant les yeux.

« Ne me touchez pas, Zophiel ! Ne me touchez plus jamais ! Je sais tout sur vous. Je sais ce qu'il y a dans vos précieuses boîtes. Et je parie qu'il y en a d'autres qui aimeraient savoir ce que vous cachez. Je n'ai nul besoin de vous voler quoi que ce soit, Zophiel ; je peux juste vendre ce que je sais, ça doit valoir une belle somme, ne pensez-vous pas ? »

Zophiel se figea, soudain blême. Jofre fila dans l'escalier d'un pas léger. Nous entendîmes ses pas à l'étage, puis la porte claquer. Le bruit sembla ramener Zophiel à la réalité, et il se hissa dans l'escalier en vacillant, serrant fermement la rampe de pierres. Une fois de plus, la porte à l'étage claqua.

Mais nous n'eûmes pas le temps de les suivre car un cri strident retentit derrière nous. Adela, appuyée contre le mur, agrippait son ventre. Il y eut un bruit d'éclaboussure sur le sol et une flaque d'eau se forma sous ses jupes. Je me précipitai vers elle.

« Là, aidez-la à s'asseoir ! » criai-je en regardant les visages stupéfaits autour de moi.

Mais Adela nous repoussa.

« Non, non, disait-elle.

— Allons, Adela, dis-je d'une voix rassurante. Vous devriez être heureuse que le bébé arrive enfin.

— Pas aujourd'hui. Il ne peut pas naître le jour des Saints-Innocents. L'enfant serait maudit.

— Vous avez perdu les eaux, Adela, il arrive, que ça vous plaise ou non. Le mieux que vous puissiez espérer, c'est que le travail soit long, de sorte qu'il naisse après minuit, mais cela, ma fille, je ne le souhaite à personne. »

Je me tournai vers les autres, qui nous regardaient, immobiles.

« Osmond, vous feriez mieux de rester avec votre femme. Narigorm, il va nous falloir de l'eau quand le bébé arrivera. Va en chercher maintenant ; j'aurai d'autres missions à te confier plus tard. Cygnus, Rodrigo, vous ne pouvez rien faire pour nous aider. Vous nous serez plus utiles en allant chercher du bois.

Qu'importe le temps que ça durera, il nous faudra manger, et je ne pense pas que nous puissions attendre beaucoup d'aide de Jofre ou Zophiel aujourd'hui. »

J'allai jusqu'à mon sac et en tirai un petit paquet enveloppé dans un morceau de cuir souple. Je menai Rodrigo et Cygnus à l'étage et défit l'emballage devant eux. À l'intérieur se trouvait un doigt noirci et flétri. L'endroit où le doigt avait été coupé était recouvert d'une couronne d'argent ciselé et orné de minuscules fragments de turquoise et de grenat. Je l'enveloppai de nouveau et le plaçai dans la main de Rodrigo.

« Emportez ceci en ville et essayez de le vendre.

— Mais cela doit avoir de la valeur. Je ne saurai en tirer pleinement profit.

— Vous m'avez assez souvent vu vendre des reliques pour savoir comment faire. De plus, Cygnus saura enjoliver les choses en racontant une belle histoire, même si vous n'y arrivez pas. Cette servante au Red Dragon saura qui pourrait être intéressé. Utilisez l'argent pour faire venir une sage-femme, il doit bien y en avoir une en ville. Puis servez-vous du reste pour acheter de quoi nous remplir l'estomac. Il est encore possible de se procurer à manger en ville, à en juger par la profusion de nourriture qu'il y avait aux bains, et aujourd'hui il nous faudra plus que quelques simples étourneaux. Et s'il vous reste quelque chose, apportez aussi du bon vin doux, car Adela en aura besoin avant la fin du jour.

— Je dois aussi chercher Jofre, dit Rodrigo. Si Zophiel le trouve en premier, il le tuera.

— Aucun risque que ça arrive, observa Cygnus avec un large sourire. Jofre est deux fois plus jeune que Zophiel, et il avait de l'avance. Et puis, il lui a flanqué un sacré coup de genou. Ça devrait le ralentir pendant un moment. »

Il sembla soudain soucieux. « Croyez-vous que Jofre sache vraiment ce que Zophiel garde dans ces boîtes, ou a-t-il juste dit la première chose qui lui est passée par la tête pour se venger de Zophiel ? »

Je regardai Rodrigo, et nous secouâmes tous deux la tête.

« D'une manière ou d'une autre, il a mis dans le mille, répondis-je. Mais, Cygnus, ne savez-vous pas ce qu'elles contiennent ? Quand nous étions au gué, vous avez dit que vous aviez vu quelque chose.

— Pas exactement vu. Quand je me cachais dans le chariot, je n'osais pas bouger de crainte que l'un de vous ne m'entende, et le soir, quand je me suis retrouvé seul et que vous étiez tous dans la chaumière, il faisait trop sombre pour y voir quoi que ce soit. J'avoue que j'ai essayé de forcer quelques-unes des boîtes, mais simplement parce que je cherchais quelque chose à manger. J'étais affamé. La plupart de celles que j'ai essayé d'ouvrir étaient verrouillées. Il y en avait une qui ne l'était pas, mais elle ne semblait contenir qu'une espèce de petite assiette, et Plaisance est alors sortie, je n'ai donc pas eu le temps d'essayer les autres boîtes. Ce n'est que plus tard, lorsque j'ai vu à quel point Zophiel y tenait, que ça m'a paru bizarre. Je peux comprendre la sirène, mais une petite assiette ? Je ne suis même pas sûr qu'un mendiant prendrait la peine de la voler. »

Rodrigo fronça les sourcils.

« Mais vous avez dit que l'assiette était dans une boîte qui n'était pas fermée à clé. C'est ce qu'un homme garde dans une boîte verrouillée qui... »

À cet instant, un cri perçant nous parvint de la crypte, et Osmond émergea de l'escalier au pas de course.

« Venez vite, Camelot, je ne sais pas quoi faire.

— Il n'y a rien à faire pour le moment. Tenez-lui juste la main quand les douleurs arrivent. »

Rodrigo et Cygnus filèrent vers la sortie comme s'ils craignaient qu'on leur demande de retourner à la crypte. Les hommes qui font preuve de bravoure sur le champ de bataille détalent comme des lapins effarouchés lorsqu'ils sont confrontés aux souffrances de l'accouchement.

Cygnus referma la porte derrière lui, puis la rouvrit et passa la tête à l'intérieur.

« Une chose que j'ai oubliée, Camelot, à quel saint appartient ce doigt ?

— À celui pour lequel ils seront prêts à débourser le plus d'argent. Mais ne vous laissez pas emporter, choisissez un saint mineur, hein, Cygnus, pas saint Pierre. Ce serait pousser un peu. »

Ce fut une longue journée. Les contractions arrivèrent tout d'abord lentement, et Adela refusait de se reposer. Elle allait et venait dans la pièce, marmonnant des prières et tentant même de cacher sa souffrance lorsqu'une vague de douleur l'assaillait, comme si, en la niant, elle pouvait empêcher l'enfant de naître jusqu'à un jour plus favorable. Lorsque, au milieu de l'après-midi, les contractions se firent plus fréquentes et plus fortes, nous installâmes Adela aussi confortablement que possible en la faisant s'asseoir sur un tonneau retourné et en calant des sacs sous ses bras. Chaque fois que les douleurs arrivaient, elle hurlait, et lorsqu'elles cessaient, elle pleurait. Osmond tournait en rond dans la pièce, ou alors il tordait les mains d'Adela comme si cela pouvait aider à faire sortir le bébé. Il semblait plus pâle et affolé qu'elle, et sa panique ne contribuait pas à calmer Adela.

Il m'aida à contrecœur à la déshabiller jusqu'à ce qu'il ne lui reste plus que sa tunique, mais il eut un mouvement de recul lorsque je lui suggérai de soulever la tunique et de lui masser le bas du dos et les fesses pour atténuer ses douleurs.

« Mais c'est votre femme, me récriai-je. Vous l'avez déjà vue nue.

— Faites-le vous-même, dit-il en reculant.

— Mais elle ne veut pas d'un vieil homme, elle a besoin de son mari. »

Il secoua la tête avec véhémence. Une expression de culpabilité et d'aversion traversa furtivement son visage, et je compris à cet instant ce que, je crois, je savais en mon for intérieur depuis plusieurs semaines. Seul un père ou un frère refuserait avec une telle violence de toucher le corps nu d'une femme à un tel moment. Lorsque Osmond avait gagné le lit d'Adela en entrant par la fenêtre, ce n'était pas pour elle un inconnu. Je comprenais désormais pourquoi il craignait que le bébé ne soit maudit.

Je n'avais pas le choix. Je fis mon possible et, pendant un temps, cela sembla fonctionner. Mais bientôt même les massages ne furent plus d'aucune utilité. Les douleurs redoublaient et Adela s'efforçait de pousser. Je palpai entre ses jambes et sentis le haut de la tête du bébé. La peau d'Adela était tendue autour. Au moins le bébé se présentait dans le bon sens. Mais il était pour bientôt, et Cygnus et Rodrigo n'étaient toujours pas revenus avec une sage-femme. Et je savais qu'en cas de complications, je serais incapable de l'aider.

J'essayais de réfléchir. Cela faisait de nombreuses années que je n'avais pas assisté à la naissance d'un enfant, et je tentais désespérément de me rappeler ce que les sages-femmes avaient alors fait. Des bribes me revenaient – un roseau pour aspirer les mucosités de la bouche et du nez du bébé, et quelque chose pour ligaturer le cordon ombilical. Ça, je m'en souvenais. Des fils tirés d'un morceau de tissu propre feraient l'affaire, mais où trouverions-nous un morceau de tissu propre ? Nous aurions aussi besoin de quelque chose pour langer l'enfant. Mais d'abord il nous fallait un roseau. Je demandai à Narigorm de courir à la rivière pour récupérer quelques roseaux creux, mais elle secoua la tête.

« Plaisance en a déjà.

— Plaisance n'est pas là, Narigorm ! rétorquai-je d'un ton exaspéré. Tout irait bien si elle était là, mais ce n'est pas le cas. Maintenant, s'il te plaît, va à la rivière comme je te l'ai demandé. »

Adela poussa un hurlement tandis que son ventre était la proie de nouvelles contractions.

Narigorm la regarda un moment avec indifférence, puis elle déclara : « Les roseaux sont dans le sac de Plaisance. Ça fait des semaines qu'elle a tout préparé pour le bébé d'Adela. Au cas où il arriverait en avance, qu'elle disait. »

Je ne savais pas si je devais l'embrasser ou lui donner une gifle parce qu'elle ne me l'avait pas dit plus tôt.

Le sac de Plaisance ne contenait pas grand-chose : quelques paquets d'herbes séchées, quelques pots d'onguent, une potion soporifique à base de jus de pavot, et un paquet enveloppé dans du lin. Je l'ouvris et étalai son contenu devant moi : un rouleau de langes, du fil rouge pour ligaturer le cordon – rouge pour le premier enfant –, quelques roseaux, comme l'avait dit

Narigorm, et un peu d'aigremoine pour faire éternuer la mère. Il y avait aussi un couteau avec des lettres gravées dans une écriture que je ne reconnus pas, et une petite amulette d'argent en forme de main avec les mêmes lettres qui se répétaient sur la paume ouverte.

L'après-midi touchait à sa fin lorsque nous entendîmes cogner à la porte au-dessus de nous. C'était Cygnus, seul. Il posa par terre le sac de fèves qu'il avait sur le dos, détacha la jarre de vin qu'il portait à la hanche et s'étira avec soulagement.

« Je suis désolé, Camelot, nous avons tenté notre chance avec toutes les sages-femmes que connaissait la servante. Elles ont toutes répondu la même chose : une sage-femme qui aide à mettre un enfant au monde le jour des Saints-Innocents portera malheur à tous les enfants qu'elle fera naître pendant des années. Aucune n'a accepté de nous accompagner, quelle que soit la somme que nous lui proposions. » Il baissa la voix et ajouta dans un murmure :

« Elles ont aussi affirmé qu'un enfant né aujourd'hui soit mourra, soit tuera sa mère. Les deux ne peuvent pas vivre.

— Parce qu'elles refusent d'aider à l'accouchement, voilà pourquoi », marmonnai-je avec colère.

Un nouveau hurlement strident nous parvint de la crypte, et Cygnus fit la grimace.

« Comment cela se passe-t-il ? »

Je secouai la tête.

« Je sens le sommet de la tête du bébé, mais depuis quelque temps l'ouverture ne s'élargit plus. Je crains qu'elle ne soit trop étroite pour le bébé. Les douleurs sont fortes, mais il n'y a aucun progrès et Adela est épuisée. »

Osmond arriva alors en courant.

« La sage-femme est-elle là ?

— Aucune n'a pu venir », répondis-je, aussi calmement que possible.

Il saisit Cygnus par la chemise et le secoua.

« Cela fait des heures que tu étais censé en ramener une. Qu'est-ce que tu fichais ? Tu veux la mort d'Adela ? Ça te plaît de voir des femmes mortes ? Ça t'excite ?

— Arrêtez, arrêtez ! m'écriai-je en poussant Osmond sur le côté. Rodrigo et Cygnus ont fait tout ce qu'ils ont pu, mais aucune sage-femme n'acceptera de faire naître un enfant aujourd'hui. »

Osmond recula et s'accroupit contre le mur, la tête entre les mains.

« Comment vais-je lui annoncer ça ? Elle est déjà convaincue qu'elle va mourir. »

Je parcourus désespérément la chapelle du regard, et mes yeux se posèrent sur le tableau de la Vierge.

« Vous rappelez-vous ce qu'a dit Adela à Noël à propos du réconfort qu'elle éprouvait à savoir que Marie veillait sur elle ? Peut-être que, si elle voit la mante de la Vierge au-dessus d'elle, elle en tirera de la force ? Amenez-la ici. L'estrade du sanctuaire est juste à la bonne hauteur pour l'accouchement ; à croire qu'il a été conçu dans ce but. »

Adela sembla en effet plus calme lorsque nous parvînmes finalement à la hisser en haut de l'escalier circulaire, mais elle souffrait et ses forces diminuaient à vue d'œil. Nous l'assîmes au bord de l'estrade. Son visage était pâle et sa tunique, trempée de sueur. Je tentais tout ce qui me revenait à l'esprit : je posais des tissus chauds sur son ventre, je la faisais éternuer pour qu'elle éjecte l'enfant. Mais en vain. Je plaçai l'amulette d'argent de Plaisance sur son ventre et lui demandai de la tenir lorsque les douleurs arrivèrent de nouveau. Et elle la serra si fort que le métal lui coupa la main, mais l'ouverture n'était toujours pas assez large pour laisser passer le bébé. La peau entre ses jambes était aussi tendue que celle d'un tambour.

À la tombée de la nuit, Rodrigo revint, visiblement découragé. Il avait cherché partout mais n'avait pas retrouvé Jofre. Mais s'il n'y était pas parvenu, alors Zophiel ne réussirait pas non plus. Jofre s'était sagement terré quelque part en attendant que la mauvaise humeur de Zophiel soit passée. Il finirait par revenir, comme toujours.

Rodrigo fut dévasté en voyant à quel point Adela souffrait et était faible. Il m'attira à l'écart.

« Nous devons faire sortir le bébé. Elle ne peut pas continuer ainsi.

— J'ai essayé tout ce que je sais. L'ouverture est trop étroite pour permettre le passage de l'enfant.

— Alors elle doit être coupée entre les jambes pour élargir le passage.

— Avez-vous déjà fait ça, Rodrigo ? »

Il secoua la tête.

« Ils l'ont fait à ma femme lorsqu'elle a accouché. J'ai entendu ses servantes en parler. Bien entendu, je n'y ai pas assisté.

— Je l'ai vu faire un jour, Rodrigo, mais cela exige une main experte. Et puis, si la femme survit, elle doit être recousue ou bien elle se videra de son sang.

— Cela, je peux le faire. J'ai un jour recousu une blessure sur la jambe de mon frère, il y a longtemps. Ce n'est pas la même chose, je sais, mais que pouvons-nous faire d'autre ? »

Adela, frissonnant et arquant le dos, poussa un nouveau gémissement. La sueur lui ruisselait sur le visage.

Elle ne hurlait plus. Elle n'en avait plus la force. Osmond s'éloigna d'un pas incertain, se passant la main dans les cheveux.

« Qu'est-ce que je dois faire, Camelot ? Tout ça, c'est ma faute. J'aurais dû la laisser avec les nonnes. Je n'aurais pas dû essayer de l'aider. Elles auraient pris le bébé, mais au moins, il aurait vécu.

— Assez ! criai-je en le secouant, avant d'ajouter, plus doucement : Il ne sert à rien de vous en vouloir, nous devons réfléchir à ce qu'il faut faire pour elle.

— Vous devez la couper, Camelot, insista Rodrigo, ou nous les perdrons tous les deux. Au moins, vous avez déjà vu quelqu'un le faire. Je ne saurais pour ma part ni où couper, ni sur quelle longueur.

— La couper ! s'écria Osmond en m'agrippant le bras, mais je le repoussai.

— Rodrigo va vous expliquer. Je vais chercher le couteau de Plaisance. Il est propre et aiguisé. »

Mes mains tremblaient tandis que je descendais l'escalier en direction de la crypte.

Narigorm était assise près du brasier, ses runes éparpillées devant elle dans trois cercles qu'elle avait tracés dans les cendres qui recouvraient le sol. Je devinai quelle question elle leur posait et songeai que je ne souhaitais pas connaître la réponse. Je rassemblai le paquet que Plaisance avait préparé et traversai la crypte jusqu'au pied de l'escalier. À l'étage j'entendais Adela gémir et les autres lui parler d'une voix apaisante.

Je m'immobilisai, un pied sur la première marche, et, sans me tourner vers Narigorm qui était assise derrière moi dans l'obscurité, je demandai doucement : « Serons-nous bientôt à nouveau neuf ? »

Il y eut un silence si long que je crus que Narigorm n'avait pas entendu, mais lorsque je me retournai, je vis qu'elle me regardait fixement. Ses yeux pâles scintillaient à la lueur du brasier.

« Si un est ajouté, un doit être enlevé », répondit-elle, comme si la question était depuis longtemps réglée.

Adela ne survivra donc pas, pensai-je, et tandis que je hissai mon corps las et douloureux dans l'escalier, je m'aperçus que je ne tremblais plus. Peut-être était-ce la certitude que la vie d'Adela n'était plus entre mes mains qui me faisait soudain éprouver ce détachement et ce calme.

Je fis asseoir Osmond derrière Adela sur l'estrade pour qu'elle puisse s'appuyer contre lui. Elle lui tint la main tout en serrant la petite amulette d'argent de Plaisance de l'autre. Nous lui donnâmes un peu de vin, qu'elle but avidement, mais je ne l'autorisai pas à en prendre plus. Elle ne devait pas être trop étourdie pour pousser. Nous étalâmes par terre entre ses jambes la paille que Zophiel avait renversée de sa boîte vide.

Puis je soulevai sa tunique. Le couteau de Plaisance était aiguisé et sans taches. J'entaillai la chair tendue d'un geste vif et sûr, à l'avant, à l'arrière. Adela hurla. Le sang coula sur mes mains et éclaboussa le sol de la chapelle.

« Rodrigo, posez vos mains sur son ventre. Quand elle poussera, vous devrez appuyer doucement, mais fermement. Adela, poussez maintenant, poussez. »

La tête sortit, pourpre et couverte du sang rouge vif d'Adela. Rouge pour le premier enfant. Je parvins à insérer un doigt sous l'aisselle glissante du bébé.

« Encore, Adela. »

Elle était penchée en arrière, les yeux clos. Elle gémit à travers ses dents serrées et secoua la tête.

« Vous le pouvez, Adela. Vous allez le faire. Pensez

à Marie, pensez à son accouchement, vous pouvez le faire… »

Elle se pencha en avant, plissant les yeux sous l'effet de la douleur et de l'effort. Elle poussa un cri strident lorsque je tirai, et le bébé sortit tandis qu'un jet de fluide chaud coulait sur moi. Il tomba mollement sur mes genoux et resta immobile, la peau bleue, les yeux clos. C'était un petit garçon. Il était parfait, mais ne bougeait pas. Je lui enfonçai le roseau tour à tour dans chaque narine et aspirai les mucosités, puis je fis de même avec sa bouche. Mais le bébé ne respirait pas. Je saisis un autre roseau et soufflai dans chacune des narines, rien. Dans la bouche, rien. Adela tenta de se redresser péniblement, mais Osmond la tint contre lui, la tête penchée au-dessus d'elle, couvrant son visage. Les autres me regardèrent en silence ligaturer le cordon violet avec le fil rouge et le couper.

« Massez-lui le ventre pour faire sortir le placenta », dis-je en soulevant le bébé par les chevilles et en lui tapant sèchement sur les fesses.

Mais il ne pleurait toujours pas. Je pris l'enfant inerte dans mes bras et me dirigeai à la hâte vers la fenêtre la plus éloignée.

Narigorm se tenait dans l'entrebâillement de la porte, nous observant. Je ne voulais pas voir l'expression sur son visage. Mais soudain mes émotions revinrent ; la colère me submergea d'un coup. Je ne pouvais pas accepter ça, d'abord Plaisance, et maintenant l'enfant. Je ne laisserais pas les runes gagner. Je ne laisserais pas Narigorm gagner. Je ne voulais pas voir ce sourire triomphant sur son visage. La tête du bébé pendouillait mollement sur mon bras. Je me mis à lui frotter le torse et les bras, comme si je pouvais atteindre la vie qui se trouvait sous la peau et la ranimer.

Derrière moi j'entendais Adela sangloter, demander encore et encore pourquoi le bébé ne pleurait pas. Je frottai encore plus fort et sentit soudain un tressaillement sous mes doigts, comme un petit hoquet ; puis un faible cri perçant retentit. Je baissai les yeux. Le torse du bébé bougeait, il se soulevait et s'abaissait, ses poings minuscules battaient l'air comme s'il était prêt à affronter le monde.

Aussitôt des cris et des rires jaillirent derrière moi. Rodrigo serrait la main d'Osmond. Adela écartait les bras et je plaçai l'enfant sur sa poitrine. Il était couvert de sang et de mucosités blanches, mais en dessous sa peau commençait à rosir. Ses poings minuscules s'ouvraient et se refermaient comme s'il cherchait à attraper quelque chose qu'il ne voyait pas. Adela se laissa aller en arrière, un faible sourire sur les lèvres, mais son visage était d'une pâleur de mort et couvert de sueur, et je m'aperçus soudain qu'elle tremblait violemment. Le sang coulait entre ses jambes sur l'estrade du sanctuaire et gouttait sur le sol de la chapelle.

Je jetai un regard à Narigorm qui se tenait toujours dans l'entrebâillement de la porte. Avait-elle en définitive raison lorsqu'elle affirmait que si un était ajouté un autre devait être enlevé ? Adela était-elle sur le point de donner sa vie en échange de celle de son fils ? J'écartai brusquement Rodrigo et me mis à lui masser énergiquement le ventre.

« Cygnus, allez chercher des couvertures. Rodrigo, vous devez être prêt à la recoudre dès que le placenta sera sorti. »

Je déchirai le devant de la tunique d'Adela et approchai le bébé de son mamelon gonflé. On dit que si le bébé tète, ça aide à éjecter le placenta, mais l'enfant était trop faible. Après ce qui sembla une éternité, le placenta sortit finalement, mais la dernière convulsion du ventre d'Adela lui ôta le peu de forces qui lui restait, et elle ferma les yeux et retomba en arrière entre les bras d'Osmond. L'amulette d'argent glissa de sa main inerte et heurta le sol du sanctuaire dans un tintement.

Tandis que Rodrigo, avec ses doigts habiles de musicien, la recousait, je pris le bébé, le nettoyai et l'emmaillotai dans les langes que Plaisance avait préparés. Je la bénis pour sa prévoyance et, bien que ce fût sans doute un blasphème, j'espérai que si les morts pouvaient faire quoi que ce soit pour les vivants, elle veillerait désormais sur Adela. Cela faisait de nombreuses années que je n'avais pas langé un bébé. Je levai le nouveau-né endormi à hauteur de mon visage, m'abreuvant de la douce odeur de ses cheveux sombres et humides, sentant les petits doigts chauds s'enrouler tels des pétales de rose autour de mon gros doigt, regardant la minuscule bouche faire la moue dans son sommeil comme s'il était plongé dans de grandes réflexions. C'était comme si je portais de nouveau mes propres fils. Je sentais le poids de chacun, le frémissement de joie qui m'avait parcouru quand je les avais eus entre mes bras. Chacun si différent, et pourtant chacun s'enfouissant dans la chaleur de ma peau comme s'il savait que je pouvais le protéger. Je pensai à mes propres fils et pleurai pour la première fois depuis des années.

Rodrigo me toucha l'épaule.

« J'ai fini. J'ai fait ce que j'ai pu. »

Je lui tendis le nouveau-né et marchai jusqu'à Adela. Elle gisait, pâle et immobile, entre les bras d'Osmond. Sa peau était froide et moite. Du sang continuait de lui couler entre les jambes. J'appliquai un tissu entre ses cuisses, mais il fut vite trempé, et je ne voyais pas comment endiguer le saignement. Sa vie me glissait entre les doigts.

Cygnus me toucha doucement l'épaule.

« Attendez, il y a quelque chose. Ma mère un jour… »

Mais je n'eus pas le temps de lui demander de quoi il parlait car il s'était précipité dehors en direction du pont. Son absence, qui sembla durer des heures, ne prit probablement que quelques minutes, de longues minutes passées à appliquer de toutes mes forces le tissu entre les jambes d'Adela jusqu'à ce que mes doigts me fassent mal. À son retour, il portait une touffe de sphaigne d'un vert vif qui lui dégoulinait entre les doigts. Il l'essora et me la tendit.

« Enfoncez ça dedans. Ça étanchera le sang. »

Nous fîmes comme il disait. L'eau claire de la mousse se mêla au sang sur les dalles. À mesure que du sang frais gouttait dans la flaque, des formes vagues se formaient avant de se dissoudre, puis l'hémorragie cessa finalement. Nous rassemblâmes les jambes d'Adela et attachâmes fermement la ceinture de Cygnus autour de ses cuisses pour les empêcher de bouger. Puis nous la tournâmes jusqu'à ce qu'elle soit étendue à plat sur l'estrade du sanctuaire, aussi pâle et immobile qu'une effigie de marbre.

Osmond était agenouillé auprès d'elle. Il avait finalement détaché son voile, et ses cheveux filasse étaient collés à son front, humide de sueur. Je vis alors pourquoi elle avait refusé d'ôter son voile jusqu'à présent, même lorsqu'elle dormait. Car en dessous, sa chevelure avait été sauvagement tondue.

Osmond caressait tendrement les misérables mèches coupées.

« Elle va bien se porter maintenant, n'est-ce pas ? demanda-t-il d'une voix implorante, ses traits aussi tirés que ceux d'Adela.

— Cygnus est allé lui préparer un peu de vin chaud. Je lui ai dit d'ajouter de l'amarante pour endiguer le saignement. Plaisance avait quelques plantes séchées dans son sac. Nous essaierons de la réveiller pour la faire boire un peu, puis nous la laisserons dormir un moment. Il vaudrait mieux lui faire un lit ici sur la plate-forme du sanctuaire ; si nous la déplaçons trop tôt, le saignement risque de reprendre. Je vais la veiller. Allez admirer votre fils, vous ne l'avez pas encore porté. Comment allez-vous l'appeler ? »

Mais Osmond se leva et, sans répondre, s'éloigna de l'estrade en titubant.

Tout au long de la nuit, Rodrigo, Osmond et moi veillâmes tour à tour Adela, lui épongeant le front et lui faisant avaler à la cuiller du bouillon et du vin aux herbes. Nous faisions chauffer des pierres pour ses pieds dans le cendrier du brasier et lui frottions les mains pour les réchauffer à mesure que la nuit refroidissait. Je pressais et massais sa poitrine pleine, récupérant l'épais lait jaune dans un bol et le donnant à boire au bébé goutte à goutte au bout de mon doigt.

Je dus m'endormir au petit matin, car lorsque je me réveillai en sursaut, j'étais assis sur le sol de la chapelle à côté d'Adela, la tête et les bras posés sur l'estrade. Une lueur fantomatique d'un rose nacré filtrait à travers la fenêtre. Dans la crypte, un vagissement brisa le silence, mais tandis que j'essayais de me tenir sur mes jambes raides, Adela se réveilla et se tourna dans la direction d'où provenait le cri. Elle était pâle, mais même dans la faible lueur de l'aube, je voyais que la vie était revenue dans ses yeux. Elle essaya de se lever pour aller retrouver son enfant, mais je la repoussai doucement pour qu'elle s'allonge.

« Attendez, je vais vous l'amener. »

Lorsque je me penchai pour poser l'enfant dans ses bras, Adela sourit, touchant sa joue duveteuse du bout du doigt. Je m'accroupis derrière elle et lui soutins les épaules. Je retournai le nouveau-né entre ses bras et l'aidai à trouver son sein. Il ne sembla d'abord pas comprendre, mais je poussai le mamelon contre ses lèvres roses et douces jusqu'à ce qu'il le prenne dans la bouche et se mette à téter. Adela s'appuya contre moi et, l'espace de quelques instants, j'éprouvai moi aussi une joie indicible en regardant de nouveau un bébé qui tétait.

Je remuai légèrement pour soulager mon dos raide et entendis quelque chose de métallique racler les pierres du sanctuaire. Je baissai la main et ramassai la petite main d'argent avec ses lettres étranges, l'amulette de Plaisance. Je levai les yeux vers la Madone à la mante déployée et me demandai laquelle de la Vierge ou de la vieille amulette juive avait permis à Adela et à son enfant de survivre. Importait-il de savoir dans laquelle Adela avait placé sa foi ? Peut-être Marie avait-elle également tenu une amulette juive à la naissance de son fils. Tout ce que je savais, c'était que nous avions vaincu les runes. Les runes, les augures et les sages-femmes avaient tous menti. Nous étions à nouveau neuf, et un n'avait pas été retiré. Le jour des Saints-Innocents était passé, et Adela et son fils étaient vivants.

19

Un est retiré

Un coup hésitant fut frappé à la porte de la chapelle. Rodrigo fut sur ses pieds en un instant, visiblement soulagé. « Voici enfin Jofre. »

Il n'était pas rentré la nuit précédente, et aucun de nous, hormis Rodrigo, ne s'était soucié de son absence durant la journée. Nous savions que, s'il avait un peu de jugeote, il se tiendrait à l'écart de Zophiel jusqu'à ce que ses parties endolories soient un peu moins sensibles. Zophiel n'était lui-même rentré que bien après le couvre-feu, et à son retour il était toujours d'une humeur massacrante.

« Avez-vous rattrapé Jofre ? avais-je innocemment demandé.

— Telle la vermine qu'il est, il s'est caché sous terre, avait-il répliqué, furieux. Mais il devra bien revenir tôt ou tard. Et alors, je lui ferai regretter d'être né. »

Mais notre inquiétude pour Adela durant la soirée nous avait fait oublier tout le reste, et ce n'est que le lendemain matin, au petit déjeuner, que nous nous étions aperçus que Jofre n'était toujours pas rentré. Dès que la cloche de prime avait sonné en ville, Rodrigo était parti à sa recherche. Jofre avait-il passé la nuit avec Ralph en dépit de la menace que représentait le père de ce dernier ? Les jeunes aiment les défis, et après l'humiliation que lui avait fait subir Zophiel, Jofre avait pu aller voir Ralph par bravade. Rodrigo s'était rendu dans tous les endroits où il aurait pu se trouver, mais il n'y avait pas trace de Jofre. Même la servante du Red Dragon ne l'avait pas vu. Il avait finalement accepté sa défaite et regagné la chapelle en espérant que Jofre l'y attendrait, mais en vain.

Les coups à la porte se répétèrent, mais avant que Rodrigo ait pu l'atteindre, Zophiel tendit la main pour lui bloquer le passage.

« Soyez prévenu, Rodrigo, cette histoire de vol n'est pas résolue. Vous êtes le maître du garçon, alors je vais vous laisser le temps de lui soutirer la vérité de la manière que vous entendrez, mais ma patience a des limites. Si vous ne découvrez pas la vérité, je le ferai, et, ajouta-t-il encore plus froidement, il y a aussi le fait qu'il m'a frappé. J'attends de vous que vous le punissiez comme il se doit, ou bien, en tant que maître, c'est à vous que je demanderai compensation. »

Les coups retentirent de nouveau, plus pressants cette fois, et Rodrigo, écartant le bras de Zophiel, alla ôter la barre de la porte. Ce n'était pas Jofre qui se tenait dehors, mais la serveuse du Red Dragon. Sa poitrine se soulevait comme si elle avait couru, et en dépit du froid, elle avait le visage rouge et en sueur.

Elle tira la manche de Rodrigo.

« S'il vous plaît… monsieur, haleta-t-elle, il faut que vous veniez. Votre garçon… » Elle pointa un doigt tremblant en direction de la ville.

« Ils l'ont trouvé… des enfants l'ont trouvé… en allant à la rivière.

— Est-il blessé ? A-t-il des ennuis ? »

La fille détourna le regard.

Rodrigo lui saisit le poignet et la fit se retourner de force.

« Dites-moi !

— Je vous en prie, monsieur… je suis désolée, mais il est mort. »

Rodrigo la fixa sans comprendre.

« Non, il est ivre. Il sait que je vais être en colère, alors il attend d'avoir dessoûlé. Mais il va bientôt revenir. »

Une expression de pitié passa sur le visage de la jeune fille.

« Monsieur, il ne va pas revenir. Ils ont trouvé un cadavre. »

Rodrigo ôta vivement sa main.

« Vous vous trompez. Il a trop bu et il dort. Comment pourrait-il être mort ? Je lui ai parlé hier. Il allait chasser. Il a dit qu'il rentrerait avant la tombée de la nuit. Et j'ai dit… la dernière chose que j'ai dite… »

Rodrigo s'appuya contre le mur et s'accroupit, la tête entre les mains.

Osmond attira la fille désormais en larmes à l'intérieur et referma la porte. Il plaça un bras autour d'elle.

« Dites-nous ce qui s'est passé.

— Je ne sais pas exactement, monsieur. Mes deux petits cousins, ce ne sont que des enfants, ils sont partis pour la rivière, de l'autre côté du terrain communal. Et puis ils sont revenus en ville en courant en disant qu'ils avaient trouvé un cadavre dans les broussailles. Recouvert de sang qu'il était. Ils ont dit qu'il avait été… » Elle ferma les yeux et secoua la tête comme si elle essayait de libérer les mots. Puis elle resta un moment immobile, sa bouche se tordant convulsivement, mais rien ne sortit. Elle ravala sa salive.

« Des hommes sont allés voir. Le bailli a envoyé chercher le coroner.

— Avez-vous vu le corps ? » demandai-je.

Elle fit signe que non.

« Alors comment savez-vous qu'il s'agit de Jofre ? » demandai-je doucement.

Elle lança un regard en direction de Rodrigo, qui leva la tête avec une lueur d'espoir dans les yeux.

« Un des hommes l'a reconnu. Il a dit que c'était le nouveau garçon qui traînait avec Ralph. Ils connaissent tous Ralph, monsieur.

— Mais ils ne connaissent pas Jofre, objecta Rodrigo. Il s'agit d'un autre garçon.

— Où est le corps ? demandai-je.

— Toujours là où ils l'ont trouvé. Ils ne peuvent pas le bouger tant que le coroner n'est pas arrivé.

— Alors allons le voir, dis-je. Si c'est lui, le coroner demandera qu'il soit identifié par quelqu'un qui le connaît.

— Mais ce n'est pas Jofre ! s'écria Rodrigo, toujours accroupi par terre, tel un animal acculé, partagé entre espoir et désespoir.

— Je vous accompagne, Camelot », dit Cygnus.

Rodrigo se passa la main sur les yeux et prit une profonde inspiration.

« Je vais y aller. C'est mon élève, ma responsabilité. Je vais y aller. »

Trouver l'endroit où se trouvait le corps fut aisé – une douzaine d'hommes étaient massés autour. Un peu en retrait, deux garçons dépenaillés se tenaient avec une femme qui pouvait être leur mère. La porte de la ville était close, mais cela n'empêchait pas un troupeau de garnements d'escalader la clôture dans l'espoir d'apercevoir ce qui se passait en contrebas. Il y avait aussi des personnes qui regardaient depuis les fenêtres supérieures à proximité de la clôture.

L'un des hommes s'écarta du groupe à notre approche, agitant les bras devant lui comme s'il tentait de chasser des oies. La servante courut jusqu'à lui et lui murmura quelque chose à l'oreille. Il regarda dans notre direction, fit la moue, puis acquiesça à contrecœur et nous fit signe d'approcher.

« Sale affaire, sale affaire. Ella prétend que c'est l'un de vos garçons. Il n'est pas beau à voir, mais vous feriez bien de jeter un coup d'œil, le coroner va vouloir une identification sous serment pour ses registres.

— Attendez ici, Rodrigo, je vais y aller, dis-je.

— Non, il faut que je voie. Si c'est lui, je ne le croirai que si je le vois de mes yeux. »

Le bailli hocha la tête et les hommes s'écartèrent pour nous laisser passer. Le corps gisait à une certaine distance du sentier, dissimulé à la fois du chemin et de la ville par des broussailles et des fougères. Quelqu'un l'avait dissimulé sous un vieux drap, et le bailli se pencha et tira dessus pour découvrir la tête. Les cheveux sombres et brillants de Jofre se dressèrent sur son front, s'agitant dans la brise comme si quelqu'un soufflait dessus. Il était blême, ses lèvres étaient bleues. Je crus tout d'abord que son visage était couvert de boue, mais je m'aperçus alors que c'étaient de longues traînées de sang séché qui avait dû s'écouler depuis plusieurs lacérations longues et profondes. Il avait un gros bleu pourpre sur la joue gauche et la tempe. Ses yeux ouverts regardaient droit devant eux avec une expression de terreur, ce qui n'était pas surprenant car il avait sur le cou une énorme plaie béante qui ressemblait à une bouche hurlante. Il avait eu la gorge arrachée.

Rodrigo poussa un cri d'horreur et tomba à genoux, caressant les cheveux de Jofre comme s'il essayait de le réconforter. Le bailli lui saisit le bras.

« Je ne peux pas vous laisser toucher le corps, dit-il en replaçant le drap au-dessus du visage de Jofre. Nous devons attendre le coroner. »

Il fallut trois hommes pour emmener Rodrigo, mais toute résistance sembla soudain l'abandonner. Il s'éloigna jusqu'aux broussailles en titubant, tomba à genoux et vomit. Puis il s'assit, la tête entre les bras, se balançant et sanglotant en marmonnant des paroles dans une langue qu'aucun de nous ne comprenait.

Les hommes détournèrent les yeux, embarrassés.

Le bailli l'observa quelques instants avant de demander, bien que ce ne fût pas nécessaire : « C'est donc son garçon ? Pauvre diable. Bien sûr, ce sera au coroner d'en décider, mais je suppose qu'il a été tué par un loup. Le veilleur affirme avoir entendu des hurlements ces dernières nuits. Je l'ai pris pour un âne et le lui ai fait savoir. Mais on dirait qu'il avait peut-être raison après tout. »

Il leva les yeux tandis que la servante approchait.

« Ma sœur voudrait ramener ses garçons à la maison. Ils ont froid et faim. Ça fait des heures qu'ils sont ici. »

Le bailli secoua la tête.

« Tu peux rentrer si tu veux, Ella, mais je l'ai dit à ta sœur, et maintenant je te le dis à toi. Ils ont trouvé le cadavre, et la loi dit qu'ils doivent attendre ici jusqu'à ce que le coroner les interroge. »

Nous attendîmes donc. Certains hommes souhaitaient également partir, prétextant qu'ils n'étaient pas des témoins, juste des représentants de la ville, mais le bailli ne l'entendait pas de cette oreille. Aussi, en grommelant, ils allumèrent un feu et s'assirent en rond, discutant à voix basse et buvant de généreuses quantités de bière apportée par Ella aux frais de la ville. Les petits garçons qui étaient appuyés en silence contre leur mère retrouvèrent le sourire lorsqu'on leur apporta un morceau de fromage et un oignon chacun. Rodrigo était seul dans son coin, les yeux rivés au sol. Cygnus alla le rejoindre. Il ne tenta pas d'engager la conversation, se contenta de s'asseoir pour que Rodrigo sache qu'il n'était pas seul.

L'après-midi s'écoula. Le froid était cinglant. Un vent âpre se mit à souffler brusquement et le drap qui recouvrait le cadavre de Jofre se gonfla comme si le corps en dessous essayait de se lever. Deux hommes vinrent l'immobiliser au moyen de pierres. Dans le ciel, deux milans à la recherche d'une proie dessinaient des cercles paresseux, leurs ailes projetant des reflets roux dans la lumière vive et glaciale. Enfin, alors que les ombres commençaient à s'étirer, la porte de la ville s'ouvrit et un petit homme juché sur une énorme jument à la robe brun foncé approcha, suivi d'un jeune homme qui montait une mule sans selle. Le veilleur de nuit les suivait à pied.

Le bailli se redressa difficilement, tombant presque à cause de ses jambes engourdies par le froid, et il clopina jusqu'au cavalier. Il ôta son chapeau de cuir et fit une profonde révérence, comme s'il accueillait un roi.

« Le corps est là-bas. »

Le coroner lui lança ses rênes comme si c'était un palefrenier.

« Allons donc voir ça. Je veux en avoir fini avant la nuit. Inutile de traîner. Êtes-vous prêt, maître Thomas ? » beugla-t-il à l'intention de son clerc.

Le clerc, qui frottait son postérieur endolori, se hâta d'attraper un petit pupitre, qu'il s'accrocha autour du cou, et se mit à fouiller nerveusement dans la sacoche accrochée à la mule, à la recherche de parchemin, d'une plume et d'un pot d'encre.

Le coroner, impatient, donnait de petits coups de cravache sur le côté de sa botte.

« Alors, qui a trouvé le corps ? »

Le bailli tendit les rênes du cheval à l'un des hommes et désigna les deux enfants qui, maintenant que des inconnus étaient arrivés, s'accrochaient une fois de plus aux jupes de leur mère.

« Ces deux garçons sont tombés dessus en prenant un raccourci pour aller à la rivière ce matin, peu après 10 heures, ou dans ces eaux-là.

— Ont-ils crié haro ?

— D'une certaine manière, répondit prudemment le bailli. Ils ont prévenu leur mère.

— Quelqu'un pour identifier le corps ? »

Je lançai un coup d'œil à Rodrigo, qui était toujours assis à l'écart dans les broussailles. Il n'avait même pas levé les yeux à l'arrivée du coroner.

Je fis un pas en avant.

« Le corps est celui de Jofre, apprenti musicien.

— Êtes-vous le maître du garçon ?

— Non, monsieur, je suis un camelot. Jofre, son maître et moi voyageons en groupe pour plus de sécurité. Son maître est là-bas, mais il est très affligé. »

Le coroner se tourna vers Rodrigo.

« J'imagine bien. Après tout ce temps passé à éduquer le garçon, il va devoir recommencer de zéro avec un nouveau, je suppose. Les apprentis sont toujours une source d'ennuis, ils sont fainéants et ingrats, tous autant qu'ils sont. Alors, quand le garçon a-t-il disparu ?

— Jofre nous a quittés hier matin. Nous logeons hors de la ville. Nous pensions qu'il était peut-être venu en ville, mais il n'est pas rentré. Une femme de notre compagnie a eu un enfant hier soir. L'accouchement a été long et difficile. Nous avons tous été occupés, aussi n'avons-nous débuté les recherches qu'au petit matin. »

Il acquiesça.

« Bien. Donc le garçon a passé la nuit en ville.

— Je vous demande pardon, monsieur, mais il n'est pas resté toute la nuit. »

Le veilleur de nuit se tenait nerveusement auprès du coroner, tordant sa capuche entre ses mains. J'eus l'impression que quelqu'un l'avait poussé en avant, car il ne cessait de regarder derrière lui tout en parlant.

« Le garçon a franchi la porte au couvre-feu, monsieur. J'ai moi-même fermé derrière lui. Il a probablement été attaqué sur la route en rentrant chez lui. Mais ce n'était pas dans la ville, monsieur, ça, j'en suis sûr.

— Bien, ça nous donne une meilleure idée de l'heure. Allons jeter un coup d'œil à cet apprenti, d'accord ? »

Il se tourna vers les habitants de la ville. « Rassemblez-vous tous. La loi exige que, en tant que jurés, vous voyiez le corps. »

Les hommes formèrent un large cercle autour du cadavre, Cygnus et moi nous joignîmes à eux. Le bailli tira le drap par un coin et révéla cette fois le corps dans sa totalité. Des exclamations stupéfaites retentirent et plusieurs hommes, dont Cygnus, détournèrent les yeux. La main du jeune clerc tremblait si violemment qu'une grosse goutte d'encre tomba sur le parchemin et s'étala à travers plusieurs lignes. Même le coroner hésita un moment, se balançant sur ses talons, puis il s'avança, baissant les yeux vers le cadavre.

Jofre gisait nu, étendu sur le dos. Son corps était recouvert de sang, qui ne provenait pas uniquement de sa blessure à la gorge, mais aussi de ce qui ressemblait à des dizaines de morsures irrégulières. Mais le pire, ce qui souleva même le cœur du veilleur de nuit, c'est que ses organes génitaux avaient été arrachés et qu'il ne restait plus à leur place qu'une grande plaie béante.

Le coroner ravala sa salive.

« Maintenant, messieurs, observez les marques de morsures et les griffures sur son corps et ses membres. La gorge a été arrachée, de même que les… les parties intimes. Typique des chiens d'attaquer à la gorge. Je suis sûr que vous avez déjà vu ça lorsqu'un chien massacre un mouton. Retournez le corps, s'il vous plaît. »

Le bailli s'approcha et fit signe à l'un des hommes, mais celui-ci recula. Un autre finit par s'avancer, et ensemble ils retournèrent Jofre.

« Ah oui, comme vous voyez, messieurs, d'autres traces de morsures et de griffures. Je dirais que ce garçon a été attaqué par un chien, ou plutôt par une meute. Avez-vous eu des soucis avec des chiens qui attaqueraient les moutons par ici ?

— Pas des chiens, coroner, répondit le bailli, mais ces dernières nuits des hurlements de loup ont été signalés. Le veilleur les a entendus. Et d'autres aussi. »

Le coroner haussa les sourcils d'une manière qui me fit penser à Zophiel.

« Un loup ? Dans cette contrée ? »

Plusieurs hommes opinèrent vigoureusement du chef.

« Ça semble peu probable. Mais si vous le dites, alors c'est un loup. »

Il poussa la jambe de Jofre du bout de sa botte comme s'il essayait de le réveiller.

« Raide, mais avec ce froid ça ne nous dira pas grand-chose, il a gelé la nuit dernière. Cela correspond cependant à ce qu'a dit le veilleur de nuit, il a pu être attaqué sur la route en regagnant son logis après la cloche du couvre-feu. Eh bien, messieurs, je dois vous demander d'en débattre entre vous et de me donner votre verdict, mais je crois qu'il n'y a guère de doute sur ce qui s'est passé. Inutile de prolonger inutilement les débats. Je suis certain que vous avez autant hâte que moi de clore cette affaire et d'aller à la taverne. » Il se frotta les mains.

« Je rêve d'une bonne bière chaude et d'un repas copieux, et je suppose que vous aussi.

— Attendez ! »

Rodrigo traversa soudain le cercle formé par les hommes. Je ne saurais dire combien de temps il était resté là à regarder le corps de Jofre, mais son visage était blême.

Le coroner se retourna.

« Ah oui, le maître du garçon. » Il tendit la main. « Mes condoléances, monsieur. Une fois que le verdict aura été rendu, vous pourrez emporter le corps pour l'enterrer. »

Je vis les hommes autour de nous se raidir et échanger des coups d'œil, mais le coroner ne sembla rien remarquer.

Rodrigo ignora la main tendue.

« Vous dites qu'un loup ou un chien a fait ça, mais c'est impossible. »

Le coroner haussa les épaules.

« C'est au jury d'en décider, naturellement, mais vous avez vu les morsures.

— Je vois aussi que le corps est nu. Il devait porter des vêtements quand il a quitté la ville. Vous croyez que les loups ou les chiens déshabillent les gens avant de les attaquer ? »

Le coroner sembla légèrement pris de court.

« Veilleur, qu'en dites-vous ? Le garçon était-il habillé lorsqu'il a quitté la ville ? »

L'homme s'avança en traînant les pieds, évitant de poser les yeux sur le cadavre.

« Je crois, monsieur. »

Le coroner se remit à tapoter impatiemment sa botte avec sa cravache.

« Allons, mon brave, vous croyez ? Vous vous rappelez certainement si quelqu'un a franchi ou non votre porte nu. »

Le veilleur regarda nerveusement derrière lui.

« Il faisait sombre, monsieur… il avait une houppelande… il aurait pu être nu sous sa houppelande.

— Pourquoi, pour l'amour de Dieu, un homme se promènerait-il nu en plein hiver ? Vous autres, l'un de vous a-t-il emporté ses vêtements ? »

Plusieurs hommes secouèrent la tête, mais aucun ne croisa le regard du coroner.

Rodrigo était à genoux, penché en avant.

« Ces marques sur ses fesses et ses jambes, la peau est éraflée. Il y a de la terre et des cailloux coincés dans la plaie. » Il leva les yeux. « Le corps a été traîné par terre. »

Un grand gaillard à forte carrure s'avança. Il avait

le nez écrasé sur le côté, comme s'il se l'était cassé lors d'une bagarre. Il lança un regard noir à Rodrigo.

« Les loups traînent leur proie pour la dévorer, n'importe quel idiot sait ça.

— Un mouton ou un enfant, oui, mais traîner un homme de ce poids ? Et qu'est-il advenu de ses vêtements ? »

Le visage de l'homme s'assombrit.

« Il a dû les enlever lui-même. Écoutez, nous connaissons tous les penchants de votre garçon. Peut-être qu'il avait rendez-vous avec quelqu'un hors de la ville. Et il était si occupé à lui faire plaisir qu'il n'a pas vu le loup arriver. Un derrière nu, tout blanc au clair de lune, qui monte et qui descend, le loup a dû le prendre pour un porc. Et il n'était pas loin de la vérité, pas vrai ? Quoi qu'il en soit, nous avons notre verdict, coroner. Tué par un loup, nous sommes tous d'accord. »

Le coroner acquiesça et se frotta les mains pour les réchauffer.

« Excellent, excellent. Avez-vous noté cela, garçon ? Vous devez aussi enregistrer que puisque c'est un loup qui a causé la mort, il devra être abattu. Bailli, il vous revient de vous assurer que la bête sera traquée, et puisque la ville a fait preuve de négligence en laissant un dangereux animal attaquer un voyageur au sein de ses limites, la récompense pour sa tête ira à la Couronne, pas au chasseur. La ville remettra la prime pour la tête du loup lors des prochaines assises. Notez bien cela, maître Thomas. »

Le bailli et les hommes semblaient prêts à lui bondir dessus. C'était une amende à peine déguisée, et ils le savaient. Vous aviez beau être prudent, les coroners trouvaient toujours le moyen de vous infliger une amende. Le coroner commença à se diriger vers sa jument, mais Rodrigo lui courut après et lui attrapa le bras.

« C'est tout ce que vous allez faire ? N'allez-vous pas interroger d'autres habitants de la ville ? S'il était ici avec quelqu'un, alors il faut retrouver cette personne pour qu'elle témoigne. »

Le coroner se dégagea d'un geste impatient.

« À quoi bon ? Nous savons ce qui est arrivé. »

Je fis un pas en avant.

« Pardonnez-moi, monsieur, mais nous n'en savons rien. Un loup solitaire ne tuerait que s'il était poussé par la faim. Et après avoir tué sa proie, il la dévorerait, il ne prendrait pas la fuite. Or, rien n'indique que la chair ou les entrailles aient été rongées. Et un loup solitaire n'aurait pas pu laisser ces traces de morsures aussi bien à l'avant qu'à l'arrière de sa victime. Comme vous l'avez dit vous-même, monsieur, il semblerait que le garçon ait été attaqué par une meute de chiens, et les chiens auraient pu être délibérément jetés sur lui.

— Allons, qui ferait ça ? »

Le coroner saisit les rênes et monta sur son cheval. Il se pencha avec lassitude.

« Veilleur, quelqu'un a-t-il suivi le garçon jusqu'ici avec des chiens ?

— Non, monsieur, se hâta de répondre l'homme, personne n'est sorti. Ça me coûterait plus que mon travail de laisser quelqu'un entrer ou sortir après le couvre-feu. C'est une chose que je ne ferais jamais, monsieur. Je tiens trop à ma peau. »

Il lança un regard effrayé dans ma direction.

J'eus brièvement envie de révéler notre visite quelques nuits auparavant, mais le veilleur semblait si terrifié que je n'en fis rien. J'avais le sentiment qu'une personne qu'il craignait bien plus que la loi le menaçait et le forçait à mentir.

Je levai les yeux vers le coroner. Sa monture ne cessait de se déporter sur le côté, impatiente de se remettre en route.

« Monsieur, des menaces ont été proférées en ville à l'encontre du garçon à cause de ses liens d'amitié avec un jeune homme nommé Ralph. Faites au moins chercher ce Ralph pour lui demander s'il a vu Jofre hier soir.

— Je peux vous épargner cette peine, monsieur », lança une voix.

Je me retournai et vis l'homme au nez cassé qui se tenait juste derrière moi.

« Ralph a quitté la ville tôt hier matin. Il est parti dans la famille de sa future femme. Il ne reviendra pas avant le mariage.

— Alors il ne nous sera d'aucune utilité. De plus, le verdict du jury a été enregistré, je ne peux plus le changer. »

Le coroner regarda Rodrigo. « Le mieux que vous puissiez faire maintenant, c'est d'emmener le corps à l'église pour l'enterrement, et de vous chercher un nouvel apprenti. Je suis certain que vous trouverez tout un tas de garçons qui… »

La porte de la ville s'ouvrit soudain et un homme en sortit en courant, hurlant son message avant même d'avoir atteint le groupe.

« Bailli, on vous appelle… venez vite… Yeldon est contaminée… par la pestilence. »

Le coroner ouvrit de grands yeux inquiets.

« Tudieu, c'est à simplement cinq kilomètres à l'ouest d'ici. »

Le bailli et la plupart des hommes se hâtaient déjà vers la porte. Le coroner les regarda s'éloigner, puis il tourna son cheval en direction de la rivière.

« Venez, maître Thomas, ne nous attardons pas, une longue route nous attend.

— Mais je croyais que nous allions souper ? gémit le clerc.

— Ici ? Ne soyez pas un fichu imbécile, mon brave. Si un messager leur a apporté la nouvelle de la pestilence, il est probable qu'il a apporté la pestilence avec lui. »

Il regarda en direction de Rodrigo. « Quant à vous, maître musicien, si vous avez un peu de bon sens, enterrez votre apprenti et reprenez la route dès que possible, sinon il ne sera pas le seul à devoir être enterré. »

Il enfonça ses talons dans les flancs de la jument et la mena vers le pont, dans la direction opposée à la ville.

La plupart des habitants avaient disparu dans l'enceinte de la ville, mais Nez-Cassé et un autre homme tout aussi imposant étaient restés en arrière. Comme Rodrigo et moi nous apprêtions à retourner auprès du corps de Jofre, ils se postèrent devant nous, nous bloquant le chemin.

« Ne songez pas à enterrer votre garçon dans notre cimetière, gronda Nez-Cassé. Parce que vous n'atteindrez pas les portes de l'église avec ce cadavre. »

Je le regardai fixement.

« Lui refusez-vous un enterrement chrétien, après tout ce qui s'est passé ? »

L'homme haussa les épaules.

« Juste un conseil d'ami, ça vous évitera de perdre

votre temps. Tout le monde en ville sait qu'il a été tué par un loup...

— Vous savez aussi bien que moi que ce n'est pas un loup qui l'a tué. »

L'homme fit un large sourire.

« Le coroner dit que c'est un loup, et si c'est noté dans son registre, alors ça doit être vrai. Mais comme ça fait des années qu'il n'y a plus de loups par ici, il y a des rumeurs qui disent que ce n'était pas un loup ordinaire. C'était un loup-garou, voilà ce qu'on dit. Et si c'est le cas, alors votre ami n'aura pas un repos paisible dans sa tombe. Ceux qui sont tués par des loups-garous deviennent des vampires, voilà ce que dit le prêtre. La pestilence a peut-être atteint Yeldon, mais elle n'est pas arrivée jusqu'ici, et elle n'y arrivera pas parce que nous n'avons pas de vampires ici. Et nous ferons tout ce qu'il faudra pour qu'il en demeure ainsi. Compris ? »

Nous regagnâmes péniblement la chapelle en silence. Rodrigo refusa que nous l'aidions à transporter Jofre. Il portait le corps raide tel un pénitent ployant sous un lourd fardeau, chancelant sous son poids, mais nous repoussant si nous essayions de le soutenir. Derrière nous, le soleil avait commencé à se coucher, un disque rouge sang qui flottait au-dessus des bâtiments sombres de la ville.

Osmond, une lanterne à la main, vint à notre rencontre. Il nous demanda ce qui s'était passé, mais Rodrigo lui passa devant sans répondre et déposa doucement le corps enveloppé sur l'estrade du sanctuaire où, tout juste quelques heures auparavant, Adela avait donné naissance à son fils. Osmond n'eut qu'à regarder nos visages pour comprendre que mieux valait ne pas poser de questions. Même Zophiel demeura silencieux.

Nous ne pouvions rien faire tant que le cadavre était rendu rigide par le froid. Sur l'insistance d'Osmond nous descendîmes à la crypte et mangeâmes un peu, mais pour une fois aucun de nous n'avait faim, à l'exception de Narigorm, qui avala voracement sa portion et plus encore. Quant à Rodrigo, il ne disait rien, ne mangeait pas. Il buvait simplement. Et il but trop de vin pour un homme ordinaire avec le ventre vide, mais nous ne tentâmes pas de l'en dissuader.

Adela était assise près du brasier, ses cheveux de nouveau dissimulés sous son voile fermement attaché. Elle berçait le bébé, qui gémissait plaintivement, son minuscule visage se froissant en diverses grimaces. Adela parvenait désormais à s'asseoir, mais elle avait les traits plus tirés que jamais et semblait vieillie. Je savais que le moindre mouvement la faisait terriblement souffrir à cause de l'incision que j'avais dû pratiquer, mais elle faisait son possible pour le cacher. Elle regardait Rodrigo avec anxiété, comme si elle cherchait désespérément quelque chose à lui dire, mais ne trouvait pas les mots.

Nous ne parlâmes pas aux autres de Yeldon. Le coroner avait raison, nous devions partir vite. Si Zophiel apprenait la nouvelle, il insisterait pour partir sur-le-champ, mais avec Jofre qui gisait à l'étage je savais que Rodrigo refuserait et que ça ne ferait que nous causer des soucis supplémentaires. Nous devions prendre le risque de rester quelques heures de plus, pour lui et pour Adela. Elle n'était pas encore assez forte pour voyager. Et il faudrait l'informer que les gelées n'avaient pas, après tout, endigué la pestilence, mais je ne pouvais me résoudre à le lui dire pour le moment.

Finalement, lorsque nous ne pûmes plus remettre ça à plus tard, nous montâmes tous à l'étage, laissant Adela seule dans la crypte avec Narigorm et le bébé. Cygnus alla chercher de l'eau et j'allumai quelques joncs. Cacher notre présence ne servait plus à grand-chose. Alors, tendrement, comme s'il risquait encore de lui faire mal, Rodrigo ôta la couverture qui recouvrait le corps de Jofre. Osmond poussa un cri étouffé et se précipita vers la porte barrée. Il parvint de justesse à l'ouvrir avant d'avoir un violent haut-le-cœur et de vomir le peu qu'il avait avalé. J'avais pour ma part beau savoir ce qui se trouvait sous la couverture, je dus ravaler sèchement ma salive pour empêcher le fiel amer de me monter à la gorge.

Je lançai un coup d'œil à Zophiel. Il se tenait un peu à l'écart, regardant fixement le cadavre avec un visage de marbre. Mais sa main droite avait saisi le manche du couteau qu'il portait à la ceinture et il le serrait si fort que ses doigts étaient exsangues.

Cygnus, Rodrigo et moi lavâmes Jofre. Nous le retournâmes doucement et commençâmes par son dos afin de ne pas avoir à regarder ces énormes plaies béantes. Le sang séché partait difficilement, et lorsque nous parvînmes à l'ôter, les marques des morsures ressortirent, bleues et irrégulières, sur la peau froide et cireuse. Maintenant que la saleté et le sang avaient été nettoyés, les blessures sur son dos étaient plus nombreuses que je ne l'avais tout d'abord cru. Il avait été mordu de façon répétée, comme si plusieurs animaux l'avaient attaqué encore et encore tandis qu'il s'enfuyait ou se débattait.

Nous dûmes alors le retourner de nouveau et faire

face à ce que nous ne voulions pas voir. Rodrigo lui nettoya doucement le visage, ôtant le sang de ses boucles jusqu'à ce que ses cheveux humides brillent à la lueur vacillante des chandelles. La grosse ecchymose pourpre sur le visage de Jofre semblait plus livide qu'auparavant sous la lumière jaune chargée de fumée.

Cygnus rompit soudain le silence.

« La coupure est nette ! Ce n'est pas un loup qui a fait ça. Regardez ! » Il désignait l'endroit où les organes génitaux de Jofre avaient été arrachés. « Regardez les bords de la blessure – ce n'est ni une morsure ni une déchirure. La peau a été tranchée. »

Rodrigo le poussa sur le côté et regarda. Puis il lança à Osmond : « La chandelle, apportez-la ici ! »

Osmond obéit. Il abaissa la bougie, dont la lueur vacilla tandis qu'il détournait les yeux. Rodrigo la lui arracha impatiemment des mains. Il l'approcha de la gorge de Jofre. Ici, la chair arrachée indiquait indéniablement qu'il s'agissait d'une morsure, mais Cygnus avait raison, les bords de la blessure à son entrejambe étaient trop nets. Il y avait des traces de morsures autour, comme si un animal, peut-être attiré par l'odeur du sang, avait cherché à le dévorer, mais l'abominable blessure n'avait pas été infligée par des crocs.

Rodrigo approcha la chandelle du cadavre, il l'examina minutieusement, puis il s'arrêta.

« Regardez les bleus sur ses deux bras. Quelqu'un le tenait fermement. »

Zophiel remua légèrement dans l'ombre.

« Vous-même lui avez agrippé les bras dans la crypte hier lorsque vous le questionniez à propos du vol, vous vous souvenez ?

— Ce n'est pas un voleur ! »

Rodrigo se rua sur lui, renversant le seau plein d'eau ensanglantée. Il l'attrapa à la gorge, mais Zophiel était aussi rapide que lui et en un éclair il pointa son couteau contre les côtes de Rodrigo. Osmond se précipita et dut en venir aux mains pour écarter Rodrigo.

« C'est de votre faute, déclara Rodrigo d'une voix étranglée. Si vous ne l'aviez pas accusé à tort, il ne se serait pas enfui.

— Vous ne le croyiez pas plus que moi, Rodrigo, et il le savait. Votre opinion comptait bien plus pour lui que la mienne. Si l'un de nous a provoqué la fuite du garçon… »

Il laissa sa phrase en suspens.

Les épaules de Rodrigo se voûtèrent ; pendant un moment, je crus qu'il allait s'écrouler, mais il resta debout, vacillant, les bras ballants.

Zophiel, toujours haletant, abaissa son couteau.

« J'essayais simplement de dire que vous aviez vous-même agrippé le garçon assez fort pour provoquer ces bleus. Moi aussi je l'ai tenu lorsque je l'ai interrogé – qui sait, j'ai pu moi-même provoquer une ou deux de ces marques. Mais le fait qu'il a des bleus sur les bras ne signifie pas qu'il a été entravé la nuit dernière.

— Il a raison, Rodrigo, dit Osmond d'une voix douce. Les bleus ne signifient rien.

— Et le fait qu'on lui a tranché le membre, ça ne signifie rien non plus ? hurla Rodrigo. Jofre a été assassiné. Et la personne qui l'a tué l'a mutilé avant de lancer ses chiens sur lui ou de l'abandonner au loup. D'une manière ou d'une autre, c'est un meurtre. Et je vais tuer celui qui a fait ça. Je le jure. »

Je lui attrapai le bras.

« Rodrigo, nous savons tous aussi bien que vous que Jofre a été assassiné, mais vous n'avez aucune chance de retrouver son assassin. Les habitants de la ville défendront l'un des leurs. Personne ne nous parlera, nous sommes des voyageurs, des étrangers.

— Camelot a raison, acquiesça Osmond. Si vous causez des problèmes, ils se retourneront contre nous. Même ici nous ne pourrions nous défendre contre une meute de gens. Pensez à Adela et au bébé, Rodrigo. Vous ne voulez pas qu'il leur arrive du mal.

— Vous ne comprenez pas », répliqua doucement Rodrigo.

Il marcha jusqu'au cadavre de Jofre et s'agenouilla dans la flaque d'eau ensanglantée. Il posa une main sur la poitrine du garçon et baissa la tête. Son autre main se resserra sur le manche de son couteau.

« *Giuro dinanzi a le tue fente ti vendicerà !* »

Je ne compris pas ses paroles, mais le ton de sa voix ne laissait aucun doute. Un frisson me parcourut.

Nous recouvrîmes le corps de Jofre et allumâmes des bougies au niveau de sa tête et de ses pieds. Toute la nuit Rodrigo le veilla. Osmond dormit dans la crypte avec Adela, le bébé et Narigorm, tandis que nous autres restâmes dans la chapelle, gardant nos bâtons et nos couteaux à portée de main au cas où les habitants de la ville décideraient de s'assurer que le mort ne se réveillerait pas.

Je gisais dans l'obscurité, mon corps endolori par la fatigue de la nuit précédente, mais ne trouvais pas le sommeil. À la faible lueur des chandelles, je distinguais tout juste la silhouette de Rodrigo. Il était agenouillé face au tableau de Marie, bras écartés comme s'il était sur la Croix. Il restait là, oscillant légèrement, mais conservant sa position comme s'il s'était imposé une pénitence ou se préparait à prêter serment devant Dieu. Cygnus était assis en tailleur au pied du corps de Jofre, la tête inclinée. Sous sa chemise, son aile s'agitait nerveusement, comme si elle cherchait à se défaire de ses liens. Soudain, dehors, retentit le son que nous avions tous appréhendé : le hurlement du loup.

« Éteignez ces chandelles ! » ordonna Zophiel qui s'était levé d'un bond, couteau à la main, incapable de dissimuler sa peur.

Il courut d'une fenêtre à l'autre, regardant dehors. La lueur jaune des bougies dansait sur le corps immobile de Jofre, de sorte qu'il semblait remuer sous le drap. Cygnus leva la tête et regarda autour de lui, mais Rodrigo ne bougea pas, conservant sa position face au tableau. Un nouveau hurlement. Mais il semblait différent de celui qu'on avait entendu les autres nuits, plus fort, plus triomphant, comme le hurlement d'une bête qui a tué sa proie et appelle les autres à la rejoindre.

« Éteignez les chandelles ! » cria de nouveau Zophiel d'une voix perçante.

Je me levai, craignant presque qu'il ne s'en prenne à Cygnus dans sa panique.

« Qu'il y ait de la lumière ou non ne fera aucune différence, Zophiel. La créature qui est dehors, quelle qu'elle soit, sait que nous sommes ici, et je commence à croire qu'elle a toujours su où nous étions. »

20

Alchimie

Le lendemain matin, nous finîmes par aborder la question que nous n'avions pas osé évoquer jusqu'ici. Où Jofre devait-il être enterré ? Ce n'était pas une décision que nous pouvions reporter. Nous ne pouvions courir le risque de passer une nuit de plus dans la chapelle. Si la pestilence avait atteint la ville et que les habitants avaient commencé à fuir, ils viendraient par ici, risquant d'apporter la maladie avec eux. Mais Rodrigo refusait catégoriquement que Jofre soit enterré dans une terre qui n'était pas consacrée. Il voulut d'abord l'emmener avec nous jusqu'à la prochaine église, mais nous le persuadâmes que des questions seraient inévitablement posées si nous arrivions avec un corps mutilé. Après avoir jeté un coup d'œil au cadavre, les gens de la prochaine paroisse ne seraient pas plus désireux de le laisser reposer parmi eux que les habitants de cette ville-ci.

« Enterrez-le ici, suggéra Cygnus. Bien que la chapelle ne soit pas encore consacrée, elle le sera un jour, et en attendant, il y a le tableau de la Vier... »

Il n'acheva pas sa phrase, embarrassé.

« Et où exactement comptez-vous enterrer le corps ? demanda sèchement Zophiel. Si la chapelle avait été bâtie sur la terre ferme, vous pourriez peut-être creuser le sol, mais faites un trou ici et vous tomberez directement dans la rivière. Proposez-vous de simplement abandonner le corps dans la chapelle ? »

Osmond, qui faisait les cent pas, s'arrêta et pointa le doigt vers le haut.

« Sous l'autel. Ça doit être creux, un bloc solide de cette taille pèserait trop lourd pour la voûte en dessous. C'est une tombe parfaite. Si nous parvenons à détacher un panneau, ou même le dessus, nous pourrons y placer Jofre. Il ne restera qu'à remettre le panneau en place, et je le repeindrai. »

Rodrigo lui serra la main avec reconnaissance.

« Vous êtes un homme bon, Osmond. »

Celui-ci rougit d'embarras.

« Rodrigo, je n'ai jamais voulu éloigner Jofre de moi. J'ai juste été choqué lorsque Zophiel a dit… Je ne m'en étais pas aperçu, voyez-vous. Si je ne l'avais pas empêché de venir chasser, alors il ne serait pas allé en ville. Il serait peut-être toujours vivant… Ce qu'ils ont fait, c'était… il ne méritait pas ça. »

Rodrigo lui serra l'épaule.

« Vous ne devez pas vous en vouloir. Ce n'est pas vous qui lui avez fait ça. »

Osmond, dans un geste qui ne lui ressemblait pas, passa les bras autour de Rodrigo et l'étreignit.

« Je suis tellement désolé, Rodrigo, je sais qu'il était comme un fils pour vous. »

Rodrigo lui retourna son étreinte, puis le repoussa, des larmes luisant dans ses yeux.

« Venez, montrez-moi l'autel, peut-être à nous deux parviendrons-nous à ôter le dessus. »

Zophiel, pour une fois, eut la bonté d'attendre qu'ils aient gagné l'étage avant de parler.

« Ils perdent leur temps. Osmond semble avoir oublié que nous n'avons pas de cercueil de plomb pour le cadavre. Il pourra repeindre l'autel tant qu'il voudra, ça n'empêchera pas la puanteur de flotter pendant des mois, voire des années. Quand les ouvriers viendront finir la chapelle, ils la sentiront, et ils ouvriront l'autel. Il ne faudra pas longtemps aux gens d'ici pour comprendre de qui il s'agit. Et alors le corps sera jeté à la rivière, ou démembré et éparpillé à travers la campagne. Rodrigo ferait mieux d'enterrer Jofre dans les bois. S'ils ne le trouvent pas, ils ne le déterreront pas.

— Mais ils n'oseront pas jeter les os s'ils croient que c'est un moine qui est enterré ici, répliqua Cygnus en me regardant.

— Et pourquoi, dites-moi, croiraient-ils cela ? » demanda froidement Zophiel.

Il n'avait manifestement toujours pas pardonné à Cygnus de ne pas avoir éteint les chandelles.

« Camelot a des robes de moines dans son sac. Souvenez-vous, Camelot, celles que vous avez marchandées au monastère ? La toile reste intacte bien après que le corps a commencé à se décomposer. Tout ce qu'ils verront, c'est un habit de moine.

— Vous êtes déterminé à vous moquer de Dieu en toutes circonstances, Cygnus, mais soyez prévenu, on ne se moque pas impunément de Dieu. »

Zophiel, avec une expression de dégoût sur le visage, se précipita dans l'escalier et disparut.

Le bébé, réveillé par les vociférations de Zophiel, se mit à pleurer.

Cygnus s'approcha et s'agenouilla près de moi tandis que je cherchais les habits dans mon sac. Il regarda en direction d'Adela qui était occupée avec son enfant, puis murmura : « Avez-vous songé, Camelot, que Zophiel aussi avait disparu lorsque Jofre a été tué ? Il n'est revenu que bien après le couvre-feu. Il a dû revenir par le même chemin. Il a sûrement entendu ou vu quelque chose, à moins que ce ne soit lui qui…

— Ne dites pas ça. Je sais ce que vous pensez. Priez juste pour que cette idée ne vienne pas à l'esprit de Rodrigo. Car si Rodrigo accuse Zophiel, je crains que cela ne donne lieu à un combat à mort. »

Nous enterrâmes le cadavre de Jofre dans l'autel. Osmond sculpta une grande croix de bois, similaire à celles que portent les moines, pour la placer entre ses mains. Jofre semblait fait pour porter des habits de moine. Peut-être est-ce la voie qu'il aurait fini par choisir, ou celle qu'il aurait dû choisir, mêlant sa voix à celles, pures et claires, qui louaient dans leurs chants un amour plus élevé que l'amour des femmes. Nous lui fermâmes les yeux et, maintenant que le cadavre était moins rigide, l'expression de terreur avait quitté son visage. Le capuchon au-dessus de sa tête et le haut col de la robe dissimulaient ses blessures, et il ressemblait enfin à un enfant endormi.

Rodrigo s'agenouilla et embrassa doucement les lèvres bleues et froides, passant doucement sa main sur la joue duveteuse comme s'il couchait son propre fils dans son berceau. Il ne pleurait pas. Il avait passé ce stade et son chagrin était trop profond pour les larmes. Et je songeai à la mère de Jofre. Il était mort sans savoir si elle avait survécu. Vivait-elle sans savoir que son fils était mort ? Enterrer ses enfants est une chose pénible. Rien ne vous brise autant le cœur, car c'est une partie de vous-même que vous enterrez dans cette tombe. Rodrigo avait souhaité ramener Jofre à sa mère. Mais il était maintenant trop tard. Pourquoi attendons-nous toujours qu'il soit trop tard ?

Le couvercle de l'autel produisit un grincement creux et lugubre lorsque nous le remîmes en place. Je levai les yeux vers Narigorm qui se tenait dans l'entrebâillement de la porte donnant sur l'escalier. Elle avait un objet scintillant dans la main. Comme je me tournais vers elle, elle le leva et le tint dans le flot de lumière délavée qui filtrait à travers la fenêtre de la chapelle. Je vis de nouveau les éclats bleus et pourpres mouchetés de paillettes dorées, la larme de verre qui renfermait la lumière de Venise.

Rodrigo vit la fiole en même temps que moi. Il la saisit et la tint précautionneusement sur sa paume.

Finalement, Cygnus demanda doucement : « Devons-nous ôter de nouveau le couvercle et la lui placer dans la main ? »

Rodrigo hésita, puis il secoua la tête.

« Elle a été faite pour les vivants, afin qu'ils se souviennent de ce qu'ils ont perdu. Les morts ne se souviennent pas. Un jour je la donnerai au fils d'Adela, car il est né à l'heure même où Jofre a été assassiné. » Il fixa de nouveau l'autel du regard. « Mais pas encore, il y a une chose que je dois faire avant de m'en séparer. »

Ses paroles résonnèrent dans ma tête comme la cloche annonçant la pestilence. « Né à l'heure même où Jofre a été assassiné. » Je les avais toujours eues à l'esprit mais avais refusé de les laisser prendre forme. Je me tournai vers Narigorm qui se tenait toujours dans l'entrebâillement de la porte, les yeux fixés sur l'estrade du sanctuaire où l'enfant était né et où gisait désormais le cadavre de Jofre. Je ne voyais pas son visage dans l'obscurité, mais je sentais sa satisfaction.

Les ténèbres du profond escalier derrière elle l'enveloppaient comme si c'était son ombre. « Si un est ajouté, un doit être enlevé. » Au bout du compte, les runes n'avaient pas menti.

Même lorsqu'une cacophonie désespérée ne retentit pas dans les villages, même lorsqu'un épais voile de fumée sulfureuse ne recouvre pas tout, on apprend à lire les signes annonciateurs. Les moulins, aussi immobiles que des tours de guet, sont silencieux, leurs ailes sont figées, on n'entend pas le grondement des meules ni le bavardage des femmes qui vont et viennent en procession, portant la farine de la famille. Les moulins à eau sont eux aussi silencieux, on n'entend ni les aubes plonger dans la rivière, ni le frottement des pierres les unes contre les autres, ni les cris des hommes. Et quand on entend le silence, on en vient à espérer qu'il n'est dû qu'au fait qu'il ne reste plus de grain à moudre.

Mais les plus effrayants, ce sont les moulins qui ne sont pas silencieux, ceux dont les ailes tournent de façon incontrôlable et dont les meules font vibrer le sol. Les moulins fantômes, où les pierres ne cessent de moudre sans produire une once de farine. Où les ailes et les aubes tournent jusqu'à se fendre car il n'y a plus personne pour les arrêter. On voit des moutons morts gisant dans les champs et des chiens qui se décomposent dans les fossés. Et alors on se hâte de tourner les talons et d'emprunter la prochaine route, pourvu qu'elle nous éloigne du village, car on sait que celui-ci a succombé à un fléau pire que la faim.

De plus en plus de villes et de villages étaient atteints par la pestilence. Elle arrivait sans prévenir. À l'aube des gens vaquaient à leurs occupations sans montrer le moindre signe d'infection ; au crépuscule une douzaine d'entre eux gisaient morts, et la maladie se répandait alors comme le feu à travers les rues. Impossible de dire qui elle toucherait ; les jeunes hommes bien portants tombaient aussi vite que les vieilles femmes, sans motif ni raison. Aussi finîmes-nous par avoir même peur de pénétrer dans les villages sains, au cas où la pestilence frapperait pendant que nous y serions. Et à quoi bon risquer la mort en cherchant de la nourriture, puisque personne n'avait plus rien à vendre. La plupart des villageois étaient eux-mêmes affamés, et ceux qui avaient encore la chance d'avoir à manger cachaient leurs provisions, et qui pouvait leur en vouloir ?

Nous poursuivîmes donc notre route vers l'est. Nous tournions et serpentions telles des anguilles prises au piège, mais nous retrouvions toujours face au soleil levant. Chaque fois que j'essayais de nous faire prendre la direction du nord, notre route était barrée par des ponts affaissés, des routes rendues infranchissables par des arbres abattus, des sentiers bloqués par les villageois par crainte de la pestilence. Ces obstacles étaient logiques, naturels, et pourtant une inquiétude tenace commençait à prendre racine en moi, comme si quelque chose, une force que je n'aurais pu nommer nous poussait vers l'est. Pourquoi Narigorm avait-elle murmuré : « Nous allons vers l'est, vous verrez »? Répétait-elle simplement ce que les runes prédisaient, ou bien était-elle plus qu'une simple messagère ?

Les autres ne semblaient guère prêter attention à la direction que nous empruntions, car si nos journées étaient hantées par la crainte de rencontrer la pestilence, nos nuits l'étaient par quelque chose qui nous terrifiait plus encore. Le loup nous suivait toujours.

Au cours des deux premières nuits qui avaient suivi notre départ de la chapelle, nous n'avions rien entendu et avions commencé à croire que le bailli avait fait son devoir et fait chasser la bête. Mais la troisième nuit nous l'avions de nouveau entendue, et cette fois aucun de nous n'avait pu prétendre qu'il ne s'agissait pas du même animal. Et tandis que nous poursuivions notre route, le loup nous suivait, ses hurlements retentissant toujours à la même distance, ni plus près, ni plus loin. Mais nous ne l'entendions pas toutes les nuits, ce qui, d'une certaine manière, était pire, car nous passions nos nuits éveillés, crispés, à tendre l'oreille dans l'obscurité. Lorsque nous ne l'entendions pas pendant plusieurs jours d'affilée, nous commencions à nous dire qu'il était parti, mais alors, sans prévenir, le hurlement transperçait de nouveau la nuit.

Il demeurait parfaitement invisible, et nous n'aperçûmes jamais ni sa silhouette au sommet d'une colline au clair de lune, ni une paire d'yeux jaunes brillant dans la forêt, ni une empreinte dans la boue, ni même les restes d'une de ses proies. Mais chaque fois que j'entendais ce hurlement dans l'obscurité, je pensais aux morsures féroces sur le corps de Jofre, au trou béant dans sa gorge, à l'expression de terreur sur son visage, et je frissonnais.

Nous mîmes quelque temps à atteindre la chaumière de la guérisseuse. La route qui parcourait les collines basses et étirées ne servait qu'aux charrettes des fermiers. Elle était suffisamment large pour le chariot, mais couverte d'ornières et de pierres tranchantes, et nous devions progresser encore plus lentement que d'habitude pour ne pas risquer de briser un essieu ou d'estropier Xanthos.

La chaumière était bâtie sur une élévation à l'extrémité d'une ravine étroite bordée de pentes abruptes, près d'une cascade qui basculait par-dessus des rochers avant de s'écraser dans une mare profonde cernée de fougères. Une rivière pleine de rochers coulait le long de la ravine et contournait la base du monticule pour poursuivre son cours parallèlement à la route. Il n'y avait pas de chemin reliant la route à la chaumière, seul un étroit passage creusé entre d'énormes rochers par les personnes qui avaient foulé les broussailles au fil des années. Il n'y avait pas non plus le moindre signe de sa propriétaire, hormis le filet de fumée qui s'échappait du trou dans le toit et formait des volutes dans l'air glacial du matin. Mais c'était un bon signe ; au moins l'occupante était en assez bonne santé pour allumer un feu.

Osmond aida Adela à descendre du chariot. Son visage était pâle, ses traits, tirés. Le bébé, couché dans un panier tressé qu'elle portait entre ses bras, la fixait d'un regard léthargique. Il faisait la moue comme s'il voulait pleurer, mais aucun son ne sortait. Adela frissonnait. Depuis que nous avions ramené le corps de Jofre, elle avait semblé perpétuellement transie. Elle avait beau s'asseoir près du feu, ou entasser les couvertures au-dessus d'elle, elle n'arrivait pas à se réchauffer, comme si le froid, telle une morsure de loup, avait transpercé ses os. Cela faisait plus d'un mois qu'elle avait accouché, mais elle ne retrouvait pas sa force, et le fait qu'elle s'inquiétait pour son fils n'arrangeait rien. Le bébé, qui s'était bien alimenté au début, s'affaiblissait désormais de jour en jour ; ses yeux s'enfonçaient dans leurs orbites et sa peau semblait se racornir.

L'anxiété croissante d'Adela pour son fils s'était

transformée en terreur lorsque, une nuit que nous campions, Narigorm avait soudain lancé en désignant une colombe blanche qui tournoyait au-dessus du chariot où dormait le bébé : « Regardez, le présage de la mort ! » Osmond avait éloigné la colombe, mais le mal était fait. Adela était convaincue que le présage était pour elle et son fils, et je craignais de plus en plus que, si elle continuait à se tourmenter ainsi, nous ne soyons obligés d'enterrer deux membres supplémentaires de notre compagnie avant la fin du mois.

Il nous fallait un guérisseur compétent. Nous n'osions pas entrer dans les villes à la recherche d'un apothicaire ou d'un docteur, pour autant qu'il en restât de vivants, et bien que je connusse suffisamment les herbes pour traiter les affections courantes, je ne savais comment la guérir de cette maladie-ci. Plaisance, elle, l'aurait su, et nous ressentions son absence plus vivement que jamais. Elle était restée dans l'ombre, silencieuse et modeste, soignant ici une ampoule, là un mal de ventre. Nous n'avions fait aucun cas de sa présence jusqu'à ce qu'elle disparaisse, tel un vieil arbre qu'on ne voit qu'une fois qu'il a été abattu, lorsque l'espace vide dans le ciel vous fait soudain prendre conscience de sa stature.

Nous demandions aux gens que nous croisions sur la route s'ils avaient entendu parler de quelqu'un qui connaissait les herbes, mais la plupart étaient, comme nous, loin de chez eux. Ils secouaient la tête et poursuivaient leur chemin. Finalement, une éleveuse d'oies nous avait parlé d'une guérisseuse.

« Tout le monde va la voir dans la région », avait-elle dit. Puis, tout en faisant avancer ses volatiles qui piaillaient, elle s'était retournée et nous avait lancé :

« Elle a la langue bien pendue, celle-là. Ne la prenez pas à rebrousse-poil ou elle vous enverra promener. »

Ses paroles résonnaient dans mes oreilles tandis que nous regardions la chaumière. Il était inutile d'emmener Adela jusque là-bas si la femme refusait de l'aider.

« Attendez tous ici, dis-je. Je vais y aller seul. Elle ne se sentira pas menacée par un vieil homme seul. »

La chaumière était petite, ronde, dénuée de fenêtres, bâtie dans le flanc de la ravine au moyen de pierres et de rochers agrémentés d'un chaume en roseaux. Un rideau de cuir faisait office de porte. Quelques poules picoraient parmi les herbes du jardin en pente qui était bordé par une haie de prunelliers. Un vieux sorbier poussait près de la porte de la chaumière. Ses baies rouge vif avaient depuis longtemps disparu, mais des espèces de fruits étaient accrochés à ses branches. Ils étaient d'un brun pâle, comme du parchemin, certains pas plus gros qu'un pouce, d'autres de la taille d'un poignet d'homme, mais je ne savais pas ce que c'était.

Lorsque j'atteignis le portail en osier, je m'arrêtai avec l'intention d'appeler pour ne pas effrayer la femme, mais avant que j'aie eu le temps de le faire, une voix retentit à l'intérieur de la chaumière.

« Entrez ! Je ne mords pas ! » Le rideau de cuir s'écarta et une femme sortit. Elle était grande et élancée, avec de longs cheveux gris acier qu'elle portait nattés comme une jeune fille.

« J'ai entendu votre chariot sur le chemin. Les sons portent par ici. Peu de gens utilisent ce chemin, surtout depuis l'arrivée de la pestilence.

— Nous n'avons pas la pestilence, me hâtai-je de préciser.

— Je le sais. Si vous l'aviez, je le sentirais. Alors, vous entrez ? »

Je poussai le portail, fis quelques pas le long de l'allée. Quelques poules s'éloignèrent bruyamment, indignées d'être troublées pendant qu'elles picoraient. En entendant les caquètements, la femme tourna la tête, et je vis que ses yeux verts étaient recouverts d'une pellicule d'un blanc laiteux.

« Vous venez pour que je vous aide », dit-elle – c'était une affirmation, pas une question.

Je fis un geste en direction du chariot puis m'arrêtai, me sentant stupide. J'ai beau avoir un œil aveugle, je me repose toujours sur ma vue plus que sur mes autres sens. Les voix du reste de la compagnie montaient jusqu'à nous tandis qu'ils installaient le campement.

« Nous avons une jeune femme qui voyage avec nous. Elle a donné naissance à un garçon il y a quelques semaines, mais son lait se tarit et le bébé s'affaiblit.

— Le lait peut se tarir prématurément pour de nombreuses raisons. Mais avant que je puisse dire quelle herbe l'aidera, je vais devoir lui palper la poitrine, pour voir si elle est vide ou gonflée, chaude ou froide. Faites-la venir. Je ne descends jamais là-bas. En attendant, je vais vous donner quelque chose pour l'enfant. Venez. »

Sans m'attendre elle disparut à l'intérieur de la chaumière. Je la suivis, mais ralentis le pas en m'approchant du sorbier et en voyant ce qui était accroché aux branches. Des douzaines de fœtus séchés s'agitaient dans le vent – agneaux, veaux et bébés humains. Certains étaient si minuscules qu'il était impossible de dire s'ils provenaient d'humains ou d'animaux ; d'autres étaient des bébés parfaitement formés, mais pas plus grands qu'une main d'homme. Les corps séchés bruissaient doucement tandis que le vent les poussait les uns contre les autres.

Comme si elle pouvait voir ce qui avait attiré mon regard, la femme me lança depuis l'obscurité de la chaumière : « Ces dernières années, de plus en plus de femmes ont fait des fausses couches. Le bétail et les brebis perdent également leur progéniture. Les esprits malins entrent dans l'utérus et la femme tombe enceinte, mais ces enfants naissent avant leur terme. Si leur corps est enterré, les esprits sont libérés et peuvent entrer dans un nouvel utérus, et ainsi de suite, empêchant la femme de porter un enfant humain. »

Elle réapparut, portant un récipient en bois rempli d'un épais liquide blanc, et continua de parler sans s'interrompre.

« Le sorbier piège les esprits malins et les attache de sorte qu'ils ne peuvent plus entrer dans un utérus. Le bois de sorbier est puissant contre les malédictions et les esprits malins, et il est encore plus fort lorsque l'arbre est vivant. « Elle me tendit le récipient. « Donnez-en autant que vous pourrez au bébé, un petit peu à chaque fois, mais souvent. »

Je reniflai le liquide.

Elle m'entendit et éclata de rire.

« Ce ne sont que des œufs, avec la coquille et tout, dilués dans de l'essence d'angélique et mélangés à un peu de miel. Ça nourrira le bébé. Plus il reprendra de forces, plus il tètera fort, ce qui aidera le lait à revenir. Maintenant, madame, allez chercher la mère et je verrai ce que je peux faire pour elle.

— *Monsieur*, la repris-je. Mais merci, je vais vous l'envoyer. »

Elle fronça les sourcils.

« Monsieur ? Mais j'aurais juré… »

Elle tendit la main pour toucher mon visage, mais je m'écartai vivement et m'éloignai à la hâte avant qu'elle puisse ajouter autre chose, l'abandonnant près de son sorbier au milieu des fœtus morts.

Plus tard, Osmond aida Adela à gravir le sentier jonché de cailloux et attendit dehors pendant que la femme l'examinait à l'intérieur. Ils regagnèrent le campement avec des bouquets d'herbes dont la guérisseuse l'avait assurée qu'elles stimuleraient la montée de lait. Et Adela, bien qu'épuisée, semblait plus heureuse qu'elle ne l'avait été depuis des jours. Mais Osmond n'était pas rassuré. La guérisseuse l'avait prévenu que les herbes seules ne guériraient pas Adela sur la durée. Si elle ne s'alimentait pas mieux pour reprendre des forces, le lait se tarirait complètement. Elle ne pouvait continuer à se nourrir d'oiseaux sauvages maigrichons et d'herbes. Il lui fallait de la viande rouge et du vin rouge pour le sang afin de l'aider à produire du bon lait. Mais plus personne dans la région n'avait plus rien à vendre, avait-elle expliqué, avant d'ajouter : « J'ai entendu dire qu'ils ont une abondance de nourriture et de vin à Voluptas. Mais il faudrait quelqu'un de rusé pour les persuader à en vendre. Certains ont essayé, mais personne n'y est parvenu. »

C'était comme si elle leur avait lancé un défi, défi auquel Zophiel, en l'entendant, ne put résister.

Le frère s'approcha du judas percé dans la porte et regarda d'abord Zophiel, puis moi.

« Vous pouvez transformer le plomb en or ? demanda-t-il d'un ton incrédule.

— Ne croyez-vous pas cela possible ? » répliqua Zophiel.

Puis il haussa les sourcils à sa manière habituelle, signe infaillible qu'il tendait un piège à l'intention de quelque innocent, mais pour une fois j'espérais que sa proie se laisserait prendre.

Le manoir qu'ils appelaient « Voluptas », Volupté, était aussi isolé que la chaumière de la guérisseuse. Un endroit idéal pour qui voudrait se mettre à l'abri des problèmes du monde, et tel était le cas des gens qui y vivaient. D'après la guérisseuse, ils venaient principalement de Londres : une vingtaine d'hommes et de femmes, pour l'essentiel riches, beaux et jeunes, qui avaient pris la fuite lorsque la pestilence avait atteint la ville. Mais on disait que l'homme qui se proclamait leur meneur n'était ni riche, ni beau, ni jeune ; c'était un frère pauvre, mais doté d'un don précieux, puisqu'il savait comment arrêter la pestilence.

D'après ce que nous vîmes de lui à travers le judas, il portait la robe des Carmes, mais celle-ci n'était pas faite du tissu grossier que les moines aiment généralement infliger à leur peau ; elle était faite d'une laine douce, épaisse et chaude qui devait le protéger du froid glacial. Il avait la peau douce et était potelé, ses petits doigts boudinés formaient des plis aux articulations. Il tenait un bouquet de fines herbes contre son nez tout en nous parlant bien que cela fût à peine nécessaire, car le parfum entêtant que son propre corps dégageait devait suffire à dissiper les odeurs désagréables que nous pouvions apporter avec nous.

Le frère éloigna suffisamment le bouquet de sa bouche pour pouvoir parler.

« Nombre de gens croient qu'il est possible de transformer le plomb en or », observa-t-il prudemment.

Zophiel sourit. J'ignorais où il voulait en venir, mais, d'après ce que la guérisseuse avait dit à Osmond, je savais que mes reliques ne nous permettraient pas d'acheter quoi que ce soit ici. Les gens du manoir ne plaçaient pas leur foi dans les saints, mais dans ce frère qui, pour sa part, n'avait foi ni en Dieu ni dans le diable.

« D'où vient la pestilence ? » demanda Zophiel.

Le frère sembla déconcerté par ce changement de sujet.

« D'un excès de mélancolie, d'un déséquilibre des humeurs », répondit brusquement celui-ci.

Il avait clairement hâte de revenir à la question de l'or. Mais Zophiel n'en avait pas fini.

« Et comment corriger ce déséquilibre et empêcher la pestilence ? »

Le moine poussa un soupir impatient.

« Comme nous le faisons ici, en nous plongeant nuit et jour dans les arts nobles, en mangeant de la bonne nourriture, en jouant de la musique douce, en respirant des odeurs plaisantes, en laissant libre cours aux plaisirs de la chair sous toutes ses formes, en exauçant tous les désirs du corps. Les gens tombent malades lorsqu'ils ressassent leurs idées noires et leurs peurs, lorsqu'ils refusent au corps ce qu'il veut et rendent la chair malheureuse. C'est pourquoi tant de gens ont succombé à la Grande Mortalité, ils y pensent trop, et leur corps finit par en devenir la proie. Ici, nous ne pensons qu'à la beauté et au plaisir. Mais qu'importe tout ça. » Il agita d'un geste impatient ses doigts couverts de bagues. « Vous avez parlé de transformer le plomb en or. Qu'a la maladie à voir avec l'or ? »

Zophiel sourit.

« Vous savez, mon ami, que chaque chose est composée des quatre éléments – la terre, l'eau, le feu et l'air – et des trois principes – le sel, le soufre et le vif-argent. Le plomb ne diffère de l'or que dans les proportions des choses qui le composent.

— Oui, oui, tout le monde sait cela. »

Mais Zophiel comptait bien prendre son temps.

« La maladie, comme vous l'avez observé avec tant de sagesse, vient d'un déséquilibre des humeurs du corps. Si vous préservez l'équilibre de l'esprit et du corps, le corps ne pourra pas tomber malade, et s'il est malade, il suffit de corriger le déséquilibre des humeurs pour lui rendre la santé. Et il en va de même, mon ami, avec toutes les choses de l'univers. *Sequitur*, il suffit de trouver le juste équilibre entre les éléments et ses principes pour transformer un vulgaire métal en or. De la même manière que vous, mon ami, avez découvert grâce à votre sagesse que la combinaison de la beauté et du plaisir est la substance alchimique qui transforme un vulgaire corps malade en un corps pur et sain, d'autres ont découvert la substance qui transforme le plomb corruptible en or pur.

— Vous avez découvert la pierre philosophale ? (Les yeux de l'homme s'illuminèrent avidement.) Mais cela fait des années que les alchimistes la cherchent.

— Pas une pierre, mon ami. Comme vous l'avez découvert, ce n'est pas en *prélevant* du sang au corps que l'on rétablit l'équilibre des humeurs, comme l'ont si longtemps cru à tort les médecins, mais en *ajoutant* de la beauté et du plaisir au corps. Les alchimistes n'avaient donc pas compris ce qu'ils cherchaient ; ce n'est pas une pierre qui permettra la transformation, mais un liquide, un élixir. »

Les yeux du frère brillaient.

« Et vous avez découvert comment fabriquer ce liquide ? Vous devez être un homme riche. »

Zophiel secoua tristement la tête.

« Hélas, non, je ne l'ai pas découvert, bien que je garde espoir, mon ami, mais au cours de mes voyages, j'ai rencontré quelqu'un qui, lui, l'avait découvert. Il m'a donné quelques gouttes de ce précieux élixir en échange d'un modeste service que je lui ai rendu. »

Zophiel porta alors la main à son torse et s'inclina humblement, laissant entendre par là que le service avait été tout sauf modeste.

« Hélas, j'ai déjà utilisé l'essentiel de ce qu'il m'a donné pour subvenir aux besoins de mon corps et de mon âme en ces temps difficiles. Mais lorsque j'ai entendu parler des transformations que vous accomplissiez sur le corps, je n'ai pu m'empêcher de venir ici pour vous montrer ce prodige. Je savais que seul un homme comme vous comprendrait vraiment ce qu'il verrait. Avec les dernières gouttes, je suis donc disposé à vous faire une démonstration de cette merveille pour votre édification. »

Le frère hésitait, tiraillé qu'il était entre son dégoût de nous voir entrer chez lui et son désir d'assister au rêve suprême. Il s'adressa à une personne qui se tenait près de lui et nous entendîmes quelqu'un s'écarter de la porte. Finalement, des chaînes et des verrous cliquetèrent.

« Vous pouvez entrer, mais seulement jusqu'au corps de garde. Je ne souhaite pas que les femmes voient… »

Il hésita, regardant avec de grands yeux ma cicatrice.

Je souris d'un air ironique ; de toute évidence, il estimait que ma cicatrice pourpre et mon orbite vide n'appartenaient pas au monde de la beauté et du plaisir.

Lorsque nous eûmes franchi la porte, c'est moi qui ouvris de grands yeux. Après les villes et les villages ravagés, les jardins dépouillés, les champs aux moissons pourrissantes, Voluptas semblait être une hallucination provoquée par la faim. Ici, les vergers et les jardins d'herbes aromatiques étaient bien entretenus, taillés et soignés, prêts pour les premiers bourgeons du printemps. Des bandes de gazon nichées parmi les plants de thym et de camomille attendaient les amoureux au retour des beaux jours. Les canaux d'irrigation dans lesquels coulait une eau limpide devaient regorger de poissons, et les colombes qui picoraient autour des herbes aromatiques suggéraient qu'il devait y avoir quelque part un colombier bien fourni. Il n'y avait rien qui ne fût agréable à l'œil. C'était un lieu hors du temps.

Mais nous ne fûmes pas autorisés à contempler longuement ce spectacle, car le frère nous fit aussitôt entrer dans la petite pièce aux murs de pierres qui jouxtait la porte. Quelques minutes plus tard, plusieurs hommes arrivèrent à la hâte. Ils ne portaient pas des tenues de moine. Les belles étoffes, les couleurs riches et les fourrures chaudes qu'ils arboraient indiquaient que seuls les riches venaient se distraire ici. Le frère savait ce qu'il faisait ; prêchez le confort auprès des riches et vous engraisserez ; prêchez l'enfer auprès des pauvres et vous crèverez de faim avec eux.

Zophiel demanda qu'on lui apporte un petit brasier de cuivre et du charbon, et il l'alluma cérémonieusement, testant sa chaleur sur des fragments de bois et sur la lame de son couteau jusqu'à être certain que la température soit correcte. Il produisit alors un petit creuset, le tint au-dessus du brasier, et, d'un grand geste, y déposa trois gouttes d'un liquide clair et visqueux qui s'évapora dans un nuage d'épaisse fumée blanche. Puis il souleva une petite pépite de plomb d'un gris terne.

« Regardez bien ! » commanda-t-il.

Les hommes se penchèrent légèrement en avant. Ils virent le plomb tomber dans le creuset. La fumée blanche vira au pourpre, puis au noir. Tout le monde retenait son souffle, et alors la fumée s'éclaircit.

« Observez ! »

Des exclamations stupéfaites retentirent lorsqu'ils virent un éclat scintiller dans la lueur pâle de l'après-midi. Zophiel demanda au moine de tendre la main, il inclina le creuset au-dessus de sa paume grasse et douce, et une petite pépite d'or tomba, qui était exactement de la même forme et de la même taille que la pépite de plomb.

Lorsque Zophiel eut fini, nous nous en allâmes et reprîmes place dans le chariot. La pépite d'or n'avait pas suffi à arracher au moine un baril de farine, mais nous regagnions le campement avec un gros fût de vin et un mouton vivant ligoté à l'arrière du chariot, chose que je n'aurais jamais crue possible.

Je me tournai vers Zophiel et observai son visage mince et pâle. Il avait une expression de satisfaction suffisante, et son regard ne semblait plus hanté comme il l'avait été depuis la mort de Jofre. Cela faisait des mois que Zophiel n'avait pas eu l'occasion d'exercer ses talents devant un public, et son succès lui avait rendu son ancienne arrogance. Il avait réussi son coup, et il le savait.

« De l'or recouvert de cire grise, je suppose, Zophiel. Vous le réchauffez et la fumée empêche de voir la cire qui fond. Et soudain l'or apparaît. Bien joué. »

Il inclina la tête de bonne grâce, fouettant Xanthos sur le dos pour lui faire accélérer le pas. Elle l'ignora.

« Mais si vous aviez déjà de l'or, pourquoi ne pas simplement offrir de l'échanger contre les provisions dont nous avions besoin ? Pourquoi cette comédie, qu'ils auraient facilement pu percer à jour ? »

Un bref sourire releva ses lèvres minces.

« Vous perdez le sens des réalités, Camelot. Ces hommes sont riches. Ils ne veulent pas d'or. À quoi pourrait-il bien leur servir ? Ils ne peuvent rien acheter avec. Ce qu'ils voulaient, c'était la preuve qu'ils avaient raison.

— Admettez-vous enfin qu'il est possible de vendre de l'espoir ? Suis-je parvenu à vous le faire comprendre ? »

Il éclata de rire et fouetta de nouveau la jument, plus fort. Cela faisait des semaines que je ne l'avais pas vu de si bonne humeur.

« Non, Camelot, pas de l'espoir. L'espoir est pour les faibles ; ne suis-je pas parvenu à vous le faire comprendre ? Espérer, c'est placer sa foi dans les autres et dans des choses extérieures à soi-même ; ce qui mène inévitablement à la trahison et à la déception. Ils ne cherchaient pas l'espoir, Camelot, ils cherchaient la certitude. Ce dont les hommes ont besoin, c'est de la certitude qu'ils ont raison ; ils ne veulent pas douter, envisager qu'ils pourraient avoir tort ou se tromper. La certitude absolue qu'on a raison, voilà ce qui donne la confiance et le pouvoir d'agir à sa guise et de prendre ce que l'on veut dans ce monde comme dans le prochain. »

Nous campâmes cette nuit-là au pied de la ravine de la guérisseuse. Nous allumâmes des feux et Zophiel tua le mouton, chose pour laquelle il faisait également preuve de dextérité. Un rapide coup de couteau en travers de la gorge, et la bête tomba comme une pierre sans se débattre ni pousser un cri. Zophiel récupéra le sang dans un récipient, puis Osmond et lui la dépouillèrent et l'étripèrent. Narigorm vint s'accroupir près d'eux et les aida à placer les entrailles pourpres et fumantes dans le seau.

La guérisseuse nous avait dit qu'Adela devait manger le foie et le cœur, je les plaçai donc dans la panse avec les reins et les abats pour les faire bouillir dans le sang avec la tête et les pieds. Nous mîmes deux cuissots à rôtir sur des broches. Le reste de la carcasse fut enveloppé et accroché au toit du chariot, hors de portée des chiens et des renards. Par ce froid, elle se conserverait plusieurs jours.

Nous prélevâmes un peu de viande rôtie, un pied de mouton et un peu de vin pour la guérisseuse en guise de paiement pour ses herbes. Je refusai de les lui apporter, mais Zophiel proposa d'y aller. Je n'avais aucune envie de reparler à cette femme.

La nuit tombait rapidement et il faisait de plus en plus froid. Le ciel indigo était dégagé et parsemé d'étoiles. La rivière nous abritant d'un côté, nous allumâmes des feux en demi-cercle de l'autre afin de pouvoir dormir au milieu en toute sécurité. Puis, assis sous les étoiles, nous nous réchauffâmes en dégustant la douce viande rôtie et en picorant la chair des pieds qui avaient mijoté dans une riche sauce au sang. Jamais viande n'avait semblé si consistante et satisfaisante. Nous nous gavâmes tant que nous avions le ventre gonflé, mais il nous restait suffisamment d'appétit pour briser les os et récupérer avidement la moelle jaune et fondante.

Adela, bien que toujours fatiguée, semblait plus rayonnante. J'espérais que la guérisseuse disait vrai et que son lait coulerait de nouveau en abondance. Le bébé dormait dans ses bras. Il avait avalé plusieurs cuillerées de la potion à base d'œufs, et ses yeux semblaient déjà moins creusés, et sa peau plus lisse.

Il se prénommait Carwyn, ce qui, en gaélique, signifie « amour béni ». Et bien que sa vie n'ait au début tenu qu'à un fil, il n'avait reçu ce nom que plusieurs jours après sa naissance. Car même si nous avions pu songer à autre chose qu'au corps mutilé de Jofre, nous n'aurions jamais pu nommer un enfant innocent le jour de son enterrement, le liant ainsi à jamais à la mort.

C'est Adela qui avait opté pour ce nom. Son choix avait arraché un faible sourire à Osmond, mais il n'appelait jamais l'enfant par son nom. Il ne portait pas Carwyn, ne s'occupait pas de lui, même lorsqu'il pleurait. Il semblait réticent à s'approcher du bébé. Et il ne prenait plus Adela dans ses bras le soir, préférant s'asseoir seul, tel Joseph dans les tableaux de la Nativité. Il demeurait attentif et protecteur, mais se tenait à l'écart, comme si la mère et l'enfant formaient une entité dont il était exclu.

Je n'avais pas dit à Adela et Osmond ce que j'avais deviné, et je n'avais aucune intention de dévoiler leur secret au reste de la compagnie. Je ne voulais pas voir le regard dégoûté de Rodrigo ou Cygnus, ni la douleur dans les yeux d'Adela et d'Osmond. Et puis, quel droit avions-nous de les condamner s'ils s'aimaient ? « L'os de mes os »; n'était-ce pas ce qu'Adam avait dit d'Ève ?

De plus, le petit Carwyn était le seul qui parvenait à arracher l'esquisse d'un sourire à Rodrigo. Il raffolait du bébé et le berçait souvent dans ses bras tandis qu'Adela se reposait. Son regard s'adoucissait lorsqu'il le plongeait dans les yeux bleu foncé de Carwyn, et pendant quelques minutes il ressemblait au Rodrigo que j'avais rencontré dans la taverne des mois auparavant.

Depuis la mort de Jofre, il s'était replié sur lui-même. Il avait le visage hagard, et pas uniquement à cause de notre maigre régime. Avant, je l'avais rarement vu passer une journée sans jouer de musique. Il prétendait que c'était vital pour conserver la souplesse de ses doigts. Mais depuis le jour où il avait porté le cadavre de Jofre jusqu'à la chapelle, il n'avait pas joué une seule note. Je pense qu'il se punissait en se privant de sa plus grande joie, car il se jugeait responsable de la mort de Jofre. J'éprouvais de la compassion à son égard, mais ne trouvais pas les mots pour le réconforter.

La seule d'entre nous à ne pas être affectée par la mort de Jofre était Narigorm. Elle ne changeait pas ; c'étaient les choses qui changeaient autour d'elle. Contrairement à la plupart des fillettes de son âge, elle ne montrait pas le moindre intérêt pour le bébé, comme si elle le considérait déjà comme mort. J'essayais de m'ôter cette idée de la tête, mais la manière qu'elle avait d'ignorer Carwyn, comme s'il n'était pas là, m'effrayait. Osmond continuait de l'emmener à la chasse avec lui. Il passait plus de temps avec elle qu'avec Carwyn. Pourtant, lorsqu'il revenait de ces expéditions, même lui semblait troublé par le plaisir qu'elle prenait à tuer de petites créatures. Mais, comme l'avait dit Zophiel, les enfants adorent attraper un oiseau ou un poisson. C'est un jeu pour eux.

Zophiel montrait plus d'entrain depuis que nous étions revenus avec le vin et le mouton. Il racontait son aventure à Voluptas avec humilité et modestie, ce qui, dans sa bouche, ressemblait encore plus à de l'arrogance que s'il avait ouvertement fanfaronné. Mais lorsque la lune commença à s'élever dans le ciel, emplissant la ravine d'une lueur pâle et de longues ombres, son malaise revint et il se mit à lancer des regards anxieux à la ronde, sans jamais éloigner sa main du couteau qu'il portait à la ceinture. Mais nous avions tous nos couteaux et nos bâtons à portée de main. Pour la bonne et simple raison que la nuit était le domaine du loup.

Je regardais la crête qui dominait la ravine. Le clair de lune tapissait le sommet de la colline d'un éclat argenté, mais rien ne bougeait. Je n'entendais rien hormis le crépitement du feu et l'eau de la rivière qui s'écoulait sur les cailloux et les rochers. Et tandis que j'étais assis dans cette vallée paisible, à écouter le murmure de l'eau, j'eus soudain l'impression d'être à nouveau dans les collines de mon enfance. Je voyais presque les loutres au poil luisant chasser dans les ruisseaux dont l'eau était si froide et claire qu'elle vous engourdissait les doigts. Je sentais presque le goût sucré des myrtilles violettes que je m'enfonçais dans la bouche, maculant de bleu mes doigts et mes lèvres. Et le vent, le vent pur qui en hiver vous coupait le souffle, et en été avait goût de vin blanc. Je savais que c'était impossible, mais cette nuit-là, j'aurais donné n'importe quoi pour y retourner et m'abreuver de cette paix solitaire, juste une dernière fois.

Je sursautai lorsqu'une forme énorme et pâle descendit en planant silencieusement jusqu'au fond de la ravine, juste derrière la lueur des feux. Je l'avais aperçue trop furtivement pour savoir ce que c'était, mais j'entendis alors le cri profond et sonore d'un grand-duc qui chassait son dîner.

Cygnus frissonna en entendant le cri sinistre et resserra sa houppelande autour de lui.

« Et si le loup repère l'odeur de la carcasse dans le chariot ? demanda-t-il.

— Il sera attiré par l'endroit où nous avons tué et dépouillé le mouton, répondit Osmond. L'odeur du sang y sera plus forte. »

Ils avaient pris soin de découper l'animal à bonne distance du campement, afin de ne pas attirer les charognards, mais maintenant qu'il faisait nuit, le lieu qu'ils avaient choisi semblait inconfortablement proche. Mais même la vallée suivante aurait été trop près. Cygnus regarda en direction de l'endroit où ils avaient découpé le mouton, mais il était plongé dans l'ombre de la colline, trop sombre pour que l'on pût y distinguer le moindre mouvement.

« Mais s'il suit l'odeur jusqu'au campement ? insista-t-il.

— Il ne le fera pas, répondit Zophiel. Il trouvera tout ce dont il a besoin là-bas.

— Mais il n'y a qu'un peu d'herbe trempée de sang. Ça ne fera qu'attiser son appétit, répliqua Cygnus d'une voix légèrement tremblante.

— Il y a de la viande là-bas. J'y suis retourné et j'en ai laissé un peu. »

Je tirai mon bâton vers moi.

« Cela l'occupera ce soir, ce dont je vous suis profondément reconnaissant, Zophiel, me hâtai-je d'ajouter. Mais ne risquons-nous pas de l'encourager à nous suivre si nous le nourrissons ?

— Je peux vous assurer, Camelot, que s'il mange

la viande cette nuit, ce sera son dernier repas. J'ai empoisonné la viande avec de l'aconit. Allons, vous ne pensiez pas que je la lui laisserais simplement en guise de cadeau ? La créature qui avalera cette viande, qu'elle soit animale ou humaine, ne survivra pas jusqu'à l'aube, et nous en serons débarrassés pour de bon.

— Humaine ?

— N'est-ce pas vous, Camelot, qui nous avez raconté une histoire de loup-garou ? Vous ne rejetterez sûrement pas cette possibilité ? Après tout, vous avez une cicatrice pour le prouver. »

Rodrigo se mêla à la conversation comme s'il venait simplement de comprendre ce que Zophiel avait dit.

« De l'aconit ? Vous transportez du poison avec vous ? »

Zophiel rit doucement.

« Me prenez-vous pour un assassin ? Non, je me doutais que la guérisseuse en aurait. L'aconit pousse bien près de l'eau et il est, m'a-t-on dit, efficace lorsqu'on l'applique sur les morsures de créatures venimeuses, même les morsures de loup-garou.

— La guérisseuse vous en a donné ? »

Je ne l'imaginais pas donnant un poison mortel à qui que ce soit, surtout pas à un homme tel que Zophiel.

« Disons que je l'ai persuadée. »

Osmond fut aussitôt sur ses pieds.

« Que lui avez-vous fait, Zophiel ? »

Zophiel eut un mouvement de recul, mais il se ressaisit rapidement.

« Rien, mon ami, un petit échange, c'est tout.

— Que pouviez-vous avoir qu'elle aurait pu vouloir ? demanda Osmond d'un air suspicieux.

— Il s'agit plutôt de ce qu'elle avait elle. Tout le monde sait que les sorcières utilisent des branches de prunellier pour accomplir des avortements. Et si elles se font attraper avec l'une de ces branches, il me semble que leur châtiment est d'être brûlées vives sur un bûcher fait de ce même bois. Et elle a une haie de prunelliers suffisamment grande pour immoler toute une assemblée de sorcières.

— Vous l'avez menacée, après ce qu'elle a fait pour nous ? » cria Osmond.

Rodrigo aussi s'était levé. Voyant la colère des deux hommes, Zophiel tenta à son tour de se redresser, mais ils se figèrent tous les trois lorsque le hurlement caractéristique du loup retentit dans la ravine, résonnant dans les ténèbres. Nous regardâmes, affolés, autour de nous, mais aucun d'entre nous ne savait d'où était venu le cri. Le loup hurla encore et encore, et à chaque fois le son semblait nous encercler. Nous l'entendions d'abord d'un côté, puis de l'autre. Osmond et Cygnus coururent jusqu'aux feux, les attisant et y ajoutant du bois jusqu'à ce que les flammes rugissent, des étincelles dorées explosant dans l'obscurité. Rodrigo, qui tenait fermement son bâton à deux mains, regardait à droite et à gauche, tentant de voir de quel côté l'attaque risquait de se produire. Adela était accroupie par terre, penchée au-dessus du bébé qu'elle tenait dans ses bras, tentant de le protéger avec son corps. Quant à Zophiel, il tournait frénétiquement en rond, brandissant son couteau, ses lèvres bougeant silencieusement comme s'il priait. La seule qui ne semblait pas comprendre le danger était Narigorm. Elle se tenait immobile, la main tendue comme si elle essayait de toucher le son. Mais les hurlements cessèrent alors et le silence envahit de nouveau les collines, étouffant les crépitements du feu et le murmure de l'eau sombre, un silence plus inquiétant encore que les hurlements du loup. Nous retînmes notre souffle et écoutâmes.

Je ne sais si les autres parvinrent à dormir cette nuit-là. Nous nous relayâmes pour monter la garde et entretenir les feux, mais même quand je savais que les autres veillaient, il m'était impossible de fermer l'œil. Finalement, je vis avec soulagement un mince rai de lumière poindre au-dessus de la colline au loin. Je dus alors m'endormir car à mon réveil, le soleil était levé et Adela remuait le contenu d'une marmite posée sur les braises. Un mince filet de fumée montait verticalement dans le ciel rose pâle. Ma houppelande était si raide à cause du givre qu'elle craqua lorsque j'essayai de me redresser.

Je levai les yeux vers la chaumière de la guérisseuse. Aucune fumée ne sortait de sa cheminée. Peut-être n'était-elle pas encore réveillée. Je la comprenais. Si j'avais passé la nuit dans un lit chaud, je n'aurais aucune hâte d'en sortir. Zophiel et Rodrigo, qui étaient toujours endormis, récupéraient de leurs tours de garde, mais Osmond et Cygnus étaient déjà partis chercher du bois et Narigorm tirait de l'eau à la rivière.

Je finissais un second bol de bouillon lorsque je vis Cygnus et Osmond regagner le campement à grands pas, leur souffle formant des nuages blancs tandis qu'ils se hâtaient. Ils portaient tous deux des ballots sur le dos. De toute évidence, leur quête de bois avait été fructueuse. Mais lorsque Cygnus passa devant moi, je vis que quelque chose n'allait pas. Zophiel venait de se lever et, accroupi au bord de la rivière, il s'aspergeait le visage d'eau. Cygnus marcha jusqu'à lui, dénoua la lanière autour de son cou, et son ballot tomba en produisant un bruit sourd sur le sol gelé. Ce n'était pas du bois qu'il transportait, mais un grand hibou mort. Son bec noir était grand ouvert comme s'il cherchait à respirer.

« Voilà ce que vous avez tué cette nuit avec votre aconit. Pas un loup, juste cette pauvre créature. »

Zophiel se leva et se retourna, secouant ses longs doigts pour les débarrasser des gouttelettes scintillantes d'eau. Il regarda à peine le hibou qui gisait à ses pieds.

« Y a-t-il des signes que la viande a été mangée ?

— Quelques morceaux ont été arrachés, mais probablement par le hibou. »

Zophiel enfonça la pointe de sa botte dans les plumes de la bête.

« Grand-duc. Un oiseau précieux pour la chasse. Peut-être était-il sauvage, mais il a plus que probablement été perdu par un fauconnier négligent. Je ne voudrais pas être à sa place ; on le lui fera payer cher. Il ne vaut cependant plus rien, vous feriez aussi bien de vous en débarrasser. »

Cygnus tentait de conserver son calme, mais n'y parvenait guère.

« Qu'importe la valeur de l'oiseau, Zophiel ! cria-t-il. Et la viande que vous avez laissée ? Quelques morceaux empoisonnés auraient suffi à tuer un loup affamé. Mais vous avez abandonné une patte entière et une partie du flanc. Adela et le bébé avaient besoin de cette viande. Elle aurait pu nous nourrir tous pendant au moins une journée. Vous l'avez prise sans nous consulter. Et maintenant que la viande est empoisonnée, nous ne pouvons même pas l'utiliser pour le bouillon. Je sais que le loup vous terrifie, Zophiel, mais c'était un gâchis stupide et inutile. »

L'expression de Zophiel était devenue de plus en

plus venimeuse au fur et à mesure que Cygnus parlait. Et lorsque ce dernier évoqua sa terreur du loup, ses yeux lancèrent des éclairs, mais, contrairement à Cygnus, il répondit d'une voix calme et mesurée.

« Puis-je vous rappeler que c'est grâce à mon talent et à mon or que nous avons pu nous procurer le mouton et le vin, ils m'appartenaient donc. Le fait que j'aie accepté de le partager avec vous, comme j'ai également partagé mon chariot et mes provisions, mériterait que vous me remerciiez à genoux. Si je n'avais pas décidé d'être généreux, vous, ainsi qu'Adela, n'auriez rien eu à manger hier. Ce que j'ai choisi de faire avec les restes de la carcasse ne regarde que moi.

— Nous partageons tous ce que nous avons, Zophiel, protesta Osmond. Bien des nuits vous avez dîné du produit de ma chasse ou grâce à ce que Camelot avait pu se procurer en échange de l'une de ses reliques. »

Zophiel ignora son intervention et continua de regarder Cygnus avec hostilité.

« J'ai sacrifié la viande, de la viande que j'aurais aussi pu manger, pour que nous ne connaissions pas tous le même sort que notre jeune ami obstiné. Je suppose que vous concéderez que ça valait bien le sacrifice d'une journée de nourriture. J'espère que vous n'avez pas oublié à quoi ressemblait le cadavre de Jofre lorsqu'on l'a retrouvé. Il n'est pas aisé de manger du mouton quand on a eu la gorge arrachée. Je vous suggère de garder cela à l'esprit avant d'oser venir me critiquer de nouveau. Et pour ce qui est de la viande gâchée, nous la laisserons dehors la nuit prochaine, et celle d'après s'il le faut. Qui sait, nous parviendrons peut-être à débarrasser le monde d'un autre de vos cousins à plumes. »

Il écarta d'un coup de pied le cadavre du hibou et s'éloigna de la rivière. En passant à côté de Cygnus, il lui donna un violent coup d'épaule. Celui-ci glissa sur l'herbe couverte de givre, bascula en arrière sans parvenir à retrouver son équilibre et tomba à la renverse dans l'eau. La rivière n'était pas profonde, mais elle était glaciale. Le choc lui coupa le souffle alors même qu'une vague provoquée par sa chute lui recouvrait la tête. L'eau lui emplit la bouche et les poumons. Incapable de reprendre pied sur les rochers glissants et alourdi par sa houppelande trempée, il se laissa gagner par la panique, écarquillant de grands yeux, et se débattit furieusement.

Rodrigo courut jusqu'à la rivière et plongea. Il attrapa Cygnus alors que celui-ci coulait de nouveau. Il le redressa, le tira jusqu'à la berge et le hissa hors de l'eau.

Cygnus tomba à genoux dans l'herbe, et se mit à tousser et à cracher. Rodrigo lui tapa dans le dos tandis qu'il cherchait à reprendre son souffle. Puis il resta agenouillé par terre, respirant difficilement et tremblant de façon incontrôlable.

Rodrigo lui posa la main sur l'épaule.

« Ôtez vos vêtements mouillés et venez près du feu. Narigorm, va chercher une couverture. »

Mais Cygnus était incapable de bouger. Rodrigo s'accroupit et commença à lui ôter sa houppelande trempée. Tandis qu'il aidait le garçon tremblant à se déshabiller, Rodrigo leva les yeux vers Zophiel, qui les regardait d'un air amusé.

« Vous l'avez délibérément poussé à l'eau, Zophiel. Je vous ai vu.

— Il s'échauffait, il avait besoin de se rafraîchir les idées.

— Vous savez qu'il ne sait pas nager.

— Alors il serait temps qu'il apprenne. Les cygnes ne nagent-ils pas ? Ils ne sont bons qu'à ça, et à faire de bons rôtis. Après tout, ils ne servent à rien d'autre. »

Il marqua une pause, fixa Cygnus, puis il rejeta soudain la tête en arrière et se mit à rire à gorge déployée.

« Mais qu'avons-nous là ? On dirait que je m'étais trompé. Notre petit prince n'est pas un cygne au bout du compte. »

Nous suivîmes le regard moqueur de Zophiel. Cygnus était toujours agenouillé dans l'herbe. Mais il était nu jusqu'à la taille et nous vîmes immédiatement ce que Zophiel voulait dire. Il n'y avait pas d'aile, pas de plumes, juste un moignon rose tendre d'environ un pied de long sous lequel étaient alignées six minuscules protubérances, des bourgeons de chair pas plus gros que des mamelons.

« Naturellement, dit Zophiel avec un large sourire, si j'avais su que c'était un pauvre éclopé, je n'aurais jamais… »

Cygnus tressaillit en entendant le mot « éclopé », mais Zophiel n'eut pas l'occasion de finir sa phrase. Rodrigo s'était précipité sur lui et lui avait envoyé du revers de la main une violente gifle en pleine bouche. Zophiel tomba à la renverse dans l'herbe, mais il ne tarda pas à se ressaisir. Portant sa main gauche à sa bouche, il se redressa difficilement. J'aperçus le reflet du soleil dans ce qu'il tenait dans sa main droite et je tentai de crier pour prévenir Rodrigo, mais Osmond était déjà sur Zophiel. Il lui saisit le poignet et le tordit. Le couteau tomba sur le sol gelé.

Osmond le repoussa d'un coup de pied.

« Oh, non, Zophiel, vous l'avez bien cherché. »

Pendant un moment Zophiel regarda Rodrigo d'un œil noir, puis il essuya le sang qui ruisselait depuis sa lèvre qui enflait à vue d'œil sur son menton.

« Faites attention, Rodrigo, dit-il calmement. C'est la deuxième fois que vous levez la main sur moi. Je n'en tolérerai pas une troisième. »

21

Les pierres levées

Il n'y avait toujours pas de fumée s'élevant de la chaumière de la guérisseuse en milieu de matinée tandis que nous nous préparions à lever le camp. Je m'inquiétais de plus en plus, mais les autres étaient trop occupés par la dispute entre Rodrigo et Zophiel pour remarquer quoi que ce soit.

Tandis que chacun s'affairait, la tension entre les deux hommes était palpable. Osmond les surveillait d'un œil anxieux, craignant de devoir les séparer au cas où les esprits s'échaufferaient de nouveau. C'était comme regarder deux chiens en sachant qu'ils risquaient de se massacrer mutuellement à tout instant. En revanche, Cygnus était si malheureux et humilié qu'il semblait à peine remarquer ce qui l'entourait. Il avait serré la main de Rodrigo lorsque ce dernier l'avait aidé à se relever, puis attrapé la couverture avant d'aller se rhabiller à l'écart. Lorsqu'il était revenu au campement, il était sec, mais claquait toujours des dents. Il fuyait nos regards, et lorsque Adela avait tenté de lui faire boire un peu de bouillon chaud, il avait repoussé le bol sans un mot et s'en était allé préparer Xanthos. Mais même les petits coups de tête que lui donnait la jument ne lui arrachaient aucune réaction.

Tandis que nous préparions nos paquets, je ne cessais de lever les yeux en direction de la maison de la guérisseuse. Je m'étais promis de ne jamais y retourner, mais je savais que je ne pouvais partir sans savoir s'il lui était arrivé quelque chose. Une fois encore je me sentais responsable. Si c'était moi qui lui avais porté la viande rôtie et le vin la veille et non Zophiel, il n'aurait pas eu l'occasion de la menacer. Et s'il ne s'était pas contenté de l'intimider ? S'il l'avait poussée, comme il l'avait fait avec Cygnus, et qu'elle était blessée voire pire ?

C'était de la folie en ces temps de s'approcher d'une habitation où ne brûlait aucun feu. Je le savais, et pourtant je gravis le sentier qui menait à la chaumière. J'appelai lorsque j'atteignis la barrière, mais ne reçus aucune réponse. Le jardin était tel que je l'avais vu la veille, les poules étaient toujours là à glousser et à caqueter parmi les herbes. Je longeai prudemment l'allée. Les fruits étranges suspendus au sorbier étaient couverts de givre. Les corps minuscules scintillaient tout en tournant sur eux-mêmes dans la brise légère.

Lorsque j'atteignis la masure, n'ayant toujours pas reçu de réponse, j'écartai le lourd rideau de cuir et le tins de sorte que la faible lumière hivernale éclaire l'intérieur sombre. Des rochers, qui faisaient partie du flanc de la colline, saillaient dans la pièce, formant des étagères et des rebords naturels sur lesquels étaient entassés des pots et des jarres d'argile. Des bouquets d'herbes séchées étaient accrochés aux poutres du plafond. La marmite de fer noire suspendue au centre de la pièce était vide, et le feu en dessous était si faible qu'il s'en échappait à peine un filet de fumée. Seules quelques lignes rouge sang dans les cendres grises, telles de minuscules veines, indiquaient que le feu couvait toujours. Le mobilier de la pièce était simple : un coffre à vêtements en bois, deux tabourets bas et un lit étroit légèrement surélevé au-dessus de la terre battue. Un chat gris efflanqué lové au centre du lit me regardait de ses grands yeux verts impassibles.

« Où est ta maîtresse ? »

Le chat cligna des yeux et se lécha une patte.

Je reculai et examinai le jardin, regardant derrière les buissons pour voir si la guérisseuse gisait inconsciente quelque part, mais il n'y avait nulle trace d'elle. Peut-être avait-elle eu si peur de Zophiel qu'elle s'était enfuie. Je parcourus des yeux la ravine et la colline qui la dominait, mais ne vis personne. L'eau de la cascade plongeait en rugissant dans la mare sombre en contrebas. Si elle était tombée dedans, je n'avais nul espoir de l'apercevoir sous l'écume agitée.

Je rebroussai chemin, marquant juste une pause au niveau de la porte pour y laisser une petite cruche du vin appartenant à Zophiel. Ce dernier ne savait pas qu'il lui faisait ce cadeau, mais je me disais que c'était la moindre des choses.

J'avais refermé la barrière et redescendais le sentier lorsqu'une voix lança derrière moi : « Si c'est du vin que vous avez laissé à ma porte, je vous remercie… »

Je me retournai. La barrière était ouverte et la guérisseuse se tenait à côté, une main posée dessus, mais je n'aurais su dire si elle venait de l'intérieur ou de l'extérieur.

Je remontai un peu le sentier, m'approchant suffisamment d'elle pour pouvoir parler sans avoir à crier, mais gardant suffisamment mes distances pour qu'elle ne puisse pas me toucher.

« Je suis venu m'excuser pour Zophiel, l'homme qui est venu vous voir hier soir… et pour vous assurer que quoi qu'il ait dit, nous ne le laisserons pas mettre ses menaces à exécution.

— Votre ami est un homme terrifié, et il a de bonnes raisons de l'être si j'en crois les hurlements que j'ai entendus la nuit dernière. Je le plains. C'est pourquoi je lui ai donné ce qu'il voulait, et non parce qu'il m'a menacée.

— Vous avez donc entendu le loup ?

— Oui. Votre ami n'a pas réussi à le tuer. »

C'était une affirmation, pas une question. Je me demandai à quel point elle avait l'oreille affûtée.

« Il ne s'est pas laissé appâter. Mais nous partons. Je crois qu'il va nous suivre, vous n'avez donc rien à craindre.

— Je crains les prêtres et tous ceux qui croient que c'est en torturant et en menant au bûcher que l'on vénère le Christ miséricordieux, mais pas ce loup. Je sais que je ne suis pas sa proie. »

Je regardai en direction du campement. Je vis Cygnus faire reculer Xanthos entre les brancards du chariot.

« Je dois y aller, mais merci beaucoup pour votre aide. La femme et l'enfant se portent déjà mieux.

— J'en suis heureuse. »

Je me retournai et fis quelques pas sur le sentier avant de me retourner de nouveau ; la guérisseuse se tenait toujours au même endroit, une main posée sur la barrière, comme si elle s'attendait à ce que j'ajoute quelque chose.

« Pardonnez-moi, mais je suis curieux. Où étiez-vous tout à l'heure ? Je ne vous ai vue nulle part. M'avez-vous entendu vous appeler ?

— Je vous ai entendu, répondit-elle avec un sourire. J'étais là. »

Une image de fourrure grise et d'yeux verts m'apparut soudain et, sans même réfléchir, je demandai : « Le chat ? »

Elle partit à rire.

« Vous aussi vous me prenez pour une sorcière ? Non, pas le chat, la cascade. L'eau est transparente, et pourtant elle peut mieux vous dissimuler qu'une porte solide. Il y a une grotte derrière. Je l'ai découverte il y a longtemps, et ma mère la connaissait avant moi. Si les gens regardaient, ils la verraient, mais ils ne le font pas. La meilleure cachette est toujours à la vue de tous. Mais je suppose que vous le savez déjà. »

Le voyage ce jour-là fut plus tendu que d'habitude. Le sol gelé était dur, ce qui facilitait la tâche de Xanthos et nous faisait avancer plus vite, mais en dépit du soleil hivernal, un nuage orageux semblait flotter au-dessus de la compagnie. Adela tentait de bavarder gaiement, mais en vain. La lèvre gonflée et manifestement douloureuse de Zophiel lui rappelait sans cesse l'humiliation qu'il avait subie, et il n'avait jamais été homme à accepter de tels affronts en silence. Seule Narigorm était épargnée par ses sarcasmes. Il se méfiait d'elle depuis le soir où, dans la crypte de la chapelle, elle avait parlé des loups qui gardaient le chemin des morts, mais sa réticence à la défier ne s'étendait pas jusqu'à nous. Il s'en prit d'abord à Rodrigo, puis à Cygnus, et finalement à Adela, les provoquant à la moindre occasion jusqu'à ce qu'Osmond soit sur le point d'accompagner sa lèvre enflée d'un œil au beurre noir. Rodrigo, ignorant Zophiel, tentait désespérément d'entamer la conversation avec Cygnus, mais les réponses monosyllabiques de ce dernier indiquaient clairement qu'il voulait qu'on le laisse tranquille.

Pour ne rien arranger, le chemin contournait désormais une vieille forêt. Bien que le soleil fît scintiller le givre sur les branches noires et nues, le lieu nous mettait mal à l'aise. Ni les arbres ni les buissons n'avaient de feuilles, mais les troncs et les enchevêtrements de ronces nous empêchaient de voir à l'intérieur de la forêt. Après nos frayeurs de la nuit précédente, nous étions tous à bout de nerfs. N'importe quoi pouvait nous suivre dans l'ombre en se glissant derrière les arbres. Et ce n'était pas juste les bêtes que nous craignions, il y avait aussi des prédateurs humains. Une bande de coupeurs de gorge pouvait facilement se cacher derrière chaque tournant, et chaque cri d'oiseau, chaque bruissement pouvait être leur signal.

Comme l'après-midi s'écoulait et que les bois ne semblaient jamais finir, nous accélérâmes l'allure, ne nous arrêtant même pas pour manger, jusqu'à avoir atteint un embranchement. La route principale s'enfonçait parmi les arbres, mais un chemin plus petit, plus raboteux, semblait s'en éloigner et se poursuivre en terrain dégagé. Aucun de nous ne souhaitait passer la nuit ici, aussi, d'un commun accord, engageâmes-nous Xanthos sur le chemin caillouteux.

Le soleil était bas et la froideur de la nuit s'abattait déjà sur nous. À part la ligne sombre de la forêt derrière nous, la seule chose de visible alentour était un cercle de pierres levées au loin. Elles étaient sombres et se détachaient nettement sur la vaste étendue de ciel rosissant. C'était un endroit lugubre et désolé, et je frémis en songeant aux dieux qu'on avait dû vénérer ici.

Il devint vite apparent que le chemin ne menait nulle part. Après tous ces efforts nous avions suivi un cul-de-sac, mais il était trop tard pour rebrousser chemin avant la tombée de la nuit, nous continuâmes donc à pousser le chariot vers le cercle de pierres.

Celles-ci, au nombre de douze, étaient à peu près de la taille d'un homme. Un rocher plus grand était dressé, telle une antique reine guerrière, un peu à l'écart du cercle et, entre lui et les pierres, des rochers plus petits formaient deux rangées, comme s'ils se prosternaient devant leur souveraine. Même vu de près, l'endroit était sinistre, mais il y avait aussi quelque chose de rassurant dans le fait que les pierres avaient survécu, intactes et immuables, à des siècles de tempêtes, d'invasions et de désastres.

À la base de la plus grande pierre nous découvrîmes un grand bassin incurvé, comme une coquille d'huître, mais suffisamment grand pour qu'un homme puisse y prendre place. Il était positionné de telle sorte que la pluie qui tombait sur la pierre gouttait dans le bassin en contrebas. Sa surface était verdie par le limon, mais lorsque nous eûmes brisé la fine couche de glace qui le recouvrait, l'eau en dessous était propre et claire. Au moins nous aurions de quoi abreuver Xanthos et cuisiner.

Le soleil déclinait rapidement et alors qu'il avait presque disparu, les premières étoiles apparurent et le vent devint glacial. Nous achevâmes de préparer le souper. Zophiel avait de nouveau disposé sa viande empoisonnée à quelque distance de notre campement, mais je crois qu'aucun d'entre nous ne croyait en son succès. Peut-être n'y croyait-il pas non plus. C'était une amulette, un talisman, quelque chose pour parer au désastre lorsque l'on est impuissant à l'empêcher.

En dépit de ce qu'il affirmait, Zophiel avait autant besoin d'espoir que nous autres. Et tandis que les cieux s'assombrissaient, il se mit à tourner en rond nerveusement, jetant des regards entre les pierres sans toutefois oser sortir du cercle protecteur.

« Ne veux-tu pas manger, Narigorm ? » lança Adela par-dessus son épaule tout en versant du mouton dans mon bol.

La fillette était accroupie dans l'ombre de l'une des pierres. Elle était penchée en avant et regardait un objet qui gisait par terre devant elle dans la lueur projetée par le feu. Une douleur sourde m'étreignit la poitrine lorsque je la vis passer doucement les mains au-dessus du sol comme elle avait l'habitude de le faire.

« Narigorm, tu as entendu Adela ? Viens manger maintenant ! »

Adela se retourna, surprise par mon ton cassant, mais Narigorm ne bougea pas.

« Je n'avais pas vu, dit Adela d'une voix anxieuse. Mieux vaut ne pas la déranger, Camelot, elle est en train de lire ses runes. Ça pourrait… porter malheur. Je vais lui garder à manger. »

Les pierres ancestrales semblaient plus hautes dans l'obscurité. Des formes étranges projetées par les flammes dansaient dessus, comme si une foule de gens invisibles nous encerclait dont nous n'apercevions que l'ombre.

Je pris sa part de nourriture et marchai jusqu'à Narigorm, me postant délibérément entre elle et le feu pour masquer la lumière. Je lui tendis le bol, espérant que la vapeur chaude et odorante qui s'en dégageait lui ouvrirait l'appétit.

« S'il te plaît, Narigorm, dis-je faiblement, pourquoi n'arrêtes-tu pas et ne viens-tu pas manger ? Pas de runes ce soir, sois gentille, pas ici.
— Quel mal y a-t-il ? demanda Osmond. Peut-être qu'elle nous dira comment nous débarrasser du loup. Si au moins nous savions pourquoi il nous suit, je me sentirais mieux. »

Quel mal y avait-il ? Je ne lui avais jamais dit, ni à nul autre de la compagnie, ce que Narigorm avait lu dans les runes la nuit de la naissance de Carwyn et de la mort de Jofre. J'avais tenté de me convaincre que ses paroles ne signifiaient rien. Nous nous en faisions tous pour Adela et le bébé cette nuit-là. Narigorm avait simplement exprimé à voix haute ce que nous craignions tous en silence. La mort de Jofre avait été une coïncidence, rien de plus. On peut voir ce que l'on veut dans les prédictions d'une devineresse ; elles sont toujours suffisamment vagues pour sembler se réaliser. Peut-être n'avait-elle pas non plus appris la mort de Plaisance dans ses runes. Elle avait pu la suivre et la voir pendue. Il n'y avait rien de mystique là-dedans, du moins est-ce ce dont j'essayais de me persuader.

Narigorm souleva une rune et la tint à la lueur du feu. Le symbole dessus ressemblait à une marmite renversée sur le côté.

« Peorth inversé. »

Osmond regarda le symbole, puis détourna rapidement les yeux.

« Est-ce que ça concerne le loup ? demanda-t-il.
— Peorth signifie que quelqu'un garde un secret. »

Il lâcha un éclat de rire anxieux.

« Nous en avons tous. Voyons voir. Quand j'étais petit, j'étais follement amoureux de la servante de ma mère, mais j'étais trop timide pour le lui dire. Là, est-ce que c'est ça, le secret ? »

Narigorm secoua la tête.

« Quand Peorth est inversé, cela signifie un secret inavouable, un secret inavouable qui sera bientôt exposé. »

J'entendis quelqu'un inspirer brusquement derrière moi, puis Osmond répliqua doucement : « Camelot a raison. Tu devrais manger maintenant. »

Mais Narigorm souleva une deuxième rune sur laquelle deux V face à face étaient entremêlés.

« Jara. Le temps de la moisson. Le temps de récolter. » À la lueur du feu, des flammes rouge et jaune semblaient se tordre sur ses cheveux blancs. Elle leva les yeux vers Osmond. « Quand Jara et Peorth sont ensemble, cela signifie que quelqu'un récoltera bientôt son châtiment pour ce secret inavouable. »

Une expression de panique absolue traversa le visage d'Osmond et il se tourna vers Adela, qui regardait elle aussi avec de grands yeux, tenant en l'air sa louche dont le contenu se répandait sur l'herbe.

« Ça suffit maintenant, Narigorm », dis-je sèchement.

Je ne comptais pas en rester là, mais Zophiel, qui se tenait dans l'ombre, parla. Sa voix était curieusement tendue, presque implorante.

« Les runes ne montrent que ce qui pourrait se passer. Nous avons le pouvoir de changer l'issue. Elles ne font que nous avertir de ce qui arrivera si nous ne faisons rien pour l'empêcher. »

Narigorm leva la tête et le regarda fixement. La lumière des flammes serpentait sur son visage pâle, comme si des vipères se tordaient sur sa peau. Puis, sans répondre, elle attrapa une troisième rune et la leva. Celle-ci ressemblait à une croix de biais.

« Nyd, déclara-t-elle. C'est la rune du destin. Elle signifie qu'il n'y a rien à faire pour remédier aux deux premières. Le destin qu'elles annoncent est inévitable. Le secret inavouable sera révélé et il y aura un châtiment. »

Dans le silence qui suivit, personne ne bougea. Seuls résonnaient le crépitement du feu et la mélopée stridente du vent qui s'engouffrait entre les pierres.

Ce fut finalement Rodrigo qui rompit le silence.

« Pour qui sont ces avertissements, Narigorm ? Le sais-tu ? »

Elle attrapa un autre objet par terre devant elle et le tint à la lumière du feu. Ce n'était pas une rune cette fois, mais une minuscule bille de marbre noir.

« Celui qui a perdu ceci », répondit-elle.

Nous nous dévisageâmes, perplexes, puis Adela bredouilla : « Zophiel, n'est-ce pas la bille dont vous vous êtes servi pour votre tour avec les gobelets le jour de… ? »

Elle n'acheva pas sa phrase. Zophiel se tenait plaqué contre l'une des pierres, écarquillant de grands yeux horrifiés. Même dans la semi-pénombre nous pouvions le voir qui tremblait violemment. Il se couvrit le visage des mains et, lentement, tel un homme qui a reçu un coup de poignard, se laissa glisser jusqu'à être accroupi.

« Vous devez m'aider… vous devez l'arrêter… vous ne pouvez pas le laisser me tuer. »

Personne ne bougeait. Nous étions tous stupéfaits. Nous avions déjà vu Zophiel effrayé, mais il avait alors laissé sa colère prendre le dessus et s'était mis à brailler des ordres. Le voir réduit à une épave frémissante était bien plus terrifiant. Je marchai jusqu'à lui et posai la main sur son bras. Il tressaillit mais ne chercha pas à l'ôter.

« Zophiel, dis-je d'une voix aussi douce que possible, de qui parlez-vous ? Qui va vous tuer ?

— Le loup, murmura-t-il.

— Allons, Zophiel, ces hurlements nuit après nuit nous tourmentent tous. Je sais qu'il est singulier qu'un loup nous suive ainsi, mais c'est une période étrange ; les hommes comme les bêtes ont faim. Et si vous pensez à ce qui est arrivé à Jofre, il était seul, et puis il est bien plus probable qu'il ait été tué par une meute de chiens délibérément lancés sur lui. Tant que nous resterons ensemble, un loup solitaire ne nous attaquera pas. »

Zophiel poussa un gémissement, le visage toujours enfoncé entre ses mains.

« Avez-vous déjà été attaqué par un loup, est-ce la raison pour laquelle vous… »

Il secoua la tête, sans toutefois la lever pour me regarder.

Puis une idée me vint soudain.

« Zophiel, quand nous étions dans cette grotte, la première fois que nous avons entendu le loup, vous avez dit que si le loup était une bête, le feu l'effraierait, mais que s'il était humain, alors le feu l'attirerait. Croyez-vous que c'est ce qui nous suit, une sorte de loup humain ? »

Il tressaillit.

« Zophiel, insistai-je, si vous savez quelle est cette créature qui nous suit, vous devez nous le dire. Nous devons savoir à quoi nous sommes confrontés. »

Un sifflement retentit tandis qu'Osmond enfonçait

une brindille rougeoyante dans un gobelet. Il marcha jusqu'à l'endroit où Zophiel était accroupi.

« Du vin chaud », dit-il.

Il avait l'air d'éprouver à la fois de la gêne et de la pitié.

Zophiel saisit le gobelet, mais ses mains tremblaient tant que je dus l'aider à le tenir. Il grimaça lorsque le vin chaud toucha sa lèvre coupée, mais il le but avidement.

Je rendis le verre vide à Osmond, qui était là à regarder la silhouette recroquevillée contre la pierre.

« Camelot a raison, déclara-t-il. Vous devez nous le dire. Nous devons être préparés. »

Zophiel passa la main sur sa lèvre gonflée et regarda le sol, puis il finit par acquiescer.

« Une histoire de loup, dit-il avec un rire tremblant. Nous avons entendu celles de Camelot et de Plaisance, maintenant vous voulez la mienne. Pourquoi pas ? À en croire les runes, vous l'entendrez tôt ou tard. Au moins, si c'est moi qui vous la raconte, ce sera la vérité, pas les mensonges que d'autres diront à ma place. »

Zophiel resta un long moment silencieux, puis il commença, d'une voix au début chevrotante, mais qui retrouva peu à peu son aplomb habituel.

« Il était une fois un garçon d'une famille pauvre… N'est-ce pas ainsi que commencent les histoires, Cygnus ? Il appartenait à une fratrie de cinq, mais ce garçon était différent de ses frères, il était vif d'esprit et intelligent. Et il était pieux, ce qui lui valait d'être haï par ses frères. Ils le harcelaient, mais cela ne le rendait que plus dévot. Le prêtre du village demanda à son père de le faire entrer dans les ordres alors qu'il n'avait que 7 ans, afin qu'il puisse aller à l'école des pauvres. Son éducation y fut solide et sévère. Les enfants y étaient instruits, et copieusement battus aussi car on ne les laissait jamais oublier qu'ils étaient des enfants de la charité. Mais la discipline renforce la détermination et purifie l'âme. Le garçon atteignit la fonction d'acolyte, et à la fin de son éducation il se savait prêt à servir Dieu, croyant naïvement qu'Il verrait l'ardeur de son cœur et le récompenserait de sa foi.

« Il entra dans les ordres majeurs en tant que sous-diacre et finit par devenir prêtre, mais il n'est pas aisé pour un jeune homme sans riche protecteur de trouver un bénéfice. Il travailla au service de pasteurs qui étaient des imbéciles illettrés et qui connaissaient si mal le latin qu'ils baragouinaient leur messe comme des perroquets sans savoir ce qu'ils racontaient. Souvent ils ne prenaient même pas la peine de venir aux services pendant plusieurs mois d'affilée, laissant le jeune prêtre s'occuper des âmes des fidèles.

« Finalement, le jeune homme parvint à trouver un poste dans la ville de Lincoln, mais bien que cette superbe ville fût fortunée, sa paroisse ne l'était pas. Elle se trouvait dans le quartier le plus pauvre de la ville. Nulle riche guilde ne dotait son église de chapelles ni de calices d'argent, il n'avait même pas de quoi faire réparer le toit qui fuyait. L'église ne se trouvait pas sur la route des pèlerins qui se rendaient aux sanctuaires de saint Hugh ou Little Hugh dans la grande cathédrale. Elle était au pied de la colline, près des quais puants, et seuls les plus pauvres, la racaille, les ivrognes, les catins et les simples marins, y venaient. Les riches marchands et les capitaines de navires fréquentaient des églises plus prestigieuses.

« Pourtant, le prêtre travaillait dur et se rendait quotidiennement à la cathédrale pour se faire remarquer, dans l'espoir d'obtenir un meilleur poste. Il n'avait de cesse de chasser le péché partout où il le trouvait, accordant l'extrême-onction aux pauvres infects sur leur lit de mort et admonestant les ivrognes et les catins, au mépris de sa propre santé. Il avait alors encore la foi, notre jeune prêtre, la foi que s'il accomplissait ses devoirs avec zèle, Dieu et l'évêque le récompenseraient en lui confiant une paroisse où son éducation et ses talents seraient appréciés. »

Zophiel sursauta comme s'il avait entendu quelque chose. Il plongea le regard dans l'obscurité, plaquant son dos contre le granite dur de la pierre, se recroquevillant dans l'ombre comme si c'était une couverture sous laquelle il pouvait disparaître, s'évanouir telles les billes de ses tours de magie. Mais aussi sombre que soit l'endroit où se cache un homme, la plus infime lueur fera ressortir le blanc de ses yeux, et nous voyions alors ceux de Zophiel, écarquillés, effrayés, scintillant tels des os blancs au clair de lune.

Osmond alla lui chercher un autre gobelet de vin et Zophiel but une bonne rasade avant de reprendre son récit.

« Puis, un jour, un miracle se produisit. C'était le milieu de l'hiver, il y avait eu d'importantes chutes de neige, et les bateaux devaient se creuser un canal à travers la glace lorsqu'ils entraient au port. Le prêtre disait la troisième messe de la journée. Il y avait une poignée de fidèles dans l'église, principalement des vieillards et des mendiants venus se mettre à l'abri du froid, bien qu'il ne fît pas plus chaud dans l'église que dans la rue. Soudain la porte s'ouvrit et une femme entra en chancelant, portant dans ses bras un petit garçon inerte. Il jouait sur la glace quand celle-ci s'était brisée sous lui. On l'avait repêché, mais trop tard, le garçon était mort. La mère implora le prêtre de prier pour lui. Il n'y avait plus rien à faire, mais la femme était si désemparée que le prêtre prit le garçon et le porta jusqu'à la sacristie, mais dans sa hâte il trébucha et tomba sur le garçon. Le choc ou le poids du prêtre durent expulser l'eau des poumons du garçon, car lorsque le prêtre se pencha pour le soulever, l'enfant toussa et se remit à respirer. Il retourna dans l'église portant l'enfant dans les bras, et sa mère eut le bonheur suprême de découvrir que son fils était vivant. Personne n'avait vu le prêtre le lâcher, et avant qu'il ait la chance de s'expliquer, tout le monde racontait que le prêtre avait prié au-dessus d'un enfant mort et que ce dernier avait ressuscité.

« La nouvelle du miracle se répandit et les gens commencèrent à affluer pour demander l'aide du prêtre, les pauvres d'abord, puis les riches, qui donnaient de l'argent et de beaux cadeaux à l'église. Ils envoyaient chercher le prêtre pour qu'il vienne chez eux et appose ses mains sur les malades, et ils le remerciaient généreusement.

— Le prêtre en a guéri d'autres ? » interrompit Adela.

Zophiel lâcha un éclat de rire amer.

« Les miracles sont comme les meurtres ; après le premier, chacun devient plus aisé que le précédent, car chaque nouveau succès confère confiance et force. Mais soigner les malades et faire marcher les morts ne suffit pas. Les gens veulent du spectacle. Ils veulent quelque chose de grandiose, de la même manière que, durant la messe, la populace ignorante a besoin de faste et de comédie pour apprécier la puissance et la gloire de Dieu. Offrez-leur une prière silencieuse et une simple apposition des mains, et ils se diront qu'il ne s'est rien passé d'important. Il faut donc leur donner la sueur et le sang. Passer les mains au-dessus de la tête d'un homme, faire mine d'en tirer difficilement un caillou en affirmant que c'est lui qui était à l'origine de son mal de tête. Hurler un déluge de paroles, les laisser voir l'effort que cela coûte, puis lever un bout de nerf sanglant en disant : "Voici ce que j'ai arraché à votre ventre." »

Rodrigo secoua la tête avec dégoût.

« Vous avez traité Camelot de menteur sous prétexte qu'il vendait des reliques aux pauvres, et maintenant vous nous racontez cela.

— Je ne leur vendais pas des faux os de saints, je ne leur disais pas de placer leur foi dans des mensonges. Ne comprenez-vous pas ? Je les guérissais réellement. Je ne leur montrais les cailloux que pour leur faire apprécier ce que je faisais pour eux, mais c'étaient mes mains qui les guérissaient. J'avais le pouvoir de guérir. Dieu se manifestait à travers moi. Il me l'avait montré lorsque j'avais ramené cet enfant du monde des morts. Il m'avait choisi parce que mon âme était pure, parce que j'avais travaillé si dur pour qu'il en soit ainsi. »

Zophiel respirait fort, tentant une fois de plus de retrouver son calme.

« Alors, qu'est-ce qui est allé de travers, Zophiel ? demandai-je doucement.

— Une fille. Une stupide petite catin et sa mère. Elle était la plus jeune fille d'une famille riche, avait environ 14 ans. C'était une enfant gâtée. Elle refusait de manger, et quand elle se laissait amadouer, elle se forçait à vomir tout ce qu'elle avait avalé. Et il y avait aussi des crises, des convulsions, pas fréquentes, pas suffisamment pour que ses parents s'inquiètent de ses perspectives de mariage. Mais les médecins ne parvenant pas à l'aider, ses parents firent appel à moi, comme tant de gens le faisaient alors. J'apposai les mains sur elle et la déclarai guérie, mais le soir même elle eut une nouvelle convulsion, pire que la précédente.

« Comme elle refusait d'accepter qu'elle était guérie, je sus qu'elle s'entêtait dans quelque grave péché. Je l'examinai seul et elle avoua finalement qu'elle s'excitait en se touchant dans des endroits intimes. Je lui ordonnai d'arrêter et elle me promit de le faire, mais je sus qu'elle mentait car sa maladie continuait. Après cela, je la voyais seul chaque jour pour entendre sa confession. Je lui donnais des pénitences, mais elle s'entêtait dans sa maladie. Je la déshabillais et la fouettais pour la débarrasser de sa luxure. Mais elle était si dépravée que son abjecte perversion m'atteignit. Je me mis à rêver de son corps nu. Quand j'essayais de dire la messe, elle envahissait mes prières. Je savais qu'elle cherchait à m'ensorceler. Je la fouettais plus fort, et me flagellais plus fort encore et jusqu'au sang. Je me châtiais de toutes les manières imaginables, jeûnant, me privant de sommeil, portant à ma ceinture des pointes d'acier qui me pénétraient dans la chair, mais rien ne l'emportait sur elle.

« À mesure que sa maladie persistait, des rumeurs commencèrent à parcourir la ville, qui affirmaient que j'avais perdu mes pouvoirs de guérisseur. Certains ecclésiastiques jaloux de mes miracles disaient que je les avais perdus à cause de quelque grave péché. Et un jour la mère de la jeune fille vint à mon église. Elle se jeta sur moi, m'accusant d'avoir couché avec sa fille, affirmant que c'était sa fille qui le lui avait avoué. Et elle me menaça de tout révéler à son mari. »

La main de Zophiel, dont les jointures étaient blanches, émergea de l'ombre de sa houppelande et, dans le clair de lune, je vis l'éclat du couteau d'argent qu'il serrait.

« Je jure sur le sang sacré de Dieu que je n'ai pas connu charnellement la jeune fille. Malgré la tentation, j'étais resté fidèle à mes vœux. J'étais resté pur. Mais ce jour-là, tandis que la mère me hurlait dessus dans ma propre église, je sus que Dieu m'avait abandonné et que je ne pourrais pas me défendre contre ses mensonges. Et je sus ce qui allait arriver. Il y aurait l'humiliation d'une arrestation, et même si je pouvais demander à être jugé par un tribunal ecclésiastique, une accusation de viol à l'encontre de la plus jeune fille d'un homme riche et puissant ne serait pas prise à la légère. Ce serait ma parole contre celle de la fille, et le châtiment serait sévère. Je me maudissais de m'être trouvé seul avec elle.

« Même si j'étais déclaré innocent, même si cette misérable fille finissait par confesser ses mensonges, je savais que personne ne croirait plus à mes miracles, personne ne viendrait me voir pour être guéri. Je perdrais tout ce pour quoi j'avais travaillé, l'argent, la respectabilité. Tous mes efforts seraient vains, et je retournerais à l'égout dont j'avais eu tant de peine à me sortir. Après tout ce que j'avais fait pour Dieu, je ne méritais pas cela.

« Je ne pouvais rester là à attendre qu'on vienne me chercher. Je me débarrassai donc de mes robes de prêtre, j'empaquetai tout ce que je pouvais, et à la tombée de la nuit, j'étais sur la route. »

Un long silence suivit le récit de Zophiel. Il avait une fois de plus la tête entre les mains, comme s'il essayait d'effacer le souvenir de ce jour. La tristesse me gagna, non pas pour l'homme accroupi devant moi, mais pour le jeune homme qui, il y avait si longtemps, avait fait tant d'efforts au nom de sa foi.

Le silence fut finalement rompu par Adela. Elle le regardait d'un air incrédule.

« Vous étiez prêtre ? demanda-t-elle, comme si elle venait seulement de comprendre ce qu'il avait dit. Mais comment est-ce possible ? Vous êtes un magicien, un escamoteur. »

Zophiel leva la tête et rit avec amertume.

« Vous croyez qu'il y a une différence ? Quand un magicien accomplit un tour, les gens voient ce qu'ils veulent voir. Il lève son gobelet, dit abracadabra, et regardez, la bille blanche est devenue noire ; le crapaud s'est transformé en colombe ; le plomb, en or. Quand un prêtre lève sa coupe et fait ses incantations en latin, les gens disent : "Regardez, le vin s'est transformé en sang, le pain, en chair."

— C'est un blasphème ! s'écria Osmond, au comble de l'indignation. Rodrigo a raison, vous êtes un hypocrite. Vous avez accusé Cygnus de sacrilège quand il a suggéré qu'Adela accouche dans la chapelle. Et que vous, un prêtre, disiez…

— Savez-vous ce qu'est vraiment le blasphème, Osmond ? Le blasphème est une femme. Voilà ce qui est une abomination devant Dieu. Elles sont les succubes qui gangrènent l'âme des hommes. Elles le détournent de Dieu et le mènent aux pièges tendus par le diable, aucun homme n'est à l'abri d'elles, car même s'il résiste à leurs séductions, elles trouveront un moyen de provoquer sa déchéance. Et un jour vous le découvrirez par vous-même, Osmond. Un jour elle vous fera ce que les femmes font toujours aux hommes ; elle damnera votre âme. »

Adela se couvrit le visage des mains, puis elle se leva difficilement et s'enfuit en direction du chariot. Osmond, tout en lançant des regards furieux à Zophiel, lui courut après.

Cygnus se leva, grimaçant de fureur.

« Comment osez-vous parler ainsi des femmes, surtout d'Adela ? Elle n'a témoigné que bonté à votre égard. Avez-vous oublié que c'est une femme qui vous a mis au monde ? »

Mais Narigorm l'interrompit.

« Il n'y a pas de loup dans cette histoire. Vous aviez dit que c'était une histoire de loup.

— Narigorm a raison, dis-je. Où est le loup ? »

Zophiel but le restant de son vin.

« J'y viens. Mais le loup qui nous suit est un loup humain, comme vous l'avez supposé, Camelot. J'ai su qu'il m'avait retrouvé la nuit où nous l'avons entendu dans la grotte. Il me traque depuis.

— À cause de la fille ? demandai-je.

— Non, pas la fille, plus personne ne se soucie d'elle. S'il s'était agi d'elle, ils auraient envoyé les hommes du shérif après moi. Mais ce ne sont pas les hommes du shérif qui nous observent ; c'est le loup de l'évêque. Les loups sont les hommes que l'Église paye pour récupérer ce qui lui a été pris. Ils sont grassement payés, mais seulement après avoir rapporté ce qui a été perdu. Ils travaillent seuls, traquant leur proie pendant des mois, des années parfois, pour récupérer quelque relique ou bijou volé. Ils travaillent hors de la loi. Il y a trop d'objets précieux dans les églises et les abbayes dont la provenance serait remise en doute s'ils étaient examinés par un tribunal. Quel évêque ou abbé peut jurer que ses reliques et ses bijoux n'ont pas autrefois appartenu à quelqu'un d'autre, quelqu'un qui pourrait à son tour en exiger la restitution ? Les loups de l'Église n'arrêtent pas les gens pour qu'ils soient jugés. L'Église ne peut pas courir ce risque. Les loups ont leur justice propre, et ils font office de juge, de juré et de bourreau.

— Mais je ne comprends pas, vous n'avez pas fait état de vol. Qu'avez-vous volé ?

— Je n'ai rien volé. Je n'ai pris que ce qui m'appartenait. Ce que j'avais gagné. Ce que m'avaient donné en signe de gratitude ceux que j'avais guéris. C'est le pouvoir de mes mains qui les avait guéris, pas celui de l'Église. Tout m'appartenait. »

Je secouai la tête, incrédule.

« Vous avez pris les cadeaux qui ont été donnés à votre église en guise de remerciement ?

— Cette petite assiette de métal que j'ai touchée dans la boîte ouverte, la nuit où j'étais caché dans le chariot. Je comprends maintenant de quoi il s'agissait, déclara soudain Cygnus. C'était une patène pour le pain bénit, n'est-ce pas ? Personne ne ferait une assiette aussi petite pour quoi que ce soit d'autre.

— Cette pièce n'a guère de valeur, mais elle m'appartient. »

Cygnus semblait subitement comprendre.

« Mais si Jofre, pris de curiosité, a fouillé dans vos boîtes et l'a vue, il a pu comprendre qu'il y avait quelque chose d'étrange à ce qu'un magicien voyage avec un objet que seules les personnes appartenant aux ordres sacrés ont le droit de toucher. Voilà ce qu'il a voulu dire dans la chapelle lorsqu'il a menacé de vendre votre secret. Il ne pouvait pas savoir qui vous étiez, mais il savait qu'aucun laïc n'avait pu se procurer honnêtement un tel objet.

— Donc, intervint Rodrigo, furieux, j'avais raison. Vous avez menacé de livrer Cygnus aux hommes du shérif, mais vous n'aviez aucune intention de le faire. Vous étiez vous-même un fugitif. Vous ne pouviez pas risquer de vous retrouver à témoigner contre lui devant un tribunal. Vous l'avez donc tourmenté simplement parce que ça vous amusait. Et vous avez accusé Jofre d'être un voleur quand vous...

— Tout m'appartenait, répéta obstinément Zophiel, ignorant Rodrigo dont les yeux lançaient des éclairs.

— Ce que je ne comprends pas, dis-je, c'est que s'ils savaient que vous aviez ces objets, pourquoi le loup ne les a-t-il pas repris dès qu'il vous a retrouvé ?

— Il n'était pas sûr que je les avais. Vous ne croyez pas que je suis simplement parti en les emportant sous mon bras ? Je ne suis pas si stupide. J'ai pris soin de laisser croire que l'église avait été dévalisée. Il y avait des voleurs et des étrangers partout. Le genre d'hommes qui voleraient n'importe quoi pour s'offrir à boire ou une catin. Il était facile de détourner les soupçons sur eux. Le loup n'avait aucune preuve, il devait donc attendre qu'une opportunité se présente de regarder dans mon chariot, ou peut-être espérait-il que je serais assez idiot pour essayer de vendre l'une de ces pièces.

— Et nous vous avons protégé à notre insu, car il y avait toujours l'un de nous dans les parages, observai-je.

— Jusqu'à ce jour dans la chapelle, quand ce bon à rien d'éclopé a oublié de barrer la porte, le jour où un calice d'argent a disparu de mes boîtes.

— Et c'est ça que vous avez accusé Jofre de vous avoir volé ? dis-je.

— C'est le loup qui a pris le calice. C'était un avertissement.

— Donc vous saviez que Jofre ne l'avait pas volé », s'écria Rodrigo en serrant les poings de rage.

Je lui saisis le bras, conscient que Zophiel tenait toujours son couteau dans sa main.

« Je ne le savais pas ce matin-là, je le jure. Je croyais que c'était Jofre. Je croyais qu'il l'avait pris et vendu en ville. J'y suis allé le matin même pour essayer de le récupérer, mais je n'en ai trouvé aucune trace. C'est alors que j'ai compris que c'était le loup qui l'avait pris en guise d'avertissement. »

Rodrigo peinait à respirer. Je sentais la tension dans son corps. J'espérais de tout cœur qu'il parviendrait à garder son calme, car ni Cygnus ni moi ne serions en mesure de l'arrêter dans le cas contraire.

« Et ce qui est arrivé à Jofre… c'était aussi un avertissement ? » demanda-t-il d'une voix brisée par les larmes qu'il réprimait.

Zophiel ne répondit rien.

Je frissonnai. Le vent se levait et les flammes du feu se tordaient dans les rafales. Rodrigo serrait ses poings contre sa bouche, comme s'il voulait se retenir de parler.

Une idée me vint soudain.

« Mais si vous saviez que le loup est humain, pourquoi abandonner de la viande empoisonnée ? Aucun homme ne se laisserait prendre à une telle ruse.

— Il doit utiliser des chiens pour nous traquer en s'abritant dans l'ombre. Il ne peut pas risquer de nous suivre de trop près en terrain dégagé ; nous le verrions. Si nous parvenons à nous débarrasser des chiens, nous le sèmerons peut-être. De plus, s'il croit que la viande a été abandonnée par erreur ou volée par les chiens, il sera peut-être tenté de la partager avec eux. Après tant de semaines, il doit avoir autant de peine que nous à trouver de la nourriture.

— Vous avez essayé d'empoisonner un homme ! s'écria Cygnus. Ne savez-vous pas combien c'est une mort atroce et douloureuse ? »

Le visage de Zophiel était un masque de peur et de haine.

« Si, bien sûr que je le sais. Atroce mais rapide. Ce qui est toujours plus miséricordieux que ce que le loup me fait endurer. »

En dépit de tout ce qu'il avait fait, j'éprouvai une pitié soudaine pour Zophiel. Même si je ne l'aimais pas, je n'aurais pas voulu voir mon pire ennemi se torturer ainsi.

« Zophiel, dis-je aussi doucement que possible, cela fait plus d'un mois que le calice a été volé. Si le loup vous traquait, il serait certainement déjà passé à l'attaque ? Pourquoi attendre ? Il vous aurait fait arrêter depuis des semaines s'il avait des preuves.

— Pourquoi êtes-vous tous si stupides ? s'écria Zophiel. N'avez-vous donc pas écouté ce que je vous ai dit ? Ne comprenez-vous pas ? Il n'y aura pas d'arrestation. Il n'y aura pas de jugement. Ces hommes se repaissent de leur travail. Pour eux, tuer est un art. Ils veulent que vous sachiez qu'ils vous observent et qu'ils peuvent vous tuer quand bon leur plaira. Ils aiment d'abord tourmenter leur victime. Mais comment se battre contre un ennemi invisible ? Je regarde les hommes dans la foule et je sais qu'il pourrait être n'importe lequel d'entre eux. Je pourrais l'effleurer dans une rue bondée et je n'en saurais rien. Il est quelque part, il attend son heure, il attend qu'il n'y ait pas de témoin. Et alors il me tuera… Il me tuera et je ne peux rien faire pour l'empêcher. »

Le hurlement du loup, comme si celui-ci avait écouté les paroles de Zophiel, recouvrit soudain le souffle du vent. Zophiel sursauta si violemment que le couteau glissa de ses doigts tremblants et tomba sans bruit dans l'herbe. Il était à quatre pattes, cherchant désespérément à le récupérer dans l'obscurité, lorsque le deuxième hurlement résonna contre les pierres. Zophiel s'effondra par terre en se bouchant les oreilles, et il se mit à pleurer.

22

Des taches dans la neige

Nous entendîmes les chants bien avant de voir la procession. Il faisait toujours nuit et les étoiles brillaient, mais un faible chatoiement à l'horizon murmurait que l'aube était proche. Nous étions déjà réveillés. Nous n'avions guère dormi, hantés par l'idée que le loup de l'évêque était quelque part à nous observer. Bien que Zophiel eût retrouvé pour l'essentiel sa contenance habituelle après que les hurlements se furent tus, ses révélations nous avaient laissés dans un état d'extrême agitation. Zophiel lui-même avait passé la moitié de la nuit à tourner en rond dans le cercle de pierres, avant que l'épuisement et le vin ne le rattrapent finalement. Mais à l'approche du matin il s'était mis à faire si froid que faire semblant de dormir était devenu impossible. Un à un, nous nous étions levés et nous étions approchés du feu en silence, nous réchauffant les mains en serrant des gobelets remplis du léger bouillon à l'os qui avait mijoté toute la nuit sur les braises du feu.

Le son des chants nous était d'abord parvenu par bribes, et j'avais cru que c'était le bruit du vent qui effleurait les pierres, mais à mesure qu'il était devenu plus fort, plus constant, je m'étais aperçu que c'étaient des voix humaines. Zophiel et Rodrigo s'étaient précipités vers Osmond, qui était toujours de garde et scrutait la lande obscure en direction de la forêt.

Nous vîmes alors des points lumineux qui oscillaient et serpentaient au loin dans la nuit. Nous agrippâmes tous nos couteaux et nos bâtons tandis que les lumières approchaient, et nous finîmes par distinguer des gens portant des torches enflammées qui laissaient des traînées de feu et de fumée derrière elles comme des fanions. Osmond entraîna Adela et le bébé jusqu'au chariot et les fit se glisser dessous. Il tendit une couverture à Adela et lui recommanda de se cacher et de ne pas bouger. Puis il fit de même avec Narigorm.

Environ vingt hommes et femmes marchaient vers nous en formant une longue file. Malgré leurs torches, ils ne semblaient pas belliqueux. Nous attendîmes nerveusement parmi les pierres, serrant nos bâtons. Notre feu était presque éteint et, du fait de l'obscurité, ils ne semblèrent tout d'abord pas nous remarquer, mais ils durent apercevoir le chariot car leur meneur leva soudain le bras et ils s'immobilisèrent.

Ils restèrent là à regarder dans notre direction tandis que nous les observions. L'obscurité était de notre côté, car si eux étaient bien éclairés par leurs torches, nous nous fondions pour notre part parmi les pierres et ils ne pouvaient savoir combien nous étions. Ils finirent par prendre une décision et se remirent en marche. Ils formaient désormais une file moins uniforme, mais leurs voix étaient plus fortes et nous finîmes par distinguer ce qu'ils chantaient.

« *Ave Maria, gratia plena, Dominus tecum.* Je vous salue Marie, pleine de grâce, le Seigneur est avec vous. »

Comme ils étaient presque à notre hauteur, nous vîmes leurs visages se tourner vers nous, fouillant anxieusement l'obscurité, mais ils ne pénétrèrent pas dans le cercle. À la place, ils le contournèrent jusqu'à atteindre les petites pierres qui menaient au grand rocher. Sans cesser de chanter, ils avancèrent en procession entre les rangées de pierres puis s'arrêtèrent et plantèrent leurs torches dans le sol. Alors, tandis que nous les observions en silence, ils entreprirent de se déshabiller.

« *Benedicta tu in mulieribus, et benedictus fructus ventris tui, Jesus*. Vous êtes bénie entre toutes les femmes, et Jésus, le fruit de vos entrailles, est béni. »

Ils se tinrent face à l'est, les bras autour du torse, frissonnant dans le vent glacial. Leur meneur se positionna directement devant le grand rocher. C'était un petit homme à la silhouette de grenouille : pas de cou, un corps rondelet et flasque, des jambes et des bras longs et grêles. Il battait des pieds pour se réchauffer, ses fesses pâles tremblotant à la lueur des torches. Ses disciples continuaient de chanter, mais leurs voix étaient étouffées par leurs mâchoires serrées et leurs dents qui claquaient.

« *Salve, Regina, mater misericordiae, Vita, dulcedo et spes nostra, salve !* Salut, ô Reine, mère de miséricorde, notre vie, notre consolation et notre espoir, salut ! »

Tandis que le disque pâle du soleil pointait à l'horizon, le meneur brisa des poings la glace du bassin situé au pied du rocher et y pénétra. Il s'immergea rapidement, s'aspergeant trois fois la tête et les épaules avant de ressortir à la hâte. Dès qu'il fut sorti, les autres suivirent son exemple, hommes et femmes, l'un après l'autre, les premiers rayons du soleil faisant scintiller les gouttes d'eau tandis qu'ils aspergeaient leurs corps tremblants. Lorsque l'épreuve fut terminée, ils se rhabillèrent aussi vite que le permettaient leurs doigts engourdis et leur peau mouillée. Ils ne se séchèrent pas, se contentant d'enfiler leurs chemises et leurs robes par-dessus leur chair glacée et d'enfoncer leurs pieds humides dans leurs chausses en laine, sans jamais cesser de chanter leurs *Ave* d'une voix tremblante.

Ce n'est que lorsque les femmes déposèrent de petits bouquets de perce-neige autour de la base du rocher que je me souvins que c'était la chandeleur, le jour de la purification de la Vierge. « Mais de quelle Vierge ? » me demandai-je, car en dépit de leurs prières, ce n'était pas un site chrétien. Ça ne me ressemblait pas d'oublier quel jour on était, mais cette histoire de loup m'avait fait perdre le peu de présence d'esprit qui me restait.

Le meneur vint à nous et nous salua d'un geste de tête solennel.

« Vous nous pardonnerez, mes frères, de nous être introduits dans votre campement, mais nous nous baignons ici à chaque célébration. Nous ne nous attendions pas à trouver qui que ce soit. Personne, à part nous, ne vient d'ordinaire ici. »

Il semblait quelque peu déconcerté.

« Une pénitence pour purifier l'âme ? dit Zophiel. C'est un endroit païen pour un tel acte de contrition. »

L'homme se redressa, ce qui n'eut guère d'effet car il mesurait toujours une tête de moins que Zophiel.

« Païen ? s'exclama-t-il d'un ton indigné. Ne nous avez-vous pas entendus chanter les louanges de la Sainte Vierge ? Cela fait des générations que les fidèles viennent ici. L'eau qui ruisselle sur cette pierre a des vertus curatives. On a vu des infirmes qui ne pouvaient pas faire un pas être portés jusqu'ici et redescendre le chemin sur leurs jambes.

— Nous avons un éclopé dans notre compagnie, railla Zophiel. Né avec un bras en moins. Vous pensez que votre eau lui en fera pousser un autre ?

— Il est aisé de se moquer, mon bon ami, mais vous rirez moins quand vous serez atteint par la pestilence et pas nous. » Je m'approchai rapidement.

« Pardonnez mon ami, brave homme, il n'a pas bien dormi cette nuit. Il est d'humeur colérique.

— Alors peut-être ferait-il bien d'essayer l'eau, répliqua l'homme d'un ton acerbe.

— J'y veillerai. Je suppose que vous connaissez bien la région ? Dites-moi, le sentier principal, là-bas, se poursuit-il longtemps à travers la forêt ? »

L'homme réfléchit longuement, avant de finalement répondre :

« Oui.

— Y a-t-il un croisement ou un embranchement ? »

Il réfléchit de nouveau.

« Oui. »

Je m'efforçai de ne pas perdre patience, mais tirer des informations de ce personnage était aussi ardu que tirer du lait à un insecte.

« Quelle distance faut-il parcourir dans la forêt avant d'atteindre cet embranchement ?

— Environ un mille.

— Cet embranchement mène-t-il quelque part ?

— Même direction que ce chemin. Il traverse la lande, mais plus bas.

— Pardonnez-moi, monsieur, mais ce que je voulais savoir, c'est si c'est un cul-de-sac comme celui-ci ou s'il mène quelque part, à un village ou une ville, peut-être ? »

Je voyais Osmond sourire et tentais de ne pas croiser son regard.

« Il mène à la mer. Mais il vous faudra deux bonnes semaines pour y arriver. » Puis, faisant preuve d'une loquacité surprenante, il ajouta : « Mais si vous prenez cette route, vous n'arriverez nulle part avant la tombée de la nuit, ce que je vous déconseille. » Il leva les yeux vers le ciel. De lourds nuages arrivaient du nord. « Le vent a tourné. Il ne tardera pas à neiger. »

Il se retourna pour s'en aller, puis s'arrêta lorsqu'une nouvelle idée lui vint.

« Il y a une cabane de berger près d'un enclos sur ce chemin qui traverse la lande. Vous pourriez peut-être l'atteindre si la neige vous en laisse le temps. Au moins ça vous fera un toit. Et vous trouverez une source pour abreuver le cheval. Mais, ajouta-t-il, en lançant un nouveau regard noir à Zophiel, l'eau de cette source n'a pas de vertus curatives, aussi, si vous voulez débarrasser votre ami de sa mauvaise humeur, je me dépêcherais de lui donner un bon bain ici si j'étais vous. »

Sur ce, il tourna les talons et s'éloigna avec raideur, menant sa troupe de suppliants transis sur le chemin qui menait à la route de la forêt.

« Bien joué, Zophiel, observa Osmond. Grâce à vous, pas la peine d'essayer de loger dans leur village. Ils nous accueilleront avec des fourches et des fers à marquer dès que la nouvelle se sera répandue. » Il se tourna vers Rodrigo et moi. « Essayons-nous d'atteindre la cabane de berger ? S'il neige, nous aurons besoin d'un abri plus conséquent que ces pierres. »

Nous acquiesçâmes tous.

« Alors dépêchez-vous de lever le camp, dit Zophiel. Notre obligeant petit ami a omis de nous dire à quelle distance se trouvait la cabane, et si l'autre sentier ressemble à celui-ci, je n'ai aucune envie de voyager sous la neige. Cygnus, assure-toi que Xanthos est bien abreuvée avant que nous nous mettions en route, à moins, naturellement, que tu ne veuilles toi-même goûter d'abord à cette eau. Qui sait, si notre minuscule ami dit vrai, quelques gentilles prières suffiront peut-être à te faire pousser une nouvelle aile. »

La nuit, les hommes disent souvent des choses qu'ils regrettent amèrement d'avoir révélées lorsque arrive la froide lueur de l'aube, et Zophiel ne faisait pas exception. Il était visiblement furieux d'avoir été forcé de se confier à nous hier. Et, en règle générale, les hommes comme lui ne s'en prennent pas à eux-mêmes, mais à ceux qui ont été les témoins de leur moment de faiblesse. Il ne pardonnerait à aucun d'entre nous de l'avoir vu dans un état si pitoyable, et il était évident qu'il n'avait aucune intention de se laisser de nouveau dominer par la peur. Mais s'il est aisé de mépriser nos craintes nocturnes lorsqu'il fait jour, c'est beaucoup plus compliqué dès que le soleil se couche.

La viande empoisonnée n'avait servi qu'à tuer une demi-douzaine de corbeaux, qui gisaient morts autour de la patte de mouton. Aucun d'entre nous ne s'attendait réellement à trouver un loup, mais nous espérions tout de même, car ne plus espérer revenait à accepter que ce qui nous suivait n'était pas un animal. Rodrigo brûla la carcasse. Au moins ne tuerait-elle pas d'autres oiseaux.

Il était près de midi lorsque nous trouvâmes la cabane de berger. Notre ami avait dit vrai ; au moins ça nous ferait un toit. La cabane était longue et étroite, et faite de clayonnage et d'enduit. Elle était conçue pour protéger des orages de l'été, mais pas de la froideur de l'hiver. Le toit, constitué de rondelles de bois superposées, était aussi dérisoire que les murs, mais il semblait solide et était en pente, ce qui serait une bénédiction s'il se mettait à neiger. L'élément le plus solide était une grossière cheminée de pierres qui se dressait à une extrémité de la cabane.

L'enclos en bois le plus proche était suffisamment grand pour contenir un troupeau de moutons. Et comme il comportait un abreuvoir, nous pourrions y mettre Xanthos. À quelque distance se trouvaient plusieurs autres enclos entourés de murets de pierres écroulés par endroits. La cabane elle-même était vide hormis une pile de sacs à bois qui faisaient office de lits aux bergers et autres gardiens de bétail qui venaient y dormir. Un petit sac de navets flétris se trouvait dans un coin. Je n'étais pas sûr que Xanthos se soit déjà vu offrir un tel repas, mais si nous ne trouvions pas de fourrage, elle devrait s'en satisfaire, et nous aussi.

Nous mîmes le restant du mouton à bouillir sur le feu. Le souper serait frugal, mais l'eau récupérerait les graisses et les saveurs et constituerait un bouillon clair pour le lendemain matin. Je demandai à Narigorm de trier les navets et d'y ajouter les meilleurs. Ils étaient desséchés et durs comme du bois, mais ils seraient sans doute mangeables si nous les faisions cuire suffisamment longtemps.

Tandis que je remuais le contenu de la marmite, Adela allaitait Carwyn. Son lait coulait un peu mieux et le bébé reprenait des forces, mais cela ne durerait pas si nous ne trouvions pas bientôt plus de nourriture.

Comme si elle lisait mes pensées, Narigorm leva les yeux.

« Il n'y a plus de viande après ça, si ? Si Adela ne mange pas de viande, le bébé mourra, n'est-ce pas ? »

Je vis la mine angoissée d'Adela et me hâtai de répondre :

« Ne dis pas de bêtises, Narigorm. Il nous reste les herbes que nous a données la guérisseuse. Carwyn ne court aucun danger.

— Il y aurait encore de la viande pour au moins une journée si elle n'avait pas été gâchée pour faire des appâts, observa Osmond en lançant un regard mauvais en direction de Zophiel qui sortait ses boîtes du chariot.

— Il est trop tard pour les récriminations, dis-je. Assurons-nous de garder un morceau de viande pour qu'Adela ait à manger demain matin. Nous autres pourrons nous en passer. »

Zophiel entra avec la dernière de ses boîtes, qu'il avait comme toujours soigneusement empilées dans le coin de la pièce.

« Sommes-nous obligés de garder ces boîtes ici ? grommela Osmond. Il y a à peine assez de place pour nous sept.

— Nous ne serions que six si votre femme avait appris à croiser les jambes. Je dois supporter de passer la moitié de la nuit éveillé à cause des braillements de votre marmot.

— Et nous, nous ne fermons pas l'œil de la nuit à cause des hurlements de votre loup », répliqua Osmond.

Il serra les poings, mais Rodrigo lui posa une main sur l'épaule pour le retenir.

« Zophiel, dis-je, pourquoi ne laissez-vous pas simplement vos trésors dans un endroit où le loup les trouvera ? Je sais, je sais, me hâtai-je d'ajouter en voyant son expression outrée, ils vous appartiennent, mais votre vie a sûrement plus de valeur que ces quelques pièces d'argenterie ? Elles ne vous seront d'aucune utilité si vous mourez.

— Croyez-vous réellement que cela suffirait à lui faire abandonner sa traque ? L'évêque veut peut-être ses trésors, mais les loups se repaissent de peur et de sang. Ils veulent se venger et punir leur victime, pas juste récupérer ce qui a été volé.

— Mais vous-même avez dit que l'évêque le paierait grassement s'il récupérait les objets. Donc, s'il y parvient, il aura hâte de retourner à Lincoln pour toucher sa prime. Il ne voudra pas perdre son temps à vous pourchasser seul.

— Si Lincoln a été touchée par la pestilence, la ville est si peuplée que la contagion s'y répandra plus vite qu'une traînée de poudre. L'évêque ne prendra pas le risque d'exposer son corpulent postérieur à la contagion. Il sera depuis longtemps parti, et notre loup ne sera pas pressé de se mettre à sa recherche. Si l'évêque survit, le loup retournera peut-être à Lincoln lorsque la pestilence sera éteinte, ou peut-être disparaîtra-t-il en gardant les trésors pour lui ; après tout, sa récompense ne représentera qu'une fraction de leur valeur. Et qui peut dire que l'évêque n'a pas succombé à la pestilence ? Et il a une autre bonne raison de me tuer : après tout, je pourrais me mettre en tête de me livrer à la merci de l'Église et de tout confesser, y compris le fait que c'est désormais le loup qui a les objets. Non, Camelot, je ne vais pas me contenter d'abandonner mes biens à un tueur à gages. Moi aussi, je peux attendre. Il me traque peut-être, mais il y a une chose qui nous traque tous, loup y compris. En dépit de ses talents d'assassin, il ne peut rien contre la pestilence et la faim. Et qu'il périsse de l'une ou de l'autre, je pense que sa mort sera longue et douloureuse.

« De plus, ajouta-t-il avec un sourire froid, notre minuscule ami aux pierres levées a affirmé que cette route menait à la mer, je vais donc finalement pouvoir gagner l'Irlande. L'évêque de Lincoln a le bras long, mais pas tant que ça. En Irlande je serai à l'abri, à l'abri de la pestilence, et à l'abri du loup. »

Il était inutile d'essayer de discuter avec lui, mais je me demandais si Zophiel serait toujours aussi catégorique lorsque la nuit tomberait et que le loup se remettrait à hurler. Si l'homme que nous avions rencontré aux pierres levées disait vrai, nous mettrions au moins deux semaines à atteindre la mer, et lorsque le loup aurait compris le plan de Zophiel, il tenterait sûrement de l'arrêter avant qu'il n'embarque à bord d'un navire.

Zophiel regarda par la porte en direction des nuages gonflés.

« Au moins s'il neige aujourd'hui, il nous laissera en paix cette nuit. Il ne voudra pas laisser de traces, les siennes ou celles de ses chiens, qui permettraient de remonter jusqu'à lui. Donc, tout ce qui risque de nous empêcher de dormir cette nuit, c'est ce marmot. Saviez-vous que les anciens laissaient les nouveau-nés malades dehors dans la neige ? Soit ça les tuait, soit ça les guérissait. Peut-être devrions-nous rétablir cette coutume. »

Adela serra Carwyn contre sa poitrine, comme si elle craignait que Zophiel ne le lui arrache des bras.

Cygnus, voyant l'expression furieuse d'Osmond, se hâta de dire : « Vous dormirez mieux sous un toit, Zophiel, vous n'entendrez même pas le petit Carwyn. »

Zophiel plissa les yeux.

« Ce qui signifie quoi, exactement, Cygnus ? »

Ce dernier hésita.

« Si j'étais pourchassé, dormir dehors me rendrait nerveux. Ces hurlements terrifieraient n'importe qui. Je suis désolé pour… »

Il s'interrompit en voyant le visage furieux de Zophiel.

« J'espère ne jamais tomber assez bas pour avoir besoin de la pitié d'un éclopé, railla Zophiel. À quoi nous servez-vous, Cygnus ? Vous ne pouvez pas chasser. Rodrigo est obligé de se battre à votre place. Dites-moi, Cygnus, à quoi servez-vous exactement ? »

Seule la main de fer de Rodrigo sur son épaule retint Osmond de se jeter sur Zophiel.

Ce dernier resserra sa houppelande autour de ses épaules.

« Je vais chercher du fourrage pour Xanthos ; il nous en faudra autant que possible s'il neige. Je ne peux pas me permettre de perdre mon cheval.

— Mais si le loup vous suit, vous ne devriez pas sortir seul, objectai-je.

— Laissez-le y aller, Camelot, dit Osmond. Il l'aura bien cherché si le loup l'attrape. »

Zophiel fit une révérence moqueuse.

« Votre sollicitude me touche, mon ami, mais il ne prendra pas le risque de frapper en plein jour. »

Sur ce, il sortit sans un regard en arrière.

Osmond était rouge de colère.

« Je sais qu'être plaisant serait trop lui demander,

mais après sa frayeur d'hier soir, on pourrait croire que cette vermine tiendrait sa langue vu que nous sommes les seuls à pouvoir le protéger du loup de l'évêque. »

Cygnus marmonna qu'il devait aller voir Xanthos, et il se précipita dans la froideur du dehors.

« Si Zophiel ne laisse pas Adela et Cygnus tranquilles, je jure que je vais le tuer », grommela Osmond en serrant les dents. Il enfila sa houppelande. « Je vais voir si je peux attraper quelque chose pour la marmite. Si je passe ma colère sur quelques oiseaux ou quelques lapins, ça m'évitera peut-être de réduire Zophiel en bouillie. »

Adela attendit qu'il soit hors de portée de voix. Puis elle se tourna anxieusement vers Rodrigo.

« Rattrapez-le, Rodrigo, je vous en prie. Empêchez-le de faire une bêtise. J'ai peur qu'Osmond perde son calme pour de bon et qu'il le frappe. Il se servira de ses poings, mais Zophiel est prompt à dégainer son couteau, et Osmond ne se défend pas aussi bien qu'il aime le croire. »

Rodrigo lui saisit la main.

« Je promets qu'il ne lui arrivera rien.

— Vous êtes un homme bon, Rodrigo », dit Adela en lui souriant.

Rodrigo lui serra la main, mais ne lui retourna pas son sourire. Il suivit Osmond dehors.

Notre ami aux pierres levées avait vu juste. Vers le milieu de l'après-midi, les premiers flocons se mirent à tomber, et ce fut bientôt une véritable tempête de neige. Rodrigo et Osmond revinrent à quelques minutes d'intervalle, claquant la porte derrière eux et faisant tourbillonner la fumée dans la cabane. Osmond laissa tomber deux bécassines par terre.

« Le mieux que j'aie pu faire. Il n'y avait pas grand-chose à chasser, et j'ai manqué la plupart de mes lancers. Toutes les bêtes sont au sol. On dirait qu'elles savaient qu'il allait neiger. » Il s'accroupit aux pieds d'Adela et leva vers elle des yeux anxieux. « Je suis désolé. J'essaierai de nouveau demain. Si cette neige cesse, j'arriverai peut-être à traquer un lièvre ou deux jusqu'à leur gîte. »

Elle épousseta la neige de ses épaules et sourit affectueusement.

« C'est déjà bien que tu aies attrapé quelque chose. C'est comment dehors ?

— Il neige si fort qu'on n'y voit rien. »

La porte claqua une troisième fois. Cygnus se tint à l'entrée de la cabane. Adela leva les yeux en sentant la soudaine rafale d'air froid et hurla. Nous regardâmes tous avec horreur. La main de Cygnus était couverte de sang.

Osmond, se remettant de sa surprise, se précipita vers lui.

« Qu'est-il arrivé, Cygnus ? Es-tu blessé ? »

Cygnus semblait perplexe, comme s'il ne savait pas pourquoi Osmond lui posait cette question.

« Le sang sur ta main ! »

Il baissa les yeux, comme s'il ne s'était jusqu'alors aperçu de rien.

« Du sang… oui, il y avait beaucoup de sang… j'ai dû faire vite. »

Il posa le sac qu'il portait en bandoulière et, lorsqu'il ôta sa houppelande, nous vîmes que l'avant de son pourpoint était également maculé de sang. Il ouvrit le sac et laissa paraître une patte de mouton fraîchement dépouillée.

« Adela a besoin de viande. S'il continue de neiger, nous risquons de ne rien trouver à manger. C'était un vieux mouton. Il sera coriace, mais si nous le faisons bouillir…

— Tu as tué un mouton ? demanda Osmond, visiblement soulagé. Mais à qui as-tu bien pu l'acheter ? J'ai marché pendant une éternité et je n'ai pas vu une seule chaumière.

— Je ne l'ai pas acheté, répondit Cygnus en baissant de nouveau les yeux vers sa main ensanglantée.

— Vous l'avez volé ? demanda Adela, abasourdie. Ça peut vous valoir la potence. Dites-moi que vous n'avez pas pris un tel risque pour moi. »

Un silence stupéfait s'installa dans la pièce ; pendant un moment, nous n'entendîmes plus que le crépitement du feu.

Cygnus haussa les épaules, évitant de regarder le visage horrifié d'Adela.

« J'ai enterré la peau marquée sous des pierres. Personne ne viendra jusqu'ici avec cette neige, et qui pourra dire qu'il ne s'agit pas du mouton que Zophiel et Camelot ont acheté. »

Je ravalai ma salive.

« S'ils vous trouvent couvert de sang en train de manger du mouton frais dans une cabane de berger, croyez-moi, ils ne se poseront pas de questions. »

J'étais aussi incrédule qu'Adela. Le châtiment pour un vol de mouton était impitoyable. Je n'en revenais pas que Cygnus, lui plus que tout autre, ait pris un tel risque.

« Camelot a raison, vous devez vous dépêcher de nettoyer ce sang, dit Adela. Donnez-moi votre pourpoint et votre chemise. Si je les lave à l'eau froide avant que le sang ait séché, il n'y aura pas de taches.

— Non ! » s'écria brusquement Cygnus.

Puis, voyant l'expression blessée d'Adela, il ajouta d'un ton plus doux : « Non, merci. Je peux le faire moi-même. Je ne voudrais pas que vous tachiez vos vêtements. »

Nous ne pouvions pas ramener le mouton à la vie, il ne nous restait donc qu'à manger les preuves. Nous mîmes aussitôt la tête, les pieds et les abats à bouillir, et suspendîmes le reste de la carcasse dans un sac à l'extérieur, où le froid lui permettrait de conserver sa fraîcheur. Le vent s'était momentanément calmé, et la neige tombait désormais en épais flocons. Elle ne fondait pas et le sol de l'enclos était déjà blanc. Lorsque Cygnus revint de la fontaine uniquement vêtu de sa houppelande et de ses hauts-de-chausses, il tremblait violemment et était couvert de neige. Nous accrochâmes ses vêtements humides près du feu, où ils se mirent à dégager de la vapeur. Mais Cygnus insista pour braver à nouveau la neige afin de placer Xanthos à l'abri derrière la cabane. Il l'attacha près du mur de la cheminée, où les pierres chaudes la réchaufferaient.

La neige s'engouffrait à l'intérieur par la fenêtre ouverte qui donnait sur l'enclos. Elle n'avait pas de volet car les bergers qui utilisaient la cabane avaient besoin de garder un œil sur leur troupeau. Je me proposai d'aller chercher dans le chariot de quoi attacher à la fenêtre l'un des sacs remplis de laine afin de nous protéger du froid.

Xanthos était paisiblement appuyée contre le mur derrière la cheminée, tête baissée. Sa crinière était déjà blanche de neige. Cygnus avait attaché quelques vieilles peaux de mouton sur son large dos, et la neige formait une épaisse croûte dessus. Je songeai alors que je ferais aussi bien de rapporter une pelle du chariot. S'il continuait de neiger ainsi toute la nuit, nous serions peut-être obligés de déblayer devant la porte pour pouvoir sortir.

Au moins avions-nous de quoi nous remplir l'estomac pendant quelques jours. Mais si cette idée me remplissait de joie, je maudissais aussi Cygnus d'avoir pris un tel risque. Je pensais au jour où nous l'avions vu raconter ses histoires sur la place du marché, et aux visages violacés et gonflés des hommes qui étouffaient lentement au bout d'une corde sur cette même place. Cygnus ne savait que trop bien quel sort était réservé aux voleurs de moutons. Osmond m'avait demandé ce qui pouvait pousser un homme à encourir un tel châtiment. Étaient-ce les sarcasmes de Zophiel qui avaient incité Cygnus à commettre un acte si dangereux, ou bien était-ce ce qu'il m'avait dit un jour, à savoir que celui qui laisse un enfant souffrir ne peut être pardonné ? Avait-il risqué la corde pour Adela et le petit Carwyn ?

Mais peut-être avait-il raison ; personne ne viendrait le chercher. Si le mouton errait dans la lande par ce temps, alors soit il était perdu, soit il n'avait plus de berger pour s'occuper de lui. Pourquoi rester affamés et regarder un bébé mourir quand il y avait de la nourriture à portée de main ? Il fallait s'y habituer, les lois et ordre anciens s'écroulaient autour de nous. Il y avait un nouveau roi et son nom était pestilence. Et il avait créé une nouvelle règle : Tu feras tout ce qui est en ton pouvoir pour survivre.

Je retournai à la cabane, secouant ma houppelande pour en ôter la neige. Tandis qu'Osmond clouait le sac de laine sur la fenêtre, une pensée me vint soudain.

« Où est Zophiel ? Il ne peut pas être en train de chercher du fourrage par ce temps ? L'un de vous l'a-t-il vu quand vous étiez dehors ? »

Osmond secoua la tête.

« C'est une bonne chose que je ne l'aie pas vu. Je lui aurais probablement flanqué une raclée.

— Cygnus ? Rodrigo ? »

Rodrigo était penché au-dessus du feu. Il ne tourna pas la tête. « Je l'ai vu plus tôt dans l'après-midi.

— Il va bientôt faire nuit. Peut-être devrions-nous nous mettre à sa recherche. Il a pu se perdre.

— Il reste encore une heure de jour, dit Osmond. Peut-être qu'il s'est éloigné et qu'il prend son temps pour nous rejoindre. »

Nous attendîmes, mais Zophiel ne revenait pas. Le jour déclinait rapidement. Osmond fut finalement forcé d'admettre que nous devions aller le chercher. Si Zophiel avait glissé et s'était cassé une jambe, il gisait peut-être quelque part, impuissant, même si je n'osais imaginer le genre de patient qu'il ferait s'il était blessé. La douleur et la frustration ne feraient rien pour adoucir son tempérament.

« Et si le loup est dehors ? demanda Adela en agrippant la houppelande d'Osmond.

— Si vous parlez du loup de l'évêque, dis-je, Zophiel a raison. Il ne prendra pas le risque de s'approcher dans la neige de crainte de laisser des traces. De plus, il n'a aucune raison de s'en prendre à nous, lui assurai-je en tentant d'écarter de mon esprit l'image du corps mutilé de Jofre.

— Tout de même, intervint Osmond, puisque ses sales boîtes sont dans la cabane, je pense que Rodrigo ferait bien de rester avec Adela, Narigorm et le bébé.

S'il fallait se battre, de nous tous Rodrigo est celui qui manie le mieux le bâton. »

Lorsqu'on le lui demanda, Rodrigo expliqua qu'il avait vu Zophiel se diriger vers les enclos les plus éloignés. Serrant fermement nos houppelandes autour de nous pour nous protéger du vent mordant, Cygnus, Osmond et moi nous mîmes en route, nous déployant afin de couvrir à nous trois le plus de terrain possible. La neige nous montait jusqu'aux chevilles, et elle était plus profonde encore aux endroits où le vent l'avait fait s'amonceler contre les murets et les buissons. Nous agitions nos torches et appelions Zophiel dans l'espoir qu'il était perdu et qu'il apercevrait les lueurs ou entendrait nos cris.

Nous progressions péniblement ; je faillis plusieurs fois glisser et me casser moi-même une jambe. Bien que le vent eût diminué, il continuait de neiger et ma torche vacillante n'illuminait guère que les millions de flocons qui voletaient autour de moi. Je distinguais à peine les torches mouvantes de Cygnus et d'Osmond. Je m'arrêtai pour reprendre mon souffle. Les cris de mes compagnons me parvenaient faiblement, mais à part ça, le silence était pesant.

Il fit bientôt complètement noir, et mes mains et mes pieds étaient si froids qu'ils me faisaient mal. Je vis alors les deux torches d'Osmond et Cygnus revenir vers moi. Ils avaient de toute évidence décidé qu'il était inutile de continuer. Je tournai également les talons. Zophiel pouvait être n'importe où sur la lande. Nous n'avions nul espoir de le trouver par ce temps.

Comme je m'approchais de l'enclos le plus éloigné de la cabane, quelque chose bougea de l'autre côté du muret. Je me figeai, retenant mon souffle, ne parvenant pas à distinguer ce que c'était. Je sentais mon cœur marteler ma poitrine, mais la silhouette bougea de nouveau et je m'aperçus avec une colère et un soulagement soudains qu'il s'agissait de Narigorm. Cela faisait manifestement quelque temps qu'elle se tenait là car ses vêtements étaient couverts de neige. Elle levait les yeux vers le ciel, laissant les flocons blancs tomber silencieusement sur ses cheveux et ses cils.

« Que fiches-tu ici, Narigorm ? hurlai-je. As-tu perdu la tête ? »

Elle se retourna, comme si elle avait patiemment attendu ma venue. Puis elle désigna le sol à l'intérieur de l'enclos. La neige lisse et blanche scintillait à la lumière de ma torche. Mais alors, près de l'un des murets, j'aperçus trois taches sombres. Je me penchai autant que possible par-dessus le muret. « Peut-être des pierres sombres qui affleurent », songeai-je. Mais en approchant ma torche je vis que je me trompais ; c'était la neige elle-même qui était tachée.

Je contournai le muret jusqu'à atteindre la barrière. Maintenant que j'étais à l'intérieur de l'enclos, je distinguais une forme. Vu depuis une certaine distance, ça ressemblait à un amas de neige, mais en m'approchant je m'aperçus que la vague silhouette était indiscutablement celle d'un corps. Le cœur battant, je m'agenouillai et creusai la neige jusqu'à rencontrer le tissu d'une capuche. Je tirai dessus. Zophiel gisait face contre terre. Sans aucun doute il était mort. Je baissai les yeux vers les trois petites taches rouge sombre et je creusai avec mes doigts engourdis.

Une mare de sang s'était formée entre ses omoplates ; le genre de blessure que ferait une dague si elle était violemment enfoncée puis retirée. Il y avait des chances pour que Zophiel n'ait même pas vu son assassin avant de sentir le coup de couteau. Je grattai sur le côté, où une deuxième tache de sang, plus grande que la première, maculait la neige. Mes doigts rencontrèrent quelque chose de spongieux et acéré à la fois. Je dus me retenir de vomir. Je ravalai sèchement ma salive, serrai les dents, et, tirant sur l'étoffe au niveau de son épaule, je retournai le corps de Zophiel sur le flanc.

Le tueur ne s'était pas contenté d'un simple meurtre. Le bras de Zophiel avait été tranché entre l'épaule et le coude. Au bout du membre grossièrement mutilé, l'os saillait, blanc et en dents de scie. Je devinai à la tache de l'autre côté du corps que le tueur avait fait la même chose au deuxième bras. Tandis que je le retournais, quelque chose tomba dans la neige. Narigorm se pencha rapidement, mais je le saisis en premier. C'était le couteau de Zophiel. Il était couvert de sang. À moins que ce magicien ne soit parvenu à blesser son assaillant, ce qui semblait peu probable, la personne qui lui avait coupé les bras s'était probablement servie du couteau de Zophiel. Il était suffisamment affûté pour trancher la chair, mais pas les os. Ceux-ci avaient donc dû être cassés.

Le loup de l'évêque avait donc fini par le rattraper. Zophiel avait affirmé qu'il ne frapperait pas par ce temps pour ne pas risquer de laisser des traces. Mais il avait oublié que la neige les recouvrirait rapidement, comme elle recouvrirait le corps. Le loup avait bien choisi son moment. Il avait dû frapper alors qu'il commençait juste à neiger, et la neige qui tombait l'avait dissimulé, ainsi que ses traces et sa victime.

23

Le cadavre qui saigne

Osmond et Cygnus se tenaient dans l'enclos, regardant le corps de Zophiel tandis que la neige continuait de le recouvrir.

« Nous devrions crier haro, dit Osmond d'une voix tremblante.

— Et envoyer chercher le coroner ? demandai-je. Et si c'est le même que celui qui s'est occupé de la mort de Jofre ? Deux morts violentes au sein de notre compagnie en moins d'un mois – nous serions bien en peine d'expliquer ça. Je ne crois pas que le coroner croirait à ces histoires de loup de l'évêque ; nous ne savons même pas à quoi il ressemble. Et n'oubliez pas que nous avons aussi un mouton volé dans notre cabane, au cas où vous songeriez à l'inviter à souper. Non, à moins que nous ne voulions tous finir pendus, je crois que nous ferions mieux de l'enterrer avant que quelqu'un d'autre ne tombe sur le cadavre.

— Mais le sol est gelé, protesta Osmond. Nous n'arriverons pas à creuser une tombe.

— La terre battue de la cabane ne sera pas gelée », dis-je.

La torche que tenait Osmond trembla.

« Suggérez-vous sérieusement que nous l'enterrions dans la cabane et que nous prenions notre souper sur sa tombe ?

— Depuis les mauvaises récoltes, de nombreuses personnes enterrent leurs parents sous le seuil de leur porte ou dans le sol de leur maison, s'ils ne peuvent payer l'impôt des morts[1].

— Mais pas quand ils ont été tués ou mutilés, objecta Cygnus en regardant le corps avant de détourner rapidement les yeux. Ce n'est pas comme s'il était mort dans son lit. Son esprit ne connaîtra pas le repos. Il cherchera à se venger. »

Il continuait de neiger fort. Je voyais que les autres avaient le visage ankylosé par le froid, et je sentais à peine le mien.

« Pour le moment, recouvrons-le avec les pierres qui sont tombées du mur. Avec la neige, ça le dissimulera au cas où quelqu'un viendrait à passer par ici. Et ça nous laissera le temps de décider quoi faire. »

Mais ça ne fut pas aussi simple que ça en avait l'air. Nous dûmes traîner le corps jusqu'à l'endroit où le mur était éboulé, pour qu'un tas de pierres ne semble pas incongru. Après quoi nous dûmes soulever les pierres et les placer sur le corps malgré nos doigts engourdis et douloureux. Et il en faut plus qu'on ne l'imagine pour recouvrir un homme.

Quand nous retournâmes à la cabane, nous découvrîmes que Narigorm avait déjà parlé du corps à Adela et Rodrigo, avec moult détails sanglants à n'en pas douter. Ils se levèrent d'un bond à notre arrivée, scrutant nos visages pour voir si c'était vrai. Osmond serra

1. *Soul scot* : somme d'argent exigée par l'Église pour accomplir les enterrements. *(N.d.T.)*

Adela contre lui, sans doute autant pour se réconforter lui que pour l'apaiser elle, car, des deux, c'était lui le plus ébranlé. Ce qui n'était guère surprenant ; la vue de ce corps mutilé aurait suffi à retourner l'estomac du plus endurci des hommes.

Rodrigo se tenait la tête à deux mains comme s'il essayait de l'empêcher d'exploser.

« Vous avez laissé le corps où il était ? finit-il par demander.

— Nous l'avons recouvert de pierres pour le moment, répondis-je. Mais il ne peut pas rester là-bas. Si un berger déplace les pierres pour réparer le mur, il le trouvera aussitôt. Et même si le corps a alors commencé à se décomposer, avec ses bras manquants, personne ne s'imaginera qu'il a été accidentellement tué par une chute de pierres.

— Mais, avec la neige, peut-être que personne ne viendra.

— La neige ne durera pas éternellement ; du bétail ou des moutons pourraient être amenés ici dans quelques semaines, voire quelques jours. Si quelqu'un trouve le corps et que la rumeur se répand, l'homme aux pierres levées se rappellera à coup sûr nous avoir dirigés ici. Et il n'aura probablement pas oublié Zophiel. Nous avons donc deux choix : soit nous signalons nous-mêmes sa mort en espérant que le coroner croira l'histoire du loup de l'évêque, soit nous cachons le corps afin que personne ne le trouve. Je pense pour ma part que la deuxième option est la meilleure. »

Rodrigo acquiesça et alla s'accroupir près du feu, plongeant son regard dans les flammes.

« Et ses boîtes ? demanda Adela d'un air craintif. Le loup de l'évêque va peut-être venir les chercher ce soir. »

Je secouai la tête.

« Il vient de tuer un homme. Il ne prendra pas le risque d'être vu par nous tous. Mais nous devrions les replacer dans le chariot. Ce sera plus simple pour lui de les emporter, et nous serons enfin débarrassés de lui. Même s'il est trop tard pour aider le pauvre Zophiel.

— Eh bien, je ne ferai pour ma part pas semblant de déplorer le décès de Zophiel, lâcha soudain Osmond en nous défiant tous du regard. Souvenez-vous comment il traitait Cygnus et Adela. Tu ne regrettes pas qu'il soit mort, si, Cygnus ? Et vous, Rodrigo, pas après les tourments qu'il a fait subir à Jofre ? »

Ni l'un ni l'autre ne le regardèrent.

« Osmond, ne dis pas ça, implora Adela.

— Pourquoi faire semblant ? Pourquoi ne pas être honnête ? C'était un homme mauvais, rancunier, malveillant.

— Osmond, ne parle pas de lui, gémit Adela en se signant. Il a été assassiné. Il est mort sans recevoir l'absolution. Son fantôme va errer ici. Il t'entendra. »

Nous n'avions rien avalé depuis l'aube, mais je crois qu'aucun de nous n'apprécia son repas, hormis Narigorm, qui dévora sa nourriture avec encore plus de délectation que d'habitude. Nous nous contentions de nous remplir l'estomac sans en tirer le moindre plaisir. Nous aurions tout aussi bien pu mâcher de vieux navets que du mouton frais. Nous mangeâmes dans un silence pesant, et je pense que nous avions tous à l'esprit ce corps mutilé qui gisait dans la nuit. Après quoi nous nous recouvrîmes de nos houppelandes et de nos couvertures et dormîmes, ou plutôt, nous fîmes semblant, car c'était une bonne excuse pour ne pas parler.

Aucun de nous ne fut surpris d'entendre le loup cette nuit-là. Nous nous redressâmes sur nos coudes et écoutâmes. Les hurlements provenaient de l'enclos le plus éloigné, comme si la personne ou la bête qui les poussait se tenait triomphalement sur le tas de pierres. Sa proie était morte. Justice avait été rendue. L'honneur était sauf.

À mesure que les hurlements diminuaient, j'entendis un autre son : quelqu'un pleurait dans la cabane. Je vis Rodrigo se lever et marcher jusqu'à Cygnus. Il enveloppa sa houppelande autour des épaules du garçon et le serra dans ses bras, le balançant d'avant en arrière comme s'il consolait un enfant effrayé.

« C'est la dernière fois que nous l'entendons, dit-il. Désormais, il nous laissera en paix. Nous sommes en sécurité maintenant que Zophiel est mort. Nous sommes tous en sécurité.

— J'ai de nouveau entendu les cygnes, déclara Cygnus en sanglotant.

— Non, non, *ragazzo*, c'est le loup que tu as entendu, mais c'était la dernière fois.

— N'avez-vous pas entendu les cygnes ? N'avez-vous pas entendu leurs ailes battre ? Les grandes plumes blanches tomber et tout recouvrir ? Je n'arrivais plus à respirer. Il faisait si froid et leurs ailes qui battaient… le son de leurs ailes. Vous avez dû les entendre.

— Il n'y a pas de cygnes. Il n'y a pas d'eau ici. C'est la neige qui t'a fait penser à des plumes blanches. »

Il s'assit auprès de Cygnus, lui caressant les cheveux en attendant qu'il respire de nouveau normalement. Puis, tout en tenant le garçon entre ses bras, il s'étendit, mais je ne crois pas qu'il dormit.

Le lendemain matin, je sortis de bonne heure. La neige avait cessé, mais le ciel était lourd et il faisait un froid glacial. Les boîtes étaient toujours dans le chariot, là où nous les avions laissées. Je marchai vers l'enclos où gisait Zophiel. Le sol était recouvert d'une couche de neige fraîche qui avait effacé nos pas et recouvert le sang. Il n'y avait aucune autre empreinte, ni humaine ni animale. Si le loup s'était tenu sur ce tas de pierres lorsqu'il avait hurlé dans la nuit, alors la neige avait recouvert ses traces.

Je lançai un regard inquiet à la ronde. Était-il toujours là à nous observer ? Zophiel avait eu raison ; le loup de l'évêque était un homme qui prenait plaisir à tuer et à se venger. Trancher les mains était un châtiment commun pour les voleurs, mais pourquoi ne pas l'avoir fait au niveau des poignets ? C'eût été plus facile que de couper un bras. Le loup avait-il emporté les bras pour prouver qu'il avait rattrapé le fugitif, ou bien afin que le châtiment de Zophiel le poursuive après sa mort ? Car s'il n'avait pas ses membres au jour du Jugement dernier, il risquait de passer l'éternité sans. Je songeais à la mutilation sur le corps de Jofre. Le loup en était-il aussi responsable ? Je pris soudain affreusement conscience qu'aucun d'entre nous ne serait à l'abri tant qu'il n'aurait pas eu ce qu'il cherchait.

Il continua de geler le lendemain et la nuit suivante. Nous passâmes l'essentiel de notre temps dans la cabane, mangeant le mouton volé et attendant que le temps change. Puis, le troisième jour, lorsque nous nous réveillâmes, le ciel était dégagé et le soleil brillait, et au milieu de la matinée la neige commença à goutter du toit et à fondre sous nos pas. Si le dégel se poursuivait, nous pourrions reprendre la route le lendemain matin, mais les autres aussi.

Nous ne pouvions plus éluder la question à laquelle aucun de nous n'avait souhaité être confronté. Que faire du cadavre de Zophiel ? L'emmènerions-nous dans l'espoir de trouver un endroit où l'enterrer, comme nous l'avions fait avec Plaisance, ou l'abandonnerions-nous derrière nous ? Nous n'avions guère le choix. Creuser dans la forêt avait été difficile, même dans un sol détrempé par des mois de pluie. Mais après une période aussi froide, même une fois que la neige aurait fondu, le sol resterait probablement gelé pendant des jours. Et la lande n'était pas l'endroit idéal pour passer des heures si vous vouliez éviter de vous faire remarquer.

Rodrigo, Osmond et moi creusâmes à tour de rôle dans le coin le plus sombre de la cabane, où nous espérions que cela serait le moins visible. Par chance, comme ce n'était pas un abri où les bergers s'attardaient, les maçons n'avaient pas pris la peine de mêler de la paille et de l'argile à la terre pour la durcir. Elle avait cependant été compressée par les nombreux pieds qui l'avaient foulée. Nous travaillâmes en silence. Adela détournait le regard et berçait Carwyn en le serrant fermement dans ses bras comme si elle craignait que la tombe ne l'avale.

Il nous fallut aussi longtemps pour débarrasser le corps de Zophiel des pierres qui le recouvraient que pour les entasser le jour où nous avions découvert son cadavre. Il était gelé et raide. Nous l'enroulâmes dans une couverture et le portâmes jusqu'à la cabane où nous l'étendîmes, toujours couvert, au centre de la pièce.

« Nous devrions prier, suggéra Adela d'un air gêné. Il était prêtre.

— S'il était prêtre, il aurait pu prier pour Jofre. Il aurait pu lui accorder un enterrement chrétien », répliqua amèrement Rodrigo.

Je posai la main sur son bras.

« Jofre a reçu un enterrement convenable, plus convenable que celui auquel aura droit Zophiel. Il repose sous un autel et l'image de la Vierge veille sur lui.

— Zophiel aurait pu bénir son corps.

— Des amis qui l'aimaient l'ont lavé et enterré ; il n'avait besoin de nulle autre bénédiction. »

Au bout du compte, nous nous tînmes autour du corps enveloppé et marmonnâmes ce dont nous nous souvenions du *Placebo* et du *Dirige*, les vêpres et les matines pour les morts. Sans prêtre pour nous guider, nous ne récitâmes que les premiers versets des psaumes, mais cette messe, aussi dérisoire fût-elle, écourterait peut-être son séjour au purgatoire.

Osmond et Rodrigo se penchèrent pour attraper la couverture qui enveloppait le corps, mais je les retins.

« Nous devrions le déshabiller et l'enterrer nu. La terre absorbera les fluides et il se décomposera plus vite. Et si on le déterre, il sera plus difficilement identifiable. Quelqu'un qui l'aurait vu aux pierres levées pourrait reconnaître ses habits. Nous enterrerons aussi les os de mouton avec lui, ajoutai-je en évitant soigneusement de croiser le regard de Cygnus. Si on le découvre, on croira que des gardiens de bestiaux l'auront surpris à voler un mouton et auront rendu justice eux-mêmes. Nul ne leur en voudra par les temps qui courent, et on n'ira peut-être pas chercher plus loin. »

Personne ne bougea. Je savais qu'aucun d'entre eux ne souhaitait toucher le cadavre. Je sentis alors la bile me refluer dans la gorge, mais puisque c'était moi qui avais fait cette suggestion, je n'avais pas le choix.

Osmond prit Adela entre ses bras et la fit se retourner.

Je soulevai la couverture. Le visage de Zophiel me regardait. Sa peau était blême et cireuse, mais son nez était presque noir. Il avait les yeux ouverts et les lèvres retroussées comme s'il était en train de faire quelque commentaire sarcastique.

Je procédai aussi vite que possible, tâchant de ne pas regarder les bras mutilés. Bien que la peau commençât à se dégeler et à se ramollir dans la chaleur de la cabane, il était encore trop raide pour que je puisse bouger ses bras. Je découpai donc les vêtements avec mon couteau, morceau par morceau. Il faudrait les brûler de toute manière. Lorsqu'il fut enfin nu, je fus obligé de demander aux autres de m'aider à le soulever.

Cygnus et moi attrapâmes chacun une cheville, Rodrigo se tint derrière la tête et glissa les doigts sous les épaules de Zophiel tandis qu'Osmond, serrant les dents, plaçait ses mains sous les fesses nues et froides. Mais à peine eûmes-nous soulevé le corps que Narigorm poussa un cri soudain qui nous le fit lâcher, et il retomba sur la terre dure avec un bruit sourd.

« Regardez ! dit-elle en pointant le doigt. Les blessures saignent de nouveau. »

Un liquide rouge pâle gouttait aux extrémités des bras coupés. Osmond recula vivement et percuta le mur derrière lui.

Narigorm fit un pas en avant.

« Quand un assassin touche le corps de sa victime, les blessures se rouvrent et se remettent à saigner pour montrer à tout le monde qui est le coupable. Ce qui signifie, ajouta-t-elle d'un air triomphal, que l'un de vous a dû le tuer, n'est-ce pas ? »

Nous nous dévisageâmes. Chacun avait une expression horrifiée, sauf Narigorm. Personne ne bougeait ni ne disait un mot, et à nos pieds, les moignons tranchés continuaient de déverser leur sang accusateur.

24

Le chevalier au cygne

Nous quittâmes la cabane de berger tandis que l'aube pointait à l'horizon. Des taches vertes apparaissaient à travers la lande et les buissons gouttaient dans le soleil du petit matin. De la neige était toujours amoncelée au pied des murets des enclos et contre la cabane, mais le chemin se couvrait rapidement d'une gadoue épaisse dont les roues et les sabots de Xanthos nous aspergeaient tandis que nous marchions à côté du chariot. Tout voyageur sait que c'est pure folie que voyager au dégel. La boue ralentit l'allure et la neige dissimule des cailloux et des ornières qui pourraient aisément casser une jambe ou un essieu, mais aucun de nous ne souhaitait passer une heure de plus dans cette cabane.

La nuit précédente, Osmond avait emmené Carwyn et Adela dormir dans le chariot car cette dernière était terrifiée à l'idée que l'esprit vengeur de Zophiel risquait de venir hanter la cabane où son cadavre était désormais enterré. On dit en effet que les nouveau-nés ne doivent jamais dormir dans une pièce où se trouve un mort, car les esprits qui sont violemment arrachés à leur corps peuvent se glisser dans la bouche des bébés pendant leur sommeil et les posséder.

Rodrigo, Cygnus, Narigorm et moi étions restés dans la cabane. Nous avions dispersé du sel sur la tombe, placé quatre chandelles autour, et veillé toute la nuit. Nous avions éparpillé l'excès de terre à travers la pièce et l'avions vigoureusement piétinée pour qu'elle soit partout d'une couleur uniforme. Maintenant, avec un peu de chance, aucun berger ne saura jamais qu'il dort au-dessus d'un cadavre. D'ailleurs, peut-être dormons-nous chaque nuit au-dessus de morts sans le savoir.

Nous avions passé cette longue nuit sans prononcer un mot ni oser nous assoupir. Nous nous regardions furtivement à la lueur des chandelles. Avait-il pu tuer Zophiel ? Ou lui ? Mais nous ne pouvions croire que quelqu'un d'autre que le loup de l'évêque avait pu commettre le meurtre.

Osmond avait menacé de tuer Zophiel, et il avait le sang suffisamment chaud pour le frapper, peut-être même pour lui donner un coup de couteau au cours d'une bagarre, mais il l'aurait attaqué de face. Il ne l'aurait jamais poignardé dans le dos, ni si atrocement mutilé.

Quant à Rodrigo, c'était inimaginable. Il était celui que je connaissais le mieux de tous, celui en qui j'avais le plus confiance. Certes, il avait à deux reprises attaqué Zophiel, et j'avais vu, le jour où il avait fouetté Jofre, que quand il avait décidé de faire quelque chose, il allait jusqu'au bout avec une détermination de fer. Mais pourquoi le tuer maintenant ? S'il croyait vraiment que Zophiel avait tué Jofre, comme l'avait suggéré Cygnus, il se serait vengé bien plus tôt ; ce n'étaient pas les occasions qui avaient manqué.

Non, si l'un de nous avait de bonnes raisons de tuer Zophiel, c'était Cygnus. La vengeance couve longtemps lorsqu'un homme est constamment humilié, et lorsqu'elle explose enfin, l'attaque est sauvage. Le sang sur ses mains et ses vêtements provenait-il uniquement du mouton ? Et il y avait toujours ce doute concernant la mort de Plaisance et celle de la petite fille. On avait vu des hommes condamnés pour moins que ça. Mais quelles qu'aient été les preuves, je ne pouvais croire que le doux Cygnus les eût tuées, ni qu'il eût tué Zophiel.

C'était le loup qui avait assassiné Zophiel, j'en avais la certitude, et, comme pour le confirmer, le son que nous craignions tant avait de nouveau transpercé la nuit – le hurlement prolongé du loup. Cygnus avait sursauté et regardé la tombe avec effroi. Puis il s'était levé avec une telle rapidité qu'il avait heurté le mur derrière lui. Les quatre chandelles étaient presque consumées. Elles vacillaient et fumaient dans des mares de cire, mais ce n'étaient pas ces flammes-là que Cygnus fixait avec horreur. Une petite lueur bleue dansait sur le milieu de la tombe.

« La… lumière des morts, avait-il bafouillé. Zophiel… son esprit. »

Il avait couru jusqu'à la porte et, lorsqu'il l'avait ouverte, la lumière s'était évanouie et les quatre chandelles avaient été éteintes par la rafale d'air froid qui s'était engouffrée dans la pièce.

Quelque chose m'avait fait me tourner vers Narigorm. Je distinguais tout juste sa peau blanche dans le clair de lune qui pénétrait par la porte ouverte. Elle était accroupie et fixait des yeux l'endroit où s'était trouvée la lumière. Elle tendait les mains vers la tombe, paumes en avant, doigts écartés, comme si elle essayait de saisir la source lumineuse. C'était le même geste que celui que je l'avais vue faire près de la chaumière de la guérisseuse quand nous avions entendu le hurlement du loup.

Le voyage à travers la lande ne fut pas aisé. Nous avions l'habitude de patauger dans la boue, mais la neige fondue est pire encore ; elle est non seulement plus froide, mais aussi plus traîtresse. Cygnus guidait Xanthos, et bien que la jument fût habituée à être nourrie, nettoyée et harnachée par lui, elle comprit immédiatement que quelque chose ne tournait pas rond. C'était toujours Zophiel qui la guidait lorsqu'elle tirait le chariot. Elle baissa les oreilles, roula les yeux et se braqua. Cygnus tenta de l'amadouer, mais en vain. Après sa nuit blanche, le jeune homme était à bout de nerfs, et il fondit en larmes lorsque Xanthos refusa de bouger. Il ne lui en voulait pas. Au contraire, il semblait juste bouleversé. Il s'était bien plus occupé de la jument que Zophiel, et pourtant, c'était ce dernier qu'elle voulait.

On peut tirer un palefroi de demoiselle par la bride, mais quand un cheval de la taille de Xanthos refuse de bouger, vous pouvez tirer tant que vous voulez, ça ne sert à rien. Au bout du compte, Osmond fut forcé de faire ce que Cygnus se refusait à faire, et il se servit du fouet. Xanthos se mit finalement en route, mais elle ne cessait de secouer furieusement la tête, tentant d'arracher la bride des mains de Cygnus, qui devait la tenir fermement pour qu'elle ne morde personne.

Les boîtes de Zophiel étaient toujours dans le chariot. Le loup n'avait pas encore récupéré sa récompense. Peut-être, comme l'avait dit Zophiel, ne voulait-il pas prendre le risque de laisser des empreintes dans la neige. Les autres avaient voulu abandonner les boîtes dans la cabane. Et croyez-moi, j'aurais moi aussi aimé les y laisser, mais je savais que c'était impossible. Il n'y avait nul endroit près de la cabane où le loup aurait pu se cacher, il avait donc dû s'éloigner avant le lever du jour. Et si un berger ou un voyageur trouvait avant le loup les boîtes pleines d'articles religieux, il saurait immédiatement qu'ils avaient été volés. Ce n'était pas comme trouver quelques pièces que l'on pouvait fourrer dans sa poche sans dire un mot. La rumeur ne tarderait pas à se répandre, et notre ami aux pierres levées se rappellerait sûrement nous avoir vus avec un chariot suffisamment grand pour abriter une pile de boîtes. Il ne nous restait donc qu'à les emporter avec nous, sachant que le loup nous suivrait, puis à les abandonner en un endroit où lui seul les trouverait.

De temps à autre, la route bifurquait vers des hameaux éloignés, mais nous n'empruntions pas ces chemins. Nous passions aussi vite que le permettait Xanthos, car rares étaient les chaumières dont s'échappait de la fumée. Les champs autour des villages étaient à l'abandon. Nous vîmes à un moment un enfant assis près d'une porte, les genoux relevés et le visage enfoui entre les bras, mais il ne leva pas la tête à notre passage – peut-être ne la lèverait-il plus jamais.

Il est possible de savoir qui est mort de faim et qui de la pestilence avant même de s'approcher du corps, ce qui est toujours utile si l'on veut rester en vie. Le secret, c'est de regarder les oiseaux. Vous les verrez de loin se rassembler autour du cadavre d'une personne morte de faim. Les corbeaux arrivent en premier, bondissant sur le sol et avançant d'un pas tranquille tels des moines, puis regardant le cadavre de travers avant de donner un premier coup de bec. Au-dessus d'eux, les milans tournoient et attendent, leurs plumes scintillant d'un éclat rouge sang dans la lumière du soleil. Une fois que les corbeaux ont ouvert le corps, ils fondent sur leur proie, repliant leurs ailes au dernier instant pour tourner sur le côté tout en attrapant un morceau de chair entre leurs serres, avant de reprendre leur essor et de le dévorer en vol.

Mais ni les corbeaux ni les milans ne s'approcheront d'une personne morte de la pestilence. Ni aucun animal, aussi affamé soit-il. Le corps gît intact et pourrit sans l'intervention des charognards. Ses os ne sont pas dispersés, ils restent là où la personne est tombée jusqu'à ce que le soleil, la pluie et les orages d'hiver aient la décence de l'enterrer. C'est pourquoi il faut être sur ses gardes. Ne pas quitter le sol des yeux, sonder les amoncellements de neige, examiner attentivement la boue, car sinon on risque de leur marcher dessus.

Peut-être est-ce à cause de la puanteur que les oiseaux et les animaux ne s'approchent pas, comme si le corps avait pourri à l'intérieur avant même que la victime ait cessé de marcher. Mais ce n'était plus un avertissement pour nous, car une odeur nauséabonde flottait dans l'air partout où nous allions. Elle se répandait à des lieues à la ronde et était si puissante qu'elle imprégnait même notre nourriture. La puanteur n'était plus un avertissement. Toute l'Angleterre pourrissait.

Cette nuit-là, nous campâmes en plein air, près d'une tour ronde en ruine, lieu que nous avions plus choisi pour Xanthos que pour nous. Elle n'avait guère eu le temps de manger depuis que les premiers flocons étaient tombés, et nous avions besoin qu'elle reste forte. La neige avait fondu autour de la tour, et les herbes et les plantes abondaient au milieu des décombres et dans les cavités du sol. Adela, Osmond et Carwyn dormirent de nouveau dans le chariot, et le reste d'entre nous, dessous. Mais ce fut la dernière fois que notre petite arche nous servit de refuge. Car c'est là que, le lendemain matin, nous abandonnâmes le chariot, caché derrière la tour. Nous savions que le loup le trouverait. Il nous avait rejoints. Nous avions de nouveau entendu son hurlement pendant la nuit et avions compris qu'il nous accompagnait toujours. Même dans une zone dégagée, il avait le pouvoir de nous suivre sans se montrer. Et il ne comptait pas abandonner.

Osmond était partisan de décharger les boîtes et de garder le chariot, mais je voulais être certain que le loup saurait que nous lui avions tout laissé. S'il voyait des traces de chariot, il risquait de croire que nous avions emporté les boîtes et décider de nous suivre au lieu de chercher les boîtes que nous aurions cachées à son intention. De plus, sans le chariot, nous pourrions emprunter les petits chemins, ceux qui ne traversaient ni villes ni villages, mais menaient aux endroits reculés que la pestilence n'aurait peut-être pas encore atteints. Et nous pourrions enfin prendre la direction du nord, car à pied nous n'aurions nul besoin de suivre une route.

Mais nous n'abandonnâmes pas Xanthos. La manière dont le loup emporterait son butin serait son problème. Il était probable qu'il fût à cheval. Il était donc hors de question de lui laisser la jument.

Et il y avait autre chose que je refusai de laisser – la sirène. Zophiel n'avait pas pu la voler dans l'église. Si nous la laissions au loup, elle finirait jetée, ou bien vendue pour être exhibée devant d'autres foules incrédules, pour autant qu'il y ait de nouvelles foules ou de nouvelles foires. Les autres me crurent fou de vouloir garder un objet aussi inutile et encombrant, mais je ne pouvais leur expliquer mes motifs. Chaque fois que je sentais l'odeur de la myrrhe et de l'aloès, je pensais à la tête de mon frère entre les mains de mon père. Je pensais à son corps gisant quelque part à Saint-Jean-d'Acre, coupé en morceaux, à sa tête tranchée par un Sarrasin et plantée sur une lance pour être exhibée. Je pensais à son serviteur qui, au péril de sa vie, était allé la chercher en pleine nuit et qui avait franchi des montagnes et des mers pour la rapporter en Angleterre : le seul morceau de mon frère qu'il avait pu nous rendre, le seul que nous avions pu enterrer. En fin de compte, c'est Rodrigo qui me prit doucement la boîte des mains et l'attacha sur le dos de Xanthos. Il ne me demanda pas pourquoi.

Nous chargeâmes nos sacs sur Xanthos et nous remîmes en route, priant cette fois que le loup ne nous suive pas. Voyager sans le chariot était plus facile, sauf pour Adela, qui était désormais obligée de marcher. Mais maintenant qu'elle n'était plus enceinte, elle semblait apprécier cette liberté. Elle avait attaché Carwyn sur son dos et faisait son possible pour conserver une allure régulière, bien qu'elle fût toujours faible. Nous devions nous arrêter fréquemment pour la laisser se reposer, car elle se fatiguait vite, mais nous profitions tous de ces haltes, notamment Xanthos qui mangeait tout ce qu'elle trouvait comme si elle craignait de ne jamais revoir un brin d'herbe.

Narigorm aussi était obligée d'aller à pied. Il lui était déjà arrivé de marcher à côté du chariot, mais principalement quand ça lui faisait plaisir. Et bien qu'elle n'eût aucun problème à suivre Osmond quand ils allaient chasser, maintenant qu'elle avait perdu son refuge dans le chariot, elle lambinait derrière nous, regardant, écoutant, ne disant presque rien, son visage ne laissant rien paraître de ses pensées.

Sans le chariot, l'absence de Zophiel était moins notable. Il était possible de marcher une heure ou deux sans le voir gisant dans la neige tachée de sang ni songer au loup. Et plus nous nous éloignions de cette tour, plus Rodrigo, Cygnus, Osmond et Adela semblaient retrouver leur bonne humeur. Maintenant qu'ils n'avaient plus ni à pousser ni à désembourber le lourd chariot, ils s'apercevaient qu'ils pouvaient aller où bon leur semblait, qu'importait la taille du chemin. C'était comme si, à l'instar du brigand Sisyphe, ils avaient été condamnés à faire rouler éternellement un lourd rocher jusqu'au sommet d'une montagne, mais qu'ils avaient brisé leurs chaînes. Et comme le loup avait eu ce qu'il voulait, ils étaient aussi libérés de lui.

Comme pour souligner cette libération, nous rencontrâmes dans l'après-midi une large rivière au courant rapide. Le pont s'étant affaissé, nous quittâmes le sentier pour longer le cours d'eau en aval, nous laissant guider par ses méandres jusqu'à l'approche du crépuscule. Nous installâmes notre campement à proximité de la rivière, à l'abri d'un petit taillis de bouleaux et de saules. Osmond et Narigorm avaient attrapé quelques canards, qui mijotaient dans la marmite au-dessus du feu, et nous nous rassemblâmes, affamés, alors que la nuit commençait de tomber, nous jetant sur le ragoût dès qu'Adela nous tendait les bols.

Lorsque ma faim fut apaisée, je marquai une pause et observai les autres. Tous, sauf Narigorm, semblaient singulièrement gais, tels des élèves qui seraient sortis plus tôt de l'école. Ils étaient convaincus que nos problèmes étaient derrière nous. Mais, paradoxalement, plus nous nous étions éloignés du chariot, plus la panique m'avait étreint. C'était moi qui avais fait valoir que nous devrions l'abandonner, mais sans m'en apercevoir, j'en étais venu à le considérer comme notre maison, l'endroit auquel nous retournions chaque soir, la seule chose solide et constante que nous avions dans ce monde en déperdition. Étrangement, après tant d'années passées à voyager seul, maintenant que le chariot était parti, je me sentais à la dérive, fragile et vulnérable, comme si une vague était sur le point de m'emporter et que je ne pouvais me raccrocher à rien.

Depuis que les inondations nous avaient forcés à aller vers l'est, nous n'avions pas pu choisir notre direction, et cela m'effrayait. Comme un animal qui sent un piège qu'il ne voit pas, je sentais que nous étions poussés par une chose invisible. Trois d'entre nous avaient connu une mort violente depuis que nous avions pris la direction de l'est. Je ne pouvais établir aucun lien entre ces événements, et pourtant une ombre semblait flotter au-dessus de nous.

Je lançai un coup d'œil en direction de Narigorm. Elle était assise un peu à l'écart, absorbée par son repas, arrachant des lambeaux de viande à une cuisse de canard. Cette fois, je ne la laisserais pas faire. Je ne laisserais pas les runes décider de notre sort. Nous devions reprendre notre destinée en main. Nous irions vers le nord, quoi qu'en disent les runes. C'était la seule direction qui pouvait encore nous éloigner de la pestilence. C'était un espoir ténu, je le savais, mais mieux valait cela que se précipiter droit vers la mort. Je m'approchai des autres et parlai suffisamment bas pour que Narigorm ne m'entende pas.

« Maintenant que nous nous sommes débarrassés du loup, nous avons des décisions à prendre. Nous allons avoir besoin de nourriture, de bois et d'un abri.

Il ne fait pas trop froid ce soir, mais février ne fait que commencer, nous ne pouvons donc pas espérer que ça durera ; il risque de neiger encore. Aucun de nous ne sait combien de temps cette pestilence durera. Nous devrions reprendre la direction du nord, tenter de trouver un endroit isolé qui aurait été épargné, un endroit où nous pourrions nous installer et assurer notre subsistance, loin des villages et des grandes routes, jusqu'à ce que le pire soit derrière nous. »

Osmond leva les yeux, sa cuiller figée à mi-chemin de sa bouche.

« Mais pourquoi ne pas continuer vers la côte où nous pourrions attraper non seulement des oiseaux, mais aussi des poissons ? On dit que certaines personnes vivent de ce qu'offre la mer, qui ne peut pas être affectée par la pestilence.

— Mais les ports et les villages de pêcheurs le seront, eux plus que tout autre endroit, et il y a trop de villages le long de la côte. Si nous allons vers le nord en restant à l'intérieur des terres, nous pourrons semer…

— Non, non ! Tu ne peux pas te servir de ça ! » lança sèchement Rodrigo.

Narigorm était retournée à la marmite et avait planté un couteau dans un morceau de viande. Elle se retourna et le regarda.

« C'est le couteau de Zophiel, reprit-il. Qu'est-ce que tu fais avec ?

— Je l'ai trouvé. Il n'en a plus besoin, et il est plus affûté que le mien.

— Jette-le !

— Pourquoi ? C'est un bon couteau. »

Elle le plongea de nouveau dans la marmite.

« Non, jette-le ! cria Rodrigo. Il y a le sang de Zophiel dessus ! »

Narigorm, avec un geste exagéré, replongea le couteau dans le ragoût.

« Je l'ai nettoyé. Il n'y a plus de sang dessus. »

Cygnus se leva et arracha prestement l'arme de la main de Narigorm.

« Rodrigo a raison, dit-il doucement. Tu ne devrais pas t'en servir. »

Il lança le couteau, qui décrivit un grand arc de cercle en direction des buissons au bord de la rivière, et nous l'entendîmes tomber dans l'eau. Pendant un long moment, Cygnus regarda Rodrigo, puis il se détourna, observant l'obscurité qui enveloppait la rivière.

Adela se précipita vers la marmite et l'ôta du feu, puis elle versa le peu de nourriture qu'il restait dans un fourré et s'essuya les mains sur sa jupe.

« Tu sais que ça porte malheur d'utiliser le couteau d'un mort, réprimanda-t-elle. Ne crois-tu pas que nous avons eu assez de malheurs comme ça, sans en ajouter de nouveaux ? »

Elle fit regagner sa place à Narigorm en lui donnant une petite tape sur le derrière comme elle l'aurait fait avec un marmot effronté. La fillette s'assit, mais, curieusement, elle ne semblait ni bouder ni lui en vouloir ; elle semblait presque contente d'elle-même, pour une raison qui m'échappait et me préoccupait.

Au fil de la soirée, nous nous rapprochâmes tous du feu. La brise faisait bruire les arbres et les roseaux et l'eau sombre clapotait contre la rive. De temps à autre, le glapissement ou le cri d'un animal, qui soit tuait soit se faisait tuer, parvenait à nos oreilles, mais autrement tout était silencieux. Une couverture de nuages voilait les étoiles. C'était la nuit la plus sombre que nous avions connue depuis Noël. Seule la lueur du feu qui crépitait éclairait nos visages. Nous avions beau nous dire que le loup ne nous importunerait plus, avec l'arrivée de l'obscurité, l'habituelle tension était revenue et nous tendions l'oreille dans la nuit, cherchant à percevoir des bruits insolites.

« Rodrigo, si vous nous jouiez un peu de musique ? finit par suggérer Osmond. La nuit va être longue. Au moins ça nous aidera à passer le temps.

— Je peux vous raconter une histoire, si vous voulez », proposa Cygnus.

Nous le regardâmes avec surprise ; il n'avait pas raconté une seule histoire depuis Noël. C'était bon signe. Peut-être que, maintenant que Zophiel n'était plus et qu'il n'avait plus à subir ses sarcasmes permanents à propos de son bras, sa tristesse l'abandonnerait.

« Tant qu'il n'y est pas question de loups, répliqua Osmond en tentant de rire.

— Pas de loups, juste des cygnes.

— Pas des cygnes, me hâtai-je d'intervenir. Vous ne devriez pas vous appesantir…

— Ce ne sont pas mes cygnes, Camelot, coupa-t-il avec un sourire. C'est l'histoire du chevalier au cygne, le grand-père du grand Godefroy de Bouillon, chevalier des croisades. Elle provient d'une chanson que chantent les ménestrels, un récit courtois. Peut-être Rodrigo la connaîtra-t-il. »

Rodrigo fronça les sourcils, mais ne répondit rien. Cygnus resserra sa houppelande autour de lui et commença.

« Le chevalier Oriant de Lillefort était un beau jeune homme, maître dans les arts nobles, mais son plus grand plaisir était le tir à l'arc, et souvent, lorsqu'il était agité, il sortait la nuit pour chasser au clair de lune. Une nuit d'hiver, alors qu'il chassait seul près du lac, il entendit des plumes chanter dans l'air glacial. En levant les yeux, il vit un cygne déployé dans le ciel sombre. Il planait dans la nuit de cobalt grâce à ses ailes puissantes et vint se poser sur les eaux argentées du lac. C'était une créature magnifique, et le roi Oriant la désirait plus que n'importe quel oiseau ou bête qu'il avait chassés jusqu'alors. Il banda la corde de son arc et visa, mais alors qu'il était sur le point de lancer sa flèche, le cygne cria avec une voix humaine, et lorsqu'il le regarda de nouveau, le roi le vit sortir de l'eau, non sous les traits d'un cygne, mais sous ceux d'une magnifique femme aux yeux aussi sombres que le ciel de minuit et aux cheveux de la couleur du clair de lune. Et, emmêlée dans ses cheveux, se trouvait une unique plume blanche. Le roi tomba aussitôt amoureux. Il la prit dans ses bras et l'embrassa tout en ôtant la plume de ses cheveux. Sentant cela, elle l'implora de la lui rendre, car sans sa plume elle serait obligée de conserver sa forme humaine. Mais le roi refusa, affirmant qu'il ne la lui rendrait que si elle acceptait de devenir sa femme.

« Le roi Oriant porta sa promise jusqu'au château. Puis il cacha la plume dans un coffre, dans une tour, dans une forêt, sur une île où elle ne la trouverait jamais. Et lorsque, le soir de la noce, elle l'implora de lui rendre la plume, il refusa, affirmant qu'il ne la lui rendrait que lorsqu'elle lui donnerait un fils. La sylphide fut donc forcée de rester avec lui et elle lui donna cinq fils. Chaque fois qu'un fils naissait, elle implorait le roi de lui rendre sa plume, et chaque fois il refusait, affirmant : “Quand tu m’auras donné un autre fils, alors je te la rendrai.”

« Mais les enfants d’un roi et d’une sylphide ne sont pas des enfants mortels et, à l’insu de leur père, ils avaient comme leur mère le pouvoir de se transformer en cygnes. Leur mère avait placé autour du cou de chacun une chaîne en or, à laquelle était accrochée une lune d’argent. Tant qu’ils portaient ces chaînes, ils conservaient leur forme humaine, mais la nuit, ils les ôtaient, se transformaient en cygnes et s’envolaient dans le ciel étoilé. Leur mère les avait prévenus de ne jamais perdre leur chaîne en or, car s’ils la perdaient, ils resteraient à jamais des cygnes. Puis elle avait supplié ses fils de se transformer en cygnes et de chercher sa plume. Après de longues recherches, ils trouvèrent l’île, et sur l’île ils trouvèrent la forêt, et dans la forêt ils trouvèrent la tour, et dans la tour ils trouvèrent le coffre, et dans le coffre ils trouvèrent la plume. Ils la rapportèrent à leur mère, qui se la glissa dans les cheveux, embrassa ses fils, et s’envola pour toujours.

« Le chagrin du roi Oriant fut immense, mais ses conseillers ne tardèrent pas à le pousser à se remarier, et il se trouva une autre femme. Mais bien que sa nouvelle femme fût très belle, elle était mortelle, et comment la beauté humaine pourrait-elle être comparée à la beauté d’une sylphide ? Chaque fois que le roi regardait ses fils, avec leurs yeux aussi sombres que le ciel de minuit et leurs cheveux couleur de clair de lune, il soupirait. Sa nouvelle femme devint jalouse et chercha un moyen de détruire ses fils, car elle savait que tant qu’il poserait les yeux sur eux, il n’oublierait jamais sa première épouse. Elle se mit donc à les espionner, et découvrit bientôt le secret des chaînes.

Une nuit que les jeunes hommes s'étaient transformés en cygnes, elle vola les colliers dans leurs chambres, tous sauf un, celui du fils aîné, Helyas, car il l'avait caché dans un trou de souris dissimulé par une toile d'araignée, de sorte qu'elle ne le trouva pas. Les cygnes revinrent avant l'aube et regagnèrent leurs chambres. Helyas recouvra aussitôt sa forme humaine, mais les autres ne trouvèrent pas leur chaîne et, lorsque l'aube se leva, ils durent s'envoler et partir.

« Sept ans durant, Helyas fouilla le château à la recherche des chaînes, et sept ans durant, les cygnes revinrent chaque nuit avant de repartir à l'aube. Puis, le septième jour du septième mois de la septième année, Helyas trouva enfin les chaînes. Il se hâta de rejoindre ses frères et, comme les cygnes se posaient sur l'eau, il leur lança les chaînes autour du cou et chacun recouvra sa forme humaine. Mais, dans sa joie, Helyas n'avait pas remarqué que la chaîne de son plus jeune frère était brisée, et lorsqu'il la lança, elle tomba de son cou et coula jusqu'au fond du lac. Le jeune cygne resta à jamais un cygne, destiné à servir ses frères.

« Bien loin de là, l'empereur Otto tenait sa cour à Nimwegen. La duchesse de Bouillon le suppliait de lui rendre justice car son beau-frère, le duc Renier, l'accusait d'avoir trompé son défunt mari lorsque celui-ci était en vie. Ce dernier affirmait que ses terres devaient lui être confisquées à son profit. L'adultère d'une femme si bien née était une accusation grave, et l'empereur lui ordonna de prouver son innocence lors d'un combat. Si son champion perdait, elle serait mise à mort et ses terres seraient cédées à Renier. Mais Renier était un guerrier si féroce, un homme si habile à l'épée et si impitoyable, qu'aucun champion n'était prêt à défendre la cause de la duchesse.

« Après trois jours de recherches, aucun champion n'ayant été trouvé, l'empereur ordonna à ses soldats de s'emparer de la duchesse et de la mettre à mort. Mais à l'instant où ils mettaient la main sur la femme en pleurs, un cri retentit en provenance de la rivière et, lorsqu'ils se retournèrent, les hommes virent un chevalier inconnu approcher sur la rivière dans un bateau tiré par un cygne. Helyas, l'aîné des frères, mit pied à terre et se proposa pour affronter Renier. Le combat fut long et sanglant, les deux hommes étant habiles et courageux, mais la justice était du côté de la duchesse innocente et Helyas parvint à tuer Renier.

« En récompense de ses services, la duchesse lui offrit la main de sa magnifique fille, Beatrix, et proposa de léguer toutes ses terres et sa fortune au couple. Helyas accepta à une condition : que ni Beatrix ni sa mère ne lui demandent jamais ni son nom ni sa lignée. Elles s'empressèrent toutes deux d'accepter et le mariage eut donc lieu.

« Durant sept années heureuses et prospères, Helyas et Beatrix vécurent ensemble, et leur union fut bénie par la naissance d'une adorable fille, Ide, qui avait les yeux sombres de son père. Chaque jour à l'aube et au crépuscule, Helyas descendait à la rivière pour parler à son frère cygne, et chaque fois qu'elle le voyait nourrir l'oiseau de sa main, Beatrix s'interrogeait sur le mystérieux chevalier. Mais elle tenait promesse et ne lui demandait pas qui il était.

« Cependant, nombre de nobles des environs étaient jaloux de la richesse et du bonheur d'Helyas et Beatrix. "Qui est ce chevalier ? demandaient-ils. Pourquoi un homme de naissance noble souhaiterait-il cacher sa lignée, à moins qu'il n'ait déshonoré le nom de sa famille ?" Les rumeurs arrivèrent aux oreilles de Beatrix. Même ses propres servantes murmuraient que le chevalier qu'elle avait épousé n'était peut-être pas un chevalier, que c'était un roturier, voire pire. Finalement, Beatrix n'en put plus de ces rumeurs, et un soir, alors qu'Helyas revenait du lac, elle posa la question qu'elle avait juré de ne jamais poser.

« Helyas était un chevalier, et la loi de la chevalerie exigeait qu'il lui réponde honnêtement. Mais dès qu'il eut dit la vérité, il vit son frère cygne apparaître sur la rivière, tirant le petit bateau. Et Helyas grimpa à bord et s'en alla.

« Leur fille aux yeux sombres, Ide, devint une femme et épousa Eustache, comte de Boulogne, et le fils d'Ide, Godefroy de Bouillon, devint le grand chevalier commandeur de la première croisade, défenseur du Saint-Sépulcre, que certains appellent aujourd'hui le premier roi de Jérusalem.

« Quant à Beatrix, elle ne posa plus jamais les yeux sur son mari adoré. Le chevalier au cygne avait disparu. Elle passa le restant de sa vie à le chercher, mais ne le trouva jamais, et elle mourut de remords et de chagrin, car elle avait trahi le plus galant chevalier de la chrétienté. Elle avait appris la vérité, mais la vérité les avait détruits tous les deux. »

Il y eut un silence lorsque Cygnus acheva son histoire. Puis Adela poussa un grand soupir de satisfaction et lui toucha le bras.

« C'était très beau, Cygnus. »

Mais il ne la regarda pas. À la place, il observait Rodrigo. Les deux hommes se fixèrent mutuellement pendant un long moment, puis Rodrigo sembla comprendre. Une expression horrifiée apparut sur ses traits et il détourna le regard, enfouissant son visage entre ses mains. Il finit par se redresser et ouvrit la bouche comme pour dire quelque chose, mais Cygnus secoua la tête.

« Non, Rodrigo, ne le dites pas. C'est ma faute. Je suis un lâche. Zophiel avait raison ; je ne suis ni homme ni oiseau. Mon âme ne sera pas immortelle lorsque je serai mort, et je ne sers à rien dans cette vie. Je n'ai rien à perdre. C'est moi qui aurais dû le faire. Pardonnez-moi, Rodrigo, pardonnez-moi. »

Il ajusta sa lourde houppelande pourpre autour de ses épaules et s'éloigna rapidement dans la nuit. Nous entendîmes un sifflement au-dessus de nos têtes et vîmes trois cygnes voler en direction de la rivière. Déployant leurs puissantes ailes blanches, ils planèrent et disparurent.

25

La sirène et le miroir

Nous passâmes l'essentiel de la nuit à chercher Cygnus et le trouvâmes peu après l'aube, un peu plus loin en aval de la rivière. Son corps flottait sur le ventre. Sans la manche de sa chemise, qui s'était accrochée aux extrémités acérées d'un massif de roseaux et l'avait retenu contre la rive, il aurait été emporté par le courant. Sa houppelande pourpre lui recouvrait la tête. À la manière dont son corps inerte flottait, il était clair qu'il n'y avait aucun espoir, mais Rodrigo plongea imprudemment, comme s'il pensait pouvoir le sauver s'il parvenait à le tirer de l'eau à temps. Osmond et moi l'aidâmes à hisser le corps sur la berge, et dès qu'il fut à son tour hors de l'eau, Rodrigo se laissa tomber sur le corps de Cygnus, appuyant de toutes ses forces sur sa poitrine dans l'espoir de lui rendre la vie. Finalement, Osmond et moi dûmes le contenir.

« C'est inutile, Rodrigo. Il est mort. Ça fait des heures qu'il est mort. Il a dû tomber à l'eau hier soir et sa houppelande l'aura entraîné vers le fond. »

Rodrigo tira Cygnus à lui et le tint entre ses bras, comme s'il berçait un enfant endormi.

« Ce que je ne comprends pas, c'est pourquoi nous ne l'avons entendu ni tomber dans l'eau ni crier, continua Osmond. À moins qu'il n'ait déjà été trop éloigné du campement. »

Rodrigo leva vers nous un visage hagard.

« Il ne voulait pas que nous l'entendions. »

Osmond ouvrit de grands yeux.

« Vous ne voulez pas dire qu'il s'est délibérément jeté à l'eau pour… se noyer ? Il était assis avec nous hier soir, il nous a calmement raconté une histoire. Pourquoi raconter une histoire avant de se donner la mort ? Pourquoi nous faire ça à nous ? Nous étions ses amis. Aucun de nous n'a jamais été cruel à son égard. Le seul qui le tourmentait était Zophiel, et il est mort. »

Je songeais à ce qu'Osmond avait dit à Cygnus quand ce dernier n'était pas parvenu à trouver une sage-femme pour Adela. Comme nous sommes prompts à oublier notre propre cruauté !

« Il a fait ça parce que Zophiel est mort, répliqua Rodrigo, les joues sillonnées de larmes.

— Comment ça, parce que Zophiel est mort ?

— Je crois que ce que Rodrigo veut dire c'est qu'il… il s'est noyé par culpabilité », dis-je.

Osmond se laissa tomber sur l'herbe, secouant la tête d'un air incrédule.

« Vous êtes donc en train de me dire que Narigorm a raison depuis le début, que ce n'est pas le loup qui a tué Zophiel, que c'était Cygnus ?… Non pas que je lui en veuille. Mais pourquoi se donner la mort ? Craignait-il que nous le dénoncions ?

— Non ! cria Rodrigo. Non, il n'a pas tué Zophiel. *Il sangue de Dio !* N'avez-vous pas entendu ce qu'il a dit hier soir, la dernière chose qu'il a dite ? Il a dit que ça aurait dû être lui. Il pensait avoir fait de moi un meurtrier en étant trop lâche pour le tuer lui-même.

Zophiel l'a accusé de ne pas être capable de se défendre, et il pensait que je croyais la même chose. »

Osmond semblait de plus en plus abasourdi.

Je m'accroupis et plaçai un bras autour des épaules mouillées de Rodrigo.

« Mais Cygnus se trompait, n'est-ce pas ? Ce n'est pas vous qui avez tué Zophiel. C'est le loup. »

Je voulais désespérément y croire.

Rodrigo baissa la tête vers le corps de Cygnus. Il avait les yeux clos, le visage paisible et lisse, toute l'anxiété des jours passés semblait l'avoir quitté.

« C'est moi qui l'ai tué », déclara-t-il.

Mais il était impossible de savoir s'il parlait de Cygnus ou de Zophiel.

« Non, Rodrigo, écoutez-moi. Vous n'avez tué personne. Vous n'êtes coupable de la mort ni de l'un ni de l'autre. »

Rodrigo répondit d'une voix basse et monotone sans détacher les yeux du visage de Cygnus.

« Quand Zophiel a quitté la cabane de berger, je l'ai suivi. Je l'ai imploré de laisser Cygnus tranquille, faute de quoi il serait responsable de sa mort comme il l'était de celles de Plaisance et Jofre. À quoi il a répondu qu'ils étaient les seuls responsables de leur mort. Que ça n'avait rien à voir avec lui. Les sodomites comme Jofre, a-t-il dit, sont condamnés dans cette vie et dans la suivante. Sa mort était le jugement de Dieu pour sa perversion. Et il s'est retourné pour s'en aller. J'ai lancé le couteau tandis qu'il s'éloignait. »

Je me rappelai soudain les deux lépreux sur la route dans la gorge, ceux qui avaient battu le voyageur à mort et qui s'en étaient pris à Osmond. Je revis Rodrigo lancer le couteau, le lépreux hurler, puis tomber mort. Et je fus pris de nausée en comprenant qu'il disait la vérité. Rodrigo avait assassiné Zophiel.

« Et les bras ? demanda Osmond d'une voix tremblante. Vous lui avez… coupé les bras ?

— Avec son couteau. Je voulais faire croire que le loup l'avait puni pour le vol, c'est du moins ce que je me disais, mais peut-être qu'au fond de mon cœur je voulais qu'il ressemble à ces gens qu'il méprisait tant. »

Je regardai l'eau qui s'écoulait rapidement, scintillante comme une armure dans le soleil du petit matin. Quelque part dans la rivière se trouvait le couteau de Zophiel.

« Quand Narigorm a utilisé le couteau de Zophiel hier soir, dis-je sans regarder Rodrigo, vous lui avez dit que le sang de Zophiel était dessus. Mais vous n'étiez pas là quand nous avons découvert le corps. Vous ne pouviez donc pas savoir que son propre couteau avait été utilisé contre lui, à moins de l'avoir tué vous-même. C'est à ce moment que Cygnus a compris. Il a su que vous l'aviez tué et il a cru que vous l'aviez fait pour lui. Comme Beatrix, il a appris la vérité, et la vérité… »

Rodrigo serra fort les yeux, comme s'il éprouvait une douleur terrible.

Nous enveloppâmes le corps de Cygnus dans sa houppelande et l'attachâmes en travers du dos de Xanthos. Nous n'avions aucune idée de ce que nous en ferions. Nous levâmes le camp et reprîmes notre marche, nous éloignant de la rivière dès que possible, car aucun de nous ne voulait plus ni la voir ni l'entendre. Nous ne discutâmes pas de la direction à prendre ; cela ne semblait plus guère avoir d'importance. Je suivais derrière avec Rodrigo, qui marchait hébété sans sembler savoir où il allait ni qui l'entourait. Même Xanthos paraissait sentir ce qu'elle portait, car elle marchait avec solennité, guidée par Osmond. Nous avions fait croire à Adela et Narigorm qu'il s'agissait d'un accident, mais je voyais à l'expression de cette dernière qu'elle n'en croyait pas un mot. Elle savait que Cygnus s'était donné la mort, tout comme elle savait que Rodrigo avait tué Zophiel, et pourtant nous ne le lui avions pas dit non plus.

Nous vîmes de loin un homme et un garçon qui découpaient de la tourbe sur la lande. C'était un endroit solitaire, isolé, et l'homme devait avoir désespérément besoin de combustible pour la découper alors qu'elle était à moitié gelée et humide. Plusieurs mottes étaient empilées autour du trou qu'il avait creusé, et d'autres avaient été entassées sur un petit traîneau. Il n'y avait pas la moindre habitation alentour, ils avaient donc dû marcher longtemps pour arriver jusqu'ici. Mais sans feu, une famille peut mourir de froid et de faim si elle n'est pas en mesure de cuire le peu de nourriture qu'elle parvient à se procurer.

Le garçon, qui était pieds nus, nous repéra avant son père et le prévint. Ils se figèrent tous deux, pelle à la main, nous regardant approcher avec méfiance. Tout autour d'eux des mares pleines d'eau indiquaient les endroits où les hommes creusaient la tourbe depuis des années, et la tranchée sur laquelle ils travaillaient se remplissait à mesure qu'ils travaillaient. Même s'il ne tombait plus une goutte de pluie jusqu'à l'été, il faudrait des mois avant que la lande ne s'assèche.

Comme nous nous approchions, l'homme regardait fixement la forme caractéristique qui gisait en travers du dos de Xanthos. Il se signa trois fois et fit quelques pas précipités en arrière, entraînant le garçon avec lui. Je n'avais pas besoin de runes pour savoir ce qu'il pensait, et tentai de le rassurer.

« N'ayez pas peur, monsieur, il n'est pas mort de la contagion. Un accident. Il s'est noyé. »

L'homme se signa une fois de plus, visiblement embarrassé.

« Paix à son âme. » Il fit deux pas dans notre direction. « La route des morts[1] est là-bas, dit-il en pointant le doigt. Vous pouvez apercevoir les croix qui la marquent. »

Il y avait au loin plusieurs formes que j'avais prises pour des buissons, mais dont je voyais maintenant qu'il s'agissait de croix en pierre sombre. Il pensait de toute évidence que c'était là que nous allions, ce qui n'était pas surprenant puisque nous transportions un cadavre.

« Il y a donc une église paroissiale au bout de la route ?

— Saint Nicholas, à Gasthorpe. Mais pas la peine d'y aller. Il n'y a plus de pasteur pour l'enterrer.

— La pestilence ? »

Il se signa de nouveau, comme si le simple fait de prononcer ce mot risquait de le contaminer.

« Le pasteur est parti avant. Les temps ont été difficiles ces dernières années avec les mauvaises récoltes

1. Seules les églises paroissiales étaient autorisées à enterrer les cadavres, aussi les villageois qui vivaient dans des endroits reculés étaient souvent obligés de porter leurs morts, franchissant landes, collines et forêts pour pouvoir les enterrer. Ces chemins (appelés *corpse roads*) étaient marqués par une série de croix en bois ou en pierre afin de guider les personnes qui les empruntaient. *(N.d.T.)*

et puis les moutons qui sont tombés malades. De nombreuses familles sont mortes de faim. Elles n'arrivaient pas à faire pousser de quoi se nourrir sur leurs lopins de terre, et le peu qui a poussé ces dernières années était inutilisable. Elles ne pouvaient pas payer la dîme, ce qui ne plaisait pas au pasteur. Mais quand un puits est tari, vous pouvez le menacer de l'enfer et de la damnation tant que vous voulez, vous n'en tirerez toujours pas une goutte d'eau. Alors le pasteur est parti. Personne ne l'a plus revu depuis. Et puis, quand la… quand elle est arrivée, le reste du village y est passé, du moins ceux qui étaient restés. »

Il se signa encore une fois. Le fait de ne pas prononcer à voix haute le nom de la maladie ne suffisait pas à protéger de sa malédiction.

Il jeta un nouveau coup d'œil au corps de Cygnus.

« Vous aurez de la chance si vous trouvez un prêtre quelque part dans la région. » Il s'approcha un peu et baissa la voix, comme s'il craignait que, dans cette vaste étendue déserte, quelqu'un ne l'entende. « Il paraîtrait que l'évêque de Norwich a dit que tout le monde avait le droit de bénir un homme mourant, s'il n'y avait pas d'ecclésiastique pour s'en charger, et de l'enterrer aussi. J'ai moi-même enterré deux de mes petiots dans le cimetière. Il n'y avait personne pour dire la prière, mais au moins ils sont à l'abri dans un sol consacré. Rien ne vous empêche de faire pareil. » Il nous fit un clin d'œil entendu. « Après tout, qui le saura à part ceux qui sont déjà six pieds sous terre, et ce n'est pas eux qui vont se plaindre, pas vrai ? »

Il secoua la tête d'un air songeur.

« Qui l'eût cru ? À cette époque, l'année dernière, on ne pouvait pas pisser sans la bénédiction d'un prêtre ; et maintenant le premier venu, même une femme, peut vous baptiser, vous marier, vous absoudre et vous enterrer. On finit par se demander pourquoi on a payé la dîme à ces prêtres pendant toutes ces années, pas vrai ? »

La route des morts était à peine un sentier, juste une série de croix de granite disposées à intervalles pour indiquer le chemin à ceux qui portaient leurs morts depuis les hameaux et les villages des alentours qui n'abritaient pas de paroisse autorisée à effectuer des enterrements. Nous les suivîmes jusqu'à apercevoir l'orée du village. L'homme disait vrai, il était désert. Les chaumières les plus proches semblaient abandonnées depuis des mois, et les champs étaient infestés de mauvaises herbes.

Osmond attacha Xanthos à un arbre, puis il se tourna vers nous.

« Adela et Narigorm feraient bien de rester ici avec le bébé. Il risque d'y avoir des cadavres. Nous irons à pied.

— Mais et toi, Osmond ? gémit Adela. Tu ne peux pas risquer ta vie. »

Rodrigo commença à détacher le corps de Cygnus.

« Elle a raison, Osmond, vous restez. Je peux le porter et creuser la tombe seul. Je n'ai besoin de personne.

— Je dois y aller, répliqua Osmond en rougissant légèrement. J'ai dit des choses que je ne pensais pas. Je n'ai jamais pris le temps de m'excuser. Cette histoire qu'il nous a racontée, le soir où nous l'avons trouvé caché dans le chariot, à propos du cordonnier qui a tué cette fillette… Je ne l'ai pas cru sur le coup, mais je le crois maintenant, depuis longtemps, et pourtant je ne le lui ai jamais dit. Je lui dois au moins ça, surtout après ce que vous avez fait tous les deux pour Adela et le bébé. »

Rodrigo acquiesça et serra brièvement l'épaule d'Osmond. Je pris alors amèrement conscience qu'aucun d'entre nous n'avait pris la peine de dire à Cygnus que nous le croyions à propos de l'enfant. Osmond trouva la pelle, et Rodrigo hissa le corps de Cygnus sur son épaule.

« Attendez ! » Une idée m'était venue et je me mis à détacher la boîte qui contenait la sirène. « Nous allons l'enterrer elle aussi dans le cimetière. Elle y sera aussi bien qu'ailleurs. »

Osmond me regarda avec effarement.

« Vous ne pouvez pas, elle n'était pas humaine. Vous ne pouvez pas enterrer quelque chose comme ça dans un sol consacré. C'était juste…

— Un monstre, une bête ? N'est-ce pas ce que Zophiel disait de Cygnus ? »

Osmond rougit et détourna la tête.

Ainsi, après avoir des semaines durant tenté d'éviter les villages atteints par la pestilence, nous pénétrâmes dans l'un d'eux, non pour y trouver à manger ou un logis, mais pour y enterrer un mort. Les mauvaises herbes commençaient à pousser le long de la grand-rue. Certaines chaumières avaient leurs portes et leurs volets grands ouverts – nul doute qu'elles avaient été mises à sac par des voleurs en quête de bois ou de quelque article de valeur abandonné par leurs propriétaires. Mais les plus sinistres étaient celles qui étaient condamnées de l'extérieur et qui comportaient des croix noires peintes sur les portes et les fenêtres. Je me demandai combien de cadavres gisaient à l'intérieur. Ils étaient si proches d'une église paroissiale, et pourtant ils ne reposeraient pas dans une terre consacrée.

Nous sentant observés, je me retournai. Je crus apercevoir une silhouette qui se coulait rapidement dans l'ombre d'une étable, mais en regardant attentivement je ne vis rien. Rodrigo et Osmond n'arrêtaient pas de tourner la tête comme si eux aussi sentaient quelque chose. Le silence anormal du village était inquiétant, et nous fûmes presque soulagés de voir un chien efflanqué jaillir de derrière une chaumière et se mettre à gronder et à aboyer, continuant de défendre son domaine pour ses propriétaires depuis longtemps morts. Osmond lui jeta des pierres jusqu'à ce qu'il batte en retraite, sans toutefois cesser d'aboyer.

Comme nous passions devant l'une des chaumières condamnées, je remarquai que le coin de la porte avait été arraché de l'intérieur, comme si quelqu'un y avait été enfermé vivant et avait désespérément tenté de s'échapper. Mais la personne n'avait pas réussi, car les planches clouées à l'extérieur de la porte étaient toujours en place. Je frémis en songeant à l'horreur de ces dernières heures. La personne avait-elle succombé à la même maladie que les morts avec qui elle avait été enfermée dans ce tombeau, ou bien était-elle cruellement morte de faim ?

L'église était fermée à clé. Nul doute que c'était le pasteur qui avait pris cette précaution avant de partir. Si les villageois ne pouvaient pas payer leur dîme, ils ne devaient pas avoir accès à Dieu. Ou peut-être craignait-il qu'ils ne dévalisent les lieux en son absence.

Le cimetière n'avait pas été fauché depuis un moment, et une herbe longue et humide poussait sur les petites plaques de bois. Plusieurs pierres tombales désignaient les endroits où gisaient les riches et les notables, mais un renard avait creusé son terrier sous l'une d'elles, et des os et des morceaux de crâne jaunis étaient éparpillés autour. Je songeai que je ferais bien de les récupérer avant de partir – mieux valait pour leur propriétaire que ses os soient miraculeusement transformés en reliques plutôt qu'éparpillés par des charognards. Nous trouvâmes un endroit près du mur où, s'il y avait des plaques, celles-ci étaient depuis longtemps tombées en pourriture, et Osmond et Rodrigo creusèrent à tour de rôle. Ils ne tardèrent pas à déterrer de vieux os, qu'ils disposèrent soigneusement sur le côté afin de les replacer dans le trou quand ils le combleraient.

Je creusai de mon côté une tombe pour la petite sirène, non loin de deux croix de bois en décomposition. Ma tombe n'avait besoin d'être ni large ni longue ; elle n'était censée accueillir qu'un minuscule corps. Puis, lorsque je déballai précautionneusement la cage, l'odeur familière de la myrrhe et de l'aloès mêlée aux algues sèches me submergea. En enterrant la sirène, c'était presque comme si j'enterrais mon frère une seconde fois. Je me revoyais debout devant la tombe dans l'église quand elle avait été ouverte pour y déposer sa tête, je me rappelai l'odeur froide et humide de décomposition qui s'en était échappée et que l'encens et les chandelles qui brûlaient autour de nous n'étaient pas parvenus à masquer. Je me rappelai les sanglots de ma mère et la mâchoire serrée de mon père, mais moi, je ne pleurais pas. J'avais pleuré le jour où mon père avait prononcé ces mots : « Je préfère voir mon fils revenir mort sur son bouclier plutôt que dans la peau d'un lâche. » J'avais su ce jour-là qu'il ne rentrerait pas vivant, et j'avais pleuré toutes les larmes de mon corps. Et le jour où nous avions finalement enterré sa tête tranchée, mes yeux étaient si secs que mes paupières me faisaient mal. C'était tout ce que j'avais ressenti.

Je tentai de briser le verrou de la cage avec un caillou pointu. Au bout de plusieurs tentatives, le rabat s'ouvrit et je saisis la sirène. Son corps était rigide, comme une poupée de cuir, et je me demandai depuis combien de temps elle était morte – des mois, des années ? J'avais oublié d'apporter quelque chose pour l'envelopper, aussi l'étendis-je à même la terre froide. À côté d'elle je déposai sa petite poupée.

Puis je soulevai le miroir avec l'intention de le placer également dans la tombe. Je frottai la surface argentée et ternie. Cela faisait de nombreuses années que je n'avais pas regardé dans un miroir, et je faillis le lâcher en voyant le visage que me retourna mon regard. On dit que les miroirs ne mentent pas, mais leur vérité est cruelle et odieuse. C'était comme voir un démon piégé. Car j'avais beau passer plusieurs fois par jour les doigts sur ma cicatrice boursouflée et sur mon orbite vide, j'avais oublié combien mon visage était horrible à voir. Il me fit le même effet que le jour où j'avais exigé que l'on m'apporte un miroir. On m'avait imploré de ne pas regarder, mais j'avais insisté, et j'avais alors compris pourquoi mes serviteurs évitaient de me regarder lorsqu'ils me parlaient, pourquoi mes fils détournaient le regard. Qui pouvait leur en vouloir ?

Pourtant, même après toutes ces années, je conservais dans ma tête l'image d'un visage intact, sans cicatrice. J'étais toujours la même personne que quand j'étais jeune. Aussi devais-je désormais affronter le fait que non seulement j'avais une cicatrice, mais que j'avais vieilli. Mon visage était flétri comme une vieille pomme. Mes cheveux étaient argentés, le bleu de mon œil valide était devenu d'un gris terne hivernal. Mes lèvres, qui avaient jadis embrassé avec tant de passion, étaient minces et pâles, et ma peau ridée, jadis blanche et lisse, était tannée par le vent et le soleil et presque aussi sombre que celle de la sirène. On dit que les miroirs sont le reflet de l'âme, et mon âme était monstrueuse et décrépite.

Je frémis et m'empressai de retourner le miroir. Je remarquai alors que celui-ci était beaucoup plus épais et lourd que je ne me l'étais imaginé. Quelque chose avait été inséré derrière le dos arrondi ; un morceau de cristal poli entouré d'une bague d'argent ornée de symboles et incrustée de perles. Sous le cristal, apparaissait, grossi, un minuscule fragment d'os. C'était une relique, et une relique précieuse à en juger par sa monture. Je dus pousser un cri de surprise car Osmond vint me demander ce qui se passait.

« Un reliquaire, dis-je en le lui montrant. Il se trouvait depuis le début dans la cage. »

Osmond l'examina.

« Je croyais que c'était juste un miroir.

— Il posait toujours le miroir avec la partie réfléchissante vers le haut, le dos était caché. »

Qu'avait dit la guérisseuse aveugle ? La meilleure cachette est toujours à la vue de tous.

« À qui appartient cette relique ? » demanda Osmond.

Je retournai l'objet entre mes mains, examinai les symboles gravés sur la bague.

« Un calice brisé et un serpent. Si cet oiseau est censé être un corbeau, alors il pourrait s'agir d'une relique de saint Benoît. On dit qu'un prêtre jaloux a un jour empoisonné le vin et le pain de la messe et les a donnés à saint Benoît. Le serpent dans le calice représente le poison, et quand Benoît a béni le calice empoisonné, ce dernier s'est brisé. Il a alors appelé un corbeau pour qu'il emporte l'hostie empoisonnée. La crosse est le symbole de l'autorité de l'abbé, et vous voyez ceci, un livre ? Il pourrait représenter la règle qu'il a écrite à l'intention des moines et des nonnes.

— Et ça ? Qu'est-ce que c'est, une plante ?

— Un buisson d'épines. Il se jetait dans les épines et les orties pour mortifier sa chair et se préserver du péché de luxure. Et ce symbole, je crois, est la baguette dont il se servait pour éliminer la corruption et la licence.

— Pas étonnant que Zophiel ait possédé une telle relique. Je suis juste surpris qu'il n'ait pas eu la baguette.

— Les perles pour la chasteté et la pureté, oui, je suis sûr qu'il s'agit d'une relique de saint Benoît. L'église où elle a été volée a connu une grande perte. C'est le saint que nombre de gens prient dans l'espoir d'une mort heureuse et paisible, cette relique devait attirer de nombreux pèlerins.

— Ainsi Zophiel l'a volée à Lincoln.

— Nul doute qu'elle a été volée. Personne ne conserverait une relique sacrée dans une cage avec une sirène, à moins qu'il ne cherche à la soustraire à son propriétaire légitime. Mais de là à affirmer que c'est Zophiel qui l'a volée, c'est une autre histoire. Il a pu lui-même embaumer la sirène et la mettre dans la cage, ou bien acheter le tout à quelqu'un d'autre. Trois abbayes en France prétendent posséder les os de saint Benoît, et celle qui les a volés à l'abbaye du mont Cassin. Si Zophiel a acheté cette cage avec le verrou et la sirène dedans à un marchand ou un chevalier qui revenait de France, il ne savait peut-être pas plus que nous ce qui se trouvait derrière le miroir. Nous n'avons trouvé les clés d'aucune boîte sur le corps de Zophiel. Nous ne savons pas s'il avait la clé de cette cage, à moins qu'elle n'ait été cachée dans le chariot. »

Osmond fronça les sourcils.

« On appelle la Vierge Marie "le miroir sans taches". Je suppose que Benoît aurait approuvé de voir placer son os dans un miroir.

— Et le miroir absorbe et préserve le caractère sacré tout en réfléchissant le mal sur les démons qui le regardent. »

Je fis la moue en prononçant ces paroles et en songeant à mon propre reflet.

« Mais Zophiel n'aurait jamais mis une relique sacrée dans la main d'une sirène ; ça aurait été le blasphème ultime à ses yeux, protesta Osmond.

— Il ne voyait peut-être pas les choses ainsi. Il y a une sirène qui a été canonisée : sainte Murgen, une mortelle qui a reçu un corps de saumon pour la sauver de la noyade. Saint Camgoll de Bangor l'a baptisée car il voulait être enterré dans le même cercueil qu'elle. On dit que tant de miracles lui ont été attribués après sa mort qu'elle fait partie des vierges sacrées. Zophiel a peut-être considéré que c'était la cachette parfaite pour la relique d'un homme qui prônait tant la chasteté. Ça a pu être son dernier tour de passe-passe, car c'était la sirène qui attirait l'attention, et non son miroir. »

Osmond baissa les yeux vers le corps.

« Donc, si c'est bien Zophiel qui a volé la relique à Lincoln, il l'aura cachée dans la cage de la sirène en se disant que, si le loup lui prenait ses boîtes, il ignorerait la sirène, et Zophiel s'en tirerait avec cette relique, même s'il perdait tout le reste.

— D'un autre côté, dis-je, le pauvre Zophiel lui-même a pu se laisser prendre à ce tour de passe-passe. Il a peut-être transporté pendant tout ce temps son trésor le plus précieux sans jamais se douter de ce qu'il avait.

— Le *pauvre* Zophiel, répéta Osmond avec indignation. Vous avez donc pitié de ce misérable ?

— J'ai pitié de tous ceux qui ne voient pas qu'ils possèdent déjà ce qu'ils recherchent désespérément. Ceci aurait pu lui apporter tout ce qu'il désirait – renommée, argent, respect. Avec ceci il aurait pu obtenir un poste de pouvoir et d'autorité dans le monastère ou l'église qu'il voulait.

— Peut-être est-ce précisément ce qu'il comptait faire en Irlande, une fois qu'il se serait débarrassé du loup. »

Osmond fronça encore plus les sourcils et jeta un coup d'œil en direction de Rodrigo, qui remplissait méthodiquement la tombe de Cygnus. « Et si c'est l'une des pièces qui ont été volées à Lincoln et que le loup s'aperçoit qu'elle ne se trouve pas parmi les trésors qu'il a récupérés, il va de nouveau nous traquer, n'est-ce pas ? L'évêque a dû lui dire exactement ce qui a été volé. »

J'hésitai et baissai les yeux vers le cristal sous lequel se trouvait le minuscule éclat d'os. L'os de l'homme dont la règle s'était répandue à travers toute la chrétienté et gouvernait désormais les vies de milliers de moines et de nonnes dans les magnifiques abbayes et monastères bâtis en son nom. S'il s'agissait d'une véritable relique, c'était la première fois que j'en avais une authentique en ma possession. Mais était-ce possible ? Après toutes ces années, en avais-je enfin trouvé une ?

On dit qu'on sent une puissance émaner des reliques authentiques. Certains affirment que c'est comme une vague d'eau chaude qui déferle sur vous, ou comme un flamboiement qui se répand à partir de vos doigts jusqu'à ce que votre corps entier frémisse. D'autres prétendent que c'est comme une lumière multicolore qui danse devant vos yeux, ou comme le picotement qu'on ressent après avoir effleuré des orties. Mais les gens à qui j'ai vendu des reliques ont affirmé la même chose, car ils voulaient y croire. Voulais-je croire en ceci ? Pouvais-je avoir la foi qui me ferait ressentir ce que j'avais moi-même créé pour les autres ? Je passai un doigt au-dessus de l'os, mais l'ôtai aussitôt. Je ne voulais rien sentir, rien.

« Osmond… je ne crois pas que le loup de l'évêque nous ait jamais suivis. »

Il sembla stupéfait.

« Nous savons qu'il n'a pas tué Zophiel. » Il lança un nouveau regard anxieux en direction de Rodrigo.

« Mais Zophiel était certain qu'il nous suivait.

— Mais comme Zophiel l'a dit lui-même, un homme seul aurait tellement de mal à trouver à manger par les temps qui courent, même s'il a des chiens. Pourquoi endurer toutes ces épreuves superflues, pourquoi risquer la pestilence, simplement pour faire durer la traque ? Il aurait sûrement frappé beaucoup plus tôt. Il aurait pu le faire la nuit où Jofre a été assassiné ; Zophiel aussi était alors sorti seul.

— Mais vous avez entendu les hurlements, Camelot, nous les avons tous entendus. Quelque chose nous suivait, et si ce n'était pas le loup de l'évêque, qu'était-ce ? Un vrai loup ? »

Je secouai la tête.

« Pourquoi un loup ferait-il cela ? Même si c'était un bâtard, moitié chien, moitié loup, qui s'était attaché à nous, nous l'aurions sûrement vu rôder autour du camp.

— Mais si ce n'est ni un homme ni un animal, Camelot, qu'est-ce que c'est ? »

Un cri perçant retentit derrière nous et nous nous retournâmes vivement. Une femme était accroupie non loin, à côté d'une tombe, genoux écartés, ses mains griffant l'air devant elle comme si elle était prête à nous bondir dessus. Elle n'était pas vieille, avait peut-être une vingtaine d'années, mais elle était nue et ses cheveux étaient si emmêlés et couverts de poussière qu'il était difficile de dire de quelle couleur ils étaient. Ses seins plats pendouillaient sur sa cage thoracique si atrocement maigre qu'on aurait pu lui compter les côtes, ses bras étaient aussi fins que des brindilles, mais son ventre était gonflé et dur. « Palsambleu, songeai-je, pourvu que ce soient des vers et non un enfant. »

Elle pointa le doigt dans ma direction.

« Je vous connais. Vous êtes la mort venue me tourmenter. »

Elle se frappa violemment la tête comme si elle cherchait à en faire sortir quelque chose.

J'enfonçai rapidement le miroir sous ma chemise et ordonnai à voix basse à Osmond : « Remplissez la tombe de la sirène avant qu'elle voie ce qu'il y a dedans. Je vais m'occuper d'elle. »

Je fis un pas vers la femme, qui recula précipitamment, toujours à quatre pattes.

« Je vous connais. Ne me prenez pas. Ne me prenez pas ! hurla-t-elle d'une voix stridente.

— Je ne suis pas ici pour vous, dis-je d'une voix aussi douce que possible. Ne voulez-vous pas me dire votre nom ? »

Une expression entendue apparut sur son visage.

« Ne jamais donner son nom. On est à sa merci si on lui dit son nom. Si la mort ne sait pas qui on est, elle ne peut pas nous appeler. Elle me demande toujours mon nom, mais je ne le lui dis pas. Ne jamais lui dire. »

Elle plaqua ses mains crasseuses sur sa bouche comme si elle craignait que son nom ne lui échappe par accident.

« Avez-vous déjà parlé à la mort ? »

La femme leva la tête, distraite par une volée de freux qui tournoyaient en croassant au-dessus d'elle.

« Elle essaie de m'abuser. Elle utilise des voix différentes, parfois elle parle comme les oiseaux, parfois comme la pluie.

— Est-elle grande ? »

La femme recommença à se frapper la tête. Puis elle s'arrêta soudain et tendit les bras devant son visage, paumes en avant, le pouce et l'index de chaque main se touchant et formant un petit espace à travers lequel elle me regarda.

« Minuscule, elle est minuscule, comme un vit d'homme. » Je me baissai et soulevai la cage qui avait contenu la sirène.

« La prochaine fois qu'elle viendra, vous pourrez l'attraper là-dedans. »

La femme inclina la tête, puis elle se traîna vers moi, toujours à quatre pattes. Elle fronça le nez, reniflant l'odeur étrange.

« Comment ?

— Vous sentez ? La mort ne peut pas résister à cette odeur, elle rampera dans la boîte, et à ce moment, vous n'aurez qu'à la refermer pour l'empêcher de vous prendre. »

Je posai la boîte pleine de coquillages devant moi et reculai de quelques pas pour laisser la femme s'approcher et s'en emparer. Puis elle battit en retraite et, lorsqu'elle fut à bonne distance, se mit à contempler sa boîte comme si c'était un magnifique trésor. Je sentis une main sur mon épaule et sursautai.

Rodrigo se tenait derrière moi.

« Il ne faut jamais plaisanter avec la mort, Camelot, elle nous suit de trop près.

— Cette cage la rassurera. C'est sûrement une bonne chose de soulager cette pauvre folle. »

Jadis il aurait souri à ces mots. Je me demandai s'il retrouverait un jour le sourire.

Nous abandonnâmes la femme avec sa cage dans le cimetière et repartîmes par là où nous étions arrivés – sans un mot, marchant aussi vite que possible, pressés de quitter au plus vite ce village de mort.

Tandis que je regardais ces fenêtres aveugles, la désolation de cette rue où autrefois des enfants avaient joyeusement joué et ri, j'éprouvais l'envie terrible de savoir si mes propres enfants étaient toujours en vie. J'aurais pu les croiser sur la route sans même les reconnaître. Avaient-ils survécu à ce fléau ? J'avais tout donné pour les protéger. Tout avait-il été en vain ? Je regardais les chaumières abandonnées et m'imaginais ma propre maison avec des planches clouées en travers des fenêtres et une croix noire peinte sur la porte. Y avait-il quelque part une tombe qui renfermait mes enfants, ou, pire encore, n'avaient-ils pas eu droit à une tombe ?

Nous atteignions les dernières chaumières lorsque la femme nue jaillit de nouveau de derrière un bâtiment et s'accroupit devant nous au milieu de la rue. Elle tenait dans sa main une moitié de lapin ensanglanté, toujours couvert de fourrure. Elle la tendit vers nous.

« À manger », dit-elle. Elle la posa sur la poussière devant nous comme j'avais fait avec la cage et recula de quelques pas. « À manger, répéta-t-elle, pour la mort. »

Osmond agrippa mon bras comme s'il croyait que j'allais saisir la dépouille, mais je secouai la tête.

« Merci, mais nous avons assez à manger. Gardez-le pour vous. »

La femme me lança un regard entendu à travers sa crinière ébouriffée, puis elle ramassa le lapin et, repoussant la fourrure, se mit à ronger avec voracité la carcasse crue et sanguinolente.

26

Les cratères

Avec le recul, je sais que c'est Narigorm qui nous mena aux cratères. Je nous avais finalement fait prendre la direction du nord, et elle m'avait laissé faire. Je pensais avoir gagné, mais j'aurais dû me méfier. Elle savait exactement dans quoi nous nous jetions, j'en ai la certitude.

Les cratères se trouvaient entre les arbres, ils étaient larges et peu profonds, comme des mares, mais sans eau. Ni arbres ni herbe ne poussaient dedans, rien hormis d'étranges plantes épineuses aux feuilles rouges et charnues qui, lorsqu'on les voyait depuis une certaine distance, les faisaient ressembler à des mares de sang. Mais en les traversant, on s'apercevait d'autre chose ; les cratères étaient jonchés de squelettes de petits animaux, d'os et de minuscules crânes blanchis de lapins, de campagnols, de souris, de renards, et même d'oiseaux. Il y en avait tant qu'il était impossible de ne pas les écraser avec ses pieds. Certains os appartenaient à des animaux morts depuis peu et des lambeaux de chair et de fourrure y adhéraient toujours ; d'autres étaient lisses et blanchis par le soleil de plusieurs étés. Dans l'un des cratères, les squelettes d'un mouton et d'un agneau gisaient côte à côte. Il y avait aussi des centaines de coquilles d'escargots, vides, transparentes, éparpillées tels des pétales dispersés par le vent. Les cratères fascinaient étrangement Narigorm. Elle passait des heures assise au bord du taillis à les examiner, espérant sans aucun doute voir quelque animal se faire tuer.

Cela faisait presque deux semaines que nous avions enterré Cygnus, et Rodrigo se repliait chaque jour un peu plus sur lui-même. Où il allait et ce qu'il faisait ne l'intéressaient plus, et il fallait les efforts combinés d'Adela, Osmond et moi pour lui faire prendre part aux tâches les plus simples. Il ne regardait même plus le petit Carwyn, comme s'il craignait de détruire malgré lui ce qu'il aimait.

Quelque chose avait aussi changé en Osmond le jour où nous avions enterré Cygnus. Il était déjà persuadé que c'était sur la côte que nous aurions le plus de chances de trouver de la nourriture, mais il était désormais convaincu que Zophiel avait eu raison et qu'il y aurait des navires dans les ports, que nous pourrions nous mettre à l'abri en Irlande. Nous pourrions vendre Xanthos, disait-il, pour payer le voyage, et si ça ne suffisait pas, nous pourrions travailler. J'essayais de lui expliquer qu'il était peu probable que l'Irlande ait échappé à la pestilence, mais il refusait de m'écouter, car le loup était de nouveau à nos trousses et, comme Zophiel, Osmond en était venu à le craindre encore plus que la contagion. Il s'accrochait à la certitude que seule la mer pouvait nous protéger de lui.

Tout en moi me disait que je ferais mieux de me séparer de la compagnie et de voyager sans eux. Mais je ne pouvais me résoudre à abandonner Rodrigo, pas dans l'état où il était, et, en vérité, j'avais peur de la solitude. Mais j'avais au moins fini par persuader

Osmond d'aller vers le nord et de gagner la côte plus haut. Et, bêtement, je me consolais ainsi.

Mais nous n'atteignîmes jamais la côte. Entre la terre et la mer, entre les vastes cieux gris, s'étiraient les vastes plaines marécageuses qui gardaient l'estuaire du Norfolk. Des étangs et des voies d'eau sinuaient entre la vase et les roseaux, scintillant dans le ciel hivernal. Impossible de traverser les marais à moins d'avoir un bateau, et même alors il aurait fallu être né dans cette région pour s'y frayer un chemin, car c'était un dédale de bras d'eau dont la plupart ne menaient nulle part hormis à une mort certaine dans la vase fangeuse. Ici et là, nous voyions au loin de petites îles qui dominaient de quelques mètres les marais alentour, certaines suffisamment grandes pour abriter un petit village de chaumières et d'étables, d'autres simplement quelques moutons. L'odeur âcre des joncs, de la vase et de la végétation riche imprégnait l'air, tel un parfum piquant et purifiant après la puanteur des corps en décomposition.

Nous contournâmes les marais en restant sur les hauteurs, et lorsque nous sortîmes de la forêt, nous aperçûmes une bande de terre qui s'enfonçait dans le marais. Elle formait presque une île et n'était reliée à la terre ferme que par une étroite langue de terre. Des arbres chétifs en recouvraient la plus grande partie et, à son extrémité la plus lointaine, se trouvait une cabane d'ermite en pierre en forme de ruche. À la pointe de la presqu'île, entre la cabane et les marais, une croix de bois grossièrement taillée se dressait comme pour éloigner les créatures qui grouillaient dans la vase avide et frémissante. Nous décidâmes de camper une nuit ou deux sur la presqu'île, puis nous continuerions de contourner les marais, car ils devaient bien s'arrêter quelque part, et alors nous atteindrions la mer.

La bande de terre était défendable, et c'était la raison pour laquelle nous l'avions choisie. Il nous fallait une forteresse où nous pourrions nous protéger du loup. Depuis l'enterrement de Cygnus, nous l'avions entendu chaque nuit. Adela était de plus en plus terrifiée et, nuit après nuit, elle serrait Carwyn contre elle tandis que les hurlements se répercutaient dans les ténèbres. Et elle n'était pas la seule ; nous étions tous si épuisés et nerveux que les tâches les plus élémentaires nous semblaient insurmontables et que nous n'arrivions plus à mettre un pied devant l'autre sans trébucher.

Malgré ce que je lui avais dit dans le cimetière, Osmond était toujours persuadé que c'était le loup de l'évêque qui nous traquait pour récupérer la relique de saint Benoît. Il avait désespérément besoin d'y croire. Car tout homme, aussi puissant soit-il, est mortel. Il a des faiblesses. On peut le combattre. Et puis, comme ne cessait de le demander Osmond, si ce n'était ni un homme ni un animal, alors, pour l'amour de Dieu, qu'était-ce ?

Mais même Osmond convenait qu'il était inutile d'abandonner la relique. Car si nous le faisions et que le loup de l'évêque ne la trouvait pas, il continuerait de nous suivre, et notre situation serait encore pire si nous n'avions rien pour apaiser son courroux. La meilleure solution, selon lui, était de porter le reliquaire à une église dans un village épargné par la pestilence et de le donner publiquement au prêtre afin que cela n'échappe pas à l'attention du loup. Libre à lui d'aller le voler dans l'église s'il le souhaitait. Mais nous n'avions trouvé aucun village épargné par la contagion, et l'homme sur la lande avait dit vrai, il ne restait plus un prêtre dans la région.

De toute manière, je n'avais aucune intention d'abandonner la relique. Elle était devenue mon talisman, notre protection contre cette chose qui nous suivait. Peut-être rirez-vous en voyant qu'après toutes ces années je plaçais dorénavant ma foi dans un fragment d'os. Il est aisé de se moquer quand le soleil brille. Mais quand il commence à décliner et que les ombres rampent vers vous depuis les arbres, quand vous frissonnez dans l'obscurité en attendant que quelque chose se passe, alors croyez-moi, vous vous raccrochez à n'importe quoi pour vous protéger de ce que vous craignez le plus.

Cette première nuit sur la bande de terre, tandis que la lune se levait, une brume basse tapissa les marais, formant des rubans blancs au-dessus des étangs et des voies d'eau, et nous eûmes bientôt l'impression d'être sur une île, flottant sur une mer de nuages sous le ciel obscur. Les sons étaient décuplés dans la nuit immobile – les bruits de succion et les gargouillements de l'eau, le coassement des grenouilles, le cri des oiseaux nocturnes, les hurlements perçants des proies luttant pour leur vie. Osmond alluma des feux et disposa des torches en travers de la partie la plus étroite de la presqu'île. Il savait que ça n'empêcherait pas le loup de venir, mais il se disait qu'il ne pourrait pas les franchir sans être vu à la lueur des flammes.

Rodrigo était de garde lorsque les hurlements commencèrent. Osmond, Adela, Narigorm et moi, épuisés, dormions déjà, mais le hurlement nous réveilla, ainsi que le cri effrayé de Rodrigo. Osmond se leva plus vite que moi, mais je lui recommandai de rester avec Adela et me précipitai vers Rodrigo. Ce dernier, à genoux, regardait fixement quelque chose dans la forêt sur la terre ferme. Je lui posai la main sur l'épaule et il sursauta violemment.

« Le loup, l'avez-vous vu ? »

Il pointa le doigt. Je scrutai la masse d'arbres. Une lueur vacillante apparaissait et disparaissait parmi les troncs. Son éclat d'un blanc spectral chatoyait dans l'obscurité, et elle était trop blanche pour qu'il pût s'agir d'une torche ou d'une lanterne.

« La lumière des morts », murmura-t-il.

Il se leva et commença à marcher comme s'il s'apprêtait à la suivre, mais je lui saisis le bras.

« Ne soyez pas idiot, Rodrigo. De quoi qu'il s'agisse, vous ne pouvez rien faire dans l'obscurité. »

Il me regarda tel un homme ivre qui ne sait plus où il est.

« Il veut que je le suive. Il m'appelle.

— C'est juste une lumière vacillante, rien de plus. Depuis combien de temps est-elle là ? »

Il passa distraitement la main dans ses cheveux, mais n'eut pas le temps de répondre car un autre hurlement retentit au-dessus du marais. Il semblait provenir des arbres, mais je n'aurais pu le jurer. Le hurlement tourbillonnait autour de nous comme la brume. Je sentais que Rodrigo tremblait.

Osmond s'approcha au pas de course, serrant fermement son bâton à deux mains.

« Vous voyez quelque chose ?

— Juste cette lueur. »

Je pointai le doigt, mais lorsque je regardai, elle avait disparu.

Osmond, exaspéré, enfonça son bâton dans le sol.

« Pour l'amour de Dieu, je n'en peux plus. Il veut le reliquaire. Nous devons trouver un moyen de le lui donner. Quel besoin aviez-vous d'ouvrir cette cage infernale, Camelot ? Vous ne pouviez pas la laisser tranquille ? »

Rodrigo n'étant pas en état de poursuivre sa garde, je le renvoyai avec Osmond et pris sa place. De toute manière, je n'avais plus la moindre envie de dormir.

Le marais est un endroit semblable à nul autre. Il vous appelle nuit et jour. De jour, sa voix est le cri des oiseaux, strident et sanglotant, charrié par le vent ; la nuit, le murmure des roseaux provoque de gigantesques sifflements ondulants, comme si d'énormes serpents rampaient vers vous à travers la vase. Quand la lune perce à travers les nuages, vous les voyez se soulever et se tordre, et la lumière des étoiles se reflète sur leurs écailles. Des lueurs pâles glissent à travers les marais dans les ténèbres, comme si des personnes invisibles les traversaient alors que vous savez pertinemment qu'aucun homme ne peut y marcher – des feux follets menant les hommes à leur mort. Le marais est toujours affamé, et il a mille manières de vous attirer dans sa gueule. Dans cet endroit vos pensées ne vont pas à Dieu, elles vont aux créatures monstrueuses qui habitent ce monde crépusculaire qui n'est ni solide ni liquide, ni terre ni mer.

La brume froide et humide m'entoura lentement, jusqu'à ce que je ne puisse plus ni voir ni entendre la moindre créature vivante. Je ne percevais plus le murmure des roseaux. Un silence étouffant m'avait enveloppé, lourd et palpable, comme le silence qui avait suivi les hurlements du loup la nuit où nous avions campé dans la ravine. Des formes apparaissaient dans la brume, mais elles se dissolvaient avant que je puisse les toucher. Jamais je n'avais éprouvé plus grande solitude. J'étais au pays des morts, dans les limbes où errent les âmes sans nom ni forme, incapables de parler ou de toucher. Et dans ce silence aveuglant, je sus que ce n'était pas la mort en elle-même qui m'effrayait, mais ce qu'il y avait après ; pas le paradis, ni l'enfer, mais la conscience sans forme, sans refuge. Je ne serais nulle part. Je ne serais rien.

Le jour où j'avais quitté ma maison, j'avais prié pour que mes enfants m'oublient. Je voulais leur épargner la douleur du souvenir. Mais cette nuit-là, tandis que je veillais dans la brume blanche, je compris que ce que je voulais plus que tout, c'était qu'ils se souviennent. Je voulais continuer à vivre dans la mémoire de quelqu'un. Si personne ne se souvient de nous, nous sommes plus que morts, car c'est comme si nous n'avions jamais existé.

J'avais un jour dit à Rodrigo que nous étions tous des exilés du passé. Je pensais n'avoir nul besoin d'un passé. Je pensais que si l'on se coupait de son passé, on se recréait. Mais se couper du passé, c'est se couper du seul fil qui nous rattache à ce monde et à notre existence. Quand on se coupe du passé, on se coupe de soi-même. Et maintenant qu'étais-je ?

L'aube arriva enfin et, tandis que le soleil consumait la brume, les sons du matin ressurgirent – les vagissements de Carwyn, le juron d'Osmond lorsqu'il se cogna le pied, et Adela qui ravivait le feu et appelait Narigorm et Rodrigo pour qu'ils viennent manger. C'étaient juste les sons ordinaires de personnes qui commençaient une nouvelle journée, rauques, discordants, mais c'étaient les plus beaux sons du monde, les sons de la vie.

Plus tard dans la matinée, tandis que je m'occupais du feu où nous cuisinions près de la croix de bois, j'entendis un bruit de rames et vis un coracle s'approcher de la bande de terre. Osmond avait emmené Rodrigo chasser. Narigorm était partie chercher de l'eau à un ruisseau qui coulait dans la forêt sur les hauteurs, et Adela allaitait le bébé dans la cabane de l'ermite. J'étais donc sans compagnie lorsque je saluai l'homme qui m'observait depuis une certaine distance.

« Des malades ? » lança-t-il.

C'était devenu le salut habituel.

Lorsque je le rassurai, il s'approcha, puis il leva trois grosses anguilles qui se tortillaient.

« Vous les voulez ? »

J'acquiesçai de bonne grâce. Nous marchandâmes un moment, jusqu'à ce qu'il accepte finalement une ceinture et une épingle de houppelande qui avaient appartenu à Cygnus. Il plaça les anguilles dans un sac en toile qu'il me tendit au bout de sa rame, et je lui fis passer la ceinture et l'épingle de la même manière.

« Deux hommes qui tendent des filets. Un blond et un brun. Ils sont avec vous ? »

Je fis signe que oui.

« Ils feraient bien de rester sur les hauteurs. Ces marais sont sacrément traîtres. Ils ne seraient pas les premiers à poser le pied sur quelque chose qui a l'air solide et à se retrouver enfoncés jusqu'à la taille avant d'avoir eu le temps d'appeler au secours. Et une fois qu'on est embourbé, impossible de se dégager. » Il cracha une grosse glaire jaune dans l'eau.

« Vous autres étrangers, vous voyez les gens des marais et vous croyez qu'il n'y a pas de danger, mais les gens des marais savent où marcher, et même eux se font prendre quand la brume arrive.

— Vous venez des marais ? »

Je regardai en direction des villages sur les îles derrière lui.

Il cracha de nouveau pour me signifier que non.

« Des hauteurs. Un village derrière les arbres. »

Il leva le menton en direction du nord.

« Votre village a-t-il été épargné par la pestilence ? »

Il secoua la tête.

« Elle est arrivée une ou deux semaines avant la Toussaint. Nous avons perdu près de la moitié du village, mais plus personne n'est tombé malade depuis la Saint-Thomas. Je suppose qu'elle est partie se trouver d'autres pauvres bougres ailleurs. Vous avez vu… »

Il se figea soudain, regardant fixement par-dessus mon épaule avec une expression paniquée. Je me retournai vivement, effrayé à l'idée de ce que j'allais trouver derrière moi, mais je ne vis que Narigorm qui approchait avec des seaux d'eau.

L'homme farfouilla sous sa chemise et en tira une brindille de noisetier qu'il tendit devant lui comme pour éloigner la fillette.

« C'est juste Narigorm, une enfant qui voyage avec nous », dis-je pour le rassurer.

Il sembla soulagé et abaissa sa brindille d'un air penaud, sans toutefois la quitter des yeux.

« Je l'avais prise pour une nixe[1] ou un fantôme, elle est si pâle. Ce n'est pas naturel. »

Il continua de fixer Narigorm qui, se sentant observée, lui retourna son regard sans ciller. Il détourna rapidement les yeux, attrapa sa rame et fit adroitement pivoter son coracle vers le canal.

1. Génie ou nymphe des eaux, dans les légendes germaniques. *(N.d.T.)*

« Assurez-vous qu'elle ne se peigne pas tant qu'elle sera dans les parages, lança-t-il sans se retourner. Si elle peigne ses cheveux blancs sur les vagues, elle déclenchera une tempête. Nous avons eu assez de morts comme ça. »

En le regardant s'éloigner j'espérais pour Narigorm qu'il n'y aurait pas de tempête, car s'il y en avait une, j'avais le sentiment qu'il reviendrait, et que cette fois il ne serait pas seul.

Heureusement pour nous tous, les jours suivants furent calmes, bien que froids. Nous étions heureux de pouvoir mettre Adela et le bébé à l'abri dans la cabane, dont le sol avait été creusé, de sorte que la pièce était suffisamment haute pour qu'un homme puisse y tenir debout. Elle n'était en revanche pas assez large pour que l'on puisse s'y étendre de tout son long. Aussi, tandis qu'Adela et Carwyn dormaient dans la cabane, nous autres nous couchions dehors autour du feu. Au moins dans les marais il y avait du combustible et de la nourriture si vous parveniez à vous en procurer. Si vous étiez prêt à risquer votre vie, il y avait des oiseaux à capturer, des poissons à pêcher et des anguilles à harponner. Et nous attrapâmes nous-mêmes quelques oiseaux depuis les hauteurs. Osmond était si épuisé par les nuits sans sommeil qu'il n'arrivait plus à tirer les oiseaux avec sa fronde. Il aurait été plus facile de chasser au filet sur l'eau, mais comme l'avait dit l'homme aux anguilles, s'aventurer dans les marais était trop dangereux. Nous échangions donc ce que nous pouvions contre du poisson et de la volaille auprès des hommes qui passaient à proximité dans leurs coracles. Ils venaient autant par curiosité que pour commercer, mais ils nous permettaient de nous nourrir, même si nous regardions avec envie les îles au loin où paissaient les moutons. On dit du pré-salé qu'il est le meilleur, mais aucun fermier ne tuera ses moutons avant l'agnelage, et si quelqu'un, comme nous, était tenté d'en voler un, ceux-ci étaient hors de notre portée, à l'abri sur les îles.

Nous aurions dû repartir au bout d'un jour ou deux. Nous savions que nous ne pouvions nous attarder car nous manquions d'articles à échanger, et il nous fallait trouver un endroit où nous pourrions nous nourrir nous-mêmes. Mais la vérité était que nous avions peur de quitter la sécurité que représentait la presqu'île. Osmond était convaincu que si le loup venait, il arriverait par les hauteurs, pas par le marais, et au moins nous pouvions surveiller l'entrée de la bande de terre. J'avais pour ma part beau avoir la certitude que le loup n'était pas humain, je n'avais, comme les autres, aucune envie de dormir dans la forêt sans aucune protection. Au moins, sur la presqu'île, nous verrions arriver la créature, quelle qu'elle soit. Le marais constituait peut-être un danger mortel, mais nous étions comme les moutons sur leurs îles : c'était ce danger qui nous protégeait.

Le marais ne nous épargnait cependant pas les hurlements. Chaque soir nous allumions les feux et les torches qui bloquaient l'entrée, et nous attendions avec une tension croissante jusqu'à entendre le loup, et alors nous cherchions frénétiquement à apercevoir la moindre lueur, le moindre mouvement dans l'obscurité. Nous avions beau prendre des tours de garde, ceux qui ne faisaient pas le guet étaient constamment sur le qui-vive et ne dormaient que d'un œil. De nous tous, c'était Rodrigo qui était le plus affecté. Il dormait à peine, et nous ne pouvions le laisser surveiller les alentours car il était si crispé que nous craignions qu'il ne se précipite dans le marais s'il venait à croire que c'était de là que provenaient les hurlements. À notre insu, la presqu'île était devenue notre prison. Nous prétendions empêcher le loup d'entrer, mais en vérité, c'était lui qui nous empêchait de sortir.

Finalement, une fin d'après-midi, alors que nous étions assis autour du feu, les choses se gâtèrent. Carwyn était agité et Adela, épuisée par le manque de sommeil et la tension, fondit en larmes et se mit à hurler qu'elle ne supporterait pas une nuit de plus les hurlements.

« Je préférerais emmener Carwyn et m'enfoncer avec lui dans le marais, au moins tout serait fini », dit-elle en sanglotant.

Osmond s'en prit à moi.

« Tout est votre faute, Camelot. Si vous aviez laissé cette maudite sirène avec les autres boîtes dans le chariot, le loup de l'évêque aurait cessé de nous suivre depuis des semaines. Nous devons abandonner le reliquaire ce soir. Il sait que nous sommes ici. Il sait que nous l'avons. Il nous traquera jusqu'à avoir mis la main dessus.

— Mais nous ne sommes pas sûrs qu'il faisait partie des objets volés par Zophiel. Et je vous l'ai dit, je ne crois pas que le loup de l'évêque nous suive, ni qu'il nous ait jamais suivis.

— Êtes-vous sourd en plus d'être aveugle ? N'avez-vous pas entendu les hurlements ? Pour l'amour de Dieu, Camelot, entendez raison, vous savez que quelque chose nous suit. Qu'est-ce que ça pourrait être d'autre ?

— Je vous en prie, Camelot, implora Adela, nous devons le lui donner.

— Nous étions convenus de trouver une église…

— Non, Camelot, coupa Osmond en serrant les poings, nous allons le faire maintenant. Vous avez entendu Adela, elle ne pourra pas supporter cela une nuit de plus. Aucun de nous ne le pourra. »

Il prit une profonde inspiration, tenta de retrouver son calme. « Nous abandonnerons le reliquaire à l'endroit où la presqu'île rejoint la terre ferme, nous laisserons un signe visible dans l'obscurité, un tissu blanc ou des pierres, afin que le loup de l'évêque le trouve. »

Adela me regardait d'un air suppliant.

« Je vous en prie, Camelot. Si le loup en a assez d'attendre et décide de pénétrer une nuit dans notre campement, il pourrait nous égorger, ou bien enlever Carwyn pour se venger. Il est entré dans la chapelle sans que nous l'entendions, souvenez-vous.

— Seul Zophiel croyait que c'était lui », répliquai-je sans réfléchir.

Rodrigo tressaillit, et je regrettai de ne pas avoir tourné sept fois ma langue dans ma bouche, car si ce n'était pas le loup de l'évêque qui avait volé le calice, alors c'était probablement Jofre.

Mais je n'avais pas le choix. Osmond était lui-même sur le point de craquer. Je savais qu'il prendrait la relique de force si je n'acceptais pas, et je ne faisais pas le poids contre lui. Au moins, si la relique était toujours là le lendemain matin, ça les persuaderait peut-être que ce qui nous traquait n'était pas humain. je levai les mains en signe de capitulation.

« Vous avez raison, bien sûr. Je vais le faire maintenant. »

Je me levai péniblement.

« Le loup ne veut pas la relique », déclara Narigorm.

Je me retournai. Elle était accroupie par terre et étudiai les runes étalées devant elle. Il y eut un moment de silence tandis que nous digérions ce qu'elle venait de dire.

« Alors… alors pourquoi continue-t-il de nous suivre ? demanda Osmond.

— Le loup veut la mort », répondit Narigorm sans la moindre émotion.

Adela enfonça la tête entre ses mains et se mit à gémir.

« Assez, Narigorm ! » m'écriai-je sèchement. J'avais l'impression que mes entrailles s'étaient liquéfiées, mais je tentai de n'en rien laisser paraître. « Si c'est ma mort qu'il veut, inutile qu'il se donne tant de peine. Vu mon grand âge, il n'aura qu'à attendre un peu et son vœu sera exaucé sans qu'il ait à lever le petit doigt. »

Narigorm leva une rune dont le symbole était un V penché sur le côté.

« Kaunaz, certains disent que ça signifie une torche enflammée, d'autres que ça signifie un abcès, un endroit de mort. »

Adela sembla horrifiée.

« Un abcès ! Tu veux dire la pestilence ? »

Narigorm secoua la tête.

« S'il est seul, il annonce un cadeau, une nouvelle vie. Mais il n'est pas seul. » Elle leva une rune sur laquelle était gravée une simple ligne droite. « Isa signifie la glace. On ne voit pas la glace se former sur l'eau jusqu'à ce qu'il soit trop tard, mais elle est assez puissante pour détruire tout ce qui se trouve sur son chemin. Isa signifie neuf, et le neuf appartient à Hati, le loup qui avale la lune. Mais vous voyez ? » Elle leva les deux runes ensemble. « Regardez la forme de l'espace qui les sépare. »

Nous regardâmes l'endroit où son doigt traçait le contour de la forme en question, une ligne avec un triangle au milieu.

« Thurisaz, l'épine, la rune troll, la rune de la malédiction. Elle modifie la signification des deux autres. Maintenant Kaunaz est la saleté et Isa est la trahison. Ce qui signifie que le cadeau ne sera pas offert, mais pris. Une vie ne sera pas donnée, elle sera prise pour punir celui qui a trahi ceux qu'il aimait. »

Je me souvins soudain de l'endroit où je l'avais déjà entendue parler de runes troll ; c'était le jour où nous étions coincés dans la ville tandis que Cygnus était recherché. Narigorm avait regardé Rodrigo, Osmond et Jofre s'éloigner ensemble, puis elle avait chanté une bribe de chanson. « Je coupe les runes troll… » quelque chose, puis… « Frénésie, saleté et luxure. » Et après elle avait ajouté : « Mais je ne savais pas pour qui elles étaient, pas hier soir. »

Nous n'y avions alors pas prêté attention, mais c'est ce jour-là que nous avons été neuf pour la première fois. Voulait-elle dire que les runes troll étaient pour l'un des trois hommes – Jofre, Osmond ou Rodrigo ? Mais Jofre était mort, et elle parlait de nouveau de runes troll ; ce qui laissait Osmond et Rodrigo. Je regardai en direction de ce dernier. Il avait le visage pâle et tourmenté et regardait Narigorm avec de grands yeux effrayés.

Je me tournai, furieux, vers Narigorm.

« Arrête, arrête tout de suite ! Tu es allée assez loin comme ça !

— Laissez-la ! cria Rodrigo, avant d'ajouter, plus doucement : Laissez-la finir. Je veux savoir ce qu'elle lit d'autre. »

Le soleil était bas dans le ciel. Narigorm leva la main, paume tendue afin de bloquer ses rayons, puis elle serra le poing, abaissant lentement la main comme si elle tirait les rayons de soleil jusqu'à ses runes. Elle souleva la troisième et dernière rune qui était posée devant elle. Celle-ci avait une forme de flèche.

« Teiwaz, la rune de Tyr, qui a mis la main dans la gueule du loup Fenrir et a fait une fausse promesse. Il a eu la main dévorée. Il s'est livré au loup pour sauver ses amis. Cela scelle le reste, car cette rune troll ne peut être vaincue. La personne concernée par cette prophétie ne peut pas gagner contre le loup. Il la détruira. »

Adela serrait si fort la main d'Osmond que je voyais ses ongles s'enfoncer dans sa chair.

« Mais Narigorm, je ne comprends pas, qui est concerné ? Si Camelot rend le reliquaire, le loup ne le tuera probablement pas. Ce n'est pas lui qui l'a volé. Il n'a pas trahi d'êtres chers.

— Mais moi, si », murmura Rodrigo.

Sur ce, il se leva et s'éloigna rapidement en direction des hauteurs.

Osmond se libéra de l'emprise d'Adela et se précipita à sa suite. Il tenta de l'agripper, mais Rodrigo le repoussa violemment. Osmond n'était pas assez idiot pour le toucher de nouveau. Il se tourna vers nous et haussa les épaules d'un air impuissant. Il n'y avait rien à faire hormis regarder Rodrigo s'en aller et disparaître parmi les arbres.

Osmond et moi déposâmes le reliquaire derrière les torches. Nous marquâmes l'endroit en attachant une bande de lin autour d'un tronc d'arbre et en disposant en cercle autour du reliquaire des pierres blanches qui brilleraient au clair de lune, pour autant qu'il y ait une lune. Osmond hésita à placer une torche à proximité, mais il décida de ne pas le faire, songeant que le loup prendrait peut-être ça pour un piège. Le soleil se couchait déjà et l'air devenait mordant et humide. Rodrigo n'était toujours pas revenu.

Osmond lança un regard inquiet en direction des arbres sombres.

« Vous ne pensez pas qu'il a l'intention de passer la nuit sur les hauteurs et d'essayer d'attraper le loup après ce qu'a dit Narigorm, si ?

— Je crains que si. Allumez les feux et prenez le premier tour de garde. Je vais aller le chercher.

— Mais si vous êtes seul en pleine nuit et que le loup vient ? Vous ne pourrez pas lutter… Je ferais bien de vous accompagner.

— Et laisser Adela et Carwyn sans protection ? Restez ici. Si le loup veut du sang, autant qu'il prenne celui d'un vieillard comme moi. »

Je repensai à Jofre et eus soudain la nausée.

Assis sur un affleurement de rocher, Rodrigo regardait le marais tandis que le ciel s'assombrissait et que le soleil rouge sang commençait à disparaître derrière les hauteurs. Il ne bougea pas lorsque je m'assis à côté de lui. Nous pouvions voir en contrebas les points jaunes se multiplier à mesure que les villageois allumaient leurs lanternes et leurs chandelles pour éloigner l'obscurité. Il y avait aussi une lanterne allumée dans un petit coracle ; un homme qui pêchait l'anguille dans l'obscurité de plus en plus épaisse. Au-dessus de nous, les oiseaux emplissaient le ciel rose de leurs cris comme ils volaient vers le marais ou regagnaient leurs nids. Des milliers d'étourneaux s'élevèrent à l'unisson dans le ciel, tournoyant en spirale jusqu'à ressembler à d'énormes piliers de fumée, le bruit de leurs ailes semblable à celui des vagues déferlant sur une plage de galets. Rodrigo regardait autour de lui comme s'il voyait ce paysage pour la première fois, ou la dernière. Enfin il parla, d'une voix qui était à peine plus qu'un murmure.

« Retournez au campement, Camelot. Les runes sont pour moi, pas pour vous. C'est moi que le loup va venir chercher. Je serai le prochain à mourir, et c'est ce que je mérite. Je ne me défilerai pas.

— N'écoutez pas Narigorm, Rodrigo. C'est une enfant. Elle aime effrayer les gens. Elle est pire depuis que Carwyn est arrivé et qu'Adela ne s'occupe plus d'elle. Vous n'allez pas mourir, et vous ne le méritez certainement pas. Vous êtes l'homme le plus doux et le plus gentil que j'aie jamais connu. »

Tandis que j'essayais de rassurer Rodrigo, une voix me disait : « Narigorm ne s'est jamais trompée. » Mais dans ce cas, la prophétie me concernait moi, pas Rodrigo. Elle ne pouvait concerner Rodrigo.

Il se retourna et me regarda avec des yeux froids.

« N'avez-vous pas compris, Camelot ? J'ai assassiné un homme, je lui ai coupé les bras et les ai détruits afin qu'il soit pour l'éternité l'un de ces éclopés qu'il méprisait. Mais je n'en ai pas honte, même maintenant. Ce n'est pas la pire chose que j'aie faite. J'ai laissé deux jeunes hommes innocents mourir, et l'un d'eux était la personne que j'aimais le plus au monde. J'aurais dû les protéger et j'ai échoué. Ils sont morts par ma faute. Narigorm a dit la vérité ; je les ai trahis.

— Rodrigo, écoutez-moi. Vous ne devez pas vous sentir responsable de leur mort. Jofre a été tué par les hommes de main du père de Ralph. Vous n'y étiez pour rien.

— Il ne serait jamais retourné en ville si je l'avais défendu. Quand Zophiel a menacé de le fustiger, il m'a imploré de l'aider, mais j'ai détourné le regard. Il savait que je ne le croyais pas.

— Il ne vous en aurait pas voulu pour ça. »

J'hésitai. Je ne lui avais jamais posé la question, mais il semblait désormais important de le faire parler, même si ça le mettait en colère.

« Rodrigo, quand nous nous sommes rencontrés, vous m'avez dit que votre maître était devenu trop vieux pour s'occuper de sa propriété et que son fils en avait pris la charge, amenant avec lui ses propres musiciens. Est-ce vraiment la raison pour laquelle vous avez quitté cet emploi ? »

Il fit la grimace.

« Vous étiez un inconnu et…

— Et l'honnêteté n'aide pas à faire la conversation », complétai-je.

Il acquiesça.

« Qui veut vraiment entendre la vérité à part les prêtres à la confession ? Et ils sont payés pour porter ce fardeau.

— Je ne me suis jamais engagé dans les ordres, mais comme l'a dit l'homme sur la lande, nous sommes tous des prêtres maintenant. »

Rodrigo resta silencieux. Il desserra lentement le poing et regarda l'objet qui se trouvait sur sa paume. C'était la petite larme de verre que Michelotto avait donnée à Jofre. Il la fit rouler dans sa main, regardant les couleurs passer du bleu au pourpre. Puis il la leva de sorte que les paillettes dorées scintillèrent dans les rayons du soleil déclinant.

« Jofre était le fils d'un de mes cousins, mais je ne l'ai rencontré que lorsque son père l'a envoyé en

Angleterre pour être mon élève quand il n'était qu'un jeune garçon. Son père soupçonnait déjà que Jofre deviendrait l'un de ces hommes qui aiment les hommes, ce qui le répugnait et lui faisait honte, et Jofre le savait. C'est pourquoi il me l'a envoyé. Son père lui-même n'avait aucun goût pour la musique, mais j'étais en Angleterre, et c'était assez loin pour qu'il n'ait plus jamais à poser les yeux sur son fils. Jofre était désespéré d'abandonner sa mère. Il se méprisait parce que son père le méprisait. Peut-être croyait-il aussi que sa mère avait honte de lui, mais je la connaissais et je crois qu'elle n'avait dans son cœur que de l'amour pour son fils.

« Jofre a vite montré un talent rare pour la musique. Il apprenait facilement, peut-être trop facilement. Les distractions étaient nombreuses à la cour de mon seigneur, mais sachant combien Jofre regrettait le pays, je ne pouvais me résoudre à être strict avec lui comme devrait l'être un maître. Puis l'héritier de mon seigneur, son petit-fils, est arrivé pour apprendre à administrer le domaine. Il avait un an ou deux de plus que Jofre, mais ils ont semblé immédiatement attirés l'un par l'autre. Au début le vieux seigneur n'y a rien vu de mal. Son petit-fils était calme et studieux, plus fait pour l'Église que pour la cour. Il ne s'était jamais beaucoup mêlé aux autres garçons de son âge, et le vieil homme semblait ravi de leur amitié, il l'encourageait même, et les deux amis partaient à cheval chasser ensemble. Il pensait que ça ferait du bien à son petit-fils. Mais des rumeurs ont alors commencé à circuler, qui affirmaient que ce qui unissait les deux garçons était plus que de l'amitié. Et comme vous avez pu l'observer, ce genre de rumeurs dérange beaucoup les hommes lorsqu'elles concernent leurs héritiers.

— Quand on a plusieurs fils, dis-je avec un sourire ironique, les prédilections des plus jeunes n'ont guère d'importance ; on peut toujours en faire des prêtres ou des soldats. Dans ces deux professions, c'est un avantage de ne pas rechercher la compagnie des femmes. Mais les aînés, les héritiers, doivent se marier. »

Rodrigo acquiesça.

« Quoi qu'il en soit, je ne crois pas que le vieil homme se serait inquiété s'il ne s'était agi que de cela. Dans sa jeunesse, il avait probablement eu de beaux jeunes hommes pour amants avant de grimper dans le lit conjugal. La vertu des jeunes femmes de bonne famille étant aussi protégée que des joyaux, où un jeune seigneur peut-il se procurer du plaisir si ce n'est avec de beaux jeunes hommes, ou avec des filles vérolées dans les cuisines du manoir ou les bordels de la ville ? Mais la discrétion est essentielle, et c'est ce qui manquait à Jofre et au jeune homme. Quand le seigneur a recommandé à son petit-fils de passer moins de temps avec Jofre, ce dernier a noyé son ressentiment dans le jeu et l'alcool, comme toujours, et le petit-fils studieux a suivi son exemple. »

Je voyais où il voulait en venir. Une seule chose inquiète un homme riche plus que la crainte que son héritier n'ait pas de fils, et cette chose, c'est la peur que l'héritier ne dilapide son argent et ses terres.

« Mon seigneur m'a convoqué et informé que je devais renvoyer mon élève. Mais j'en étais venu à aimer Jofre. Pas de la manière dont Jofre aimait les hommes, naturellement. Mon amour pour lui était plus profond que ça. C'était l'amour pur d'un homme mûr envers un autre plus jeune. Il était magnifique. Il avait tant d'énergie en lui, tant de vitalité, de talent, de jeunesse. Il avait la vie devant lui. Je vieillissais, mon corps s'usait. Je savais que mon talent, qui n'avait jamais été aussi grand que le sien, s'en irait à mesure que mes doigts se raidiraient et que ma voix se briserait. Je pouvais l'aider à devenir un grand musicien. Je voulais le protéger, le soulager de sa douleur et de son mépris de soi et lui montrer combien il était magnifique. »

Il me regarda avec un visage implorant.

« Camelot, comprenez que je ne pouvais pas plus le renvoyer que me couper la main. J'ai supplié mon seigneur de lui accorder une seconde chance. J'ai promis que je le contrôlerais, que je le tiendrais à bonne distance de son petit-fils, mais le vieil homme savait aussi bien que moi que c'était comme essayer d'empêcher une vague de s'abattre sur le rivage. Les deux garçons devaient être séparés, et puisque le petit-fils devait rester au domaine, c'était à Jofre de partir. Il m'a donc laissé le choix : soit je renvoyais Jofre, soit il me renvoyait.

— Vous êtes donc parti avec Jofre.

— Il y avait au service de mon seigneur trop d'hommes oisifs qui n'avaient rien d'autre à faire que perdre leur temps à jouer et à boire. Si j'éloignais Jofre d'eux, il arrêterait de le faire. Mais comme vous le savez, ça n'a pas fonctionné. Il était malheureux, et c'était le remède à son malheur. Je ne savais comment l'en empêcher. J'ai tout essayé. Je… je l'ai même battu, la nuit où nous avons logé chez la veuve, comme vous l'avez deviné. »

J'acquiesçai amèrement ; même alors je ne pouvais lui dire que j'avais tout vu. Je savais que ça ne ferait qu'ajouter à sa douleur.

« Vous n'aviez pas le choix, et ça a semblé le ramener quelque temps à la raison.

— Jusqu'à ce que Zophiel commence à le harceler.

— Est-ce vraiment la raison pour laquelle vous l'avez tué ? »

Il regarda longuement le marais qui s'assombrissait. Je crus qu'il n'allait pas répondre, mais il déclara finalement :

« J'ai dit la vérité lorsque j'ai affirmé que je voulais le faire arrêter avant qu'il ne fasse à Cygnus ce qu'il avait fait à Jofre, mais vous avez raison, Camelot, je ne l'aurais pas simplement tué pour ça. Je ne l'aurais même pas tué pour ce qu'il a fait à Jofre tant que je croyais qu'il n'était qu'un homme. Mais lorsque j'ai appris qu'il était prêtre… »

La voix de Rodrigo prit une tonalité dure, amère.

« Je l'ai tué parce qu'il était prêtre, parce que ce sont les prêtres et les pardonneurs et tous ceux de leur espèce qui détruisent les personnes jeunes et belles, innocentes et sans défense. Le Christ nous a montré la compassion. Il nous a montré la miséricorde de Dieu, mais ils se servent de Son nom pour tourmenter tous ceux qu'ils devraient protéger. Ils les font mépriser leur propre nature et leur propre corps.

« Il y a de nombreux hommes cruels dans ce monde, Camelot. Des hommes qui volent et tuent et s'en prennent aux faibles, mais au moins ils sont honnêtes. Ils ne prétendent pas que c'est la volonté de Dieu. Ils ne poussent pas les gens au désespoir soi-disant par amour pour eux. S'ils torturent quelqu'un, c'est uniquement dans ce monde ; ils ne condamnent pas les autres à être torturés en enfer pour l'éternité. Seuls les prêtres et les évêques font cela. »

Rodrigo avait une expression féroce.

« Les prêtres nous disent qu'un homme naît tel qu'il est parce que telle est la volonté de Dieu, puis ils le punissent parce qu'il est ainsi. Ils nous disent que nous sommes à l'image de Dieu, mais alors qu'est-ce que l'image de Dieu ? Vous croyez que Dieu est comme Jofre, avec une voix d'ange, un homme qui aime les hommes ? Ou comme Cygnus, qui a eu assez d'amour et de foi pour faire pousser une magnifique aile de cygne ? Ou alors est-ce Zophiel, le prêtre, qui est à l'image de Dieu ? Zophiel, ça signifie l'espion de Dieu, n'est-ce pas ? Je connais Zophiel. Les juifs m'ont parlé de lui. C'est l'ange qui a dit à Dieu qu'Adam et Ève avaient mangé le fruit défendu. C'est lui qui garde l'Arbre de vie armé d'une épée de feu pour éloigner tous ceux qui tentent d'entrer dans l'Éden. Mais si Zophiel est à l'image de Dieu, alors je ne veux pas aller au paradis ; je choisis l'enfer. »

J'avais déjà vu cette expression effroyable sur le visage de ceux qu'on traîne à la potence. Certains crient et implorent, d'autres blasphèment et jurent, d'autres y vont sereinement, convaincus que les portes ouvertes du paradis les attendent. Mais le pire, le plus glaçant, ce ne sont pas ceux qui se débattent ou qui se réjouissent, ce sont ceux qui acceptent leur sort et dont le regard fixe trahit leur impuissance et leur désespoir absolus. Les yeux qu'ils posent sur vous sont ceux d'un homme mort, mais pas un mort au paradis, un mort au purgatoire voire pire, bien pire.

Lorsque Rodrigo se leva et commença à s'éloigner, je compris qu'il ne reviendrait pas. Il savait qu'il allait mourir et je ne pouvais rien faire pour y changer quoi que ce soit. Mon art était la création de l'espoir. C'était le plus grand des arts, le plus noble des mensonges, et pourtant je ne pouvais m'en servir avec lui. Sa foi dans les runes de Narigorm et dans son propre destin était plus forte que n'importe quel espoir que je pourrais créer à son intention, car, comme ces hommes qui s'abandonnent au désespoir lorsqu'ils vont à la potence, il pensait mériter de mourir.

Je ne pouvais pas le laisser partir seul. Je n'avais aucune idée de ses intentions ni de ce qui l'attendait. Je ne savais que faire pour déjouer les événements, mais je devais être là. Si le loup l'attendait, alors je le verrais, et si je ne pouvais pas le tuer, au moins je saurais enfin qui il était.

Il faisait désormais nuit. Les nuages lourds voilaient la lune et les étoiles. Mais même sans lumière il était aisé de suivre Rodrigo. Il avançait d'un pas maladroit, percutant les buissons et trébuchant sur les racines des arbres, comme s'il était entraîné par une corde invisible. Au moins il prenait la direction opposée au marais, c'était déjà ça. Soudain je n'entendis plus rien. Je crus l'avoir perdu, mais en m'approchant de la lisière de la forêt, je vis sa silhouette sombre traverser une clairière en direction du plus grand des cratères.

La lune apparut derrière les nuages et je vis à sa lueur ce que je n'avais jamais vu durant la journée. Une brume d'un blanc nacré recouvrait le fond du cratère. Elle n'arrivait qu'à hauteur de genou, et lorsque Rodrigo s'engagea dedans, elle tournoya autour de ses jambes. Mais la silhouette de Rodrigo se dressait au-dessus comme s'il marchait dans une eau peu profonde et lumineuse. Je cherchai les autres cratères du regard. La même couche tourbillonnante les recouvrait, et pourtant il n'y avait pas de brume entre les arbres.

C'est alors que j'entendis, faible et lointain, le son que je craignais plus que tout : des hurlements de loup.

Les cheveux se dressèrent sur ma nuque et j'agrippai si fort mon bâton que ma main me fit mal. Les hurlements s'approchaient, mais trop vite, même pour un loup qui courait. Je regardais autour de moi, mais ils semblaient provenir de toutes les directions à la fois, comme ils l'avaient fait dans la ravine. Je scrutais désespérément les ténèbres à la recherche d'une paire d'yeux, de l'ombre d'un mouvement, mais il n'y avait rien. Rodrigo aussi se tournait frénétiquement d'un côté et de l'autre, tentant de voir par où le loup arriverait, mais il semblait rivé sur place au centre du cratère, telle une chèvre enchaînée qui servirait d'appât vivant. Il tendait les bras devant lui pour se protéger, comme s'il s'attendait à ce que le loup lui saute dessus.

Puis le son changea ; c'était maintenant un sifflement d'ailes, comme si mille cygnes fondaient sur nous. Mais il n'y avait rien dans le ciel clair. Rodrigo était tombé à genoux, il se couvrait la tête des bras et était tellement penché en avant que seuls ses poings serrés au-dessus de sa tête ressortaient de la brume. Le bruit était de plus en plus fort. Bientôt, je n'en pus plus et me mis à courir vers le cratère, tentant d'atteindre Rodrigo, mais alors même que je quittais l'abri des arbres, quelque chose attira mon regard quelques mètres plus loin. Je ne l'avais pas vue plus tôt car les troncs et les broussailles l'avaient dissimulée, mais Narigorm était accroupie parmi les arbres, ses cheveux blancs étincelant au clair de lune. L'une de ses mains flottait au-dessus des runes éparpillées devant elle, et l'autre était tendue, paume en avant, vers le cratère. Ses yeux étaient fermés et elle semblait plongée dans une intense concentration.

Je fis un pas dans sa direction. Les battements d'ailes semblaient provenir d'elle, mais c'était impossible. Le bruit changea de nouveau, les hurlements du loup reprirent, et cette fois je sus sans l'ombre d'un doute qu'ils provenaient d'elle. Elle était au centre de tout ça. Elle en était la créatrice. Mais ce n'était pas elle qui hurlait.

Ses lèvres bougeaient : « Morrigan, Morrigan, Morrigan. »

Plus elle marmonnait, plus le son qui semblait émaner de sa main tendue était puissant. Elle dut sentir que j'approchais car elle ouvrit les yeux à l'instant même où je levais mon bâton et dispersais les runes. Le hurlement cessa instantanément.

Narigorm bondit sur ses pieds et chercha à me griffer le visage de rage, mais j'écartai ses mains d'un coup de bâton. J'étais trop en colère pour contrôler le coup et elle poussa un cri de douleur et de surprise et recula en chancelant, enfonçant ses mains endolories sous ses aisselles. N'importe quel autre enfant aurait pleuré, mais c'était de la malveillance qu'il y avait dans ses yeux, pas des larmes.

« C'était toi ! lui criai-je. Pendant tout ce temps tu nous as fait croire que nous étions suivis par un loup, mais il n'y en a jamais eu, n'est-ce pas, ni humain ni animal ?

— Vous l'avez entendu.

— Mais c'est toi qui nous l'as fait entendre.

— Non, c'est Morrigan.

— Qui est Morrigan ?

— Celle qui change de forme, le loup, le cygne, celle qui apporte le chaos et la mort, qui détruit les menteurs. Vous avez seulement entendu le loup parce que vous aviez menti. Vous avez tous menti. »

Je me rappelai soudain le jour où je l'avais pour la première fois entendue prononcer ce nom. C'était à la Saint-Jean, lorsque nous nous étions rencontrés.

« Si vous mentez, vous perdez le don, m'avait-elle dit. Morrigan détruit les menteurs.

— Mais toi aussi tu as entendu le loup, Narigorm.

— Je l'ai créé. Je le contrôle.

— Et c'est toi qui as poussé la moitié de notre compagnie au suicide et au meurtre. Espèce de gamine diabolique. Comment as-tu pu faire ça quand nous n'avons fait que te nourrir et nous occuper de toi ? Tu nous accuses de trahison, mais c'est toi qui nous as trahis.

— Non, c'est vous. Vous avez menti. Je ne mens jamais. Je ne fais que lire ce qui est dans les runes. Je dis juste la vérité.

— La première fois que je t'ai vue, ton maître te battait pour avoir dit *ta* vérité, mais ce n'était rien à côté de ce que tu prendras quand les autres apprendront ce que tu as fait. Tu regretteras d'être née, ma petite. Ton petit jeu cruel est fini. Tu as essayé de tuer Rodrigo, mais tu as échoué.

— Vous vous trompez, Camelot. Je n'ai pas échoué. Pendant que vous me parliez, Rodrigo est mort. Morrigan l'a lui aussi détruit. »

Je me retournai vivement. Rodrigo avait disparu.

Narigorm souriait d'un air triomphal.

« La brume qui s'élève du sol dans les cratères est toxique. N'avez-vous pas vu tous les animaux morts ? N'avez-vous rien deviné ? Maintenant Rodrigo aussi est mort. Et vous l'aimiez, n'est-ce pas ? »

Je la regardai avec horreur, puis, sans prendre le temps de réfléchir, je me retournai et me précipitai dans le cratère. Je tentais désespérément de me rappeler où je l'avais vu pour la dernière fois, mais mes pieds faisaient tourbillonner la brume autour de mes jambes et je n'y voyais rien. Mon cœur cognait et j'avais la poitrine comme serrée dans un étau. Maintenant que j'étais dedans, le cratère semblait vaste. La lune se glissa de nouveau derrière les nuages et je me retrouvai soudain plongé dans l'obscurité. Seule la blancheur de la brume continuait de chatoyer. Je me baissai, tentant de chercher son corps à tâtons. Je n'y voyais plus clair. J'avais mal à la tête. Je ne savais plus ce que je faisais là. L'épuisement me gagnait. Toutes ces nuits à mal dormir me rattrapaient ; mes membres semblaient raides et engourdis, comme si j'avais marché pendant des heures. Tout ce que je voulais, c'était m'étendre dans la douce brume blanche et dormir, juste quelques minutes, m'abandonner et dormir. Quelques minutes ne feraient aucune différence, et après j'arriverais à réfléchir, je saurais quoi faire. Je me sentis tomber à genoux sans pouvoir m'en empêcher.

27

Le sortilège

J'entendis Narigorm rire, ce qui me fit l'effet d'une gifle cuisante. Je poussai de toutes mes forces sur mon bâton et me forçai à me redresser. J'inspirai une profonde bouffée d'air. J'avais toujours un mal de tête atroce, mais j'avais de nouveau les idées claires. La brume s'accrochait au sol, c'était pour ça que nous avions pu la traverser de jour sans dommages. Il fallait avoir la tête en dessous pour que le poison vous atteigne. Si vous restiez debout, vous pouviez survivre. Je me mis à avancer, sondant le sol avec mon bout de bois. Soudain, il heurta quelque chose. Je tâtai la forme avec mon bâton ; c'était un corps humain. Je retins mon souffle, m'agenouillai, plaçai un des bras de Rodrigo autour de mon cou et agrippai son poignet tandis que je me relevais péniblement, le hissant sur ses pieds.

Je ne savais s'il était mort ou vivant ; tout ce que je savais, c'était que je devais rejoindre les arbres avant de le lâcher. Je le soutenais, mais il était plus grand et plus lourd que moi, et même dans ma jeunesse j'aurais eu du mal à le porter. Je parvenais à peine à tenir son corps inerte debout sans essayer d'avancer. Je n'osais pas l'étendre par terre et le traîner car je savais qu'il devait garder la tête au-dessus du nuage empoisonné. Je me mis à avancer péniblement, pas à pas. J'avais l'impression que mes poumons étaient en feu, et ma tête me faisait atrocement souffrir. Plus que quelques mètres, mais je savais que je n'y arriverais pas. J'avais inspiré trop de poison et mes jambes commençaient à fléchir. Je fis un autre pas, puis me tins immobile dans l'obscurité, croulant sous le poids de Rodrigo, la brume blanche tournoyant autour de moi. J'étais si étourdi que je dus fermer les yeux pour ne pas tomber. Je sentais le monde tourner, le sol glisser, se dérober sous mes pieds. Je basculai en avant dans l'obscurité.

Soudain je sentis mon fardeau s'alléger.

« Lâchez, Camelot, je le tiens. »

Osmond hissait le corps de Rodrigo sur son épaule.

« La brume… toxique… sortez-le », bredouillai-je, mais il s'éloignait déjà.

Je tombai à genoux, mais je sentis presque aussitôt Osmond qui me soulevait et m'entraînait vers les arbres. Je me laissai glisser au sol, m'adossant à un tronc, tandis que les arbres tournoyaient autour de moi.

J'entendis Osmond gifler violemment Rodrigo.

« Allez, Rodrigo. Allez, réveillez-vous. Sainte Marie, mère de Dieu, faites qu'il se réveille. »

Je sentis quelque chose rouler contre ma jambe. Mes doigts se refermèrent dessus et je sus ce que c'était sans même ouvrir les yeux : la larme de verre douce et froide de Michelotto. Je l'agrippai et me mis à prier.

Je pris plusieurs inspirations profondes et rouvris les yeux. Le sol continuait de tanguer, mais moins qu'avant. Osmond tenait Rodrigo par les épaules et tentait de lui éventer le visage. Rodrigo était pâle dans le clair de lune, ses yeux étaient fermés. Je savais que si j'essayais de me relever, je tomberais. J'enfonçai la fiole sous ma chemise et m'approchai à quatre pattes.

Osmond secoua la tête.

« Ça ne sert à rien. Je crois qu'il est mort. Je suis venu dès que Narigorm est arrivée en courant pour demander de l'aide, mais si j'étais venu plus tôt…

— Narigorm ?

— Oui, elle a dit qu'il avait essayé de traverser l'un des cratères, mais qu'il était tombé. Elle a expliqué que la brume était toxique. Je ne l'ai pas crue au début, jusqu'à ce qu'elle évoque les animaux morts, alors j'ai compris. La pauvre petite, elle était terrifiée. »

Tout cela n'avait aucun sens, mais j'étais trop faible pour réfléchir clairement.

« Non, non, c'est Narigorm qui… »

Une toux retentit. Nous baissâmes les yeux et vîmes la poitrine de Rodrigo palpiter légèrement. Osmond le fit s'asseoir en l'appuyant contre sa poitrine et je lui repoussai la tête en arrière pour lui ouvrir la bouche tandis que nous éventions frénétiquement son visage. Alors, à notre grand soulagement, nous vîmes son torse se soulever rapidement, et ses cils se mirent finalement à battre. Il se roula sur le flanc et se mit à tousser violemment, sa poitrine se soulevant douloureusement. Il était en vie. Rodrigo était en vie.

Il mit longtemps à récupérer suffisamment pour pouvoir se lever, et même alors nous dûmes le soutenir durant le court trajet jusqu'au campement. Adela se précipita vers nous et faillit asphyxier Rodrigo tandis qu'elle essayait de les serrer lui et Osmond entre ses bras. Nous calâmes Rodrigo contre une pile de sacs et il resta là, assis à demi, toussant et respirant difficilement, trop faible pour bouger.

Malgré notre épuisement, aucun de nous ne dormit cette nuit-là. Adela et Osmond, craignant que les effets du poison ne soient pas complètement dissipés, avaient décrété que dormir serait trop dangereux pour Rodrigo et moi. Ils passèrent donc la nuit à s'occuper de nous, nous faisant boire du bouillon chaud dès que nous commencions à somnoler. Mes membres me faisaient autant souffrir que si j'avais eu de la fièvre. Et je devinais à ses gémissements que Rodrigo ne se sentait pas mieux que moi. Mais nous étions vivants.

Tandis qu'Adela et Osmond nous surveillaient anxieusement, une autre personne nous observait également, mais son visage était dénué d'expression. Des images des événements de la nuit ne cessaient de me revenir à l'esprit, mais j'avais trop mal à la tête pour y comprendre quoi que ce soit. Je ne voulais pas penser à ça. Je voulais juste dormir.

Jamais l'arrivée de l'aube ne m'emplit de tant de bonheur. Une lente traînée pâle s'éleva au loin derrière le marais, apportant avec elle les cris des mouettes et des pluviers tandis que la nuit battait en retraite comme la marée descendante. Avec l'arrivée du jour, Adela décida finalement que nous pouvions dormir en toute sécurité, et elle n'eut aucun mal à nous convaincre.

Lorsque je me réveillai, le soleil déclinait déjà au-dessus des hauteurs. Je m'assis, serrant ma houppelande autour de moi. Le vent se faisait plus vif, et il était glacial. Rodrigo était déjà réveillé, mais sans doute pas depuis longtemps, car il se frottait les yeux près du feu tandis qu'Adela lui tendait un bol chaud et fumant.

Il me fit un sourire contrit tandis que je les rejoignais péniblement.

« Comment vous sentez-vous, Camelot ? demanda Adela d'un air anxieux.

— La pire gueule de bois de ma vie, sauf que je n'ai rien bu. Et vous, Rodrigo ?

— Comme si un cheval m'avait désarçonné et piétiné, sauf que je ne suis pas monté à cheval. Osmond m'a dit que vous aviez risqué votre vie en essayant de me tirer de la brume hier soir, Camelot. Je vous suis une fois de plus redevable, mon vieil ami.

— C'est à Osmond que nous devons tous deux la vie, c'est lui qui nous a tirés de là.

— Et à Narigorm aussi, ajouta Rodrigo. Si elle n'avait pas compris ce qui se passait et cherché de l'aide… Quel idiot je fais. Je n'ai pas vu le danger. »

À l'évocation de Narigorm, je fronçai les sourcils.

« Où est-elle ? demandai-je.

— Elle est partie chasser avec Osmond, répondit Adela. La pauvre enfant s'en faisait tellement pour vous deux, Osmond a songé que ça la distrairait. »

Je levai les yeux vers le ciel ; ils seraient bientôt de retour.

« Rodrigo, dis-je d'un ton pressant, que vous rappelez-vous d'hier soir ? »

Il se massa les tempes.

« Pas grand-chose. Je vous ai parlé, je crois, mais je ne sais plus de quoi… Puis j'ai marché à travers les arbres, il faisait nuit, mais je ne sais pas où j'allais. Je retournais au campement, je suppose. Puis… puis je suis étendu et Osmond me donne des claques. » Il se frotta la joue et sourit d'un air penaud.

« Il a la main lourde, votre mari, Adela. Rappelez-moi de ne jamais l'offenser.

— Ne vous souvenez-vous de rien d'autre ? demandai-je. Comment vous vous êtes retrouvé dans le cratère ? Essayez, c'est important. Avez-vous entendu le loup ? »

Il fit la moue et se prit la tête à deux mains.

« Je ne me rappelle pas. Quand j'étais dans les bois, je l'ai entendu. Je ne savais pas d'où provenait le son. Comme je voulais le voir arriver, je me suis engagé dans le cratère, là où il n'y avait pas d'arbres. Puis… puis les cygnes, une énorme volée de cygnes qui ont fondu sur moi. J'ai essayé de me protéger. Leur bruit était assourdissant. Je n'arrivais plus à respirer. »

Il se couvrit le visage des mains, tremblant violemment à mesure que les souvenirs lui revenaient.

« C'est parce que vous vous êtes agenouillé dans la brume, pour vous protéger des cygnes. Mais il n'y avait ni cygnes ni loup. C'est Narigorm qui est à l'origine de ces sons. Je l'ai vue. Elle était parmi les arbres, elle vous observait. Les sons venaient d'elle. C'est elle qui, depuis le début, déclenche les hurlements de loup. »

Ils me regardèrent tous deux fixement comme si j'avais deux têtes.

« Comment une petite fille pourrait-elle créer ces sons ? demanda Adela d'une voix douce. Chaque fois que nous avons entendu le loup, elle était avec nous. C'est le poison qui vous fait imaginer des choses.

— Non, ce n'est pas le poison. Il n'y a jamais eu de loup. Narigorm a conjuré un sortilège, le pouvoir des runes se manifeste sous la forme d'un loup, et parfois d'un cygne. Je l'ai vue faire hier soir. Elle se sert du sortilège pour nous tuer, et elle a clairement failli réussir une fois de plus avec vous hier soir, Rodrigo, et avec moi aussi. Ce que Narigorm a lu dans les runes hier n'était pas une prophétie, c'était un sort, un sort qu'elle a jeté. Elle a tracé le contour de la rune troll avec son doigt et a réveillé son pouvoir. »

Rodrigo me dévisageait.

« Vous êtes fou. Adela a raison, la brume vous a empoisonné, elle vous fait voir des diables et des démons. Narigorm est venue chercher de l'aide, n'est-ce pas, Adela ? Elle nous a sauvé la vie.

— Non, écoutez. C'est moi qui ai éparpillé ses runes, j'ai brisé le charme. Elle s'est arrangée pour me retarder jusqu'à être certaine que vous étiez mort avant de m'envoyer dans le cratère. Puis elle a attendu que je m'écroule à mon tour. Je l'ai entendue rire. Et ce n'est qu'alors qu'elle est allée chercher Osmond. Elle pensait que lorsqu'il nous trouverait, moi aussi je serais mort. Elle a passé des heures à regarder les animaux mourir dans la brume. Elle savait qu'il ne fallait pas longtemps. Peut-être pensait-elle même qu'Osmond succomberait dans la brume s'il venait nous chercher. »

Rodrigo fronça les sourcils.

« Vous imaginez des choses. Peut-être que vous avez raison, peut-être qu'il n'y avait pas de cygnes et que c'est à cause de la brume que je les ai entendus, mais le loup est bien réel. Ce n'est pas Narigorm qui provoque les hurlements. »

Il se leva péniblement et s'éloigna, me faisant ainsi clairement comprendre qu'il ne voulait plus rien entendre.

Je me tournai vers Adela.

« Si le loup est réel, a-t-il récupéré son reliquaire cette nuit ? »

Elle hésita, puis secoua négativement la tête.

« Mais cela ne prouve rien, Camelot. Avec toute cette agitation, il ne se serait pas risqué à venir, si ? »

Je lançai un regard prudent à la ronde pour m'assurer que nous étions seuls.

« Adela, même si vous ne me croyez pas, promettez-moi de ne jamais laisser Narigorm découvrir qu'Osmond est votre frère. Elle ne doit jamais le savoir.

— C'est faux ! C'est faux ! C'est mon mari ! »

Je pris doucement sa main.

« Je crois que c'est votre frère et que Carwyn est son enfant. »

Elle tourna la tête, incapable de croiser mon regard.

« De… depuis combien de temps le savez-vous ?

— Je l'ai soupçonné dès la première nuit dans la grotte, mais j'en ai acquis la certitude quand vous avez accouché. Il vous a aidée à vous enfuir du couvent, n'est-ce pas ? Est-ce à cause du bébé qu'on vous y a envoyée ? »

Elle acquiesça, les yeux baissés vers le sol, son voile retombant sur ses joues écarlates.

« On m'avait promise à un marchand, un ami de mon père, mais il a dû partir en voyage pour affaires, et la date du mariage a été fixée pour le mois suivant son retour. Mais avant qu'il ne revienne, ma cousine a rapporté à ma mère que mes draps n'avaient pas été tachés depuis deux mois, et ma mère a fait venir le médecin. Quand ils ont appris que je… que j'attendais un enfant, ils étaient furieux. Ils savaient que le marchand n'épouserait pas une femme enceinte d'un autre, et qui le ferait ? Ils ont voulu savoir qui était le père, mais ils ont eu beau me battre, j'ai refusé de leur dire. Je ne pouvais pas. Ils étaient déjà furieux que j'aie couché avec un homme, mais s'ils avaient découvert que cet homme était mon propre frère… Alors mes parents m'ont emmenée au couvent en pénitence.

« Les nonnes me traitaient comme une catin qu'il aurait fallu exhiber nu-pieds et enveloppée d'un drap à travers la ville. Elles m'enfermaient des jours durant dans une cellule froide et obscure en me nourrissant à peine. Peut-être espéraient-elles que je perdrais l'enfant. "Le fruit du péché", comme elles l'appelaient. Si seulement elles avaient vraiment connu la nature de ce péché… Mais je voulais Carwyn. Même si je savais qu'il était ma faute, je le voulais parce qu'il était le fils d'Osmond. Tant que je pouvais sentir son enfant grandir en moi, je savais qu'elles ne pouvaient pas me séparer d'Osmond.

« Mais les nonnes m'ont prévenue que lorsque l'enfant naîtrait, on me le prendrait et que je deviendrais nonne, que je passerais ma vie à apprendre à contenir ma luxure et à expier mes erreurs. Je serais la femme du Christ. Il serait mon mari. Je m'abandonnerais à lui tout entière, et si je le refusais, sa vengeance serait terrible.

— Mais Osmond vous a secourue ? »

Elle se retourna et contempla le marais désolé qui s'assombrissait maintenant que le soleil commençait à décliner derrière les arbres. Pendant quelques instants elle ne dit rien, puis elle reprit doucement son histoire, parlant d'une voix si faible que je dus m'approcher pour l'entendre.

« Osmond était parti. Il travaillait comme compagnon d'un maître peintre. Il ne savait pas qu'il m'avait mise enceinte. Lorsqu'il est revenu nous rendre visite, il a découvert où j'avais été envoyée et pourquoi. Il a tout de suite su que l'enfant devait être le sien et il était horrifié par ce qu'il avait fait, mais il ne pouvait en parler à personne. Il est venu me voir, bravant l'interdiction de mes parents. Il a dit aux sœurs qu'il m'apportait un message de mon père. Il a tout de suite vu combien j'étais misérable et maigre, et il n'a pas pu le supporter, alors il a payé une femme qui n'appartenait pas aux ordres pour qu'elle m'aide à m'échapper. Il ne pouvait pas reprendre son travail, car il savait que notre père viendrait nous chercher, nous avons donc été forcés de prendre la route. Son maître avait toujours ses papiers ; il ne pouvait pas retourner les chercher.

— Et sans eux, il ne peut pas travailler en tant que peintre. »

Elle acquiesça d'un air malheureux.

« Osmond doit beaucoup vous aimer, dis-je d'une voix douce.

— Et moi aussi. Vous ne savez pas combien je l'aime. Sans lui, j'ai l'impression d'avoir été coupée en deux, c'est comme si une partie de moi m'avait été arrachée. Peut-être Zophiel avait-il raison lorsqu'il affirmait que j'ai damné son âme, et lui la mienne. Mais nous ne pouvons exister l'un sans l'autre. Comprenez-vous cela, Camelot ? »

Je serrai sa main et acquiesçai.

« Mais, Adela, vous devez à tout prix cacher cela à Narigorm ; il ne faut pas qu'elle le découvre.

— Mais elle adore Osmond. Même si elle découvrait la vérité, elle ne ferait rien pour lui nuire. Elle ne nous dénoncerait pas à la justice, ni à l'Église. »

Je ne voulais pas la blesser, mais je devais lui faire comprendre.

« Venez avec moi, Adela. Je veux vous montrer quelque chose. »

Je l'entraînai dans la cabane sombre de l'ermite et fouillai sous quelques sacs vides jusqu'à trouver ce que je cherchais.

« Vous vous souvenez de la poupée qu'Osmond a fabriquée pour Narigorm ? Regardez-la, Adela, regardez son visage, elle l'a détruite. »

Je lui plaçai la poupée entre les mains. Elle la retourna et la tint en direction de la porte. Dehors, la lumière baissait rapidement.

« Vous vous trompez, Camelot, elle ne l'a pas détruite. Elle lui a juste peint un nouveau visage, blanc comme le sien. C'était idiot de notre part, nous aurions dû nous douter qu'elle voulait une poupée qui lui ressemblait. »

Je saisis la poupée et sortis de la cabane. Je la tins en l'air pour que les derniers rayons de soleil illuminent son visage. Adela avait raison. Narigorm avait donné un nouveau visage à la poupée, mais il n'était pas peint. Sa bouche était fabriquée à partir d'os de souris blanchis, et des dents acérées saillaient entre ses lèvres. Ses yeux et ses oreilles étaient constitués d'os de grenouille, et son nez était un bec de petit oiseau mort. Il lui avait fallu de la patience pour faire cela, de la patience et un talent hors du commun pour une enfant de son âge.

Derrière moi j'entendis des cris annonçant le retour d'Osmond et Narigorm. Ils avaient des oiseaux morts accrochés autour du cou. J'avais juste le temps de retourner discrètement dans la cabane et de replacer la poupée sous les sacs.

« Promettez-moi, Adela, promettez-moi que vous ne la laisserez jamais découvrir la vérité. »

Mais elle était déjà partie à leur rencontre.

Nous évitâmes d'évoquer les événements de la nuit précédente tandis que nous plumions, vidions et mettions les oiseaux à bouillir pour le souper. Mais chaque fois que je levais les yeux, je voyais Adela et Rodrigo qui me regardaient d'un air méfiant, comme s'ils croyaient que j'étais sur le point de me mettre à courir autour du camp en arrachant mes vêtements et en débitant des histoires de démons. Il était clair qu'ils estimaient que la brume m'avait ôté le peu de bon sens qui me restait. Et je savais que si le loup hurlait de nouveau ce soir depuis les collines, cela ne ferait que prouver ma folie.

Je songeai longuement à la question. Narigorm ne pouvait contrôler le sortilège que si elle était éveillée. S'ils la voyaient dormir, et si le loup demeurait silencieux, alors peut-être finiraient-ils par m'écouter. Je me rappelai le sirop de pavot dans le sac de Plaisance. J'attendis que les autres soient occupés, et j'allai le chercher. Quelques gouttes suffirent, et les lui faire avaler fut un jeu d'enfant ; Narigorm voulait toujours une deuxième ration. Adela lui remplit son premier bol, mais c'est moi qui remplis le second, et, comme l'observa Adela, Narigorm dormit d'un sommeil innocent du crépuscule à l'aube, et, cette nuit-là, le loup aussi.

28

Le jeu

Le lendemain, Narigorm était toujours somnolente et tenait à peine sur ses pieds, mais, étant donné l'état dans lequel je m'étais trouvé après l'épisode de la brume, je n'avais aucun remords. Sur l'insistance d'Adela, elle resta au campement pendant qu'Osmond et Rodrigo s'en allèrent chasser. Je les suivis sous le prétexte de chercher du bois et les rattrapai dès que nous fûmes hors de vue. Le sombre désespoir qui s'était abattu sur Rodrigo depuis le suicide de Cygnus s'était atténué, comme si le fait d'avoir lui-même frôlé la mort lui avait temporairement redonné goût à la vie. La longue nuit de sommeil l'avait aussi aidé à retrouver sa bonne humeur, mais je savais que cette amélioration était aussi fragile que du verre et pouvait voler en éclats en un instant si Narigorm se remettait à nous jouer des tours.

Rodrigo et Osmond se regardèrent lorsque je les appelai. Il était clair qu'ils parlaient de moi, et ils me scrutèrent avec inquiétude, comme s'ils craignaient de devoir me maîtriser d'un instant à l'autre. Mais je n'avais pas le temps d'y aller par quatre chemins.

« Osmond, je suppose que Rodrigo vous a répété

ce que je lui ai dit hier après-midi à propos de Narigorm. »

Il acquiesça, se hâtant d'ajouter : « Mais personne ne vous en veut, Camelot. Rodrigo affirme que la brume toxique vous a fait imaginer des choses à l'un comme à l'autre. »

J'ignorai sa réflexion.

« La nuit dernière nous n'avons pas entendu le loup, et il n'est pas venu prendre le reliquaire. Cela parce que Narigorm a dormi toute la nuit ; vous l'avez vue. Quand elle est éveillée, elle contrôle le sortilège ; et quand elle dort, le loup est silencieux. »

Il me semblait plus sage de ne pas mentionner le fait que je l'avais droguée. Ils croiraient vraiment que j'avais sombré dans la folie.

« Mais cela ne prouve rien, répliqua Osmond. Certaines nuits le loup hurle, et d'autres non. Écoutez, j'ai songé à ce que vous avez dit à Rodrigo mais je me suis rappelé que la première fois que nous avons entendu le loup, c'était dans la grotte, la nuit où Zophiel, Adela et moi vous avons rejoint. Narigorm n'était pas encore avec nous.

— Cette nuit-là, c'était probablement un vrai loup. Il en reste dans les grottes et les gorges isolées. Ou, comme l'a suggéré Zophiel, ça aurait pu être l'un de ces hors-la-loi qui se cachent dans ce genre d'endroit. Mais ce que nous avons entendu cette nuit-là, homme ou animal, ne nous a pas suivis. Nous n'avons plus entendu le loup jusqu'à ce que Narigorm nous rejoigne, et seulement lorsque nous avons été neuf, soit après plusieurs semaines. Vous rappelez-vous ce que Narigorm a dit hier ? “Neuf appartient à Hati, le loup.” Le jour où Cygnus racontait des histoires sur la place du marché, je l'ai vue en train de lire ses runes, et elle a dit : “Un va venir avant que ça puisse commencer”, et ce n’est que lorsque Cygnus nous a rejoints, lorsque nous avons été neuf, que nous avons commencé à entendre le loup et à supposer qu’il nous suivait. Je sais que cela semble impossible, mais plus j’y réfléchis, plus j’ai la certitude qu’elle se cache d’une manière ou d’une autre derrière chaque décès qui a affecté notre compagnie. »

Rodrigo me posa la main sur l’épaule.

« Cela ne vous ressemble pas. Vous devriez vous reposer. Toutes ces morts et le long voyage vous ont épuisé. Retournez au campement. Nous parlerons plus tard.

— Non ! Vous devez m’écouter maintenant. Quand vous étiez dans le cratère, Narigorm m’a dit que chacun d’entre nous avait entendu le loup parce qu’il avait menti. Elle s’est servie des runes et des hurlements du loup pour jouer avec nos peurs et notre culpabilité, pour nous pousser à exposer nos secrets et nos vies, puis elle nous a poussés à nous détruire, exactement comme elle a essayé de le faire avec vous l’autre soir, Rodrigo. Narigorm a fait exprès d’utiliser le couteau de Zophiel pour vous faire avouer que vous l’aviez tué. Puis, avec ses runes, elle a utilisé votre remords pour vous pousser à la mort, comme elle l’avait fait avec Cygnus. Narigorm a échoué à vous tuer, mais cela ne l’empêchera pas d’essayer de nouveau, et quand elle vous aura détruit, elle portera son attention sur Adela et Osmond, et même sur Carwyn.

— Un bébé ne peut pas mentir, rétorqua Osmond.

— Et si le bébé était le mensonge lui-même ? »

Ses yeux s’élargirent et il me fixa du regard. Puis il rougit et détourna les yeux. Rodrigo était trop plongé dans ses pensées pour remarquer l’embarras d’Osmond.

« Mais pourquoi voudrait-elle nous tuer, Camelot ? » lança-t-il. Puis, s'apercevant qu'il parlait à un vieux fou, il ajouta d'un ton doux et patient :

« Plaisance... ce n'est pas le loup qui l'a poussée à se suicider.

— Mais c'est lui qui l'a incitée à se trahir. Pourquoi nous a-t-elle raconté l'histoire de la sage-femme qui avait aidé une louve à avoir un petit alors qu'elle avait eu la sagesse de la taire jusqu'alors ? Parce que, quand nous avons entendu le loup cette nuit-là, Narigorm en a profité pour lui demander de raconter son histoire. Pour que Plaisance révèle qu'elle était juive. Vous m'avez dit vous-même qu'elle savait qu'elle s'était trahie en utilisant le mot *sheidim.* »

Rodrigo secoua la tête.

« Comment une enfant saurait-elle le danger que recèle un tel mot ? Plaisance s'est occupée de Narigorm quand elle a été abandonnée. Si Narigorm lui a demandé de raconter son histoire, c'était en toute innocence. C'est Zophiel qui est responsable de la mort de Plaisance. Ce sont ses propos acerbes à l'égard des juifs qui lui ont fait prendre peur.

— Mais si elles voyageaient ensemble, Rodrigo, il est plus que probable que Narigorm avait déjà découvert qu'elle était juive et qu'elle cherchait le moyen de la pousser à nous le révéler. Mais il ne s'agit pas que de Plaisance. Narigorm s'est servie des hurlements pour convaincre Zophiel qu'il était pourchassé par le loup de l'évêque. Elle a facilement pu prendre elle-même le calice dans la chapelle pour effrayer Zophiel ou pour qu'il s'en prenne à Jofre. Elle a eu autant l'occasion de le prendre que lui. N'oubliez pas, Zophiel a dit qu'il ne savait pas qu'il avait disparu jusqu'à ce que Narigorm lise dans ses runes qu'on lui avait volé quelque chose. Et c'est parce que Zophiel a accusé Jofre du vol que ce dernier est retourné en ville, où il a été tué par les hommes de main du père de Ralph. Et rappelez-vous pourquoi Jofre est allé en ville la première fois, parce que Narigorm a insisté pour voir le visage de la Madone, sachant qu'il serait suffisamment bouleversé pour trahir ses sentiments à l'égard d'Osmond. Et au cas où cela n'aurait pas suffi, elle a affirmé que Jofre était amoureux d'Osmond devant Zophiel, en sachant pertinemment que ce dernier s'en servirait pour tourmenter Jofre.

« Et, me hâtai-je de poursuivre en voyant leur expression incrédule, pourquoi Zophiel nous a-t-il avoué avoir volé les trésors de l'église ? Parce que Narigorm l'avait convaincu qu'il était poursuivi par le loup de l'évêque, et parce qu'elle a affirmé avoir lu dans ses runes que quelqu'un serait puni pour un sombre secret qu'il avait gardé. Et elle a produit la bille de marbre noire, sachant que si Zophiel avait quoi que ce soit à cacher, cela le pousserait à se confesser. Vous me l'avez dit vous-même, Rodrigo, si vous n'aviez pas découvert qu'il était prêtre, vous ne l'auriez pas tué. Elle vous a manipulé, tout comme elle a manipulé Zophiel lorsqu'il s'en est pris à Jofre. Et même si vous ne l'aviez pas tué, les hurlements du loup suscitaient en Zophiel tant de peur et d'agressivité que tôt ou tard Osmond en serait probablement venu à l'affronter, en supposant que Zophiel n'ait pas poignardé l'un de vous deux en premier.

— Vous me croyez suffisamment idiot pour assassiner quelqu'un sous l'influence d'une enfant ? demanda Rodrigo, furieux. C'est moi qui ai tué Zophiel. Narigorm n'a rien à voir avec ça. »

Osmond lui posa la main sur le bras et secoua la

tête comme pour lui rappeler qu'ils avaient affaire à un fou qui ne savait pas ce qu'il disait.

« Camelot, même si vous dites vrai à propos des autres, Narigorm n'a pas forcé Cygnus à révéler un mensonge.

— Mais si. Cygnus a prétendu que son moignon s'était transformé en aile parce qu'il y croyait de tout cœur, mais j'y ai réfléchi. Vous rappelez-vous la nuit où nous l'avons trouvé caché dans le chariot et où nous l'avons ramené à la chaumière du vieux Walter et de son fils ?

— Oui, répondit-il, et je me souviens aussi que c'est Zophiel qui l'a forcé à raconter son histoire.

— Mais songez à ce qui s'est produit ensuite. Narigorm a arraché une plume à l'aile de Cygnus. Elle a dit que si l'aile était réelle, la plume repousserait. Mais elle n'a pas repoussé, et pire, les autres ont commencé à tomber. En arrachant la plume, elle a exposé le mensonge, même si c'était une histoire à laquelle croyait Cygnus. Et une fois encore, elle s'est servie de Zophiel pour le tourmenter, ainsi que des cygnes qu'elle lui faisait entendre nuit après nuit dans ses rêves. »

Osmond secoua la tête.

« Je conçois que Narigorm ait causé des problèmes entre nous, mais elle ne pouvait pas prévoir ce qui se passerait. Tout a été fait innocemment. Il serait plus logique de dire que c'est le loup de l'évêque qui est derrière toutes ces morts, même si aucun homme, aussi rusé soit-il, n'aurait jamais pu planifier tout ça.

— C'est exactement ce que j'essaie de vous dire ; le loup de l'évêque n'existe pas ! m'écriai-je avec exaspération. Je crois que Narigorm s'est arrangée pour nous attirer à elle grâce à ses runes, elle nous a réunis, parce qu'elle avait besoin de nous, tous les neuf, pour jouer son jeu. Mais je ne pense pas qu'elle en ait planifié tous les détails. Elle a un instinct d'enfant pour découvrir les peurs et les faiblesses des autres et pour s'en servir. N'avez-vous jamais regardé un enfant jouer aux échecs ? Les adultes calculent leurs coups, mais les enfants font des essais pour voir ce qui se passera s'ils bougent telle ou telle pièce, et lorsqu'ils trouvent une faille, ils sont sans pitié, ils vont jusqu'au mat. Elle nous a délibérément montés les uns contre les autres en se servant de nous comme de pions sur un échiquier.

— Camelot, qu'êtes-vous en train de dire ? demanda Osmond en se passant la main dans les cheveux.

— Je dis que Narigorm continuera de jouer son jeu. Qu'elle trouvera un moyen de détruire chacun d'entre nous si nous ne nous éloignons pas d'elle. Nous devons la laisser ici et partir sans elle.

— Abandonner une enfant ?

— Pas une enfant, une tueuse déterminée et sans pitié. Osmond, vous devez songer à Adela et Carwyn. Vous ne pouvez courir le risque qu'elle s'en prenne à eux et, croyez-moi, elle le fera à la première occasion. Laissons-la ici. Elle a un abri et elle sait chasser et pêcher. Elle ne mourra pas de faim. »

Osmond recula.

« Camelot, vous ne pouvez pas être sérieux. Narigorm est une enfant innocente. Elle vous a sauvé la vie à tous les deux, vous vous souvenez ? Rodrigo a raison, si l'un de nous est responsable de la mort des autres, c'est Zophiel avec sa langue de vipère. Rodrigo nous a rendu à tous service en le tuant.

— Mais, Osmond, ne voyez-vous pas…

— Non, Camelot, non, je ne veux plus en entendre parler. Rodrigo, vous venez ?

— Rodrigo ? » implorai-je.

Il me regarda avec tristesse.

« Je suis désolé, Camelot, désolé que vous croyiez de telles choses. »

Je le regardai s'éloigner et frissonnai dans le froid, sachant que j'avais offensé le seul homme dont l'opinion avait pour moi plus d'importance que tout le reste. Il me pardonnerait avec le temps, mettrait ça sur le compte de la folie provoquée par le poison, mais seulement si je n'abordais plus jamais le sujet, et je devais le faire. L'image du visage de la poupée me revint soudain. Et si Narigorm était déjà au courant pour Adela et Osmond ? Je devais les convaincre tous du danger qu'ils couraient.

Au-dessus des arbres dénudés, des oiseaux étaient ballottés par le vent qui redoublait. Je ramassai mon bâton et me dirigeai vers les hauteurs.

« Ils ne vous croiront jamais. »

Je pivotai vivement. Narigorm se tenait à l'ombre d'un arbre, un seau dans chaque main. Depuis combien de temps était-elle là ?

« Vous êtes vieux et vous êtes fou, voilà ce qu'ils pensent. Ils savent que vous inventez des histoires à propos de vos reliques. Ils pensent que celle-ci n'en est qu'une de plus. Vous ne pouvez pas m'arrêter. Morrigan est trop forte pour vous. »

29

Le dernier mensonge

Je mis près de trois heures à atteindre le village sur les hauteurs. Le trajet aurait été plus rapide par bateau, mais je n'en avais pas. Comme il n'y avait pas de chemin, je me dirigeais simplement vers le nord, mais devais fréquemment contourner des langues de marais qui s'infiltraient dans les hauteurs ainsi que les ruisseaux qui s'en écoulaient. Finalement, je vis la fumée des chaumières s'élever dans le ciel.

Le village s'étirait autour d'un petit port situé au bord d'une large rivière qui coupait à travers le marais avant de se jeter dans la mer. Avant la pestilence ça avait dû être un port animé, mais il n'y avait désormais plus de navires marchands, rien que deux petits bateaux juste assez grands pour que deux ou trois hommes puissent y pêcher. Il y avait une petite église trapue, pas plus grande qu'une chapelle, qui paraissait minuscule sous son clocher rond à toit plat doté d'une balise lumineuse afin d'aider les navires à rentrer au port par gros temps. Nombre des chaumières étaient condamnées par des planches et arboraient les horribles croix noires, mais de la fumée s'élevait de quelques foyers, et je vis ici et là des gens vaquer à leurs occupations, raccommodant un filet ou lavant du linge. En descendant depuis les bois, j'aperçus des monticules de terre retournée de l'autre côté du village et les cercles noircis où des feux avaient brûlé autour des fosses communes.

Il n'y avait que quatre ou cinq clients dans l'auberge sur le quai. La femme de l'aubergiste posait brutalement un bol fumant devant l'un d'eux. Elle leva les yeux avec curiosité à mon entrée, mais, contrairement à la plupart des gens, ma vue ne sembla pas la répugner. Une femme d'aubergiste qui tient une maison sur un quai voit sur les marins et les pêcheurs qu'elle sert des mutilations pires que la mienne.

« Soupe de poisson et pain. C'est tout ce que j'ai, et il y en a qui devraient s'estimer heureux d'avoir quoi que ce soit, annonça-t-elle en lançant un regard revêche à l'homme qu'elle venait de servir.

— Suivez mon conseil, évitez le pain. Elle l'a préparé avec de la sciure. Il est si dur qu'on pourrait ferrer des chevaux avec. »

C'était un homme imposant, avec un derrière aussi large qu'un ours, mais il eut le bon sens de baisser la tête en se la couvrant lorsqu'elle essaya de lui donner une claque.

« Surveille ta langue, William. J'aimerais te voir faire du pain correct quand tout ce qu'il reste à moudre, c'est des racines.

— Tu ne serais pas fichue de faire du pain correct, même avec le meilleur blé ! » lança un autre client, mais il fut moins prompt à éviter la main de la femme et ses amis éclatèrent de rire tandis qu'il se frottait l'arrière de la tête d'un air penaud.

Le garçon de service était là à sourire bêtement, mais il se ressaisit vite lorsque la femme de l'aubergiste se tourna vers lui.

« Tu t'es occupé des porcs ? Et je ne parle pas de ceux-là. Tu ferais bien d'y aller, garçon, ou bien M. Alan ne sera pas le seul à avoir mal à la tête. »

Il se hâta de sortir à reculons tandis que les hommes arboraient de larges sourires.

« Qu'est-ce qui vous amène de l'île du vieil ermite ? Ça fait une trotte par la terre. »

Je lançai un regard à la ronde et vis, assis sur un banc dans le coin, l'homme qui nous avait apporté les anguilles.

« J'ai entendu dire que la soupe valait la promenade, répondis-je, et la femme de l'aubergiste sourit malgré elle.

— Vous n'avez pas amené cette fillette aux cheveux blancs, si ? »

Je perçus un murmure d'intérêt émanant des autres hommes. L'un d'eux cracha sur le revers de ses doigts. De toute évidence, l'homme aux anguilles leur avait parlé d'elle. Je pris une profonde inspiration. Je ne savais pas si ça allait marcher. Si j'échouais, je risquais de faire empirer les choses pour nous, mais c'était mon seul espoir.

« C'est elle qui m'amène ici », déclarai-je, et les hommes s'approchèrent un peu.

J'ai raconté bien des histoires dans ma vie, contre un peu de nourriture ou un toit, mais jamais pour sauver des vies. L'auberge était silencieuse tandis que j'achevai mon récit.

« Donc, vous voyez, elle a détruit de nombreux villages comme le vôtre. Si vous n'agissez pas maintenant, elle vous détruira aussi. Les autres membres de ma compagnie ont été ensorcelés par elle, et moi, je suis un vieil homme. Il m'est impossible d'agir seul, mais je peux vous aider à vous occuper d'elle. »

Finalement, l'homme aux anguilles parla.

« Camelot dit vrai à propos de la fille. Vous savez tous que je n'ai rien attrapé depuis qu'elle m'a jeté le mauvais œil, et mon petit est tombé et s'est cassé la jambe dans l'heure où elle m'a regardé. Avec ses cheveux, elle pourrait déclencher une tempête assez puissante pour détruire tous les villages de cette côte. Je me souviens de mon père me racontant la grande tempête d'il y a cinquante ans, celle qui a détruit des villages entiers. Il n'y avait plus âme qui vive. Les chaumières, les églises, les champs, tout a été englouti par la mer. Cette sorcière va tous nous détruire si on lui laisse ne serait-ce que l'ombre d'une chance. Nous devons nous débarrasser d'elle.

— C'est bien joli, observa la femme de l'aubergiste, mais si elle a autant de pouvoir que vous le dites, comment allons-nous nous y prendre ? »

Ils tournèrent vers moi leurs yeux pleins d'interrogations. J'avais eu tout le temps d'y réfléchir durant ma longue marche.

« Ce soir, une fois la nuit tombée, venez par bateau jusqu'à l'île. Je m'assurerai que mes compagnons dorment, et l'enfant aussi. Attrapez-la, ligotez-la et recouvrez-lui la tête pour qu'elle ne puisse pas vous regarder. Mais vous devrez vous boucher les oreilles avant d'atteindre la presqu'île. Elle a le pouvoir de déclencher des sons qui rendent fou. Quoi que vous croyiez entendre – loups, cygnes, tempête –, n'y prenez pas garde. Ce ne sont que des sons inoffensifs. Mais ne vous débouchez pas les oreilles tant que vous ne lui aurez pas fermement attaché les mains, car elle s'en sert pour le sortilège. »

Ils acquiescèrent.

« De la cire devrait faire l'affaire, déclara l'homme aux anguilles. Ça nous bouchera les oreilles, mais que ferons-nous d'elle une fois que nous l'aurons emmenée ? »

J'hésitai. J'aurais voulu leur dire de l'enfermer, de la tenir éloignée de nous jusqu'à ce que nous soyons si loin qu'elle ne nous retrouverait jamais. Mais je savais que cela ne suffirait pas à nous protéger.

Le maréchal-ferrant remua son imposant postérieur sur le banc.

« Ça me paraît évident : "Tu ne laisseras pas une sorcière vivre."Je crois que nous n'avons pas le choix. Il faut la tuer. Ce sera le seul moyen de débarrasser Gunter du mauvais œil et d'empêcher la sorcière de nuire à nous autres. »

Un silence suivit ces propos, mais même la femme de l'aubergiste ne protesta pas.

« Nous allons devoir agir de sorte qu'elle ne puisse pas nous jeter un sort en mourant, déclara l'aubergiste.

— Comme ça, son esprit ne pourra pas assouvir sa vengeance, acquiesça Gunter.

— On ne vend pas la peau de l'ours avant de l'avoir tué », observa la femme d'un ton acerbe.

L'aubergiste adopta le ton brusque de l'homme qui estime qu'il est de son devoir de prendre les choses en main.

« Nous allons la ramener ligotée et bâillonnée et l'enfermer dans le clocher. L'église est sacrée et elle emprisonnera son esprit. Après quoi, nous nous réunirons pour décider de la manière de la tuer. »

Je ne voulais pas savoir comment ils procéderaient. je craignais que le courage ne vienne à me manquer si je l'apprenais. Je me levai.

« Je dois rentrer avant qu'ils aient des soupçons. Vous viendrez donc ce soir ? »

Ils échangèrent des regards, puis, l'un après l'autre, acquiescèrent.

« Vous vous assurerez que vos compagnons n'interviendront pas ? demanda Gunter. Ces hommes qui vous accompagnent ont l'air d'être du genre à savoir manier la massue, et j'ai assez d'ennuis comme ça sans en plus me faire défoncer le crâne.

— Je placerai une lumière au pied de la croix au bout de la presqu'île quand le danger sera écarté, promis-je.

— Alors, nous attendrons la lumière. »

Utiliser une deuxième fois le jus de pavot ne fut pas si facile. Je savais que les autres devaient me voir manger, je ne pouvais donc pas prendre le risque de le verser directement dans le potage, ce qui aurait été aisé dans l'obscurité. Je devais verser le sirop dans les bols, tous sauf le mien, mais c'était d'ordinaire Adela qui nous servait. Pour la distraire, je décidai de pincer discrètement la cuisse de Carwyn, qui se mit à pleurer. Adela courut le réconforter, ravie que je me propose pour servir le potage à sa place. Je tendis leurs bols à Osmond et Rodrigo, qui se mirent à manger immédiatement, affamés qu'ils étaient après leur journée de chasse, mais comme elle portait son bol à sa place, Narigorm sembla trébucher et son potage se renversa sur l'herbe.

« Ce n'est pas grave, je vais te resservir, dis-je aussi calmement que possible.

— Oh, non, reposez-vous, Camelot, répondit-elle en souriant gentiment. Je vais y aller moi-même. »

Je ne pouvais rien faire. Savait-elle que je l'avais

droguée la nuit précédente ? Elle était assez maligne pour l'avoir compris.

Adela mit un long moment à apaiser Carwyn, et lorsqu'elle revint pour manger, le bol devant elle était froid. Avant que j'aie pu l'en empêcher, elle versa son contenu dans la marmite fumante, mélangea le tout et se servit un nouveau bol. Qu'importe, songeai-je, tant que Rodrigo et Osmond dormaient, je pouvais m'occuper d'Adela, et peut-être avait-elle déjà suffisamment avalé de potage car elle semblait somnolente. Mais on ne pouvait pas en dire autant de Narigorm.

Osmond et Rodrigo piquèrent rapidement du nez. Osmond fut ravi que je prenne le premier tour de garde, et il parvint à peine à ouvrir les yeux assez longtemps pour donner son consentement. J'espérais ne pas avoir eu la main trop lourde. L'un après l'autre, je les regardai se recroqueviller sur eux-mêmes, et bientôt Narigorm fut la dernière encore éveillée. Elle était assise de l'autre côté du feu, le dos tourné au marais, ses yeux pâles scintillant à la lueur du brasier et ses cheveux ressemblant à une masse de flammes dansantes tandis que le vent les agitait.

L'air de rien, je déposai une lanterne sous la croix, de sorte qu'elle se détache sur le ciel sombre. Il faisait un froid glacial et le vent redoublait. Gunter disait-il vrai ? Narigorm avait-elle le pouvoir de déclencher des tempêtes rien qu'en secouant ses cheveux ? J'espérais qu'il se trompait. Je retournai au feu.

Narigorm m'observait.

« Pourquoi avez-vous placé une lanterne là-bas ? Vous croyez que la croix va vous protéger du loup ? »

Je me contentai d'acquiescer, craignant de me trahir si je parlais. Je tendais l'oreille, cherchant à entendre le bruit des rames sous le rugissement du vent. Les flammes oscillaient dans tous les sens. J'approchai une pierre du feu pour l'abriter un peu.

« Vous avez mis quelque chose dans ma nourriture hier soir pour me faire dormir. »

Je ne répondis rien.

« Vous croyez que si je dors, le loup ne viendra pas. Mais vous savez qu'il viendra ce soir, n'est-ce pas ? » Il y avait une note d'amusement dans sa voix.

« C'est pour ça que vous avez drogué les autres. Vous croyez que s'ils dorment, ils n'entendront pas le loup. Mais vous vous trompez. Cygnus entendait les cygnes dans son sommeil. C'est encore pire d'entendre le loup dans son sommeil, car on doit l'affronter seul. Lorsqu'on rêve, il peut faire n'importe quoi.

— Pourquoi fais-tu cela, Narigorm ?

— Parce que je le peux. »

Il n'y avait pas de lune ce soir-là, des nuages lourds et épais cachaient les étoiles. La lueur pâle qui se réfléchissait sur la croix semblait à peine pénétrer l'obscurité. La verraient-ils ?

« Tu as parlé de Morrigan. C'est une ancienne déesse. Une déesse sauvage. Fais-tu cela pour la servir ? »

Je voulais continuer de la faire parler, l'occuper, mais elle n'écoutait pas.

Elle avait sorti ses runes de son sac et les avait éparpillées devant elle. Puis je la vis placer quelque chose au milieu. C'était une touffe de poils rêches. Je reconnus la ficelle blanche qui l'entourait. C'était moi qui l'avais attachée. C'étaient les poils que je vendais comme la barbe de sainte Uncumber. J'en avais donné quelques-uns à la mariée lors du mariage des infirmes. Mon estomac se serra. Je savais ce que Narigorm faisait, elle voulait utiliser quelque chose qui m'appartenait, mais pourquoi avait-elle choisi cela ? Elle ne pouvait pas savoir ce que ces poils signifiaient pour moi. Je priai pour qu'elle ne le sache pas.

Elle retourna une rune.

« Othel inversé. Othel, le foyer. Vous pensez à votre ancien foyer, mais la rune inversée signifie que vous êtes seul. Vous resterez seul. »

Cela signifiait-il qu'ils ne viendraient pas ? J'essayai de ne pas penser aux villageois, de peur qu'elle ne lise dans mes pensées.

« Maintenant, je vais leur demander ce que vous craignez. » Elle souleva une deuxième rune. « Ce n'est pas une rune de loup. Vous ne craignez pas le loup. C'est Hagall, la grêle. La menace et la destruction. Une bataille. » Elle leva les yeux vers moi. « C'est cela, n'est-ce pas, une bataille ? Maintenant, quel est le mensonge ? »

Je voulais qu'elle arrête. Je savais que si j'éparpillais les runes, je pourrais la faire cesser pour ce soir, mais ça ne serait pas la fin. Il y aurait d'autres soirs. Je devais la laisser continuer si je voulais avoir une chance d'en finir pour de bon.

« Beorc inversé, le bouleau. La mère, mais inversée. Votre famille est morte, est-ce cela ? Non… non, ce n'est pas ça, le mensonge. »

Elle me regarda fixement, écarquillant les yeux de surprise, puis elle rejeta la tête en arrière et éclata de rire. Elle souleva la minuscule mèche de poils, dénoua la ficelle et les tint dans le vent tout en couvrant les runes de son autre main.

Elle leva alors la tête et ferma les yeux.

« Hagall, Morrigan. Hagall, Hagall, Hagall. »

J'entendis des hurlements de femmes et d'enfants, le bruit d'épées s'entrechoquant, des cris et des jurons.

Et au-dessous de tout ce bruit, j'entendis mes propres enfants qui hurlaient, m'implorant de les aider. Je les cherchai des yeux autour de moi. La nuit était trop noire pour y voir quoi que ce soit. J'allumai une branche dans le feu, mais le vent étouffa aussitôt la flamme. Le vent rugissait, mais au-dessus de son hurlement j'entendais les cris de mes fils provenant de derrière la croix. Ils m'appelaient, encore et encore, pleurant de peur et de désespoir. Ils étaient dans le marais. Ils étaient en danger et avaient besoin de moi. Je devais aller les chercher. Je me mis à courir, passai devant la croix, me dirigeai vers l'extrémité de la presqu'île. Ils se noyaient devant mes yeux. Si je pouvais les atteindre, saisir un bras, une main, n'importe quoi. Je commençai à descendre tant bien que mal le bord de la presqu'île, glissant sur l'herbe humide en direction du marais. Mon pied s'enfonça dans l'eau froide, sombre, visqueuse. Je me sentis tomber. Je tentai de me raccrocher à une touffe d'herbes, mais elle était humide et me glissa entre les doigts. Je me mis à couler.

30

La vérité

L'eau froide et boueuse me montait jusqu'aux cuisses lorsque quelque chose de lourd me heurta. Des mains m'attrapèrent, me tirèrent vers le haut et me poussèrent sur le côté, et, à la lueur de la lanterne sous la croix, je vis deux silhouettes filer devant moi. Je me retournai juste à temps pour voir l'une d'elles se glisser derrière Narigorm et lui passer un sac au-dessus de la tête. Les bruits de bataille et les hurlements cessèrent aussitôt. Je n'entendais plus que les cris étouffés de Narigorm tandis qu'elle se débattait. William – je le reconnus à son imposante corpulence – tentait de lui enfoncer quelque chose dans la bouche sous le sac, et il jura bruyamment lorsqu'elle le mordit. Gunter essayait pour sa part de lui attacher les mains derrière le dos. Mais avant qu'il y parvienne, une autre silhouette se rua sur lui.

« Laissez-la, laissez-la tranquille ! »

C'était Adela. Elle s'était réveillée et elle frappait Gunter avec son bâton. Il lâcha la corde et tenta de se protéger la tête, se recroquevillant sous la pluie de coups. Je me précipitai, attrapai le bras levé d'Adela et la tirai en arrière. Elle tomba lourdement, poussant un cri de douleur. Je la plaquai au sol par-derrière.

Narigorm luttait de toutes ses forces. Elle s'était débarrassée des cordes et William peinait à la tenir. Deux autres hommes arrivèrent en courant. Ils saisirent Narigorm et la maintinrent pendant que William et Gunter faisaient leur possible pour ligoter la fillette qui se débattait.

Derrière les hommes, je vis Rodrigo bouger. Il tenta de se mettre à genoux, bien qu'il fût toujours sous l'emprise du sirop de pavot.

« Emmenez la fillette ! » criai-je à William.

Mais je m'aperçus qu'ils ne pouvaient pas m'entendre. Ils m'avaient pris au mot et s'étaient bouché les oreilles. Si Rodrigo parvenait à se lever et à attraper un bout de bois… Tant pis, je devais courir le risque. Je lâchai Adela, saisis son bâton et parcourus les quelques mètres jusqu'à Rodrigo. Puis je lui abattis violemment le bâton entre les épaules ; il gémit et s'affala sur l'herbe.

William hissa Narigorm sur son épaule et les quatre hommes s'éloignèrent à la hâte avant de disparaître derrière la croix. J'entendis le bruit des rames dans l'obscurité, puis le son fut emporté par le vent.

Je marchai jusqu'à la croix et m'agenouillai en m'y adossant, fixant du regard l'obscurité impénétrable du marais. Derrière moi, j'entendais Adela sangloter tandis qu'elle tentait de réveiller Osmond et Rodrigo. Carwyn hurlait, mais même le bruit du vent déchirant les roseaux semblait étouffé comme si j'avais les oreilles bouchées avec de la cire.

Qu'avais-je fait ? Étais-je ce démon qui m'avait regardé dans le miroir ? Avais-je vraiment fait cette chose abominable ? Je m'imaginais une enfant ligotée et bâillonnée gisant au fond d'un bateau dans l'eau glaciale, secouée par les vagues, incapable de voir ce qui se passait ni qui l'avait enlevée. Je m'imaginais sa terreur tandis qu'elle se demandait ce que ces inconnus allaient lui faire. Et je savais qu'ils allaient la tuer. J'ignorais comment, mais je savais que ce ne serait pas une mort douce. Ils devaient aller jusqu'au bout. Que choisiraient-ils ? La noyade ? La pendaison ? Le bûcher ? Je frissonnai. Qu'avait dit Rodrigo ? « Il ne faut jamais plaisanter avec la mort. »

« Quel est le mensonge ? » avait-elle demandé aux runes. Il y en avait tant, mais mes intentions avaient toujours été bonnes. Mes mensonges avaient fait naître l'espoir là où il faisait défaut. J'avais cru que mon art était le plus grandiose, le plus noble de tous les mensonges. Je croyais que l'espoir pouvait tout vaincre, mais je me fourvoyais. L'espoir ne peut pas vaincre la vérité. Ils ne peuvent coexister. La vérité détruit l'espoir. Les actes les plus cruels sont commis au nom de la vérité. Mon dernier mensonge avait été le plus honnête, le plus honorable de tous, car il est un art encore plus grandiose que la création de l'espoir. Et cet art est la destruction de la vérité.

Les nuages s'ouvrirent avant le matin. Une pluie glaciale s'abattit avec une férocité sauvage tandis que le vent continuait de souffler par rafales ; c'était comme une pénitence, une purification. Je restai auprès de la croix, la pluie me fouettant le visage, jusqu'à ce que la bougie de la lanterne meure et que l'aube gris pâle inonde le marais de lumière. Derrière moi, j'entendis les autres remuer. Adela, ne parvenant à réveiller ni Osmond ni Rodrigo, avait pris Carwyn dans ses bras et s'était endormie en pleurant. Mais maintenant, ils étaient debout, et j'allais devoir les affronter. J'espérais seulement parvenir à leur faire comprendre que ce que j'avais fait, je l'avais fait pour les sauver.

Adela se rendit à la cabane de l'ermite et Rodrigo et Osmond se serrèrent à l'entrée. De toute évidence, elle leur racontait les événements de la nuit précédente, car à mon approche, Osmond se leva d'un bond et me saisit le bras. Il avait le front plissé par l'anxiété.

« Qui sont les hommes qui sont venus cette nuit, et où ont-ils emmené Narigorm ? »

Je songeai à lui dire que je n'en savais rien, à inventer quelque histoire comme quoi j'aurais éloigné Adela de Gunter pour qu'elle ne soit pas blessée, et frappé Rodrigo pour le protéger. Ils y auraient cru. Ils voulaient y croire. Ils ne voulaient pas entendre la vérité car, comme l'avait dit Rodrigo, qui à part les prêtres veut l'entendre ? Mais ma fatigue était telle que mentir, tenter d'arranger les choses, m'aurait demandé trop d'efforts. Je devais me confesser. Je n'avais plus la force de faire autrement.

« Des villageois », répondis-je.

Adela avait les yeux rouges et gonflés.

« Mais pourquoi êtes-vous intervenu ? demanda-t-elle. J'aurais pu les empêcher. J'essayais…

— Vous n'auriez pas pu lutter contre quatre hommes de cette taille. Vous ne pouviez rien faire. Ce n'était pas votre faute.

— Nous allons devoir les retrouver et la secourir, déclara Osmond. Où est leur village ? Je ne comprends pas comment j'ai pu dormir avec toute cette agitation, et Rodrigo aussi. Adela affirme qu'elle n'a pas réussi à nous réveiller. »

Des petits ruisseaux commençaient à s'écouler entre les pierres qui jonchaient l'herbe. Je me demandais si cette pluie durerait jusqu'à la prochaine Saint-Jean.

« Je vous ai drogués pour que vous ne vous réveilliez pas. Ils vous auraient fait du mal si vous leur aviez résisté. Ils étaient déterminés à l'emmener. »

Ils me dévisagèrent tous les trois avec des mines stupéfaites. Osmond se frotta le front.

« Mais je ne comprends pas. Si vous saviez qu'ils allaient venir, pourquoi ne pas nous avoir avertis ? Nous aurions pu la cacher. Nous aurions pu les vaincre si nous avions été préparés. Et puis, comment saviez-vous qu'ils allaient venir ? »

J'étais au comble de l'épuisement, ne le voyaient-ils pas ? Pourquoi me posaient-ils toutes ces questions ? Quelle importance cela avait-il ? Ils étaient en sécurité maintenant, ne le comprenaient-ils pas ?

Rodrigo bougea le dos et fit la moue. Je m'en voulais de lui avoir fait mal. J'avais dû frapper fort.

« Pourquoi l'ont-ils enlevée, Camelot ? demanda-t-il.

— Ils avaient peur de ses cheveux blancs. Ils croyaient que si elle les peignait, cela déclencherait une tempête.

— Alors nous devons leur dire que nous allons l'emmener loin d'ici, se hâta de dire Osmond. Inutile qu'ils…

— Je crois que ce n'est pas la seule raison, coupa Rodrigo. Vous saviez qu'ils venaient. Pourquoi l'ont-ils emmenée, Camelot ? » répéta-t-il.

Une colère froide brillait dans ses yeux, comme s'il connaissait déjà la réponse. J'inspirai profondément et lui fis face.

« Vous refusiez de croire le danger qu'elle vous faisait courir, alors je leur ai demandé de nous aider. Ils avaient déjà peur d'elle. Je n'ai eu aucun mal à les persuader qu'elle était dangereuse. Je sais qu'elle s'en serait prise à eux une fois qu'elle en aurait eu fini avec nous, ce que je leur ai dit était donc en partie vrai. Je les ai convaincus qu'ils devaient se débarrasser d'elle.

— Et que vont-ils faire d'elle ? »

Cette fois, je ne pus soutenir son regard.

« Ils vont… la tuer. Ils le doivent. C'est le seul moyen de l'arrêter. »

Adela porta les mains à sa bouche, ouvrant de grands yeux horrifiés. Osmond, qui était déjà pâle, tanguait comme s'il était sur le point de vomir.

« Non, Camelot, vous n'avez pas pu faire une telle chose, un vieil homme aussi gentil que vous, tromper un groupe de villageois pour les amener à tuer une enfant innocente. Vous n'avez pas pu. »

Rodrigo se leva. Il s'approcha de moi d'un pas mal assuré. Pendant un moment, je crus qu'il allait me frapper, et c'était presque ce que je voulais. S'il l'avait fait, j'aurais accueilli de bonne grâce la douleur, mon châtiment. Mais il se contenta de me regarder fixement comme s'il ne me connaissait pas.

« Vous avez tué une enfant et vous n'avez même pas eu le courage de le faire de vos propres mains. *Il sangue di Dio !* J'ai tué des hommes, mais au moins c'est moi qui ai enfoncé le couteau, je n'ai pas demandé à d'autres de le faire à ma place. »

Il leva le poing comme pour me frapper. Je me préparai à recevoir le coup, mais il n'arriva pas. Rodrigo se contenta de secouer la tête.

« Je ne peux me résoudre à vous toucher, déclara-t-il avec dégoût. Vous êtes un lâche, Camelot, un ignoble lâche. »

Il me cracha à la face. Je n'essuyai pas mon visage.

« Partez. Partez maintenant et restez aussi loin de nous que vous le pourrez, car si jamais je revois votre visage monstrueux, je vous tuerai de mes mains. Et ne vous y trompez pas, contrairement à vous, j'aurai le courage de le faire. »

Je pris mon sac et m'éloignai sans me retourner. Comme je passais devant elle, Xanthos dressa les oreilles et hennit doucement, mais je ne me faisais même pas assez confiance pour la caresser. Je continuai de marcher, et lorsque je fus assez loin du campement pour qu'ils ne m'entendent pas, je me mis à pleurer de façon incontrôlable, comme un enfant.

31

Sainte Uncumber

Je retournais finalement chez moi, j'allais enfin retrouver ces collines sauvages et solitaires qu'on appelle les Cheviot. Je n'avais nul autre endroit où aller trouver refuge. Je mourais d'impatience. J'avais besoin de toucher cette terre, de la sentir, de m'y enfoncer profondément. Seul cet instinct me faisait continuer de marcher, un pas, puis un autre, et encore un autre. Comme un animal traqué, épuisé, mourant même, j'aurais rampé pour retourner chez moi.

Mais qu'est-ce que chez soi ? Je m'étais posé cette question le jour où tout avait commencé, un jour qui me semblait remonter à une éternité. Et je me la posais de nouveau, la retournant encore et encore dans mon esprit tandis que j'avançais péniblement vers le nord. Est-ce l'endroit où l'on est né ? Quand on est vieux, l'endroit où l'on est né est un pays étranger. Est-ce l'endroit où l'on s'étend chaque soir ? Dans ce cas, je devrais être chez moi dans chaque fossé, chaque grange et chaque forêt du pays, car j'ai dormi dans la plupart. Est-ce l'endroit où a coulé le sang de nos ancêtres ? Non, car cet endroit appartient aux morts, pas aux vivants. Alors, chez soi, est-ce l'endroit où sont ceux que l'on aime ? Pas lorsque celui qu'on aime est absent.

Il m'a fallu des mois, voire des années, pour trouver la réponse. Chez soi, c'est l'endroit où l'on retourne quand on a finalement perdu son âme. Ce n'est pas notre lieu de naissance, mais l'endroit où la vie naît, celui où l'on cherche à renaître. Quand on ne sait plus ce qui, de son passé, est vrai ou est une invention, quand on est soi-même une invention, quand on sait qu'on est une invention, alors il est temps de chercher ce lieu. Et peut-être n'est-ce que lorsque l'on a pleinement compris cela que l'on peut finalement rentrer chez soi.

J'avais voyagé à travers un paysage dévasté, contourné des villages déserts et des granges vides. Les récoltes abandonnées étaient écrasées dans la boue et prenaient en pourrissant la couleur de la terre dont elles avaient jailli. Dans les pâturages régnait un silence sinistre, les moutons et le reste du bétail étaient morts, ou bien ils s'étaient égarés et tentaient de survivre seuls. Aucune fumée ne s'élevait des maisons. Aucun coup de marteau ne résonnait dans les forges.

Jadis, des cris d'enfants avaient retenti dans les maisons ; maintenant, de mauvaises herbes s'infiltraient par les fenêtres vides. Le chaume s'écroulait jusqu'au sol et les portes s'ouvraient et se fermaient en produisant un claquement creux de crécelle. Les églises se dressaient toujours fièrement, mais elles étaient sinistres et vides. Les croix des places de marché s'élevaient en silence, mais aucune main ne se posait dessus tandis qu'une promesse était faite ou une affaire conclue. Des petits enfants et de vieux hommes faibles erraient, attendant le retour de quelqu'un, mais personne ne venait jamais. Un jour, je vis un homme se pendre. Il avait survécu à la contagion et n'avait pu le supporter.

Les routes étaient pleines de voyageurs. Certains marchaient seuls, ayant abandonné leur famille morte ou vivante ; d'autres allaient en groupe et se rendaient dans les villes où ils espéraient trouver à manger et du travail. Certains étaient fous d'horreur et de chagrin ; d'autres étaient si endurcis qu'ils auraient égorgé pour une poignée de haricots secs. Et s'ils le faisaient, personne ne levait le petit doigt pour les en empêcher, car il n'y avait plus de tribunaux pour les juger, ni de bourreau pour les pendre. Parfois, je me demandais si Dieu aussi était mort, si le paradis était silencieux et condamné par des planches, si les anges pourrissaient sur des trottoirs dorés.

Chaque ville, chaque village avait ses fosses, entre lesquelles s'élevaient des piles fumantes de feuilles et de haillons. Un jour, sur un terrain communal à l'extérieur d'un village, je m'approchai d'un petit groupe de gens qui regardaient en silence tandis qu'au loin, des hommes masqués attrapaient les corps d'adultes et d'enfants par les bras et les jambes et les balançaient dans la tombe commune. L'un des enfants sembla pousser un cri et une mère du groupe essaya de courir vers la fosse, mais les autres la rattrapèrent et la retinrent.

« Les gaz qui s'échappent du corps, c'est tout, marmonna un homme, et l'enfant fut jeté avec les autres cadavres. On croit voir un bras bouger ou une poitrine se gonfler, poursuivit-il, mais c'est juste la putréfaction. Ça sert à rien de les regarder. Il faut juste les balancer. »

Sa voix était morte, dénuée d'émotion, comme s'il parlait du hersage d'un champ.

L'une des femmes du petit groupe se retourna et, ce faisant, regarda brièvement dans ma direction. Puis elle se figea et me dévisagea.

« Je me souviens de vous », dit-elle.

Elle me semblait vaguement familière, mais je n'arrivais pas à la remettre. Moi, avec ma cicatrice, personne ne m'oublie jamais. Je souris légèrement en signe de reconnaissance et m'éloignai, mais elle se précipita à ma suite.

« Attendez, vous étiez avec les deux musiciens qui ont joué un jour dans notre village, pour le mariage des infirmes. C'étaient de beaux garçons, surtout le plus jeune.

— Et vous portiez une tunique jaune. »

Elle sourit.

« C'est amusant que vous vous souveniez de ça.

— Vous avez été la cause d'une bagarre, si je me souviens bien. »

Elle fit la grimace.

« Vos amis musiciens, sont-ils ici ? »

Elle regarda avec espoir autour d'elle.

Les larmes me montèrent aux yeux et, me maudissant, je me hâtai de les essuyer. Puis je fis signe que non.

Elle détourna le visage. Plus personne ne demande ce qui est arrivé à ceux qui ont disparu. Ce dont j'étais reconnaissant.

« Le mariage a-t-il protégé le village ? demandai-je.

— Y a-t-il un seul endroit qui soit protégé ? répliqua-t-elle avec un haussement d'épaules. De toute manière, je suis partie peu après. Edward était du genre jaloux, et il se servait trop de ses poings, comme son père. J'ai vu ce qui m'attendait après notre mariage. Alors, je me suis enfuie avec un autre garçon, mais ça n'a pas duré. Je m'en sors ; il y a encore des hommes prêts à payer pour passer du bon temps, surtout maintenant qu'ils croient que c'est peut-être leur dernière chance. » Elle désigna la fosse de la tête. « Je suppose qu'il vaut mieux n'être attaché à personne, comme ça on ne souffre pas. On n'a pas à craindre de perdre quelqu'un si on n'a personne. » Une ombre traversa son visage. « Mais je suis désolée pour les musiciens, ajouta-t-elle. Il était beau, ce garçon. »

Je me retournai pour m'en aller, mais je m'arrêtai et enfonçai la main dans mon sac.

« Attendez. Prenez ceci. Ça a de la valeur. C'est une relique de saint Benoît. Vous pouvez la vendre. Ça vous permettra de vous nourrir et de vous loger pendant un bon moment. »

Autrefois, je lui aurais dit qu'elle la protégerait de la pestilence, mais je savais que ni elle ni moi n'y croyions plus.

Elle retira sa main.

« Pourquoi me la donnez-vous ?

— En pénitence d'un crime que j'ai commis.

— Je ne peux pas prier pour vous. Je ne prie plus. À quoi bon ?

— C'est pourquoi je vous la donne. Je ne veux pas l'échanger contre des prières. Les prières ne m'atteignent plus. Je veux vous la donner parce que vous vous souvenez.

— Merci, monsieur. »

Elle m'avait appelé « monsieur ». Elle fut la dernière à m'appeler ainsi.

J'avais voyagé aussi vite que possible, avec la certitude que j'arriverais trop tard. Mais lorsque j'atteignis les portes du manoir, je vis avec soulagement qu'il n'y avait pas de planches aux fenêtres, pas de croix sur la porte. Je m'arrêtai alors, craignant d'entrer. Je ne sais pas de quoi j'avais le plus peur : de voir dans leurs yeux la même expression de dégoût que celle que j'avais vue dans ceux de Rodrigo, ou de découvrir qu'ils ne sauraient même pas qui j'étais. J'attendis devant le portail pendant des heures. Les gens qui entraient et sortaient me prenaient de toute évidence pour un mendiant, mais j'entendis alors une voix près de moi. Un visage que je ne reconnus pas, pourtant je connaissais ces yeux.

« C'est vous. Cela fait des heures que je vous observe pour en être sûre. Ma mère disait toujours que vous reviendriez.

— Vous me connaissez ?

— Je n'aurais pas su qui vous étiez sans votre cicatrice. Vous ne vous souviendrez pas de moi. Cicely, la fille de Marion. Elle était fille de laiterie à votre époque. Elle parlait souvent de vous, du jour où vous avez eu cette cicatrice. J'étais alors trop jeune pour m'en souvenir, mais je me rappelle le jour de votre départ.

— Marion… oui, je me rappelle. Se porte-t-elle bien ? »

Le visage de Cicely s'assombrit.

« Elle est morte, il y a des années. Mais votre départ remonte à si loin.

— Et mes fils ? »

Elle hésita.

« Nicholas est le seigneur désormais.

— Le plus jeune. Alors Philip et Oliver sont morts. »

Elle serra les lèvres.

« Mais Nicholas sera ravi de vous revoir. Je l'ai souvent entendu parler de vous à ses enfants. Je vous préviens cependant, il a tendance à exagérer votre histoire, mais vous pourrez le corriger.

— J'ai des petits-enfants ? »

Elle fit un sourire radieux.

« Oui, et un arrière-petit-fils aussi. »

Pénétrer de nouveau dans le manoir fut la chose la plus difficile que j'avais faite depuis des années, plus encore que le quitter. Je ne pouvais croire que des gens que j'avais connus étaient encore en vie, et j'avais plus peur de les rencontrer que de voir leur fantôme. Car je connaissais les fantômes. J'avais longtemps voyagé avec eux. Je n'avais plus peur des morts, seulement des vivants.

Chaque fois que je fermais les yeux, je voyais le visage de Narigorm et je l'entendais appeler au secours. Qu'avait dit Cygnus ? « Je ne crois pas que quelqu'un qui fasse du mal à un enfant puisse jamais être pardonné. » Et je l'avais assassinée. Non, pas assassinée, car Rodrigo avait raison, ce que j'avais fait était bien pire. J'étais d'une lâcheté méprisable, car j'avais persuadé d'autres hommes de tuer pour moi. Comment Rodrigo pourrait-il savoir combien on souffre et se déteste après cela ? Je pensais à la petite fille que le cordonnier avait tuée. Il l'avait fait de ses mains, il avait fait face à la terreur et à la douleur. Était-ce moins lâche que ce que j'avais fait ?

Mais lorsque je fermais les yeux, je me rappelais aussi l'expression de triomphe sur le visage de Narigorm quand elle avait forcé Rodrigo à s'agenouiller dans la brume empoisonnée, et alors je n'avais pas de regrets. Ni lorsque je pensais à Plaisance et à Cygnus et à Jofre et, oui, même au pauvre Zophiel. Narigorm est morte, et Rodrigo, Adela, Osmond et Carwyn sont en vie. Elle ne peut plus leur faire de mal. Elle ne peut plus faire de mal à quiconque avec son jeu de la vérité. Et je le referais, s'il me fallait tuer pour protéger ceux que j'aimais.

La vérité ? Oui, je crois que le moment est venu de la dire, peut-être même aurais-je dû le faire depuis longtemps. Narigorm l'avait découverte la dernière nuit lorsqu'elle avait tenu les poils de sainte Uncumber dans le vent. Sainte Uncumber avait dû prier pour être défigurée ; moi, je n'avais rien demandé.

J'étais, comme je pense que vous l'avez déjà deviné, une femme autrefois, il y a longtemps de cela, et je le suis de nouveau. Ma servante m'habille de tuniques et de guimpes. Mes petits-enfants m'appellent mère-grand, mais j'oublie tout de même. J'oublie comment m'asseoir, et comment broder des tapisseries, et comment faire toutes ces choses qui font de nous des femmes. Mais ils me pardonnent car je suis vieille, une curiosité qui raconte d'étranges histoires qu'ils aiment entendre, sans toutefois les croire complètement. Ils me pardonnent même ma cicatrice, car lorsqu'on est vieille, on n'a plus de sexe. Les hommes perdent leur barbe et des poils poussent sur le menton des femmes. Les hommes ont la poitrine rondelette tandis que celle des femmes s'affaisse, et la peau du ventre est si flasque qu'on ne sait plus ce qu'elle couvre, et de toute manière ce qu'elle couvre ne connaît plus le désir en dépit de nos rêveries. Et lorsque les vers nous ont rongés jusqu'aux os, qui peut reconnaître une femme d'un homme, une belle d'une bête ? Et j'ai été tout cela au cours de ma vie. Fille, épouse, mère, cela aussi. J'apprends maintenant que je suis veuve, mais j'aurais tout aussi bien pu l'être alors pour le mari qu'il était quand il était vivant.

Les croisades en Terre sainte étaient depuis longtemps terminées, mais le pape avait déclaré que combattre les Turcs était encore une guerre sainte, un devoir sacré, une noble cause, et il avait donné sa bénédiction aux pillages, aux meurtres et aux viols dans la moitié du monde pour retrouver une richesse et une gloire perdues. J'avais donné à mon mari trois fils en bonne santé. Un par an, aussi régulière qu'une brebis, et mon mari était resté suffisamment longtemps pour s'assurer qu'il avait engendré un héritier et un remplaçant au cas où le premier viendrait à périr, puis il était parti combattre les Turcs des années durant, m'abandonnant la responsabilité de ses terres, de l'éducation de ses enfants et de la protection de sa propriété. Mais nous nous en sortions bien sans lui. À vrai dire, aucun de nous ne se rappelait ce qu'il avait fait quand il était là, aussi ne nous souciions-nous guère de savoir s'il reviendrait ou non, jusqu'à ce que les Écossais décident de nous rendre visite.

Ce n'était pas une armée, comprenez bien, plutôt une bande d'ivrognes qui avaient à peine pris la peine de polir leurs armes, ne s'attendant à rencontrer aucune résistance puisque la moitié des hommes en âge de combattre étaient partis. J'ai entendu les cris des hommes, les meubles qu'on retournait et les pots qu'on brisait. Puis les hurlements effrayés de mes enfants. Je savais que les serviteurs terrorisés se contenteraient de prendre la fuite si personne ne les poussait à résister. Mais je n'aurais laissé personne faire de mal à mes enfants, pas tant que j'aurais suffisamment de vie en moi pour les en empêcher. J'étais malade de peur, mais la voix de mon père résonnait dans mes oreilles : « Je préfère voir mon fils revenir mort sur son bouclier plutôt que dans la peau d'un lâche. » J'ai donc enfilé un heaume et attrapé une épée.

La colère peut vous donner la force d'un homme. Et la peur, la décupler. Je suis parvenue à asséner une demi-douzaine de coups honorables avant d'être atteinte à mon tour. Les serviteurs, piqués au vif, étaient restés pour se battre, et les Écossais, mal préparés, ont pris la fuite en ne faisant le travail qu'à moitié. J'étais blessée, certes, mais pas tout à fait morte. Un coup oblique, m'ont par la suite expliqué les serviteurs, sinon il m'aurait tranché le crâne en deux. Ils affirmaient que saint Michel en personne avait dû veiller sur moi. Si c'était le cas, il avait dû être distrait, car ma blessure était profonde et atteignait l'os blanc et brillant. J'avais perdu un œil et mon nez était fendu. Mais je ne le savais pas et m'en moquai sur le moment.

J'ai passé plusieurs semaines dans le lit de mon mari, abrutie par les drogues et en proie à une violente fièvre. Finalement, celle-ci est retombée et je me suis levée, aussi tremblante qu'un agneau nouvellement né. Mais que pouvais-je faire d'autre ? Il fallait s'occuper du manoir. Avec le temps, ma blessure a fini par guérir, mais elle a laissé une cicatrice d'un violet vif. Mon nez était écrasé en travers de ma joue et j'avais une orbite vide, mais j'étais vivante, et nous avons continué de vivre à peu près comme avant.

Puis mon courageux mari est revenu de la guerre, me rapportant une robe de soie et un collier de dents humaines. Assis devant son âtre il racontait nuit après nuit ses récits de bataille. Apparemment les Turcs sont dix fois plus féroces et intrépides que les Écossais. « Peut-être devrions-nous les inviter ici pour qu'ils les repoussent », ai-je suggéré, et il a ri, mais ne m'a pas embrassée. Et c'est alors que j'ai compris la vérité sur les cicatrices. Un homme qui porte les stigmates de la bataille est un vétéran, un héros, et on lui laisse la place d'honneur auprès du feu. Les jeunes femmes lui effleurent les cuisses avec leurs fesses lorsqu'elles se penchent pour réchauffer sa bière. Les femmes gloussent et le dorlotent, et si les autres hommes finissent par se lasser un peu de ses récits de gloire, ils font remplir son gobelet, encore et encore, jusqu'à ce qu'il soit éméché et s'endorme tranquillement à la chaleur des braises.

Mais on n'encourage pas une femme qui porte une cicatrice à raconter son histoire. Les garçons se moquent d'elle et les mères font le signe de croix. Les femmes enceintes ne s'en approcheront pas de peur que, si elles posent les yeux sur une telle créature, l'enfant qu'elles portent ne soit marqué. Vous avez sûrement entendu le conte de *La Belle et la Bête*. Comment une belle jeune femme tombe amoureuse d'un monstre et perçoit la beauté de son âme sous son visage hideux. Mais vous n'avez jamais entendu le récit du beau jeune homme qui s'éprend de la femme monstrueuse et trouve la joie dans son amour, car cela n'arrive jamais, pas même dans les contes de fées. La vérité, c'est que le mari de la femme marquée lui achète un voile bien épais et songe à la mettre au couvent, soi-disant pour le bien de sa santé. Il passe ses journées avec ses faucons et ses soirées à enseigner leurs devoirs à ses pages. Car, à défaut d'autre chose, les guerres lui ont appris à se comporter en maître diligent avec d'aussi beaux jeunes hommes.

J'ai donc cédé mon nom à ma nièce, une vierge parfaite au teint de lait, en lui disant qu'elle pouvait s'en servir à sa guise. Mon seul regret a été d'abandonner mes fils. Mais je les avais vus frémir à ma vue et fixer le sol du regard quand ils étaient forcés de me parler, et je savais qu'ils avaient honte de leur mère.

Je me suis donc déguisée en homme et suis partie pour voir où la route me mènerait. Et c'est alors que ma cicatrice s'est avérée utile ; elle prouvait l'authenticité de mes reliques, et me permettait de gagner convenablement ma vie.

Si j'avais avoué la vérité à Rodrigo, m'aurait-il pardonné ? Le fait que j'étais une femme aurait-il fait une différence ? Il m'aurait probablement traitée encore plus durement, car si le monde considère que tuer un enfant est pour un homme un acte lâche, pour une femme, c'est un crime pour lequel il n'existe pas de châtiment assez sévère. Mais ce qu'il pense compte pour moi, car Narigorm avait raison. J'aimais Rodrigo. Et je l'aime encore. Je pense qu'il a été le seul homme que j'aie jamais aimé. M'aurait-il aimée s'il avait su ? Non, je l'aurais vu reculer avec répugnance ; c'est un homme, après tout, et je suis une femme qui porte une cicatrice, une vieille femme. Mieux vaut qu'il me haïsse pour ma lâcheté plutôt qu'il m'exècre pour ce que je suis.

Parfois je sors la larme de Venise, je la tiens à la lumière et je me rappelle les nuits sous la pluie et les nuits sous les étoiles ; la lumière du soleil qui faisait flamboyer la robe de Xanthos, la lueur du feu qui se reflétait dans les yeux de Jofre lorsqu'il chantait, et la façon qu'avait Rodrigo de le regarder. J'aurais aimé voir cette ville de lumières et les rues où Rodrigo jouait lorsqu'il était enfant. J'aurais aimé entendre la musique des juifs lorsqu'ils dansaient pendant les mariages. Mais qui sait s'il reste des juifs à Venise, ou même des enfants pour jouer dans les rues ?

En tout cas, je suis heureuse que mes jours sur la route soient finis. Ici, je vis entourée de mon fils et de mes petits-enfants et de mon arrière-petit-fils dans la chaleur et le confort d'une maison solide. Je dors dans un lit moelleux et me repose dans un fauteuil confortable. Je n'ai qu'à lever le petit doigt pour que des servantes s'empressent de m'apporter des grogs et du vin chaud. Je suis contente de finir mes jours ici. Que pourrais-je vouloir de plus ?

Cicely entre en ce moment même dans le cabinet de lecture. Elle fait une révérence.

« S'il vous plaît, maîtresse, il y a une enfant à la porte qui demande l'autorisation de vous parler.

— Une enfant du village ? »

Je souris. J'en ai vu bon nombre. Certains sont envoyés par leur mère avec un petit cadeau pour me souhaiter la bienvenue, d'autres sont juste curieux de voir si mon visage est vraiment aussi terrible que l'ont murmuré leurs frères et sœurs.

« Oh, non, maîtresse, elle n'est pas d'ici. Je ne l'ai jamais vue et ce n'est pas le genre d'enfant qu'on oublie.

— Pourquoi ? demandé-je, bien que je sois trop confortablement installée, à somnoler au chaud, pour vraiment m'en soucier.

— C'est une petite créature étrange, avec des cheveux comme ma mère avant qu'elle meure. Blancs, pas blonds, blancs comme du lait, et une peau si pâle que ce n'est pas naturel, si vous voyez ce que je veux dire. Mais elle n'y peut rien, n'est-ce pas ? Et elle a un petit sourire si innocent qu'on ne peut qu'être attiré par elle. »

Soudain, je suis tout éveillée. Un frisson glacial me parcourt la colonne vertébrale. La pièce semble tanguer. Non. Ce n'est pas possible.

Cicely tend la main.

« Êtes-vous malade, maîtresse ? Vous êtes soudain très pâle.

— Êtes-vous sûre qu'elle a demandé à me voir ?

— Oh, oui, maîtresse, elle a été très précise. C'est vous qu'elle veut voir. Elle semble tout savoir de vous. Dois-je la faire entrer ? »

Notes historiques

Les récits de témoins divergent quant au moment exact auquel la peste noire a atteint l'Angleterre ; les dates vont de juin 1348 à l'automne de cette même année. Plusieurs villes et villages ont revendiqué le triste honneur d'avoir été le site où la maladie s'est déclarée, depuis Melcombe dans le Dorset, qui fait désormais partie de Weymouth, jusqu'à Southampton ou Bristol. Mais il n'y a probablement pas eu un seul point d'entrée, et plusieurs navires venus des îles Anglo-Normandes et d'Europe ont pu apporter la peste à divers ports d'Angleterre à quelques semaines d'intervalle.

Bien que l'on appelle de nos jours « *plague* » (peste) ou « *black death* » (mort noire) la terrible épidémie qui a ravagé l'Europe au Moyen Âge, ces termes n'ont en fait commencé à être utilisés que plusieurs siècles plus tard. À l'époque, on parlait de « pestilence », de « *great mortality* » (grande mortalité) ou, en France, de « Mort bleue », à cause des ecchymoses sur la peau provoquées par les hémorragies sous-durales. Les récits contemporains laissent par ailleurs penser que la peste n'affectait pas uniquement les humains ; les moutons, les bovins, les chevaux et les porcs y succombaient aussi.

On estime aujourd'hui que ce n'est pas une peste, mais trois qui ont fait rage en Europe en 1348 : la peste bubonique, propagée par les puces de rats et caractérisée par des bubons, ou gonflements, à l'aine ou aux aisselles, qui entraîne la mort en deux à six jours ; la peste pneumonique, qui attaque les poumons et se propage par la toux et la respiration ; et la peste septicémique, au cours de laquelle la bactérie attaque le sang et provoque la mort dans la journée.

On estime aujourd'hui que nombre des victimes de l'épidémie de 1348-1349 en Grande-Bretagne sont mortes de la forme la plus infectieuse, à savoir la peste pneumonique, qui se répand directement d'humain à humain, bien que la peste bubonique ait aussi pu faire des ravages.

La peste de 1348 n'a été que le dernier d'une série de désastres à avoir frappé la Grande-Bretagne. La période allant de 1290 à 1348 a connu un changement climatique rapide et spectaculaire, si remarquable que le pape a ordonné que des prières spéciales soient dites quotidiennement dans chaque église. Les récits de témoins affirment que 1348 a été une année particulièrement mauvaise, puisqu'il a plu chaque jour depuis la Saint-Jean jusqu'à Noël. Le changement de climat a décimé les récoltes, provoqué la douve du foie chez les moutons et la *morie*[1] dans le reste du bétail, et causé de vastes inondations qui ont pour ainsi dire anéanti l'industrie du sel sur la côte est. Ce qui, combiné à l'explosion démographique, signifiait qu'autant de gens mouraient de faim que de la peste elle-même.

1. Ou *morine, murine, mour*, etc. (du latin *morior*) ; désigne les épizooties du bétail au Moyen Âge. *(N.d.T.)*

L'Église, et d'autres, ont suggéré que la peste pouvait avoir de nombreuses causes ; elle pouvait notamment être un châtiment divin, le résultat du mauvais air, d'un déséquilibre des humeurs, d'une alimentation trop abondante, ou bien avoir été propagée par les vampires. À cette époque, l'Église considérait en effet comme une hérésie le fait de nier l'existence des vampires et des loups-garous. Les juifs ont aussi été accusés d'être à l'origine de la peste en empoisonnant les puits, ce qui leur a valu d'être attaqués et assassinés à travers toute l'Europe. Bien que le pape ait déclaré que les juifs n'avaient rien à voir avec la peste et ait interdit à quiconque de s'en prendre à eux, à Strasbourg, le jour de la Saint-Valentin 1349, deux mille juifs se sont vu offrir le choix entre un baptême forcé ou la mort. Nombre d'entre eux, y compris des bébés et des enfants, ont été brûlés vifs sur des plates-formes de bois dans les cimetières. Même en Angleterre, l'hystérie antijuive était répandue, bien que les juifs aient été expulsés de Grande-Bretagne en 1290.

Les gens, désespérés, tentaient n'importe quoi pour empêcher la peste de se propager, s'adonnant notamment à l'étrange coutume des mariages d'infirmes. Cette pratique était répandue en Grande-Bretagne et en Europe au Moyen Âge et s'est perpétuée pendant des siècles pour endiguer la propagation des épidémies mortelles. Le dernier cas dont j'ai retrouvé la trace a eu lieu à Cracovie, en Pologne, au XIXe siècle.

Au Moyen Âge, le commerce des robes de moine d'occasion était fréquent, bien qu'illégal. On s'en servait pour revêtir les corps des riches afin de tromper le diable. Et on allait parfois même jusqu'à représenter le défunt dans une tenue de moine sur les cuivres au-dessus des tombes. Cette pratique visait aussi peut-être à dissuader les pilleurs de tombes, qui rechignaient à troubler le lieu de repos des hommes saints, surtout s'ils se disaient qu'un pauvre moine n'avait rien emporté de valeur dans sa tombe.

La représentation de la Vierge comme Madone de la Miséricorde est devenue une icône fréquente censée protéger de la peste. L'exemple le plus ancien qui a survécu a été peint en 1372 par l'artiste Barnaba da Modena pour la cathédrale de Gênes, mais j'ai pris la liberté de supposer que, puisque même les églises et les chapelles les plus insignifiantes d'Angleterre et d'Europe étaient recouvertes de fresques, il avait pu y avoir des représentations plus anciennes de la Madone de la Miséricorde par des artistes inconnus, qui n'avaient pas survécu aux ravages du temps ou à la Réforme. C'est aussi vers cette époque que les artistes d'Europe ont commencé à essayer d'utiliser de l'huile pour lier la peinture sur les murs. La plupart de ces premières expériences n'ont cependant pas été concluantes, et les peintures se sont rapidement dégradées au bout de quelques années.

Tous les lieux mentionnés sont réels. Le sanctuaire de saint John Shorne est devenu l'un des principaux sites de pèlerinage d'Angleterre, attirant des pèlerins de l'Europe entière, bien que John Shorne n'ait jamais été canonisé. Le sanctuaire de ce saint populaire attirait tant de richesses que ses restes ont finalement été transférés à la chapelle Saint-Georges à Windsor en 1478, lorsque celle-ci a été reconstruite par Édouard IV, et ont été enterrés dans l'aile sud du chœur. La botte du saint y a aussi été exposée. On dit que les pèlerins qui visitaient les restes de saint John rapportaient 500 livres par an à la chapelle de Windsor à l'époque de la Réforme. Les malades ont continué de se rendre au puits de saint John à North Marston jusqu'à la fin du XIXe siècle, en si grand nombre que des maisons pour invalides avaient dû être construites pour les loger. L'entrée du puits est aujourd'hui encore visible dans le village, mais elle est hélas fermée à clé.

Depuis que les marais du Norfolk ont été asséchés, les cratères empoisonnés ont disparu de la côte est de l'Angleterre. Cependant, des cratères éphémères, où les gaz des marais s'échappent de la végétation souterraine en décomposition, continuent d'apparaître et de disparaître de temps à autre dans les landes du Dartmoor et en Écosse. Dans les régions où existaient de tels cratères, on rencontrait fréquemment des légendes locales qui parlaient d'un sortilège.

Au Moyen Âge, les runes étaient utilisées pour la divination et pour jeter des sorts. Comme il est montré dans le poème anglo-saxon *Hávamál*, l'une des conditions requises pour être un maître des runes était de savoir accomplir le sortilège. L'interprétation des runes était férocement condamnée par l'Église médiévale comme de la sorcellerie, moyennant quoi elle n'est guère documentée. Nous ne savons donc pas grand-chose sur le Futhark (alphabet runique) qui était utilisé par les liseurs de runes en Angleterre ni sur leur manière de les interpréter.

Si l'on s'accorde généralement sur la signification des symboles runiques, chaque liseur de runes a sa propre interprétation, puisque l'on considère les runes comme un outil permettant d'entrer en contact avec le subconscient plutôt qu'un langage figé. De nos jours, les runes de Narigorm donneraient lieu à une interprétation différente et, on l'espère, plus clémente. Comme l'histoire ne cesse de le démontrer, n'importe quel système de croyances ou n'importe quelle religion peuvent être bénéfiques ou nuisibles en fonction de la connaissance et de l'intention de chaque individu.

Table des matières

Prologue 13

1. La foire de la Saint-Jean 17
2. La compagnie 33
3. Zophiel 47
4. Adela et Osmond 73
5. Le mariage des infirmes 97
6. Le sanctuaire de saint John Shorne 117
7. La prophétie 139
8. Le garçon-cygne 149
9. Les vampires et les juifs 170
10. Cygnus 190
11. La nuit des morts 217
12. Châtiment 237
13. Le récit de Plaisance 261
14. Le souffleur de verre 282
15. La première mort 316
16. La chapelle 333
17. Les bains 375
18. Naissance et mort 399
19. Un est retiré 424
20. Alchimie 447
21. Les pierres levées 481
22. Des taches dans la neige 507
23. Le cadavre qui saigne 528

24. Le chevalier au cygne 538
25. La sirène et le miroir 557
26. Les cratères 578
27. Le sortilège 608
28. Le jeu 620
29. Le dernier mensonge 628
30. La vérité 638
31. Sainte Uncumber 645

Notes historiques 659